고등학교 통합과학

평가
문제집

정대홍 | 손미현 | 이재우 | 강필원
최승규 | 윤소영 | 유종남 | 문태주 | 권민우

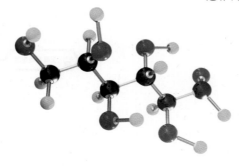

금성출판사

구성과 특징

STEP 1 개념 정리하기

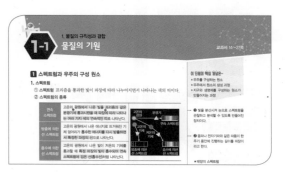

개념 확인
교과서 내용을 중단원별로 정리하여 한눈에 보기 쉽도록 구성하였습니다.

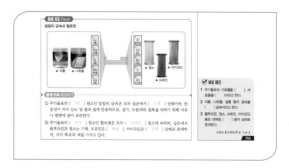

출제 자료 FOCUS
학교 시험에 출제될 확률이 높은 자료만을 모아 이해하기 쉽게 해설하였습니다.

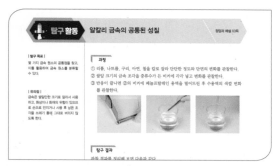

탐구 활동
탐구에 대한 이해와 자료 해석 능력을 높일 수 있도록 교과서에 제시된 중요한 실험과 자료를 단계적으로 해석·정리하였습니다.

STEP 2 실력 기르기

개념 확인 문제
빈칸 채우기, ○× 문제, 선 연결, 단답형 등 다양한 유형을 통해 중단원별 핵심 개념을 다시 한 번 짚어 볼 수 있도록 하였습니다.

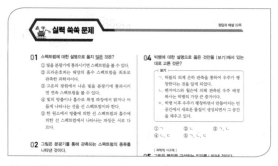

실력 쑥쑥 문제
학습한 개념을 적용·활용할 수 있는 다양한 실전 문제와 시험에 자주 출제되는 서술형 문제를 제시하여 실력 향상은 물론 학교 시험에도 대비할 수 있도록 하였습니다.

STEP 3 실력 다지기

STEP 4 실전 대비하기

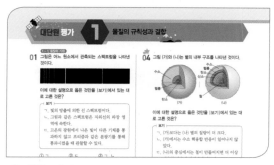

대단원 평가
통합적인 사고를 할 수 있도록 대단원을 관통하는 다양한 실전 문제와 고난도 문제로 구성하였습니다.

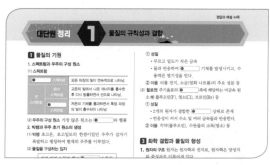

대단원 정리
시험 직전 단원별 핵심 내용을 빈칸을 채워가며 빠르게 확인할 수 있도록 요약 정리하였습니다.

수능 도전 문제
대단원별로 수능 유형과 유사한 문제를 제시하여 수능에 대한 감을 키울 수 있게 하였습니다.

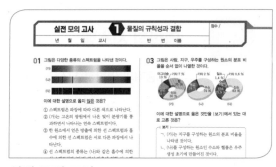

실전 모의 고사
학교 시험과 난이도와 유형이 유사한 문제를 단원별로 1회씩 제공하여 학교 시험에 완벽 대비할 수 있게 하였습니다.

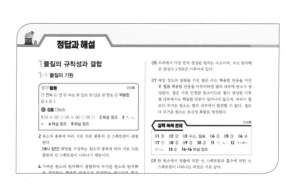

정답과 해설
모든 문제마다 꼼꼼하고 친절한 해설을 제시하여 해설만으로도 기본 개념을 이해할 수 있습니다.

차례

1 물질의 규칙성과 결합

2 자연의 구성 물질

3 역학적 시스템

4 지구 시스템

5 생명 시스템

CONTENTS

물질의 규칙성과 결합

단원별 정답과 해설을 QR 코드로 확인할 수 있어요.

이 단원에서는

원소가 어디에서 어떻게 만들어졌는지 이해하여
지구와 생명의 역사가 우주 역사의 일부분임을 인식한다.
또한, 원소들의 성질에는 어떤 주기성이 있는지 찾아내고, 이러한 원소들이
결합하여 물질을 이루는 까닭과 그 결합 방법을 통해 우리 주위의
여러 물질의 규칙성을 알아본다.

이 단원의 핵심 개념

물질의 규칙성과 결합

물질의 기원	물질의 주기성	화학 결합과 물질의 형성
스펙트럼, 우주의 구성 원소, 빅뱅, 원소의 생성, 지구와 생명체를 구성하는 원소, 별과 원소	주기율표의 역사, 현대의 주기율표, 족과 주기, 금속과 비금속, 알칼리 금속, 할로젠	원자의 구조, 원자의 전자 배치, 원자가 전자, 옥텟 규칙, 이온 결합, 공유 결합

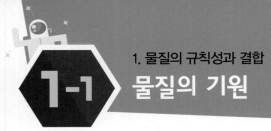

1-1 물질의 기원

1 스펙트럼과 우주의 구성 원소

1. 스펙트럼

① **스펙트럼** 프리즘을 통과한 빛이 파장에 따라 나누어지면서 나타나는 색의 띠이다.

② 스펙트럼의 종류

연속 스펙트럼	고온의 광원에서 나온 빛을 프리즘과 같은 분광기❶에 통과시켰을 때 파장❷에 따라 나타나는 여러 가지 색의 연속적인 띠로 나타난다.
방출에 의한 선 스펙트럼	고온의 광원에서 나온 에너지로 뜨거워진 기체 덩어리가 흡수한 에너지를 다시 방출하면서 특정한 파장의 선으로 나타난다.
흡수에 의한 선 스펙트럼	고온의 광원에서 나온 빛이 저온의 기체를 통과할 때 특정 파장의 빛이 흡수되어 연속 스펙트럼에 검은 선(흡수선)처럼 나타난다.

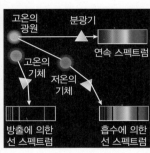

2. 우주의 구성 원소

① **우주의 원소 분포** 우주에서 가장 많이 존재하는 원소는 수소와 헬륨이다.

② 우주의 구성 원소를 알아낸 과정

원소마다 고유한 스펙트럼을 나타내는 원리를 사용	→	태양에서 관측한 스펙트럼을 분석	→	여러 다른 천체의 스펙트럼을 태양의 스펙트럼과 비교 분석
원소에서 방출로 나타나는 선 스펙트럼과 흡수로 나타나는 선 스펙트럼이 나타내는 파장은 서로 일치한다.		태양의 스펙트럼을 분석한 결과 태양이 대부분 수소와 헬륨으로 이루어져 있음을 알아냈다.		스펙트럼의 비교 분석 결과 우주에는 수소와 헬륨이 약 3:1의 비율로 존재하며, 우주 전체 원소의 약 98 %를 차지함을 알게 되었다.

2 빅뱅과 우주 초기 원소의 생성

1. 빅뱅 – 빅뱅 이후 우주는 계속 팽창하면서 온도와 밀도는 계속 감소하고 있다.

① **빅뱅** 약 138억 년 전 초고온, 초고밀도의 한 점이 대폭발을 일으켜 우주가 탄생하였으며, 이후 계속 팽창하여 현재의 우주를 이루게 되었다는 이론이다.

② 빅뱅 이론의 확립 과정

허블이 외계 은하를 관측하여 우주가 팽창한다는 사실을 증명하였다.	→	가모프 등이 주장한 빅뱅 우주론과 호일 등이 주장한 정상 우주론이 서로 대립하였다.	→	펜지어스와 윌슨이 우주가 팽창하는 증거인 우주 배경 복사를 관측하면서 빅뱅 우주론이 확립되었다.

2. 우주 초기 원소의 생성

① 물질을 구성하는 입자

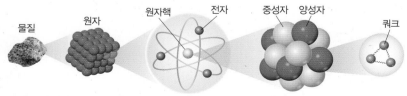

▲ 지구 상에 있는 모든 물질은 원자로, 원자는 원자핵과 전자로, 원자핵은 양성자와 중성자로, 양성자❸와 중성자는 쿼크로 이루어져 있다.

이 단원의 핵심 개념은~
- 우주를 구성하는 원소
- 우주에서 원소의 생성 과정
- 지구와 생명체를 구성하는 원소가 만들어지는 과정

❶ 빛을 분산시켜 눈으로 스펙트럼을 관찰하고 분석할 수 있도록 만들어진 장치이다.

❷ 음파나 전자기파와 같은 파동이 한 주기 동안에 진행하는 길이를 파장이라고 한다.

■ 태양의 스펙트럼
태양의 스펙트럼을 확대하면 연속 스펙트럼 위에 검은 선을 볼 수 있는데, 이것은 태양 대기의 에너지 흡수에 의한 것이다. 이러한 흡수에 의한 선 스펙트럼은 독일의 물리학자 프라운호퍼(Fraunhofer, J. R.,)가 1814년 최초로 발견한 것으로, 프라운호퍼선이라고 한다.

▲ 태양의 스펙트럼

■ 정상 우주론
우주는 시간과 공간에 관계 없이 항상 변하지 않는다는 우주론으로, 우주는 시작도 끝도 없이 영원히 존재하며 그 안에서 새로운 물질을 계속 만들면서 팽창한다고 주장하였다. 대폭발 이론과 반대되는 이론으로 우주 배경 복사가 관측되면서 사라지게 되었다.

■ 우주 배경 복사
빅뱅 이후 온도가 낮아져 원자가 처음으로 형성되고, 이후 빛이 자유롭게 진행할 수 있게 되면서 우주 공간을 가득 채운 빛을 우주 배경 복사라고 한다. 현재는 우주가 더 식었기 때문에 우주 배경 복사는 약 2.7 K에 해당하는 빛으로 관측된다.

❸ 양성자나 중성자를 이루는 기본 입자이다.

② 빅뱅과 원소의 생성

- 빅뱅 이후 우주 초기: 빅뱅 이후 우주가 팽창하고 우주의 밀도와 온도가 감소하면서 전자를 비롯한 기본 입자들이 만들어졌다.❹
- 빅뱅 이후 약 3분 후: 수소(H) 원자핵과 헬륨(He) 원자핵이 차례로 생성된다.

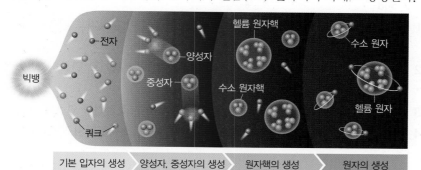

| 기본 입자의 생성 | 양성자, 중성자의 생성 | 원자핵의 생성 | 원자의 생성 |

▲ 빅뱅 이후 약 38만 년이 지났을 무렵 우주의 온도가 약 3,000 K까지 낮아지면서 원자핵이 전자와 결합하여 수소 원자가 만들어지고, 시간이 지나면서 헬륨 원자가 만들어졌다.

3 지구와 생명체를 구성하는 원소

1. 지구와 생명체를 구성하는 원소

① **생명체** 사람은 물과 탄수화물, 지질, 단백질, 영양 성분 등으로 이루어져 있으므로 주된 구성 원소는 산소와 탄소이다.

② **지구** 주로 규산염 암석이 대부분을 차지하며 핵과 맨틀에 철질 물질이 많이 포함되어 있으므로 주된 원소는 철, 규소, 산소이다.

③ **우주** 우주에서 관측되는 빛의 스펙트럼을 조사한 결과에 의하면 우주의 주된 구성 원소는 수소와 헬륨이다.

2. 별의 진화에 따른 원소의 생성

① **별의 탄생**

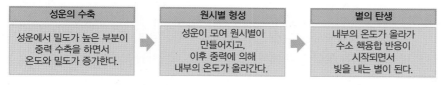

성운의 수축	원시별 형성	별의 탄생
성운에서 밀도가 높은 부분이 중력 수축을 하면서 온도와 밀도가 증가한다.	성운이 모여 원시별이 만들어지고, 이후 중력에 의해 내부의 온도가 올라간다.	내부의 온도가 올라가 수소 핵융합 반응이 시작되면서 빛을 내는 별이 된다.

② **원소의 생성** 별 내부에서 수소 핵융합 반응이 일어나면서 에너지를 방출하고, 이 과정에서 수소 원자핵이 헬륨 원자핵으로 바뀐다.

수소 핵융합 반응:
$4H \longrightarrow He + 에너지 방출$❺

③ **별의 질량에 따른 원소의 생성**

- 태양 정도 질량의 별: 별의 온도가 계속 올라가면 별 내부에서 만들어진 헬륨이 핵융합 반응을 일으켜 탄소(C) 원자핵을 형성한다.
- 태양보다 질량이 매우 큰 별: 탄소핵이 만들어진 후 산소(O), 네온(Ne), 규소(Si) 등 무거운 원소를 형성하고, 마지막으로 철(Fe)까지 생성이 가능하다.
- 초신성 폭발: 철(Fe)보다 무거운 원소들이 생성된다.─── 가장 안정한 원소로 핵융합 반응이 일어나지 않는다.

④ **별의 진화와 원소의 순환** 별은 행성상 성운이나 초신성 폭발을 통해 별 내부에서 만들어진 다양한 원소와 폭발 과정에서 생성된 철보다 무거운 원소들을 우주 공간으로 방출하며, 이러한 원소들은 새로운 별을 만드는 재료로 사용된다.

---

❹ 더 이상 분해할 수 없는 가장 작은 단위의 입자로, 쿼크와 전자 등이 포함된다.

■ 원자핵의 생성
빅뱅 이후 약 3분 정도가 지나 원자핵이 생성되었다.

수소 원자핵	헬륨 원자핵
양성자	중성자 / 양성자

■ 원자의 생성
빅뱅 이후 약 38만 년이 지나 원자가 생성되었다.

수소 원자	헬륨 원자
수소 원자핵 1개+전자 1개	헬륨 원자핵 1개+전자 2개
전자 / 원자핵 양성자	원자핵 / 전자 / 양성자 중성자

❺ 헬륨 원자핵이 만들어지는 과정에서 수소 원자핵 4개의 질량을 합한 것보다 헬륨 원자핵의 질량이 작다. 즉 핵융합 반응에서 생기는 질량 결손(Δm)이 아인슈타인의 '질량–에너지 등가 원리'에 의해 에너지(E)로 전환된다. 이러한 관계는 $E = (\Delta m) \cdot c^2$으로 표현된다. c는 빛의 속도이다.

■ 태양계의 형성 과정
무거운 원소가 포함된 성운의 중력 수축 ⇨ 수축하는 성운의 회전으로 중심핵과 원반부 형성 ⇨ 중심부에는 원시태양이, 원반부에는 회전하는 미행성체 형성 ⇨ 미행성체들의 충돌로 원시행성 형성 ⇨ 태양과 행성들로 이루어진 태양계 형성

☑️ **바로 체크**

1 우주에서 오는 빛의 (　　) 분석으로 우주를 이루는 원소의 종류를 확인할 수 있다.

2 우주에서 가장 많은 원소는 (　　)이다.

3 태양 정도 질량의 별에서 수소 핵융합 반응이 끝나면 별 내부에는 (　　)이 만들어진다.

4 별의 내부에서 만들어지는 가장 무거운 원소는 (　　)이다.

5 철보다 무거운 원소는 (　　) 폭발로 만들어진다.

| 탐구 목표 |
주요 광원에 관한 스펙트럼 관찰을 통해 우주를 구성하는 성분을 어떻게 알아낼 수 있는지 추론한다.

| 유의점 |
스펙트럼을 관찰할 때에는 교실의 주조명을 반드시 끄고 해당 광원의 빛만을 관찰해야 한다. 형광등, LED등과 같은 광원에 관한 관찰도 시도해 볼 수 있다.

■ 기체 방전관
전극을 연결하면 방전관 안에 들어 있는 기체가 전압에 의해 전리되면서 빛을 내는 것으로, 특정 원소가 방출하는 빛을 관찰할 때 사용한다.

탐구 Plus

기체의 종류마다 관찰되는 빛의 선이 나타나는 위치와 색이 다르다. 이를 통해 별에서 오는 빛을 스펙트럼 분석하면 별을 구성하는 원소를 유추할 수 있다.

과정

1 백열등을 전원에 연결하여 전구에서 나오는 빛을 간이 분광기로 관찰하고, 스펙트럼의 모습을 색연필로 그려 보자.
2 창가에 흰 종이를 놓고 종이에 반사된 햇빛을 간이 분광기로 관찰하고, 스펙트럼의 모습을 색연필로 그려 보자.
3 수소를 넣은 기체 방전관을 고전압 발생 장치에 끼우고 전원을 연결하자.
4 방전관에서 방출되는 빛을 간이 분광기로 관찰하고, 스펙트럼의 모습을 색연필로 그려 보자.
5 헬륨 기체의 방전관으로 교체하여 스펙트럼을 관찰하고, 스펙트럼의 모습을 색연필로 그려 보자.

결과 및 정리

1 광원에 따라 관찰된 스펙트럼의 모습은 다음과 같다.

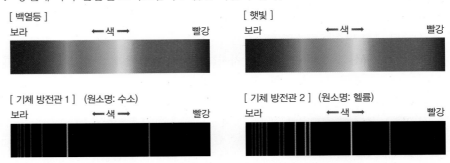

[백열등]　보라　←색→　빨강

[햇빛]　보라　←색→　빨강

[기체 방전관 1] (원소명: 수소)　보라　←색→　빨강

[기체 방전관 2] (원소명: 헬륨)　보라　←색→　빨강

2 광원의 종류에 따라 나타나는 스펙트럼의 모양과 색은 어떤 차이가 있는지 설명해 보자.
   • 백열등과 햇빛에서는 (㉠) 스펙트럼이 관찰되며, 특정 원소가 들어 있는 기체 방전관에서는 빛이 여러 개의 (㉡)으로 나타나는 모습이 관찰된다.

이해 Check

1 광원에 따라 나타나는 스펙트럼의 분석에 관한 설명으로 옳은 것은 ○표, 옳지 <u>않은</u> 것은 ×표를 하시오.

   (1) 백열등에서 관찰되는 스펙트럼은 선 스펙트럼이다. (   )
   (2) 원소의 종류에 따라 서로 다른 스펙트럼이 나타난다. (   )
   (3) 햇빛에서 관찰되는 스펙트럼에서는 연속적인 띠를 확인할 수 없다. (   )
   (4) 별빛의 스펙트럼을 관찰하여 우주를 구성하는 원소가 무엇인지를 알아낼 수 있다. (   )
   (5) 수소와 헬륨에서 나타나는 스펙트럼을 이용하여 태양의 대기가 수소와 헬륨으로 이루어져 있다는 것을 알아낼 수 있었다. (   )

2 태양에서 오는 빛에서 관찰되는 스펙트럼에서 그림과 같이 검은 선이 발견되는 까닭은 무엇인지 서술하시오.

| 탐구 목표 |

우주, 지구, 사람을 구성하는 원소의 구성 비율을 확인하고, 수소, 헬륨, 탄소 원자핵의 상대적 질량을 바탕으로 새로운 원소가 만들어지는 환경을 추론한다.

| 유의점 |

새로운 원소의 생성 과정은 원자핵의 상대적 질량만을 가지고 무거운 원소가 만들어지는 조건에 대해 추론한다.

■ 사람을 구성하는 물질

사람을 구성하는 물질 중 가장 많은 부분을 차지하는 것은 물이며, 그밖에 단백질, 지방, 탄수화물 등으로 이루어져 있다.

■ 별 내부에서의 핵융합 반응

태양 정도 질량의 별에서는 핵융합 반응을 통해 마지막에는 탄소 원자핵이 만들어진다. 태양보다 질량이 매우 큰 별의 경우 탄소보다 무거운 원소가 만들어지며, 마지막에는 철이 만들어지고 핵융합 반응이 끝난다.

자료 1

우주, 지구, 사람을 구성하는 원소의 구성 비율

우주를 구성하는 원소 대부분은 (ⓒ)와 헬륨이다. 지구에는 규산염 광물에 포함된 (ⓔ)와 규소, 핵을 이루는 철이 주된 구성 원소이다. 사람은 인체를 구성하는 물에 많이 포함된 (ⓜ)와 단백질과 지방 등에 포함된 (ⓗ)가 주된 구성 물질이다.

▲ 우주   ▲ 지구   ▲ 사람

자료 2

새로운 원소의 생성

무거운 원소의 원자핵은 가벼운 원소의 원자핵이 (ⓢ) 반응하여 만들어지며, 이러한 과정을 진행하기 위해서는 온도와 밀도가 매우 높아야 하므로 주로 별의 내부에서 일어난다.

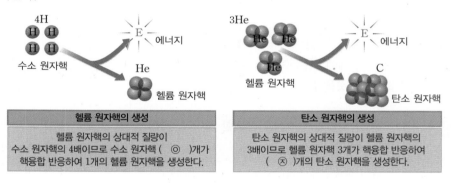

헬륨 원자핵의 생성
헬륨 원자핵의 상대적 질량이 수소 원자핵의 4배이므로 수소 원자핵 (◎)개가 핵융합 반응하여 1개의 헬륨 원자핵을 생성한다.

탄소 원자핵의 생성
탄소 원자핵의 상대적 질량이 헬륨 원자핵의 3배이므로 헬륨 원자핵 3개가 핵융합 반응하여 (ⓧ)개의 탄소 원자핵을 생성한다.

이해 Check

3 우주, 지구, 사람을 구성하는 원소에 대한 설명으로 옳은 것만을 |보기|에서 있는 대로 고르시오.

┤ 보기 ├

ㄱ. 우주를 구성하는 원소 중 가장 많은 것은 수소이다.
ㄴ. 현재 우주 공간에 분포하고 있는 수소와 헬륨은 우주 생성 초기부터 만들어진 원소이다.
ㄷ. 사람의 몸에는 많은 양의 물이 포함되어 있어 사람을 구성하는 원소에는 산소가 많은 부분을 차지한다.
ㄹ. 지각과 맨틀을 이루는 암석에 규산염 물질이 많이 포함되어 있어 지구를 구성하는 원소 중에는 수소가 가장 많은 양을 차지한다.

4 원자핵끼리의 핵융합 반응이 주로 별의 내부에서만 일어나는 까닭을 서술하시오.

5 수소 핵융합 반응에서는 수소 원자핵 4개 질량의 합은 생성된 헬륨 원자핵 1개의 질량보다 무겁다. 이것은 핵융합 반응을 하면서 질량이 사라졌고, 그 사라진 질량이 에너지로 방출되었다는 것을 의미한다. 그렇다면 헬륨 핵융합 반응에서 헬륨 원자핵 3개 질량의 합과 탄소 원자핵 1개의 질량 중 어느 것이 더 무거운지 그 까닭을 서술하시오.

개념 확인 문제

01 스펙트럼의 종류를 설명한 내용이다. 빈칸에 들어갈 알맞은 말을 쓰시오.

> 스펙트럼의 종류에는 고온의 광원에서 나온 빛을 분광기에 통과시켰을 때 여러 가지 색의 연속적인 띠로 나타나는 (㉠)과 일정한 선으로 나타나는 선 스펙트럼이 있다. 선 스펙트럼은 다시 고온의 기체에 포함된 원소가 특정한 파장의 빛을 방출할 때 나타나는 (㉡)과 저온의 기체에 포함된 원소가 특정한 파장의 빛을 흡수할 때 나타나는 (㉢)으로 구분한다.

02 우주의 구성 원소에 관한 설명으로 옳은 것은 ○표, 옳지 않은 것은 ×표를 하시오.

(1) 태양에서 오는 빛의 스펙트럼 분석을 통해 태양을 이루는 주된 물질이 수소라는 것을 알게 되었다.   (   )

(2) 태양에서 오는 빛에서 관측한 스펙트럼을 다른 별에서 온 빛에서 관측한 스펙트럼과 비교하면 별의 구성 성분을 유추할 수 있다.   (   )

(3) 여러 천체에서 오는 빛의 스펙트럼을 분석한 결과 우주 전체에 있는 수소와 헬륨의 질량비가 약 1:3이라는 것을 알게 되었다.   (   )

03 빅뱅 이론이 확립되는 과정을 설명한 것이다. 시간 순서대로 나열하시오.

> (가) 빅뱅 우주론과 정상 우주론이 서로 대립하였다.
> (나) 펜지어스와 윌슨에 의해 우주 배경 복사가 관측되었다.
> (다) 허블이 외계 은하를 관측하면서 우주가 팽창한다는 것이 알려지게 되었다.

04 그림은 물질을 구성하는 다양한 입자를 나타낸 것이다.

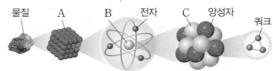

A~C에 해당하는 입자는 각각 무엇인지 그 이름을 쓰시오.

(1) A : (   )   (2) B : (   )
(3) C : (   )

05 그림은 빅뱅 이후 우주에서 원소가 생성되는 과정을 나타낸 것이다.

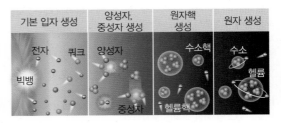

이에 대한 설명으로 옳은 것만을 |보기|에서 있는 대로 고르시오.

> ┤ 보기 ├
> ㄱ. 가장 먼저 생성된 원자는 헬륨이다.
> ㄴ. 물질을 이루는 기본 입자에는 전자와 쿼크 등이 있다.
> ㄷ. 수소 원자핵은 양성자 1개와 중성자 1개가 결합하여 만들어졌다.
> ㄹ. 원자핵이 먼저 만들어지고 원자핵이 전자와 결합하면서 원자가 만들어졌다.
> ㅁ. 우주 초기에 우주의 팽창으로 온도와 밀도가 낮아지면서 기본 입자들이 만들어졌다.

06 별에서 나타나는 에너지의 발생 과정을 설명한 것이다. 빈칸에 들어갈 알맞은 말을 쓰시오.

> 별의 내부에서는 수소 (㉠) 반응으로 에너지가 발생한다. 이 과정에서 4개의 수소 원자핵이 융합하여 1개의 (㉡) 원자핵으로 변한다.

07 다음 |보기|는 우리 주변에서 발견되는 여러 원소이다.

> ┤ 보기 ├
> ㄱ. 헬륨(He)   ㄴ. 산소(O)   ㄷ. 규소(Si)
> ㄹ. 철(Fe)   ㅁ. 우라늄(U)   ㅂ. 탄소(C)

(1) 태양 정도의 질량을 가지는 별의 내부에서 발견할 수 있는 원소를 |보기|에서 있는 대로 골라 그 기호를 쓰시오.   (   )

(2) 태양보다 매우 무거운 별의 내부에서도 발견할 수 없는 원소를 |보기|에서 있는 대로 골라 그 기호를 쓰시오.   (   )

(3) 태양보다 매우 무거운 별 내부에서 마지막 핵융합 반응으로 만들어지는 원소를 |보기|에서 있는 대로 골라 그 기호를 쓰시오.   (   )

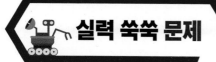 실력 쑥쑥 문제

01 스펙트럼에 대한 설명으로 옳지 <u>않은</u> 것은?

① 빛을 분광기에 통과시키면 스펙트럼을 볼 수 있다.

② 프라운호퍼는 태양의 흡수 스펙트럼을 최초로 관측한 과학자이다.

③ 고온의 광원에서 나온 빛을 분광기에 통과시키면 연속 스펙트럼을 볼 수 있다.

④ 빛의 방출이나 흡수로 특정 파장에서 밝거나 어둡게 나타나는 선을 선 스펙트럼이라 한다.

⑤ 한 원소에서 방출에 의한 선 스펙트럼과 흡수에 의한 선 스펙트럼에서 나타나는 파장은 서로 다르다.

02 그림은 분광기를 통해 관측되는 스펙트럼의 종류를 나타낸 것이다.

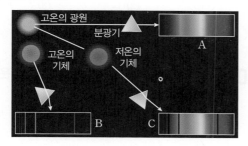

A~C에 해당하는 스펙트럼의 종류를 옳게 짝 지은 것은?

	A	B	C
①	연속 스펙트럼	흡수 스펙트럼	방출 스펙트럼
②	연속 스펙트럼	방출 스펙트럼	흡수 스펙트럼
③	흡수 스펙트럼	연속 스펙트럼	방출 스펙트럼
④	흡수 스펙트럼	방출 스펙트럼	연속 스펙트럼
⑤	방출 스펙트럼	연속 스펙트럼	흡수 스펙트럼

03 그림은 원소의 종류에 따라 다르게 관측되는 스펙트럼을 나타낸 것이다.

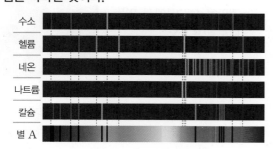

별 A에서 관측되는 빛의 스펙트럼이 그림과 같이 나타났다면 별 A의 대기에 존재할 것으로 예상되는 원소를 있는 대로 고르시오.

04 빅뱅에 대한 설명으로 옳은 것만을 |보기|에서 있는 대로 고른 것은?

┤ 보기 ├

ㄱ. 허블의 외계 은하 관측을 통하여 우주가 팽창한다는 것을 알게 되었다.

ㄴ. 펜지어스와 윌슨에 의해 관측된 우주 배경 복사는 빅뱅의 가장 큰 증거이다.

ㄷ. 빅뱅 이후 우주가 팽창하면서 만들어지는 빈 공간에서 새로운 물질이 생성되면서 그 공간을 채우고 있다.

① ㄱ   ② ㄴ   ③ ㄱ, ㄴ

④ ㄴ, ㄷ   ⑤ ㄱ, ㄴ, ㄷ

| 과학적 사고력 |

05 그림은 물질을 구성하는 입자를 나타낸 것이다.

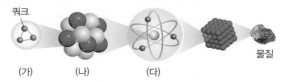

이에 대한 설명으로 옳은 것만을 |보기|에서 있는 대로 고른 것은?

┤ 보기 ├

ㄱ. (가)는 쿼크가 결합하여 만들어진 양성자 혹은 중성자이다.

ㄴ. (나)는 양성자와 전자가 결합하여 만들어진 원자핵이다.

ㄷ. (다)는 원자핵과 전자가 결합하여 만들어진 원자이다.

① ㄱ   ② ㄴ   ③ ㄱ, ㄷ

④ ㄴ, ㄷ   ⑤ ㄱ, ㄴ, ㄷ

06 초기 우주에서 만들어진 입자에 대한 설명으로 옳은 것만을 |보기|에서 있는 대로 고른 것은?

┤ 보기 ├

ㄱ. 기본 입자에 속하는 것은 쿼크와 전자이다.

ㄴ. 수소 원자는 양성자 1개와 전자 1개가 결합하여 만들어졌다.

ㄷ. 헬륨 원자핵은 양성자 2개와 중성자 2개가 결합하여 만들어졌다.

① ㄱ   ② ㄱ, ㄷ   ③ ㄴ, ㄷ

④ ㄱ, ㄴ, ㄷ   ⑤ 없다.

07 그림은 빅뱅 이후 물질이 생성되는 과정을 나타낸 것이다.

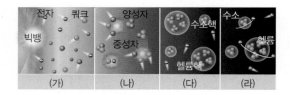

이에 대한 설명으로 옳지 않은 것은?

① (가)에서 (라)로 갈수록 온도는 낮아졌지만 밀도는 증가하였다.

② (가)에서는 물질의 기본이 되는 입자인 쿼크와 전자가 존재하였다.

③ (나)에서는 쿼크가 결합하여 양성자와 중성자가 만들어졌다.

④ (다)는 우주가 탄생하여 약 3분이 지난 때로 양성자와 중성자가 결합하여 원자핵이 만들어졌다.

⑤ (라)는 우주가 탄생한 후 약 38만 년이 지난 후로 수소 원자와 헬륨 원자가 만들어졌다.

| 과학적 탐구 능력 |

08 그림은 사람, 지구, 우주를 구성하는 원소의 분포 비율을 순서 없이 나열한 것이다.

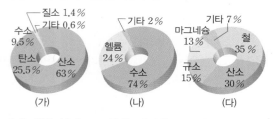

이에 대한 설명으로 옳은 것만을 |보기|에서 있는 대로 고른 것은?

┤ 보기 ├

ㄱ. (가)는 지구를 구성하는 원소의 분포 비율로, 지구의 바다에는 물이 많아 산소와 탄소가 차지하는 비율이 높다.

ㄴ. (나)는 우주를 구성하는 원소의 분포 비율로, 우주 전체에 가장 많이 포함된 원소가 수소와 헬륨이라는 것은 스펙트럼을 이용한 조사 방법으로 확인한 것이다.

ㄷ. (다)는 사람을 구성하는 원소의 분포 비율로, 사람에는 물이 많이 포함되어 있어 산소가 차지하는 비율이 높다.

① ㄱ　　　　② ㄴ　　　　③ ㄱ, ㄷ

④ ㄴ, ㄷ　　　⑤ ㄱ, ㄴ, ㄷ

09 그림은 태양 정도 질량의 별 중심부에서 일어나는 반응을 나타낸 것이다.

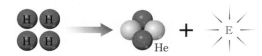

이에 대한 설명으로 옳은 것만을 |보기|에서 있는 대로 고른 것은?

┤ 보기 ├

ㄱ. 별의 중심부에서 일어나는 수소 핵융합 반응의 과정이다.

ㄴ. 시간이 지나면 헬륨 핵융합 반응이 일어나 탄소 원자핵이 생성된다.

ㄷ. 이 반응에 관여하는 수소 원자 4개의 질량과 헬륨 원자 1개의 질량은 서로 같다.

① ㄱ　　　　② ㄴ　　　　③ ㄱ, ㄴ

④ ㄴ, ㄷ　　　⑤ ㄱ, ㄴ, ㄷ

10 별이 형성되는 과정에 대한 설명으로 옳은 것만을 |보기|에서 있는 대로 고른 것은?

┤ 보기 ├

ㄱ. 별을 만드는 성운은 주로 수소와 산소로 이루어져 있다.

ㄴ. 성운에서 별이 만들어지는 곳은 다른 지역보다 밀도가 낮다.

ㄷ. 수소 핵융합 반응을 통해 발생하는 에너지로 빛을 내면 별이 된다.

① ㄱ　　　　② ㄷ　　　　③ ㄱ, ㄴ

④ ㄱ, ㄷ　　　⑤ ㄱ, ㄴ, ㄷ

11 그림은 어떤 별의 내부 구조를 나타낸 것이다. 이에 대한 설명으로 옳은 것만을 |보기|에서 있는 대로 고르시오.

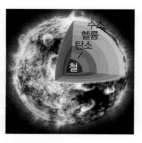

┤ 보기 ├

ㄱ. 이 별은 질량이 태양보다 매우 크다.

ㄴ. 별의 중심으로 들어갈수록 온도와 압력은 높아진다.

ㄷ. 별의 중심에서 일어나는 핵융합 반응으로 철보다 무거운 원소를 만들 수 있다.

12 다음 |보기|에서 설명한 태양계와 지구의 형성 과정을 시간 순서대로 옳게 나열하시오.

┤ 보기 ├

ㄱ. 성운이 중력 수축을 하여 원반을 형성한다.
ㄴ. 태양과 행성들로 이루어진 태양계가 형성된다.
ㄷ. 미행성들이 서로 충돌하면서 원시 행성을 형성한다.
ㄹ. 원반의 중심부에 태양이 형성되고, 그 주변에 미행성들이 형성된다.

13 그림은 밤하늘에서 관측되는 게성운이다.

이에 대한 설명으로 옳은 것만을 |보기|에서 있는 대로 고른 것은?

┤ 보기 ├

ㄱ. 별 진화의 마지막 단계인 초신성 폭발로 만들어졌다.
ㄴ. 게성운에서 방출하는 에너지는 수소 핵융합 반응으로 만들어진다.
ㄷ. 게성운이 만들어지는 것과 같은 과정을 통해 우주에서 철보다 무거운 원소가 만들어진다.

① ㄱ   ② ㄷ   ③ ㄱ, ㄴ
④ ㄱ, ㄷ   ⑤ ㄱ, ㄴ, ㄷ

서술형 문제

14 그림은 태양에서 관측되는 스펙트럼을 나타낸 것이다.

이러한 스펙트럼을 통하여 태양을 구성하는 원소의 종류를 어떻게 알 수 있는지 서술하시오.

---

15 그림은 빅뱅 후 원소가 생성되는 과정을, 아래의 내용은 빅뱅과 수소 핵융합 반응에 관련된 설명이다.

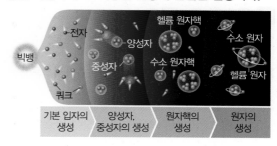

| 기본 입자의 생성 | 양성자, 중성자의 생성 | 원자핵의 생성 | 원자의 생성 |

- 빅뱅 초기에는 초고온, 초고압의 상태로 폭발이 일어난다.
- 시간이 지남에 따라 우주는 팽창하고 온도와 밀도는 낮아진다.
- 수소 핵융합 반응은 별의 내부와 같이 온도와 압력이 높은 상태에서 일어난다.

그림과 같이 빅뱅이 일어난 우주 초기에는 수소 원자핵이 형성되고 헬륨 원자핵이 만들어졌으나, 어느 정도의 시간이 지난 후에는 더 이상 만들어지지 않았다. 그 까닭이 무엇인지 위에서 설명한 내용을 참고하여 서술하시오.

---

16 다음은 우주와 지구를 구성하는 원소의 분포 비율을 나타낸 것이다.

구분	구성 원소 비율
우주	수소(74 %), 헬륨(24 %), 기타(2 %)
지구	철(35 %), 산소(30 %), 규소(15 %), 마그네슘(13 %), 기타(7 %)

우주를 구성하는 원소와 지구를 구성하는 원소를 비교하면 우주에는 구성 비율이 적은 원소가 지구에는 많이 포함되어 있는 것을 확인할 수 있다. 지구를 구성하는 주요 원소들이 우주에서 어떻게 생성되었는지 그 생성 과정을 철을 기준으로 서술하시오.

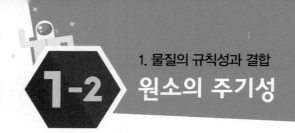

1 원소와 주기율표

1. 원소 물질을 이루는 기본적인 성분으로, 지금까지 알려진 원소는 110여 가지이다.

2. 주기율표 성질이 비슷한 원소가 주기적으로 나타나도록 원소들을 배열한 표이다.

3. 주기율표의 역사

① **되베라이너의 세 쌍 원소설[1]** 성질이 비슷한 세 쌍의 원소들이 존재하며, 이 원소들의 원자량 사이에는 일정한 관계가 있다고 주장하였다.

② **뉴랜즈의 옥타브설** 원자량 순으로 원소에 번호를 매겼더니 8번째마다 화학적 성질이 비슷한 원소가 나타난다는 규칙을 발견하였다.

③ **멘델레예프의 주기율표** 당시 알려진 원소를 원자량 순으로 배열하여 비슷한 성질의 원소가 같은 세로줄에 오도록 배치한 표이다. 당시까지 발견되지 않은 원소의 자리는 빈칸으로 두고, 주기율표상의 위치로부터 새로운 원소의 존재 가능성과 성질을 예측하였다.

2 현대의 주기율표

1. 현대의 주기율표 원소들을 원자 번호 순으로[2] 배열해 화학적 성질이 비슷한 원소가 같은 세로줄에 오도록 배열한 표로, 족과 주기로 구성되어 있다.

① **족** 주기율표의 세로줄로, 같은 족 원소는 화학적 성질이 비슷하다.
└─ 1~18족까지 있다.

② **주기** 주기율표의 가로줄로, 주기가 바뀔 때마다 원소의 화학적 성질이 반복된다.
└─ 1~7주기까지 있다.

2. 주기율표와 금속, 비금속 원소 주기율표에서 대체로 왼쪽에는 금속 원소가, 오른쪽에는 비금속 원소가 위치한다.

구분	금속 원소	비금속 원소	준금속 원소
성질	• 전자를 잃어 양이온이 되기 쉽다. • 실온에서 대부분 고체 상태이다. (단, 수은은 액체 상태) • 열과 전기를 잘 통하며, 특유의 광택이 있다.	• 전자를 얻어 음이온이 되기 쉽다. • 실온에서 대부분 기체 또는 고체 상태이다. (단, 브로민은 액체 상태) • 열과 전기를 잘 통하지 않으며, 다른 원소와 결합해 다양한 물질을 만든다.	• 주기율표에서 금속과 비금속의 경계에 위치한다. • 일반적으로는 전기의 부도체로 비금속의 성질을 나타내지만, 가열하거나 특정 원소를 소량 첨가하면 금속과 같은 전기 전도체가 된다.

족 주기	1	2	3~12	13	14	15	16	17	18
1	H								He
2	Li	Be		B	C	N	O	F	Ne
3	Na	Mg		Al	Si	P	S	Cl	Ar
4	K	Ca		Ga	Ge	As	Se	Br	Kr
5	Rb	Sr		In	Sn	Sb	Te	I	Xe
6	Cs	Ba		Tl	Pb	Bi	Po	At	Rn
7	Fr	Ra							

☐ 금속   ☐ 준금속   ☐ 비금속

이 단원의 핵심 개념은~
- 주기율표의 역사
- 현대의 주기율표
- 알칼리 금속과 할로젠의 성질

❶ 염소와 아이오딘의 원자량의 평균은 브로민의 원자량과 유사하다.

원소	원자량
염소	35.5
브로민	80
아이오딘	127

원자 1개의 질량은 너무 작아 하나의 원자를 기준으로 하여 다른 원자의 질량을 상대적으로 나타낸 값

❷ 양성자의 수와 일치하는 값이다. 원자는 원자핵과 전자로 이루어져 있고, 원자핵은 (+)전하를 띠는 입자인 양성자와 전하를 띠지 않는 입자인 중성자로 이루어져 있다.

■ 원소들의 실온에서의 상태
H, N, O, F, Cl 및 18족 원소는 기체, Br, Hg은 액체, 나머지는 고체 상태로 존재한다.

용어 🔍

양이온(Cation)
중성인 원자가 전자를 잃어 (+)전하를 띠게 되는 입자

음이온(Anion)
중성인 원자가 전자를 얻어 (−)전하를 띠게 되는 입자

3 원소의 주기성

1. 알칼리 금속 주기율표의 1족에 해당하는 금속 원소로, 리튬(Li), 나트륨(Na), 칼륨(K), 루비듐(Rb) 등이 있다.

① 성질

└ Li, Na, K의 밀도는 물의 밀도(1g/cm³)보다 작아 물에 떠서 반응한다.

- 다른 금속과 비교해 밀도가 작다.
- 칼로 쉽게 자를 수 있을 만큼 무른 금속이다.
- 공기 중에서 산소와 반응해 금속 광택을 잃는다.
- 물과 반응해 수소 기체를 발생하며, 수용액은 염기성을 띤다.

② 이용

└ 페놀프탈레인 용액을 붉게 변화시킨다.

- 리튬: 휴대 전화와 노트북의 전지로 사용되고 있지만 높은 반응성 때문에 폭발의 위험이 있다.
- 나트륨, 칼륨: 반응성이 커서 대부분 전자를 잃고 쉽게 양이온이 되는데, 나트륨과 칼륨 이온은 몸속에서 신경 전달이나 수분 유지 등에 관여한다.

2. 할로젠 주기율표의 17족에 해당하는 비금속 원소로, 플루오린(F), 염소(Cl), 브로민(Br), 아이오딘(I) 등이 있다.

① 성질

└ 이원자 분자라고 한다.

- 2개의 원자가 결합한 분자 상태로 존재한다.
- 할로젠 분자는 원소별로 특유의 색을 가진다.
- 수소 및 여러 가지 금속들과 잘 반응하여 다양한 화합물을 형성한다.

② 이용

- 플루오린: 치약에 포함되어 있으며, 충치 예방을 위해 수돗물에 첨가하기도 한다.
- 염소: 소금(염화 나트륨)의 주요 성분이며, 수돗물, 수영장 등의 소독에 이용된다.
- 아이오딘: 아이오딘과 아이오딘화 칼륨을 에탄올에 녹여 상처 소독약으로 사용한다.

■ 알칼리 금속의 반응성
알칼리 금속의 반응성이 큰 것은 알칼리 금속이 전자 1개를 잃고 +1의 양이온이 되려는 경향이 크기 때문이다.

■ 할로젠 분자의 색깔 및 상태(실온)
- F_2 : 연한 노란색 기체
- Cl_2 : 노란색 기체
- Br_2 : 적갈색 액체
- I_2 : 보라색 고체

출제 자료 Focus

알칼리 금속과 할로젠

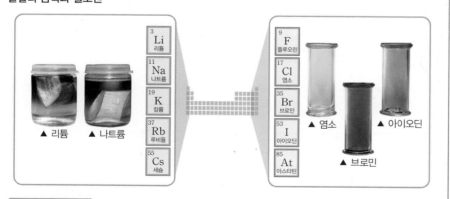

▲ 리튬　▲ 나트륨　▲ 염소　▲ 아이오딘　▲ 브로민

출제 자료 확인하기

① 주기율표의 (1족) 원소인 알칼리 금속은 모두 실온에서 (고체) 상태이며, 반응성이 커서 산소 및 물과 쉽게 반응하므로, 공기, 수분과의 접촉을 피하기 위해 석유나 벤젠에 넣어 보관한다.

② 주기율표의 (17족) 원소인 할로젠은 모두 (비금속) 원소에 속하며, 실온에서 플루오린과 염소는 기체, 브로민은 (액체), 아이오딘은 (고체) 상태로 존재하며, 각각 특유의 색을 가지고 있다.

✔ 바로 체크

1 주기율표의 가로줄을 ( ), 세로줄을 ( )이라고 한다.

2 리튬, 나트륨, 칼륨 등의 금속을 ( ) 금속이라고 한다.

3 플루오린, 염소, 브로민, 아이오딘 등은 대체로 ( ) 분자 상태로 존재한다.

1 주기, 족 2 알칼리 3 이원자

정답

탐구 활동

주기율표와 할로젠의 성질

| 탐구 목표 |
주기율표에서 족과 주기가 가지는 의미와 이를 통해 할로젠이 가지는 공통적인 성질을 확인할 수 있다.

탐구 Plus

주기율
성질이 비슷한 원소가 주기적으로 나타나는 현상을 주기율이라고 한다.

자료 1

현대의 주기율표

현대의 주기율표는 원소들을 (㉠) 순으로 배열하여 (㉡) 성질이 비슷한 원소가 같은 세로줄에 오도록 배열한 표이다.

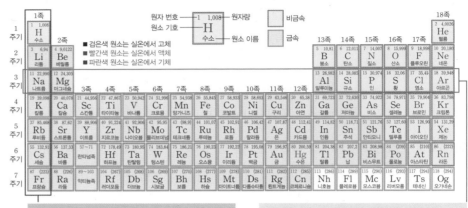

주기율표의 세로줄을 족이라고 하며, 같은 족 원소는 (㉡) 성질이 비슷하다.

주기율표의 가로줄을 주기라고 하며, 주기가 바뀔 때 원소의 화학적 성질이 반복된다.

자료 2

할로젠의 성질

플루오린(F)
존재 형태 F_2 의 형태로 존재
상태(실온) 연한 노란색 기체
반응성 • 수소와 격렬하게 반응한다.
• 금속과 빠르게 반응한다.
용도 치약에 이용

염소(Cl)
존재 형태 Cl_2 의 형태로 존재
상태(실온) 노란색 기체
반응성 • 수소와 반응한다.
• 금속과 빠르게 반응한다.
용도 수돗물의 소독에 이용

브로민(Br)
존재 형태 Br_2 의 형태로 존재
상태(실온) 적갈색 액체
반응성 • 수소와 천천히 반응한다.
• 금속과 잘 반응한다.
용도 물의 소독 및 정화에 이용

아이오딘(I)
존재 형태 I_2 의 형태로 존재
상태(실온) 보라색 고체
반응성 • 수소와 매우 느리게 반응한다.
• 금속과 잘 반응한다.
용도 소독약으로 이용

플루오린, 염소, 브로민, 아이오딘 등을 할로젠이라고 하며, 실온에서 대체로 이원자 분자 상태로 존재하며, 특유의 색을 띠고 있고, 반응성이 매우 (㉢)는 공통점을 가진다.

이해 Check

1 [자료1]과 [자료2]를 통해 알 수 있는 사실로 옳은 것은 ○표, 옳지 않은 것은 ×표를 하시오.

(1) 금속은 대체로 주기율표의 왼쪽에, 비금속은 주기율표의 오른쪽에 위치한다. ( )

(2) 주기율표에서 성질이 비슷한 원소들은 같은 세로줄에 배열되어 있다. ( )

(3) 할로젠은 반응성이 작아 자연 상태에서 원자 상태로 존재한다. ( )

2 [자료2] 원소들이 공통된 성질을 가지는 까닭을 [자료1]에서 찾아 서술하시오.

| 탐구 목표 |
몇 가지 금속 원소의 공통점을 찾고, 이를 활용하여 금속 원소를 분류할 수 있다.

| 유의점 |
금속은 쌀알만한 크기로 잘라서 사용하고, 화상이나 화재의 위험이 있으므로 손으로 만지거나 사용 후 남은 조각을 쓰레기 통에 그대로 버리지 않도록 한다.

🔍 탐구 Plus

알칼리 금속과 물의 반응
$2M + 2H_2O \longrightarrow 2MOH + H_2 \uparrow$

페놀프탈레인 용액
리트머스 종이와 같이 산 염기 지시약의 일종으로 산성과 중성에서 무색, 염기성에서 붉은색을 나타낸다.

과정

① 리튬, 나트륨, 구리, 아연, 철을 칼로 잘라 단단한 정도와 단면의 변화를 관찰한다.
② 쌀알 크기의 금속 조각을 증류수가 든 비커에 각각 넣고 변화를 관찰한다.
③ 반응이 끝나면 ②의 비커에 페놀프탈레인 용액을 떨어뜨린 후 수용액의 색깔 변화를 관찰한다.

탐구 결과

관찰 결과를 정리해 보면 다음과 같다.

금속	리튬	나트륨	구리	아연	철
단단한 정도	무름.	무름.	단단함.	조금 단단함.	단단함.
단면의 변화	광택을 잃음.	광택을 잃음.	변화 없음.	변화 없음.	변화 없음.
물과의 반응성	기체 발생, 물에 떠서 격렬히 반응	기체 발생, 물에 떠서 리튬보다 더 격렬히 반응	반응하지 않음.	반응하지 않음.	반응하지 않음.
수용액의 색깔 변화	붉은색	붉은색	변화 없음.	변화 없음.	변화 없음.

탐구 정리

1 각 금속의 물과의 반응성을 비교해 보자.
  • 리튬과 나트륨은 물과 격렬하게 반응해서 (㉣) 기체가 발생하며, 구리, 아연, 철은 물과 반응하지 않는다.
2 페놀프탈레인 용액을 떨어뜨렸을 때의 수용액의 색깔 변화로 알 수 있는 사실을 써 보자.
  • 리튬, 나트륨은 물과 반응해 (㉤) 물질을 생성한다.

🌑 이해 Check

3 리튬, 나트륨의 공통된 성질에 대한 설명으로 옳은 것만을 |보기|에서 있는 대로 고르시오.

> | 보기 |
> ㄱ. 물에 넣으면 격렬하게 반응한다.
> ㄴ. 단단하여 아연보다 칼로 자르기 어렵다.
> ㄷ. 물보다 밀도가 작아 물에 떠서 반응한다.

4 리튬, 나트륨을 보관할 때는 구리, 아연, 철과 다르게 석유나 벤젠 등에 넣어서 보관하는데, 탐구 결과를 근거로 그 까닭을 서술하시오.

개념 확인 문제

01 다음은 주기율표의 역사에 관한 설명이다. 빈칸에 들어갈 알맞은 말을 쓰시오.

> • 되베라이너는 염소, 브로민, 아이오딘 등을 통해 성질이 비슷한 (㉠) 쌍의 원소가 존재한다는 것을 알아내었다.
> • 최초의 주기율표는 멘델레예프가 만든 것으로 원소를 (㉡) 순으로 배열할 때 비슷한 성질의 원소가 주기적으로 나타난다는 사실을 알아내었다.

02 다음은 현대의 주기율표에 관한 설명이다. 빈칸에 들어갈 알맞은 말을 쓰시오.

> 현대의 주기율표는 멘델레예프의 주기율표와는 달리 원소들을 (㉠) 순으로 배열하고 있다. 현대의 주기율표에서 (㉠)가 가장 작은 원소는 (㉡)이다.

[03~04] 그림은 원소 주기율표의 일부이다.

H								He
Li	Be	B	C	N	O	F		Ne
Na	Mg	Al	Si	P	S	㉠		Ar
㉡	Ca							

03 다음 원소의 주기와 족을 옳게 연결하시오.

(1) F   ㉠ 2주기 1족
(2) Li   ㉡ 2주기 17족
(3) Na   ㉢ 3주기 1족
(4) Ca   ㉣ 4주기 2족

04 ㉠과 ㉡에 해당하는 원소의 원소 기호를 각각 쓰시오.

• ㉠ :
• ㉡ :

05 다음은 원소와 주기율표에 관한 설명이다. 옳은 것은 ○표, 옳지 <u>않은</u> 것은 ×표를 하시오.

(1) 황과 염소는 같은 족 원소이다.   (   )
(2) 알칼리 금속에는 리튬, 알루미늄 등이 있다.
                                          (   )
(3) 금속 원소는 전자를 잃고 양이온이 되기 쉽고, 열과 전기 전도성을 가진다.   (   )

06 주기율표에 대한 설명으로 옳은 것만을 |보기|에서 있는 대로 고르시오.

> ┤ 보기 ├
> ㄱ. 주기율표의 세로줄을 주기, 가로줄을 족이라고 한다.
> ㄴ. 화학적 성질이 비슷한 원소는 같은 세로 줄에 위치한다.
> ㄷ. 대체로 주기율표의 왼쪽에는 비금속 원소가, 오른쪽에는 금속 원소가 존재한다.

07 다음은 알칼리 금속의 특징에 관한 설명이다. 빈칸에 들어갈 알맞은 말을 쓰시오.

(1) 리튬, 나트륨은 물보다 밀도가 (   ).
(2) 알칼리 금속의 자른 단면이 광택을 잃는 것은 알칼리 금속이 공기 중의 (   )와 쉽게 반응하기 때문이다.
(3) 페놀프탈레인 용액을 2~3방울 떨어뜨린 물에 알칼리 금속 조각을 넣으면 용액은 (   )색으로 변한다.

08 할로젠의 공통된 성질에 대한 설명으로 옳은 것은?

① 1족 원소이다.
② 금속 원소에 해당한다.
③ 수소와 화합물을 형성하지 않는다.
④ 자연 상태에서 모두 고체 상태로 존재한다.
⑤ 자연 상태에서 대부분 2개의 원자가 결합한 형태로 존재한다.

01 그림은 멘델레예프가 1869년에 발표한 주기율표이다.

OHЫТЬ СИСТЕМЫ ЭЛЕМЕНТОВЪ.

ОСНОВАННОЙ НА ИХЪ АТОМНОМЪ ВЪСЪ И ХИМИЧЕСКОМЪ СХОДСТВЪ.

```
                    Ti = 50   Zr = 90   ? = 180.
                    V = 51    Nb = 94   Ta = 182.
                    Cr = 52   Mo = 96   W = 186.
                    Mn = 55   Rh = 104,4 Pt = 197,4.
                    Fe = 56   Ru = 104,4 Ir = 198.
                    Ni = Co = 59 Pl = 106,6 O = 199.
H = 1               Cu = 63,4 Ag = 108  Hg = 200.
        Be = 9,4 Mg = 24 Zn = 65,2 Cd = 112
        B = 11   Al = 27,4 ? = 68  Ur = 116 Au = 197?
        C = 12   Si = 28  ? = 70   Sn = 118
        N = 14   P = 31   As = 75  Sb = 122 Bi = 210?
        O = 16   S = 32   Se = 79,4 Te = 128?
        F = 19   Cl = 35,4 Br = 80  I = 127
Li = 7 Na = 23   K = 39  Rb = 85,4 Cs = 133 Tl = 204.
                 Ca = 40 Sr = 87,4 Ba = 137 Pb = 207.
                 ? = 45  Ce = 92
                 ?Er = 56 La = 94
                 ?Yt = 60 Di = 95
                 ?In = 75,6 Th = 118?
                                    Д. Менделеевъ
```

이에 대한 설명으로 옳은 것은?

① 주기율표의 원소는 총 110여 종이다.
② 원자 번호가 증가하는 순으로 배열된다.
③ 비슷한 성질의 원소가 주기적으로 나타난다.
④ 주기율표에 표시한 원소의 성질이 정확히 주기성을 따른다.
⑤ 그림의 주기율표가 처음 만들어진 후 주기율표는 변하지 않았다.

02 현대의 주기율표와 관련된 설명으로 옳은 것은?

① 주기는 1~4주기까지 있다.
② 1족 원소는 모두 금속 원소이다.
③ 헬륨이 속한 족의 원소는 모두 반응성이 크다.
④ 반응성이 유사한 원소는 같은 가로줄에 위치한다.
⑤ 1족 원소와 17족 원소는 쉽게 다른 원소와 반응해 화합물을 형성한다.

[03~06] 그림은 원소 주기율표의 일부이다.

H							He
	Be	B	C	N	㉠	F	Ne
	Mg	Al	Si	P	S	㉡	Ar
	Ca						

| 과학적 사고력 |

03 ㉠과 ㉡에 해당하는 원소의 원자 2개로 각각 이루어진 물질의 공통점에 대한 설명으로 옳은 것은?

① 전기 전도성이 있다.
② 수돗물의 소독에 이용된다.
③ 호흡 활동에 필요한 물질이다.
④ 끓는점은 실온(25 ℃)보다 낮다.
⑤ 반응성이 작아 거의 화합물을 형성하지 않는다.

04 위 주기율표의 원소 중에서 다음과 같은 성질을 가진 원소를 옳게 나열한 것은?

> • 광택이 있다.
> • 상온에서 전기 전도성이 있다.
> • 얇게 펴거나 길게 늘릴 수 있다.

① C, N, Si, P
② H, He, Be, B
③ Mg, Al, Si, S
④ He, F, Ne Ar
⑤ Be, Mg, Al, Ca

05 다음은 위 주기율표에 포함된 원소 중 하나에 대한 설명이다.

> 건조 공기에 가장 많이 포함된 원소로, 단백질을 구성하는 원소 중 하나이다.

이 원소의 족과 주기가 옳게 짝 지어진 것은?

	족	주기
①	1	1
②	2	2
③	14	2
④	15	2
⑤	17	3

06 위 주기율표에서 빗금 친 자리에 들어갈 원소의 공통점에 대한 설명으로 옳은 것만을 |보기|에서 있는 대로 고른 것은?

| 보기 |

ㄱ. 같은 족 원소이다.
ㄴ. 철보다 단단한 금속이다.
ㄷ. 물과 반응하여 수소 기체가 발생한다.
ㄹ. 공기 중에서 산소와 반응해 광택을 잃는다.

① ㄱ, ㄴ   ② ㄴ, ㄷ   ③ ㄱ, ㄷ, ㄹ
④ ㄴ, ㄷ, ㄹ   ⑤ ㄱ, ㄴ, ㄷ, ㄹ

[07~08] 다음은 4가지 금속 A~D를 분류하기 위한 실험 과정과 결과를 나타낸 것이다.

[과정]

(가) 유리판 위에 A~D 조각을 올려놓고 칼로 잘라 본다.

(나) 쌀알만한 크기의 금속 조각을 증류수가 든 비커에 각각 넣고 변화를 관찰한다.

[결과]

과정	A	B	C	D
(가)	쉽게 잘림.	쉽게 잘림.	잘리지 않음.	잘리지 않음.
(나)	물에 떠서 반응한 후 사라짐.	물에 떠서 반응한 후 사라짐.	반응하지 않음.	반응하지 않음.

07 이 실험에 대한 설명으로 옳은 것만을 |보기|에서 있는 대로 고른 것은?

| 보기 |

ㄱ. A는 1족 원소이다.

ㄴ. 과정 (나)에서 A, B는 물과 반응하여 기체가 발생한다.

ㄷ. 과정 (나)에서 반응한 수용액에 페놀프탈레인 용액을 떨어뜨리면 붉은색으로 변한다.

① ㄱ ② ㄴ ③ ㄱ, ㄷ
④ ㄴ, ㄷ ⑤ ㄱ, ㄴ, ㄷ

08 이 실험의 결과를 바탕으로 금속 A~D를 분류하기 위한 기준으로 가장 적절한 것은?

① 같은 주기 원소인가?

② 물과 쉽게 반응하는가?

③ 실온에서 고체로 존재하는가?

④ 공기 중의 산소와 반응하는가?

⑤ 할로젠과 화합물을 형성하는가?

09 다음은 같은 족 원소 X와 Y에 대한 설명이다. (단, X와 Y는 임의의 원소 기호이다.)

• X: 자연 상태에서 연한 노란색의 기체로 존재하며, 수소와 격렬하게 반응하고, 충치 예방에 쓰인다.

• Y: 자연 상태에서 적갈색 액체로 존재하며, 수소와 느리게 반응하여 화합물을 형성한다.

X와 Y의 공통점으로 옳은 것만을 |보기|에서 있는 대로 고른 것은?

| 보기 |

ㄱ. 할로젠이다.

ㄴ. 자연 상태에서 이원자 분자로 존재한다.

ㄷ. 주기율표의 17족 원소로, 비금속 원소이다.

① ㄱ ② ㄴ ③ ㄱ, ㄷ
④ ㄴ, ㄷ ⑤ ㄱ, ㄴ, ㄷ

10 다음은 같은 족 원소 X~Z의 이용 예에 관한 자료이다. (단, X~Z는 임의의 원소 기호이다.)

X	Y	Z
소금의 주요 성분 원소 중 하나이다.	휴대 전화 전지의 주요 원료이다.	나트륨과 더불어 몸속에서 신경 전달이나 수분 유지 등에 관여한다.

X~Z에 해당하는 원소로 옳게 짝 지은 것은?

	X	Y	Z
①	Na	Li	K
②	Na	Ni	Ca
③	Cl	Li	K
④	Cl	Na	Ca
⑤	Cl	F	I

서술형 문제

[11~12] 그림은 멘델레예프가 1871년에 제안한 주기율표와 현대의 주기율표의 일부를 나타낸 것이다.

(가)

Reihen	Gruppe I. — R²O	Gruppe II. — RO	Gruppe III. — R²O³	Gruppe IV. RH⁴ R²O²	Gruppe V. RH³ R²O⁵	Gruppe VI. RH² RO³	Gruppe VII. RH R²O⁷	Gruppe VIII. — RO⁴
1	H=1							
2	Li=7	Be=9.4	B=11	C=12	N=14	O=16	F=19	
3	Na=23	Mg=24	Al=27.3	Si=28	P=31	S=32	Cl=35.5	
4	K=39	Ca=40	—=44	Ti=48	V=51	Cr=52	Mn=55	Fe=56, Co=59, Ni=59, Cu=63.
5	(Cu=63)	Zn=65	—=68	—=72	As=75	Se=78	Br=80	
6	Rb=85	Sr=87	?Yt=88	Zr=90	Nb=94	Mo=96	—=100	Ru=104, Rh=104, Pd=106, Ag=108.
7	(Ag=108)	Cd=112	In=113	Sn=118	Sb=122	Te=125	J=127	
8	Cs=133	Ba=137	?Di=138	?Ce=140	—	—	—	— — — —
9	—	(—)	—	—	—	—	—	
10	—	—	?Er=178	?La=180	Ta=182	W=184	—	Os=195, Ir=197, Pt=198, Au=199.
11	(Au=199)	Hg=200	Tl=204	Pb=207	Bi=208	—	—	
12	—	—	—	Th=231	—	U=240	—	— — — —

(나)

족 주기	1	2	3~12	13	14	15	16	17	18
1	H								He
2	Li	Be		B	C	N	O	F	Ne
3	Na	Mg		Al	Si	P	S	Cl	Ar
4	K	Ca		Ga	Ge	As	Se	Br	Kr
5	Rb	Sr		In	Sn	Sb	Te	I	Xe
6	Cs	Ba		Tl	Pb	Bi	Po	At	Rn
7	Fr	Ra							

11 (가) 멘델레예프가 제안한 주기율표와 (나) 현대 주기율표의 원소 배열 기준의 차이점에 대해 서술하시오.

_____

_____

| 과학적 사고력 |

12 멘델레예프가 아래와 같이 할 수 있었던 까닭 중 하나를 (가), (나)의 공통된 특징에서 찾아 서술하시오.

> 멘델레예프는 주기율표에 맞는 원소가 없는 경우 원소의 자리를 비워두고, 그 원소의 존재와 성질을 예측하였다.

_____

_____

13 다음은 2가지 원소 X, Y에 대한 설명이다. (단, X, Y는 임의의 원소 기호이다.)

> • X: 반응성이 거의 없어 화합물을 형성하지 않고, 하나의 원자가 독립적으로 존재한다. 같은 족 원소 중 원자량이 가장 작다.
> • Y: 반응성이 매우 큰 금속 원소로 공기 중의 수분, 산소와 쉽게 반응한다. 따라서 벤젠이나 석유 등에 보관해야 한다. 비슷한 성질의 금속 원소 중 원자량이 가장 작다.

X와 Y가 일상생활에서 이용되는 사례를 각각 1가지씩 서술하시오.

_____

_____

| 과학적 탐구 능력 |

14 다음은 나트륨의 성질을 알아보기 위한 실험 과정이다.

> [과정]
> (가) 유리판 위에 금속 조각을 올려놓고 칼로 잘라본다.
> (나) 쌀알만한 크기의 금속 조각을 증류수가 든 비커에 넣고 변화를 관찰한다.
> (다) 반응이 끝난 비커에 페놀프탈레인 용액을 1~2방울 떨어뜨린다.

(1) 과정 (가)~(다)의 결과를 예측해 보시오.

_____

_____

(2) 알칼리 금속을 사용한 실험에서 특별히 주의해야 할 점을 금속의 반응성 측면에서 서술하시오.

_____

_____

1-3 화학 결합과 물질의 형성

1 원자의 구조와 전자 배치

1. 원자의 구조 원자는 원자핵과 전자, 원자핵은 양성자와 중성자로 이루어져 있다.

① 양성자의 수는 원소의 종류에 따라 달라지며, 양성자의 수에 의해 원자 번호가 결정된다.

② 한 원자에서 양전하를 띠는 양성자와 음전하를 띠는 전자의 수가 같으므로 원자는 전기적으로 중성이다.

└ 원자 번호=양성자의 수=전자의 수(중성 원자의 경우)

원자핵 / 양성자 / 전자 / 중성자

2. 보어의 원자 모형과 전자 배치 보어 모형을 이용한 전자 배치를 통해 원소들의 성질이 주기성을 나타내는 까닭을 알 수 있다.

① 원자의 전자는 특정한 에너지 준위❶를 가진 궤도인 전자 껍질에 존재하며, 주기가 같으면 전자 껍질 수가 같다.

② 가장 안쪽 전자 껍질에는 전자가 최대 2개까지, 2번째 전자 껍질에는 전자가 최대 8개까지 존재하며, 전자들은 안쪽 전자 껍질부터 차례로 채워진다.

전자 껍질

Li   Ne

▲ 2주기 리튬과 네온의 전자 배치

3. 원자가 전자와 원소의 주기성

① **원자가 전자** 원자의 전자 중 가장 바깥 전자 껍질에 채워진 전자로, 화학 반응에 참여하는 전자다.

② **원자가 전자와 원소의 주기성** 같은 족 원소의 경우 원자가 전자의 수가 같아 화학적 성질이 비슷하다.

└ 주기율표에서 원소의 원자가 전자 수가 주기적으로 변하기 때문에 원소의 주기성이 나타난다.

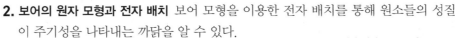

족 주기	1	2	13	14	15	16	17	18
1	1+ 수소				전자 → 1+ ← 전자 껍질			2+ 헬륨
2	3+ 리튬	4+ 베릴륨	5+ 붕소	6+ 탄소	7+ 질소	8+ 산소	9+ 플루오린	10+ 네온
3	11+ 나트륨	12+ 마그네슘	13+ 알루미늄	14+ 규소	15+ 인	16+ 황	17+ 염소	18+ 아르곤
원자가 전자 수	1	2	3	4	5	6	7	0

4. 옥텟 규칙과 화학 결합의 원리

① **옥텟 규칙** 가장 바깥 전자 껍질에 8개의 전자를 채워 18족 비활성 기체와 같은 전자 배치를 이뤄 안정해지려는 경향이다.❷

② **화학 결합과 옥텟 규칙** 18족 원소를 제외한 원소들은 비활성 기체와 같은 전자 배치를 가지기 위해 전자를 주고받거나 공유하여 화학 결합을 형성하면서 옥텟 규칙을 만족한다.

이 단원의 핵심 개념은~
- ■ 원자 구조
- ■ 화학 결합의 원리
- ■ 이온 결합과 공유 결합의 특징

❶ 원자나 분자, 전자 등이 가지는 에너지의 값, 또는 그 상태를 의미한다.

■ 원자가 전자와 최외각 전자의 차이 가장 바깥 전자 껍질에 채워진 전자는 최외각 전자이고, 이 중 화학 반응에 참여하는 전자를 원자가 전자라고 한다. 1~17족까지는 최외각 전자와 원자가 전자의 수가 같지만 18족은 화학 반응에 참여하는 전자가 없으므로 원자가 전자의 수는 0이다.

❷ 헬륨(He), 네온(Ne), 아르곤(Ar) 등 주기율표의 18족 원소를 가리킨다. 가장 바깥 전자 껍질에 전자가 모두 채워져 안정한 전자 배치를 이루고 있어 반응성이 매우 낮다. 이런 이유로 화합물을 형성하지 않고, 대체로 원자 상태로 존재해 비활성 기체라고 한다.

③ 옥텟 규칙과 이온 형성

- 금속 원소: 원자가 전자 수가 적으므로 대체로 <mark>전자를 잃고 양이온이 되어 옥텟</mark> 규칙을 만족한다. <small>예 1족 원소인 Na은 전자 1개를 잃고, Na^+이 되어 옥텟 규칙을 만족한다.</small>
- 비금속 원소: 원자가 전자 수가 많으므로 대체로 부족한 전자를 얻고 음이온이 되어 옥텟 규칙을 만족한다. <small>예 17족 원소인 Cl는 1개의 전자를 얻고, Cl^-이 되어 옥텟 규칙을 만족한다.</small>

2 화학 결합

1. 이온 결합 양이온과 음이온 사이의 정전기적 인력에 의한 화학 결합으로, 주로 금속 원소와 비금속 원소 사이에 이루어진다.

⇨ 결합을 이루는 각 이온은 옥텟 규칙을 만족하여 안정해진다.

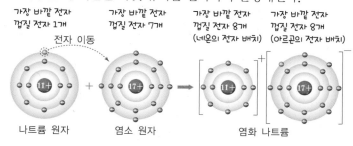

2. 공유 결합 원자가 각각 전자를 내놓고 전자쌍을 공유하면서 형성되는 화학 결합으로, 주로 비금속 원소 사이에 이루어진다.

⇨ 결합을 이루는 각 원자는 옥텟 규칙을 만족하여 안정해진다.

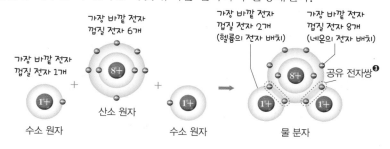

출제 자료 Focus

이온 결합 물질과 공유 결합 물질의 성질

구분	이온 결합 물질	공유 결합 물질
녹는점과 끓는점	이온 사이 인력이 강해 녹는점과 끓는점이 매우 높다.	분자 사이 인력이 약해 녹는점과 끓는점이 대부분 낮다.
전기 전도성	고체 상태에서 전기 전도성이 없고, 액체 상태에서 전기 전도성이 있다.	고체와 액체 상태에서 대부분 전기 전도성이 없다. (흑연은 예외)
예	염화 나트륨, 염화 칼슘, 수산화 나트륨 등	물, 에탄올, 설탕 등

출제 자료 확인하기

① 이온 결합 물질은 물질을 이루는 양이온과 음이온 사이의 (정전기적) 인력이 매우 강해 녹는점과 끓는점이 높아 실온에서 (고체) 상태로 존재한다.
   공유 결합 물질은 원자 사이 인력은 강하지만 분자 사이 인력이 약해 녹는점과 끓는점이 낮아 실온에서 대부분 (액체)나 (기체) 상태로 존재한다.

② 액체 상태에서 이온 결합 물질은 (이온)들이 자유롭게 이동할 수 있으므로 전기 전도성이 있고, 공유 결합 물질은 전하를 운반할 수 있는 (이온)이나 전자가 없어 전기 전도성이 없다.

■ 이온 결합 물질의 화학식
이온 결합 물질의 화학식은 양이온을 먼저 쓰고, 나중에 음이온을 쓴다. 결합한 원자의 개수는 아래 첨자로 나타낸다.

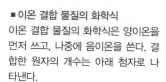

■ 이온 결합 물질과 공유 결합 물질의 전기 전도성

염화 나트륨 수용액

설탕 수용액

❸ 원자가 공유 결합을 통해 분자를 형성할 때 두 원자 사이에 공유한 전자쌍을 공유 전자쌍이라고 한다.

✔ **바로 체크**

1 주기율표의 1족 원소의 원자가 전자 수는 (   )이다.

2 비금속 원소 사이의 결합으로 생성되는 화학 결합은 (   ) 결합이다.

3 액체 상태에서 전기 전도성이 있는 것은 (   ) 결합 물질이다.

<small>정답 1 1개 2 공유 3 이온</small>

| 탐구 목표 |
주기율표와 원자의 전자 배치 사이의
관계를 추론할 수 있다.

자료

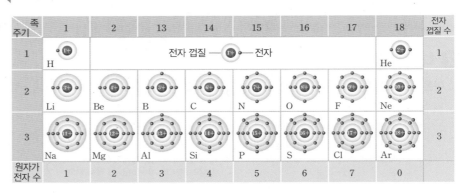

족 주기	1	2	13	14	15	16	17	18	전자 껍질 수
1	H	전자 껍질 ── ── 전자						He	1
2	Li	Be	B	C	N	O	F	Ne	2
3	Na	Mg	Al	Si	P	S	Cl	Ar	3
원자가 전자 수	1	2	3	4	5	6	7	0	

원자의 전자 배치

가장 안쪽 전자 껍질에는 최대 2개의 전자가 채워지지만, 두 번째 전자 껍질부터는 8개
의 전자가 채워질 수 있다.

주기율표와 원자의 전자 배치 사이의 관계

1 족이 같은 원소들의 전자 배치의 공통점

    • 1족 원소인 수소, 리튬, 나트륨은 전자 껍질 수는 다르지만 (㉠)가 같다.

2 주기가 같은 원소들의 전자 배치의 공통점

    • 같은 주기의 원소는 (㉡)의 수가 같다. 1주기 원소는 (㉡)이 1개, 2주기
    원소는 2개, 3주기 원소는 3개이다.

원자의 전자 배치와 화학 결합의 관계

1 원자의 전자 배치와 옥텟 규칙

    • 1족 원소는 전자 1개, 2족 원소는 전자 2개, 13족 원소는 전자 3개를 잃어 옥텟
    규칙을 만족한다.

    • 15족 원소는 전자 3개, 16족 원소는 전자 2개, 17족 원소는 전자 1개를 얻거나
    공유하여 옥텟 규칙을 만족한다.

2 원소들이 화학 결합을 하는 까닭

    • 물질을 구성하는 각 원소들은 옥텟 규칙을 만족하여 (㉢)와 같은 안정한 전자
    배치를 이루기 위해 화학 결합을 한다.

🌑 이해 Check

1 주기율표에 나타난 원자의 전자 배치로부터 알 수 있는
사실로 옳은 것은 ○표, 옳지 <u>않은</u> 것은 ×표를 하시오.

  (1) 1족 원소의 원자가 전자 수는 모두 1이다.

                             (   )

  (2) 3주기 원소의 원자가 전자 수는 모두 다르다.

                             (   )

  (3) 각 전자 껍질에는 모두 최대 8개의 전자가 채워질
    수 있다.   (   )

2 헬륨, 네온, 아르곤의 반응성이 거의 없는 까닭을 가장
바깥 전자 껍질의 전자 배치와 관련지어 서술하시오.

탐구 활동 화학 결합의 종류에 따른 물질의 성질

| 탐구 목표 |
공유 결합과 이온 결합으로 형성된 물질의 차이점을 확인할 수 있다.

| 유의점 |
• 시약을 녹일 때는 유리 막대로 젓는다.
• 전기 전도성 측정기는 용액을 바꿀 때마다 증류수로 씻는다.

과정

① 페트리 접시에 설탕, 염화 나트륨, 질산 나트륨을 적당량 넣고 전기 전도성 측정기로 전류가 흐르는지 관찰한다.
② 4개의 비커에 증류수를 넣고, 3개의 비커에 설탕, 염화 나트륨, 질산 나트륨을 한 숟가락씩 녹인다.
③ 전기 전도성 측정기로 ②의 4개의 비커에 전류가 흐르는지 관찰한다.

탐구 결과

물질	증류수	설탕		염화 나트륨		질산 나트륨	
		고체	수용액	고체	수용액	고체	수용액
전기 전도성	없음.	없음.	(㉣)	(㉤)	있음.	없음.	있음.

탐구 정리

1 실험 결과를 참고로 설탕, 염화 나트륨, 질산 나트륨 수용액의 입자 모형을 그려 보자.

— 설탕 분자
— Cl⁻ 또는 NO_3^-
— Na^+

2 실험에 사용한 물질을 공유 결합 물질과 이온 결합 물질로 구분하고, 각 물질의 상태에 따른 전기 전도성의 차이를 설명해 보자.
• 증류수, 설탕은 비금속 원소 사이의 결합이므로 공유 결합 물질이고, 염화 나트륨, 질산 나트륨은 비금속 원소와 금속 원소 사이의 결합이므로 이온 결합 물질이다.
• 공유 결합 물질은 고체와 액체 상태 모두에서 전류가 (㉥), 이온 결합 물질은 (㉦) 상태에서는 전류가 흐르지 않지만 (㉧) 상태에서는 전류가 흐른다.
⇦ 이온 결합 물질은 물에 녹았을 때 이온이 자유롭게 이동할 수 있기 때문이다.

탐구 Plus

이온 결합 물질은 전하를 띤 입자인 이온으로 이루어져 있고, 공유 결합 물질은 대부분 전하를 띠지 않는 분자로 이루어져 있다.

이해 Check

3 실험을 통해 알 수 있는 사실로 옳은 것만을 |보기|에서 있는 대로 고르시오.

| 보기 |
ㄱ. 이온 결합 물질은 고체 상태에서 전기 전도성이 없다.
ㄴ. 염화 나트륨은 물에 녹아 전하를 띠는 입자로 나누어진다.
ㄷ. 비금속 원소 사이의 결합으로 이루어진 물질은 수용액 상태에서 전기 전도성을 가진다.
ㄹ. 금속 원소와 비금속 원소 사이의 결합으로 이루어진 물질은 수용액 상태에서 전류가 흐르지 않는다.

4 다음 물질 중 액체 상태에서 전기 전도성이 <u>없는</u> 물질을 찾고, 그 까닭을 서술하시오.

포도당, 염화 구리, 염화 칼슘, 황산 마그네슘

1·3 화학 결합과 물질의 형성 ◀ 027

개념 확인 문제

01 다음 설명 중 옳은 것은 ○표, 옳지 <u>않은</u> 것은 ×표를 하시오.

(1) 네온은 옥텟 규칙을 만족한다. (　　)

(2) 14족 원소의 원자가 전자 수는 4이다. (　　)

(3) 17족인 염소 분자(Cl_2)는 염소 원자 사이에 전자쌍 1개를 공유하여 형성된다. (　　)

(4) 염화 나트륨(NaCl)은 염화 이온과 나트륨 이온 사이에 전자쌍 1개를 공유하여 형성된다.

(　　)

02 다음 빈칸에 들어갈 알맞은 말을 쓰시오.

(1) 원자핵에 가장 가까운 전자 껍질에는 전자가 최대 (　　)개 채워질 수 있다.

(2) 원소들이 가장 바깥 전자 껍질에 (　　)개의 전자를 채워 안정해지려는 경향을 (　　) 규칙이라고 한다.

(3) 비금속 원소 사이에는 주로 (　　) 결합이, 금속 원소와 비금속 원소 사이에는 주로 (　　) 결합이 형성된다.

(4) 플루오린 원자가 결합하여 플루오린 분자를 형성할 때 전자쌍 (　　)개를 공유하여 비활성 기체인 (　　)과 같은 전자 배치를 이룬다.

03 다음 중 옥텟 규칙을 만족하는 원자 또는 이온은?

① Mg^+　　② F^-　　③ C

④ K　　⑤ Al^{2+}

04 산소 기체(O_2)에 대한 설명으로 옳은 것만을 |보기|에서 있는 대로 고른 것은?

| 보기 |

ㄱ. 비금속 원소 사이 결합이다.

ㄴ. 구성 원자는 모두 옥텟 규칙을 만족한다.

ㄷ. 2개의 산소 원자가 전자쌍 1개를 공유하여 형성된다.

① ㄱ　　② ㄱ, ㄴ　　③ ㄱ, ㄷ

④ ㄴ, ㄷ　　⑤ ㄱ, ㄴ, ㄷ

05 다음은 염화 나트륨의 형성 과정에 대한 설명이다. 빈칸에 들어갈 알맞은 화학식을 쓰시오.

> (1) 이온의 형성
> 나트륨과 염소가 만나면 전자가 나트륨에서 염소로 이동하여 (㉠)과 (㉡)이 형성된다.
> (2) 이온 결합
> (㉠)과 (㉡) 사이에 정전기적 인력으로 이온 결합이 형성된다.

06 2가지 원소로 이루어진 다음의 화합물 중 전자를 공유하여 형성된 화합물을 모두 고르시오.

| H_2O　　MgO　　CH_4　　Fe_2O_3　　CO_2 |

07 화학 결합의 종류에 따른 물질의 성질에 대한 설명으로 옳은 것만을 |보기|에서 있는 대로 고른 것은?

| 보기 |

ㄱ. 공유 결합 물질은 액체 상태에서 전기 전도성이 없다.

ㄴ. 이온 결합 물질은 고체 상태에서는 전하를 띤 입자가 없다.

ㄷ. 이온 결합 물질은 고체와 액체 상태에서 모두 전기 전도성이 있다.

① ㄱ　　② ㄴ　　③ ㄱ, ㄷ

④ ㄴ, ㄷ　　⑤ ㄱ, ㄴ, ㄷ

08 다음은 어떤 화합물의 형성 과정을 원자의 전자 배치 모형으로 나타낸 것이다. 이 화합물의 화학식을 쓰시오.

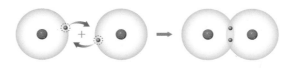

실력 쑥쑥 문제

| 과학적 사고력 |

01 그림은 원소 주기율표의 일부이다.

족 주기	1	2	13	14	15	16	17	18
1	H							He
2	Li	Be	B	C	N	O	F	Ne
3	Na	Mg	Al	Si	P	S	Cl	Ar
4	K	Ca						

주기율표를 참고하여 원자의 전자 배치에 대한 설명으로 옳은 것만을 |보기|에서 있는 대로 고른 것은?

┤ 보기 ├
ㄱ. 전자 껍질 수는 인이 수소의 3배이다.
ㄴ. 베릴륨과 마그네슘의 경우 원자가 전자 수가 같다.
ㄷ. 옥텟 규칙을 만족하기 위해 얻어야 하는 전자 수는 산소가 플루오린의 2배이다.

① ㄱ   ② ㄴ   ③ ㄱ, ㄷ
④ ㄴ, ㄷ   ⑤ ㄱ, ㄴ, ㄷ

02 그림은 원자 또는 이온의 전자 배치 모형을 나타낸 것이다.

이 모형에 해당하는 원자 또는 이온의 화학식으로 적절하지 <u>않은</u> 것은?

① F^-
② Ne
③ Mg^{2+}
④ Al^{3+}
⑤ K^+

⭐ | 과학적 탐구 능력 |

03 그림은 X 원자 2개와 Y 원자 1개로 이루어진 화합물을 전자 배치 모형으로 나타낸 것이다.

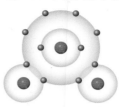

이에 대한 설명으로 옳은 것만을 |보기|에서 있는 대로 고른 것은? (단, X, Y는 임의의 원소 기호이다.)

┤ 보기 ├
ㄱ. Y는 16족 원소이다.
ㄴ. 화합물의 분자식은 X_2Y이다.
ㄷ. 화합물에서 총 공유 전자쌍의 수는 2개이다.

① ㄱ   ② ㄴ   ③ ㄱ, ㄷ
④ ㄴ, ㄷ   ⑤ ㄱ, ㄴ, ㄷ

[04~05] 그림은 3가지 원자 또는 이온의 전자 배치를 모형으로 나타낸 것이다. (단, A~C는 임의의 원소 기호이다.)

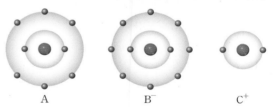

A B^- C^+

04 원소 A~C의 원자 상태의 원자가 전자 수를 모두 합한 값은?

① 6   ② 8   ③ 10
④ 14   ⑤ 16

05 원소 A~C에 대한 설명으로 옳은 것은?

① A~C 중 비금속 원소는 1가지이다.
② A~C 중 같은 주기 원소는 2가지이다.
③ 공유하는 전자쌍의 수는 A_2가 B_2의 2배이다.
④ B와 C가 형성하는 화합물은 공유 결합 물질이다.
⑤ A와 C가 화합물을 형성할 때 1:1의 개수비로 결합한다.

06 화학 결합에 대한 설명으로 옳은 것은?

① 이온 결합은 전자를 공유하여 형성된다.

② 이온 결합 물질을 구성하는 가장 작은 입자는 분자이다.

③ 염화 나트륨에서 염소와 나트륨은 이온 상태로 존재한다.

④ 공유 결합을 형성할 때 모든 원자는 가장 바깥 전자 껍질에 8개의 전자를 채운다.

⑤ 이온 결합을 형성할 때 전자는 비금속 원소의 원자에서 금속 원소의 원자로 이동한다.

[07~08] 그림은 화합물 XY_2를 전자 배치 모형으로 나타낸 것이다. (단, X, Y는 임의의 원소 기호이다.)

 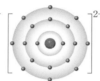 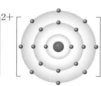

| 과학적 사고력 |

07 원소 X와 Y에 대한 설명으로 옳지 <u>않은</u> 것은?

① 주기는 X와 Y가 같다.

② 원자 번호는 X가 Y보다 크다.

③ 원자가 전자 수는 X가 Y보다 작다.

④ X와 Y가 결합을 형성할 때 전자는 X에서 Y로 이동한다.

⑤ Y 원자가 결합해 Y_2 분자를 이룰 때 두 원자는 전자쌍 1개를 공유한다.

08 화합물 XY_2에 대한 설명으로 옳은 것만을 |보기|에서 있는 대로 고른 것은?

┤ 보기 ├

ㄱ. 정전기적 인력에 의해 형성되었다.

ㄴ. 액체 상태에서 전기 전도성이 있다.

ㄷ. 화합물을 형성할 때 X는 전자 2개를 잃고, 양이온이 되었다.

① ㄱ   ② ㄴ   ③ ㄱ, ㄷ
④ ㄴ, ㄷ   ⑤ ㄱ, ㄴ, ㄷ

[09~10] 그림은 원소 주기율표의 일부이다. (단, A~D는 임의의 원소 기호이다.)

주기＼족	1	2	13	14	15	16	17	18
1	A							
2					B			
3	C						D	

09 원소 A~D에 대한 설명으로 옳지 <u>않은</u> 것은?

① C와 D는 원자가 전자 수가 같다.

② D_2에서 D는 옥텟 규칙을 만족한다.

③ A와 B 사이에는 공유 결합이 형성된다.

④ C와 D 사이에는 이온 결합이 형성된다.

⑤ C와 D가 결합을 형성할 때 전자는 C에서 D로 이동한다.

10 원소 A~D로 이루어진 어떤 화합물에 대한 설명이다.

• 결합하는 원자 사이에 3개의 전자쌍을 공유한다.

• 결합을 통해 화합물의 구성 원소 모두 가장 바깥 전자 껍질에 8개의 전자가 채워진다.

이 화합물의 화학식으로 옳은 것만을 |보기|에서 있는 대로 고른 것은?

┤ 보기 ├

ㄱ. A_2 ㄴ. B_2
ㄷ. BD_3 ㄹ. CD

① ㄱ, ㄴ   ② ㄱ, ㄷ   ③ ㄴ, ㄷ
④ ㄴ, ㄷ, ㄹ   ⑤ ㄱ, ㄴ, ㄷ, ㄹ

서술형 문제

11 다음은 어떤 화합물에 대한 자료이다.

- 광합성 반응에 필요한 물질이다.
- 2주기 비금속 원소들로 이루어져 있다.
- 화석 연료의 과다 사용에 의해 양이 증가하여 지구 온난화를 초래하고 있다.

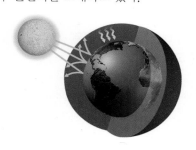

이 화합물이 결합을 형성할 때 공유하는 전자쌍의 총 수와 전자 배치를 모형으로 나타내시오.

| 과학적 사고력 |

12 그림은 원소 주기율표의 일부이다.

족 주기	1	2	13	14	15	16	17	18
2	X						Y	
3	Z							

원소 X, Y, Z 중 2가지 원소로 이루어진 이온 결합 화합물 중 모든 이온이 옥텟 규칙을 만족하는 화합물의 화학식을 쓰고, 화합물의 전자 배치를 모형으로 나타내시오. (단, X, Y, Z는 임의의 원소 기호이다.)

| 과학적 탐구 능력 |

13 다음은 물질 (가)와 (나)에 대한 설명이다.

(가) 단맛을 내는 물질로, 탄소, 수소, 산소로 이루어져 있다.

(나) 알루미늄 표면에 산소와 결합하여 생긴 피막으로, 알루미늄이 더 이상 녹슬지 않도록 막아준다.

(가)와 (나)에 해당하는 물질의 고체 상태와 액체 상태일 때의 전기 전도성을 예측하고, 그 까닭을 설명하시오.

---

14 그림은 이온 A^+과 B^{2-}의 전자 배치를 모형으로 나타낸 것이다.

(1) A^+과 B^{2-}이 원자 상태일 때, A와 B의 전자 배치를 모형으로 나타내시오.

---

(2) 두 이온이 결합하여 만들어질 수 있는 화합물의 화학식을 쓰시오.

01 그림은 어느 원소에서 관측되는 스펙트럼을 나타낸 것이다.

이에 대한 설명으로 옳은 것만을 |보기|에서 있는 대로 고른 것은?

| 보기 |

ㄱ. 빛의 방출에 의한 선 스펙트럼이다.

ㄴ. 그림과 같은 스펙트럼은 자외선의 파장 영역에 속한다.

ㄷ. 고온의 광원에서 나온 빛이 다른 기체를 통과하지 않고 프리즘과 같은 분광기를 통해 통과시켰을 때 관찰할 수 있다.

① ㄱ　　　　② ㄷ　　　　③ ㄱ, ㄴ
④ ㄴ, ㄷ　　　⑤ ㄱ, ㄴ, ㄷ

02 빅뱅 우주론에 대한 설명으로 옳은 것만을 |보기|에서 있는 대로 고른 것은?

| 보기 |

ㄱ. 빅뱅 이후 약 3분 후에 수소 원자가 만들어졌다.

ㄴ. 시간이 지남에 따라 우주의 온도와 밀도는 낮아졌다.

ㄷ. 우주 배경 복사의 관측은 빅뱅의 대표적인 증거로 이용된다.

ㄹ. 빅뱅은 모든 물질과 에너지가 모여 있던 매우 작은 한 점에서 대폭발로 일어났다.

① ㄱ　　　　② ㄷ, ㄹ　　　③ ㄱ, ㄴ, ㄷ
④ ㄴ, ㄷ, ㄹ　　⑤ ㄱ, ㄴ, ㄷ, ㄹ

03 원소의 생성 과정에 대한 설명으로 옳지 <u>않은</u> 것은?

① 원소는 핵융합 반응을 통해 생성된다.

② 원자핵과 전자가 결합하여 원자가 생성된다.

③ 빅뱅 이후 약 3분 후 수소 원자핵이 만들어졌다.

④ 철보다 무거운 원소는 초신성 폭발 과정에서 생성된다.

⑤ 태양 정도 질량의 별 내부에서는 헬륨 핵융합 반응이 일어나지 않는다.

04 그림 (가)와 (나)는 별의 내부 구조를 나타낸 것이다.

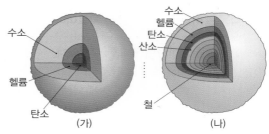

이에 대한 설명으로 옳은 것만을 |보기|에서 있는 대로 고른 것은?

| 보기 |

ㄱ. (가)보다는 (나) 별의 질량이 더 크다.

ㄴ. (가)에서는 수소 핵융합 반응이 일어나지 않았다.

ㄷ. (나)의 중심에서는 철이 만들어지면 더 이상 핵융합 반응이 일어나지 않는다.

ㄹ. 우주 공간에 존재하는 철보다 무거운 원소는 (나)의 중심에서 모두 만들어진 것이다.

① ㄱ, ㄴ　　　② ㄱ, ㄷ　　　③ ㄴ, ㄹ
④ ㄱ, ㄷ, ㄹ　　⑤ ㄴ, ㄷ, ㄹ

05 그림은 사람과 우주를 구성하는 원소의 분포 비율을 나타낸 것이다.

이에 대한 설명으로 옳은 것만을 |보기|에서 있는 대로 고른 것은?

| 보기 |

ㄱ. 우주에 가장 많은 원소인 수소와 헬륨은 우주가 탄생한 초기에 만들어진 물질이다.

ㄴ. 사람을 구성하는 물질에 탄소가 많이 포함된 것은 사람을 구성하는 물질에 물이 많이 포함되어 있기 때문이다.

ㄷ. 사람을 구성하는 원소와 우주를 구성하는 원소의 분포 비율에 차이가 나는 것은 사람을 구성하는 원소는 우주 탄생 이후 만들어졌기 때문이다.

① ㄱ　　　　② ㄴ　　　　③ ㄱ, ㄷ
④ ㄴ, ㄷ　　　⑤ ㄱ, ㄴ, ㄷ

06 다음은 알칼리 금속 A를 이용한 실험이다.

> (가) 쌀알 크기의 A 조각을 증류수가 든 비커에 넣었더니 기체가 발생하였다.
>
> (나) 반응이 끝난 뒤 페놀프탈레인 용액을 떨어뜨렸더니 용액이 붉게 변하였다.

실험 과정에서 일어나는 변화에 대한 설명으로 옳은 것만을 |보기|에서 있는 대로 고른 것은?

┤ 보기 ├

ㄱ. A는 전자를 잃기 쉽다.

ㄴ. (가)의 기체는 수소이다.

ㄷ. (나)에서 수용액은 염기성이다.

① ㄱ   ② ㄴ   ③ ㄱ, ㄷ

④ ㄴ, ㄷ   ⑤ ㄱ, ㄴ, ㄷ

[07~08] 그림은 원소 주기율표의 일부이다.

족\주기	1	2	13	14	15	16	17	18
1	H							He
2	Li	Be	B	C	N	O	F	Ne
3	Na	Mg	Al	Si	P	S	Cl	Ar
4	K	Ca						

07 각 원소에 대한 설명으로 옳은 것만을 |보기|에서 있는 대로 고른 것은?

┤ 보기 ├

ㄱ. F과 Cl 등 17족 원소는 반응성이 매우 작다.

ㄴ. 14족 원소인 C와 Si는 생명체와 광물의 주요 구성 원소이다.

ㄷ. Li과 Na은 원자가 전자의 수가 같고, Li과 Ne은 전자 껍질의 수가 같다.

① ㄱ   ② ㄴ   ③ ㄱ, ㄷ

④ ㄴ, ㄷ   ⑤ ㄱ, ㄴ, ㄷ

08 그림 (가)~(다)는 3가지 원소 원자의 전자 배치를 모형으로 나타낸 것이다.

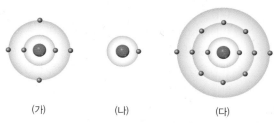

(가)   (나)   (다)

(가)~(다)에 해당하는 원소로 옳은 것은?

	(가)	(나)	(다)
①	C	H	Ca
②	C	H	Mg
③	C	He	Ca
④	Si	He	Mg
⑤	Si	Ne	Mg

09 그림은 화합물 XY_3의 결합을 전자 배치 모형으로 나타낸 것이다.

이에 대한 설명으로 옳은 것만을 |보기|에서 있는 대로 고른 것은? (단, X, Y는 임의의 원소 기호이다.)

┤ 보기 ├

ㄱ. X는 15족 원소이다.

ㄴ. XY_3의 공유 전자쌍의 수는 3개이다.

ㄷ. XY_3에서 모든 원소는 비활성 기체와 같은 전자 배치를 가진다.

① ㄱ   ② ㄴ   ③ ㄱ, ㄷ

④ ㄴ, ㄷ   ⑤ ㄱ, ㄴ, ㄷ

10 다음은 일상생활이나 자연에서 쉽게 볼 수 있는 몇 가지 물질에 대한 설명이다.

> (가) 소금의 주요 구성 물질이다.
> (나) 건조한 공기에 2번째로 많으며, 호흡에 필요한 기체이다.
> (다) 습기 제거제의 주성분으로 2족과 17족 원소의 화합물이다.
> (라) 과자 봉지에 포함된 기체로 과자가 수분이나 산소와 접촉하는 것을 막아준다.

(가)~(라)를 이온 결합 물질과 공유 결합 물질로 옳게 분류한 것은?

	이온 결합 물질	공유 결합 물질
①	(가), (나)	(다), (라)
②	(가), (다)	(나), (라)
③	(나), (다)	(가), (라)
④	(나), (라)	(가), (다)
⑤	(다), (라)	(가), (나)

11 그림은 원자 X와 Y의 전자 배치를 모형으로 나타낸 것이다.

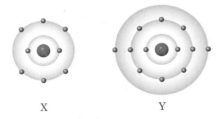

이에 대한 설명으로 옳은 것만을 |보기|에서 있는 대로 고른 것은? (단, X, Y는 임의의 원소 기호이다.)

> ┤ 보기 ├
> ㄱ. X_2에서 원자 1개는 각각 2개의 전자를 내놓고 공유한다.
> ㄴ. Y는 전자 2개를 잃고 Y^{2+}이 될 때 옥텟 규칙을 만족한다.
> ㄷ. X와 Y가 옥텟 규칙을 만족하는 화합물을 형성할 때 1 : 2의 원자 수비로 결합한다.

① ㄴ   ② ㄷ   ③ ㄱ, ㄴ
④ ㄱ, ㄷ   ⑤ ㄱ, ㄴ, ㄷ

12 그림은 3가지 화합물 (가)~(다)를 분류하는 과정을 나타낸 것이다.

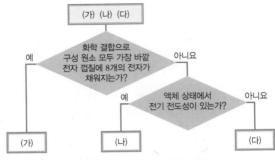

다음 중 (가)~(다)에 해당하는 화합물로 가능한 것은?

	(가)	(나)	(다)
①	H_2	$NaCl$	O_2
②	O_2	H_2	LiF
③	O_2	LiF	H_2O
④	$NaCl$	LiF	Cl_2
⑤	$NaCl$	$CaCl_2$	H_2O

13 그림은 화합물 (가)와 (나)를 전자 배치 모형으로 나타낸 것이다.

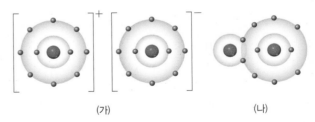

(가)와 (나)에 대한 설명으로 옳은 것만을 |보기|에서 있는 대로 고른 것은?

> ┤ 보기 ├
> ㄱ. 고체 상태에서 전기 전도성이 있는 것은 (가)이다.
> ㄴ. (가)와 (나)에는 모두 1족 원소가 포함되어 있다.
> ㄷ. (가)와 (나)에는 같은 종류의 원소가 포함되어 있다.

① ㄱ   ② ㄴ   ③ ㄱ, ㄴ
④ ㄴ, ㄷ   ⑤ ㄱ, ㄴ, ㄷ

01 그림은 백열등에서 관측한 스펙트럼과 햇빛에서 관측한 스펙트럼을 순서 없이 나타낸 것이다.

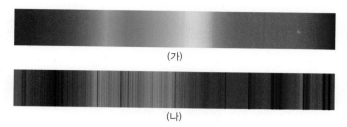

(가)

(나)

이에 대한 설명으로 옳은 것만을 |보기|에서 있는 대로 고른 것은?

| 보기 |

ㄱ. (가)는 빛의 방출에 의해 나타나는 스펙트럼이다.

ㄴ. (가)는 가시광선 영역에서 관측할 수 있는 스펙트럼이다.

ㄷ. (가)를 연구하여 태양을 구성하는 주된 원소를 알아냈다.

ㄹ. (가)는 백열등, (나)는 햇빛을 관측하여 나타낸 스펙트럼이다.

ㅁ. (나)에서 나타나는 검은 선은 태양 대기에서 에너지의 흡수로 나타나는 것이다.

① ㄱ, ㄴ, ㄹ   ② ㄱ, ㄴ, ㅁ   ③ ㄴ, ㄷ, ㄹ
④ ㄴ, ㄹ, ㅁ   ⑤ ㄱ, ㄴ, ㄷ, ㄹ, ㅁ

출제 Point

백열등과 햇빛을 관측하여 나타나는 스펙트럼에 관한 공통점과 차이점을 이해한다.

02 그림은 A, B와 B, C 원자가 결합하여 화합물 (가)와 (나)를 생성하는 과정을 모형으로 나타낸 것이다.

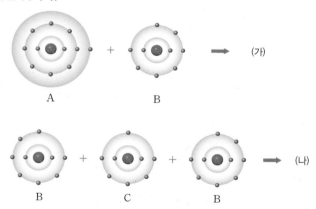

(가)

(나)

(가)와 (나)에 대한 설명으로 옳은 것만을 |보기|에서 있는 대로 고른 것은? (단, A~C는 임의의 원소 기호이다.)

| 보기 |

ㄱ. (가)의 구성 입자는 모두 옥텟 규칙을 만족한다.

ㄴ. 액체 상태에서 전기 전도성이 있는 것은 (가)이다.

ㄷ. (나)에서 서로 공유하는 전자쌍의 수는 총 2개이다.

① ㄱ   ② ㄴ   ③ ㄱ, ㄷ
④ ㄴ, ㄷ   ⑤ ㄱ, ㄴ, ㄷ

출제 Point

원자가 전자 수로부터 금속 원소와 비금속 원소를 알아낼 수 있다. 금속 원소와 비금속 원소 사이에는 이온 결합이, 비금속 원소들 사이에는 공유 결합이 형성된다.

03 ▶ 그림은 원소 주기율표의 일부이다.

족 주기	1	2	15	16	17	18
1	A					
2				B		
3	C				D	

원소 A~D에 대한 설명으로 옳지 <u>않은</u> 것은? (단, A~D는 임의의 원소 기호이다.)

① A와 B로 이루어진 화합물은 공유 결합 물질이다.

② B_2에서 각 원자가 공유하는 전자쌍 수는 2개이다.

③ A~D 중 원자가 전자 수가 같은 원소는 C, D이다.

④ 화합물 C_2B를 구성하는 입자는 모두 옥텟 규칙을 만족한다.

⑤ C와 D가 화합물을 형성할 때 전자는 C에서 D로 이동한다.

출제 Point

대체로 주기율표의 왼쪽에는 금속 원소가, 오른쪽에는 비금속 원소가 존재한다.

04 ▶ 그림은 원자 A~C의 전자 배치를 모형으로 나타낸 것이다.

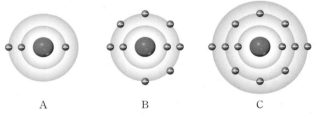

A   B   C

이에 대한 설명으로 옳은 것만을 |보기|에서 있는 대로 고른 것은? (단, A~C는 임의의 원소 기호이다.)

┌ 보기 ├─────────────────────────────────

ㄱ. B는 자연 상태에서 이원자 분자로 존재한다.

ㄴ. A와 B의 결합으로 이루어진 물질은 액체 상태에서 전기를 통하지 않는다.

ㄷ. A와 B의 결합으로 이루어진 물질의 화학식은 AB, B와 C의 결합으로 이루어진 물질의 화학식은 CB이다.

───────────────────────────────────────

① ㄱ   ② ㄴ   ③ ㄱ, ㄷ

④ ㄴ, ㄷ   ⑤ ㄱ, ㄴ, ㄷ

출제 Point

원자가 전자 수가 1과 2인 A, C는 전자를 잃고 양이온이 되기 쉽고, 원자가 전자 수가 7인 B는 전자를 얻어 음이온이 되면서 옥텟 규칙을 만족한다.

2

이 단원에서는

지각과 생명체를 이루는 물질들이
어떤 규칙에 따라 결합하고 있는지 살펴봄으로써,
자연에 존재하는 물질의 성질을 어떻게 변화시켜서
새로운 성질을 지닌 신소재를 개발할 수 있는지 알아본다.

단원별 정답과 해설을
QR 코드로 확인할 수 있어요.

자연의 구성 물질

2-1 지각과 생명체를 구성하는 물질의 규칙성
2-2 신소재의 개발과 활용

이 단원의 핵심 개념

자연의 구성 물질

지각과 생명체를 구성하는 물질의 규칙성

지각 구성 물질, 생명체 구성 물질, 규산염 광물, 탄소 화합물, 탄소 화합물의 특징, 단백질, 핵산

신소재의 개발과 활용

인류의 역사와 신소재, 초전도체, 그래핀, 네오디뮴 자석, 반도체, 액정, 생체 모방 신소재

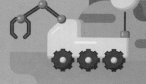

2-1 지각과 생명체를 구성하는 물질의 규칙성

교과서 60~73쪽

1 지각을 구성하는 광물의 규칙성

1. 지각과 생명체의 구성 물질

① **지각** 지각은 다양한 암석으로 이루어져 있고, 암석은 주로 장석이나 석영 등의 규산염 광물로 구성되어 있다.❶

② **생물** 생명체를 이루는 단백질, 탄수화물, 지질 등의 물질은 탄소, 산소, 수소, 질소 등이 결합하여 만들어진 탄소 화합물이다.

2. 지각을 구성하는 규산염 광물

① **규산염 광물** 암석을 이루는 광물의 대부분은 산소와 규소로 이루어진 규산염 광물이다.

② **규산염 광물의 구조** 하나의 규소를 중심으로 4개의 산소 원자가 각각의 꼭지점을❷ 이루는 사면체 구조를 하고 있다.

③ **주요 규산염 광물의 결합 구조** — 기본 골격 사이에 알루미늄, 철, 마그네슘 등 여러 가지 원소가 결합하여 지각을 구성하는 다양한 규산염 광물이 만들어진다.

Si-O 사면체 특징	하나의 규산염 사면체가 독립적인 구조를 하고 있다.	규산염 사면체가 한 줄로 길게 이어진 구조를 하고 있다.	규산염 사면체가 두 줄로 길게 이어진 구조를 하고 있다.	규산염 사면체가 평면으로 넓게 이어진 구조를 하고 있다.
결합 구조	▲	▽▲▽	(구조)	(구조)
대표 암석	감람석	휘석	각섬석	흑운모

2 생명체를 구성하는 탄소 화합물

1. 탄소 화합물 — 탄소를 중심으로 수소, 산소, 질소 등이 결합하여 만들어지는 화합물을 탄소 화합물이라고 한다.

① **탄소** 최외각 전자가 4개이므로 하나의 탄소가 4개의 공유 결합을 할 수 있다.

② **탄소 화합물** 지구 상에 존재하는 모든 생명체는 탄소를 중심으로 수소, 산소, 질소 등이 공유 결합하여 만들어진 탄소 화합물로 이루어져 있다.❸

• 생명체의 단백질, 지방, 탄수화물, 지질, 핵산 등을 구성한다.
• 생명체에서 몸을 구성, 에너지원으로 이용, 유전 정보 저장 등의 기능을 한다.

2. 탄소 화합물의 기본 골격

• 사슬 모양, 가지 모양, 고리 모양 등의 다양한 기본 골격에 여러 원소가 결합하여 다양한 종류의 탄소 화합물이 만들어진다.

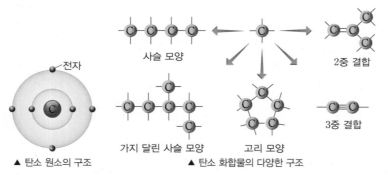

전자 / 사슬 모양 / 2중 결합 / 3중 결합 / 가지 달린 사슬 모양 / 고리 모양

▲ 탄소 원소의 구조   ▲ 탄소 화합물의 다양한 구조

---

❶ 규산염 광물로는 감람석, 장석, 석영, 휘석, 각섬석, 흑운모 등이 있다.

❷ 규소 1개와 산소 4개가 결합하여 이루어진 사면체 모양으로, Si-O 사면체라고 한다.

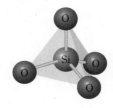

❸ 화학 결합 중 2개의 원자가 서로 전자를 방출하여 전자쌍을 형성하고, 이를 공유함으로써 생기는 결합이 공유 결합이다.

■ 지각을 구성하는 원소
지각을 구성하는 물질은 산소와 규소의 비율이 높다.

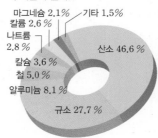

마그네슘 2.1 % / 기타 1.5 %
칼륨 2.6 %
나트륨 2.8 %
칼슘 3.6 %
철 5.0 %
알루미늄 8.1 %
산소 46.6 %
규소 27.7 %

■ 생명체를 구성하는 원소
생명체를 구성하는 물질은 산소와 탄소의 비율이 높다.

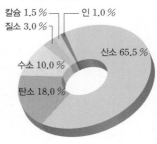

칼슘 1.5 % / 인 1.0 %
질소 3.0 %
수소 10.0 %
탄소 18.0 %
산소 65.5 %

3 생명체를 이루는 주요 탄소 화합물에서 발견되는 규칙성

생명체를 구성하는 탄소 화합물은 탄소를 중심으로 단위체가 만들어진 후 이 단위체가 다양한 형태로 결합하여 만들어진다. 생명체를 구성하는 주요 탄소 화합물에는 탄수화물, 지질, 단백질, 핵산 등이 있다.

1. 탄수화물

① **단위체** 기본 단위는 포도당 등의 단당류이다.

② **단당류**가 다양한 수와 형태로 결합하여 다당류(셀룰로스❹, 녹말❺, 글리코젠❻ 등)가
　　└─단당류가 3개 이상 결합한 물질이다.
　　만들어진다.

2. 지질

① **단위체(스테로이드 제외)** 기본 단위는 글리세롤과 지방산이다.

② **중성 지방** 글리세롤 1분자 + 지방산 3분자로 구성되며, 체내 에너지원의 기능을
　　한다.

③ **인지질** 글리세롤 1분자 + 지방산 2분자로 구성되며, 세포막을 구성한다.

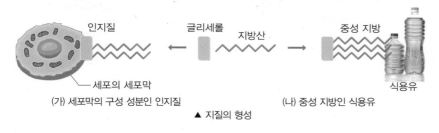

(가) 세포막의 구성 성분인 인지질　　　　　　　(나) 중성 지방인 식용유

▲ 지질의 형성

3. 단백질

① **단위체** 기본 단위는 아미노산이다.

• 생물이 사용하는 아미노산은 20가지가 있다.

• 아미노산은 기본 구조는 같지만, 곁사슬(R) 부분이 서로 다르다.
　　└─추가 되는 사슬 모양 골격에서 가지나누기가 된 부분이다.

② **펩타이드 결합** 아미노산 간의 결합 시 1개의 물 분자가 빠져나가는 펩타이드 결합
　　이 일어난다. 이를 통해 폴리펩타이드라는 긴 사슬을 형성한다.

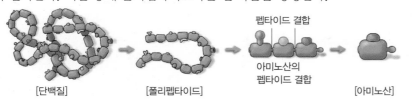

펩타이드 결합

아미노산의
펩타이드 결합

[단백질]　　　　　　[폴리펩타이드]　　　　　　　　　　　　[아미노산]

③ **단백질과 입체 구조** 입체 구조가 조금씩 다른 아미노산 → 서로 다른 아미노산 서열을 가진 폴리펩타이드 구성 → 단백질의 다양한 입체 구조를 결정 → 다양한 입체 구조로 인해 생물의 다양한 효소, 호르몬, 근육, 항체를 구성하는 주성분으로 사용된다.
아미노산의 배열 순서에 따라 단백질의
구조가 결정되고, 단백질의 구조에 따라
단백질의 기능이 결정된다.
└─외부로부터 침입한 물질
이나 병원체에 대항하는
단백질이다.

4. 핵산

① **종류** DNA, RNA

• DNA는 유전 정보를 저장하고, RNA는 리보솜이 단백질을 합성할 수 있도록 유전 정보를 전달한다.

• DNA 2중 나선 구조에 염기 배열 순서로 유전 정보가 저장되어 있다.

② **단위체** 뉴클레오타이드

• 구성: 당, 인산, 염기로 구성되어 있고, 염기에 따라 종류가 나뉜다.

• 염기: 아데닌(A), 타이민(T), 구아닌(G), 사이토신(C)의 4종류가 있다.

• 폴리뉴클레오타이드: 4종류의 뉴클레오타이드가 길게 결합하여 만들어진다.

■ 탄수화물
화학식이 탄소와 물 분자로 이루어져 있는 것으로 보여 탄소의 수화물이라는 이름이 붙여졌다.

■ 포도당의 구조
포도당 분자는 육각형 고리 모양을 하고 있다. 이러한 포도당이 연속적으로 결합하여 거대한 구조의 다당류를 형성한다.

❹ 식물 세포벽의 주성분이다.

❺ 식물의 저장 탄수화물로, 생물의 주된 에너지원으로 사용된다.

❻ 동물의 저장 탄수화물로, 주로 간에 저장된다.

✔ **바로 체크**

1 지각을 이루는 암석은 주로 (　　) 광물로 이루어져 있다.

2 탄소를 중심으로 여러 원소들이 결합하여 만들어진 화합물을 (　　) 이라고 한다.

3 단백질의 단위체는 (　　)이다.

4 아미노산 간의 결합 시 1개의 물 분자가 빠져 나가는 (　　)이 일어난다.

5 핵산의 종류에는 DNA와 (　　) 가 있다.

6 핵산의 염기에는 아데닌, 타이민, (　　), 사이토신이 있다.

정답 1 규산염 2 탄소 화합물 3 아미노산 4 펩타이드 결합 5 RNA 6 구아닌

| 탐구 목표 |
Si-O 사면체 구조를 통해 지각을 이루는 규산염 광물의 특징을 이해하고, 탄소 화합물의 결합 구조를 통해 생물체를 만드는 물질에 관해 이해할 수 있다.

| 유의점 |
지각을 구성하는 규산염 광물의 중심 원소인 규소와 생명체를 구성하는 탄소 화합물의 중심 원소인 탄소 모두 주기율표에서 14족에 위치하여 원자가 전자가 4개이다. 이것은 지각에서는 규소가 중심이 된 결합 구조에, 생명체에서는 탄소가 중심이 된 결합 구조에 각각 규칙성이 있음을 의미한다.

■ 탄소 화합물의 특징
탄소를 중심으로 수소, 질소, 산소, 황, 인, 할로겐 원소 등이 공유 결합하여 형성되며 녹는점과 끓는점이 낮은 편이다. 탄소 화합물이 연소하면 주로 이산화 탄소와 물이 생성된다.

자료1

규산염 광물의 구조

규산염 광물의 결합 구조에서는 (㉠)가 기본 단위가 된다. (㉡)가 규칙적으로 결합하여 규산염 광물의 기본 골격을 형성한다. 이러한 기본 골격 사이에 알루미늄, 철, 마그네슘 등 여러 가지 원소의 (㉢)이 결합하면서 지각을 구성하는 다양한 규산염 광물이 만들어진다.

▲ 다양한 종류의 규산염 광물

자료2

탄소 화합물

탄소는 원자가 전자가 4개이므로 하나의 탄소가 4개의 (㉣) 결합을 할 수 있다. 또한, 탄소가 다른 탄소 원자와 결합할 때는 단일 결합, 2중 결합, 또는 3중 결합을 할 수 있으며 사슬 모양, 고리 모양 등의 다양한 기본 골격을 이룰 수 있다. 이러한 기본 골격에 수소, 산소 등의 여러 원소가 결합하여 무수히 많은 종류의 (㉤)이 만들어진다.

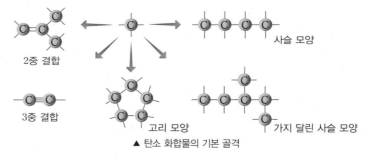

▲ 탄소 화합물의 기본 골격

🌙 이해 Check

1 규산염 광물에 대한 설명으로 옳은 것만을 |보기|에서 있는 대로 고르시오.

┤ 보기 ├
ㄱ. 석영과 장석은 규산염 광물에 포함된다.
ㄴ. 지각 대부분은 규산염 광물로 이루어져 있다.
ㄷ. 지각에 가장 많이 포함된 원소는 산소와 수소이다.
ㄹ. 규산염 광물의 결합 구조는 Si-O 사면체를 기본으로 한다.

2 탄소와 탄소 화합물에 대한 설명으로 옳은 것만을 |보기|에서 있는 대로 고르시오.

┤ 보기 ├
ㄱ. 탄소는 생명체를 구성하는 물질을 이루는 원소이다.
ㄴ. 생명체를 구성하는 탄소 화합물은 에너지원으로는 이용되지 않는다.
ㄷ. 탄소는 여러 가지 원소와 공유 결합할 수 있어 다양한 탄소 화합물은 만든다.

| 탐구 목표 |

DNA 2중 나선 구조 모형을 만들고 관찰하여 DNA의 구조를 설명할 수 있다.

| 유의점 |

DNA 2중 나선 구조를 만들면서 단위체를 파악하고 상보결합을 이해한다.

과정

① DNA 2중 나선 구조를 조립하여 제작한다.

② 모형을 관찰하여 단위체를 알아보고, 단위체가 2중 나선 구조를 만드는 규칙성을 파악한다.

탐구 결과

세포는 DNA를 구성하는 네 가지 염기의 무제한에 가까운 배열 순서를 이용하여 생명 활동에 필요한 수많은 단백질의 정보를 저장한다.

A은 항상 T과, G은 항상 C과 상보적으로 결합한다.

2개의 사슬이 꼬여서 2중 나선을 만든다.

서로 짝을 이루어 결합

DNA 2중 나선
구성 단위: A, T, G, C 네 종류의 염기 중 1개를 갖는 뉴클레오타이드로 구성되어 있다.

단백질을 구성하는 아미노산의 배열 순서가 DNA의 염기 서열에 담겨 있다.

1 단위체: 흰색의 뼈대와 색을 가진 부분으로 이루어져 있다. 이를 뉴클레오타이드라고 하며, 이들이 연결된 긴 사슬을 폴리뉴클레오타이드라고 한다.

인산 ─ 염기 / 당
아데닌(A) 타이민(T) 구아닌(G) 사이토신(C)
(가) 뉴클레오타이드 A T G C A
(나) 폴리뉴클레오타이드

2 오른 나선: 완성된 DNA 입체 구조는 오른 나선 모양으로 꼬여 있다.

3 상보 결합: DNA 두 가닥이 서로 결합된 부분에서 A은 T과, G은 C과 결합한다.

🔍 탐구 Plus

오른 나선 모양
나선의 선이 왼쪽보다 오른쪽이 더 올라가 있는 모양이다.

탐구 정리

1 DNA는 두 가닥의 폴리뉴클레오타이드가 서로 마주 보며 꼬여 있는 (ㅂ) 구조이다.

2 염기 간의 상보결합을 통해 연결되어 있다. A은 (ㅅ), G은 (ㅇ)하고만 결합한다.

3 DNA는 구조와 길이가 같아도 (ㅈ)가 다르면 서로 다른 유전 정보를 가진다.

이해 Check

3 DNA 2중 나선 구조에 대한 설명으로 옳은 것만을 |보기|에서 있는 대로 고르시오.

┌ 보기 ┐
ㄱ. A은 G과 상보결합하고 있다.
ㄴ. 한 뉴클레오타이드의 당은 다른 뉴클레오타이드의 인산과 연결되어 있다.
ㄷ. 폴리뉴클레오타이드 1개가 2중 나선 구조를 이룬다.
ㄹ. 네 종류의 염기에 의해 정보를 저장한다.

4 다음은 어떤 학생이 DNA 2중 나선 구조를 관찰한 것이다. 잘못된 부분을 찾아 옳게 고쳐 쓰시오.

각각의 가닥은 폴리뉴클레오타이드로 구성되어 있으며 염기 배열에 따라 다양한 입체 구조를 가진다. 염기는 G과 C이 마주보면서 결합하고 있다. 염기의 배열 순서가 달라지면 서로 다른 유전 정보를 가진다.

개념 확인 문제

01 지각을 구성하는 규산염 광물에 관한 설명으로 옳은 것은 ○표, 옳지 <u>않은</u> 것은 ×표를 하시오.

(1) 지각의 대부분을 이루는 광물은 규산염 광물이다. ( )
(2) 규산염 광물을 이루는 기본 단위는 Si-O 사면체이다. ( )
(3) 감람석이나 휘석 등은 Si-O 사면체 구조가 규칙적으로 결합하여 만들어진다. ( )

02 그림 (가)는 지각을 구성하는 원소의 성분 비율을, 그림 (나)는 Si-O 사면체의 구조를 나타낸 것이다.

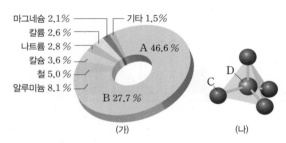

마그네슘 2.1%
칼륨 2.6%
나트륨 2.8%
칼슘 3.6%
철 5.0%
알루미늄 8.1%
기타 1.5%
A 46.6%
B 27.7%
(가)

C
D
(나)

이에 대한 설명으로 옳은 것만을 |보기|에서 있는 대로 고르시오.

| 보기 |

ㄱ. (가)에서 A는 산소, B는 규소이다.
ㄴ. (나)에서 C는 규소, D는 산소이다.
ㄷ. (가)에서 A와 B가 많은 까닭은 지각을 이루는 암석 대부분이 규산염 광물이기 때문이다.
ㄹ. (나)와 같은 기본 골격 사이에 여러 가지 원소의 이온이 결합하면서 다양한 종류의 규산염 광물이 만들어진다.

03 다음 빈칸에 공통으로 들어갈 말을 쓰시오.

지구상에 존재하는 모든 생명체는 ( )을/를 중심으로 수소, 산소, 질소 등이 공유 결합하여 만들어진 ( ) 화합물로 이루어져 있다.

04 탄소와 탄소 화합물에 관한 설명이다. 빈칸에 들어갈 알맞은 말을 쓰시오.

탄소는 원자가 전자가 4개이므로 하나의 탄소가 4개의 (㉠) 결합을 할 수 있다. 또한 탄소로 이루어진 다양한 기본 골격에 수소, 산소 등의 여러 원소가 결합하여 무수히 많은 종류의 (㉡)이 만들어진다. 즉, 생명체를 구성하는 (㉢), 지질, 탄수화물과 핵산 등과 같이 다양한 탄소 화합물이 만들어질 수 있는 것은 그 중심 원소가 탄소이기 때문이다.

05 생명체를 구성하는 탄소 화합물에 대한 설명으로 옳은 것은 ○표, 옳지 <u>않은</u> 것은 ×표를 하시오.

(1) 질소를 중심으로 단위체가 형성된다. ( )
(2) 생명체를 구성하는 주요 탄소 화합물에는 탄수화물, 단백질, 무기염류 등이 있다. ( )
(3) 포도당은 탄수화물의 단위체이다. ( )

06 그림은 단백질이 만들어지는 과정을 간단히 나타낸 것이다. (가)와 (나)에 해당하는 말을 각각 쓰시오. (단, (가)는 결합의 이름이고, (나)는 물질의 이름이다.)

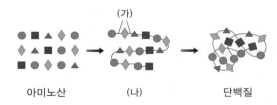

(가)

아미노산 → (나) → 단백질

07 DNA를 구성하는 4가지 염기의 이름을 쓰시오.

실력 쑥쑥 문제

01 그림은 지각을 구성하는 주요 광물의 부피비를 나타 낸 것이다.

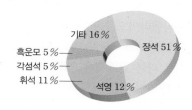

이에 대한 설명으로 옳은 것만을 |보기|에서 있는 대 로 고른 것은?

┌ 보기 ├
ㄱ. 장석과 석영은 Si-O 사면체를 기본 구조로 한다.
ㄴ. 지각을 이루는 대부분의 암석은 규산염 광물 이다.
ㄷ. 지각을 구성하는 주요 원소에는 산소와 규소 가 포함된다.

① ㄱ   ② ㄴ   ③ ㄱ, ㄴ
④ ㄴ, ㄷ   ⑤ ㄱ, ㄴ, ㄷ

02 규산염 광물에 가장 많이 포함되어 있는 원소 두 가 지를 옳게 짝 지은 것은?

① 산소, 수소   ② 산소, 탄소   ③ 산소, 규소
④ 규소, 수소   ⑤ 규소, 탄소

| 과학적 탐구 능력 |
03 그림은 Si-O 사면체의 구조를 나타낸 것이다.

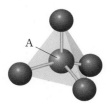

이에 대한 설명으로 옳은 것만을 |보기|에서 있는 대 로 고른 것은?

┌ 보기 ├
ㄱ. A는 산소를 나타낸다.
ㄴ. 지각을 구성하는 주요 암석을 구성하는 기본 구조이다.
ㄷ. 일반적으로는 하나로만 존재하면서 다른 원소 와 결합하지 않고 여러 규산염 광물을 만든다.

① ㄱ   ② ㄴ   ③ ㄱ, ㄴ
④ ㄴ, ㄷ   ⑤ ㄱ, ㄴ, ㄷ

04 그림은 어느 광물의 결합 구조를 나타낸 것이다.

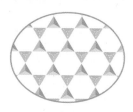

이에 대한 설명으로 옳은 것만을 |보기|에서 있는 대 로 고른 것은?

┌ 보기 ├
ㄱ. 대표 암석으로는 흑운모가 있다.
ㄴ. Si-O 사면체를 기본 단위로 한다.
ㄷ. Si-O 사면체가 두 줄로 길게 이어져 있는 구조이다.

① ㄱ   ② ㄴ   ③ ㄱ, ㄴ
④ ㄴ, ㄷ   ⑤ ㄱ, ㄴ, ㄷ

05 그림은 다양한 탄소 화합물의 기본 골격을 나타낸 것 이다.

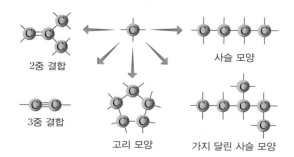

2중 결합   사슬 모양
3중 결합   고리 모양   가지 달린 사슬 모양

이와 같이 탄소 화합물이 다양한 기본 골격을 나타내 면서 다양한 탄소 화합물을 만들어 낼 수 있는 까닭 으로 옳은 것만을 |보기|에서 있는 대로 고른 것은?

┌ 보기 ├
ㄱ. 지구를 구성하는 원소 중 탄소가 가장 많기 때 문이다.
ㄴ. 탄소는 원자가 전자가 4개이므로 하나의 탄소 에 4개의 공유 결합을 할 수 있기 때문이다.
ㄷ. 탄소가 다른 탄소 원자와 결합할 때 단일 결합, 이중 결합, 3중 결합 등을 할 수 있기 때문이다.
ㄹ. 탄소 원자만 연속적으로 결합하여 한 줄 혹은 두 줄로 길게 이어진 구조를 할 수 있기 때문 이다.

① ㄱ, ㄷ   ② ㄴ, ㄷ   ③ ㄱ, ㄴ, ㄹ
④ ㄴ, ㄷ, ㄹ   ⑤ ㄱ, ㄴ, ㄷ, ㄹ

06 지각과 인체를 구성하는 물질에 관한 설명으로 옳은 것만을 |보기|에서 있는 대로 고른 것은?

| 보기 |

ㄱ. 지각과 인체를 구성하는 원소 중 비율이 가장 작은 것은 산소이다.
ㄴ. 지각을 구성하는 암석의 대부분을 이루는 광물은 규산염 광물이다.
ㄷ. 인체를 구성하는 원소 중 탄소는 단백질, 지방, 탄수화물 등의 구성에 이용된다.

① ㄱ   ② ㄴ   ③ ㄱ, ㄴ
④ ㄴ, ㄷ   ⑤ ㄱ, ㄴ, ㄷ

07 탄수화물에 대한 설명으로 옳은 것은?

① 다당류에는 글리세롤과 지방산이 있다.
② 세포벽의 주성분은 20가지 단위체이다.
③ 주요 탄수화물의 단위체는 포도당이다.
④ 글리코젠은 식물의 에너지 저장 물질이다.
⑤ 단당류가 펩타이드 결합으로 연결되어 있다.

| 과학적 사고력 |
08 그림은 생물에서 발견되는 주요 탄수화물을 나타낸 것이다. (단, (가)와 (나)는 각각 글리코젠과 녹말 중 하나이며, ㉠과 ㉡은 각각의 단위체이다.)

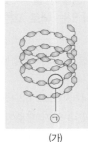
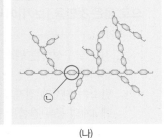

(가)   (나)

이에 대한 설명으로 옳은 것은?

① ㉠과 ㉡은 같은 물질이다.
② (가)는 단당류이다.
③ (가)는 단위체의 곁사슬이 서로 다르다.
④ (나)는 세포벽의 구성 물질이다.
⑤ (가)와 (나)는 모두 식물 세포에서 관찰된다.

09 단백질에 대한 설명으로 옳은 것은?

① 아미노산은 다양한 염기를 가진다.
② 생물이 사용하는 아미노산은 4가지이다.
③ 폴리펩타이드를 펼치면 긴 사슬 형태가 된다.
④ 유전 정보를 리보솜으로 전달하는 역할을 한다.
⑤ 서로 다른 단백질은 입체 구조가 같지만 아미노산 배열이 서로 다르다.

10 그림은 5개의 아미노산을 나열한 것이다.

   ◇

이 아미노산을 각 1회씩만 이용해 만들 수 있는 서로 다른 종류의 폴리펩타이드는 몇 개인지 쓰시오.

_____

_____

11 다음은 영희가 뉴클레오타이드 모형을 이용해 DNA 구조를 만드는 과정이다.

A	T	G	C	A	T	T	G	G
T	A	C					C	C

밑줄 친 곳에 알맞은 염기를 왼쪽부터 쓰시오.

_____

_____

12 그림 (가)는 지각을 구성하는 주요 광물의 구성 비율을, 그림 (나)는 지각을 구성하는 원소의 분포 비율을 나타낸 것이다.

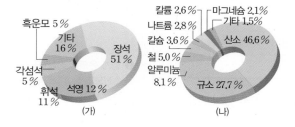

흑운모 5 %
기타 16 %
장석 51 %
각섬석 5 %
석영 12 %
휘석 11 %
(가)

칼륨 2.6 %
마그네슘 2.1 %
나트륨 2.8 %
기타 1.5 %
칼슘 3.6 %
산소 46.6 %
철 5.0 %
알루미늄 8.1 %
규소 27.7 %
(나)

지각을 구성하는 광물의 구성 비율을 참고하여 지각을 구성하는 원소 중에서 산소와 규소가 차지하는 비율이 가장 많은 까닭을 설명하시오.

13 탄소 화합물에 관해 여러 사람이 토의한 내용이다.

- 영수: 탄소는 원자가 전자가 1개이므로 하나의 탄소가 1개의 공유 결합을 할 수 있어.
- 창이: 탄소가 다른 탄소 원자와 결합할 때는 단일 결합, 2중 결합, 또는 3중 결합을 할 수 있으며 사슬 모양, 고리 모양 등의 다양한 기본 골격을 이룰 수 있지.
- 연자: 다양한 기본 골격에 수소, 산소 등의 여러 원소가 결합하여 무수히 많은 종류의 탄소 화합물이 만들어지는 것이지.

탄소 화합물에 대해 잘못 설명한 사람을 고르고, 그 내용을 옳게 고쳐 쓰시오.

14 그림은 우리 몸의 다양한 단백질을 나타낸 것이다.

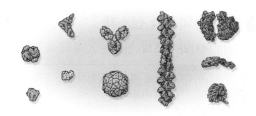

단백질의 입체 구조가 다양한 까닭을 다음 단어를 사용하여 서술하시오.

아미노산	입체 구조	서열

15 DNA는 그림과 같이 2중 나선 구조를 하고 있다.

DNA를 구성하는 염기의 상보결합에 대해 서술하시오.

2-2 신소재의 개발과 활용

교과서 74~85쪽

1 인류의 역사와 신소재

1. 인류의 역사와 신소재 인류는 소재의 발전과 함께 역사가 발전했다.

석기 시대	돌을 깨거나 갈아서 만든 도구 사용, 토기의 발명으로 음식물 저장·운반·조리가 가능해짐.
청동기 시대	구리에 주석을 섞어 만든 단단한 청동 사용, 주로 무기와 장신구에 이용됨.
철기 시대	단단한 철로 만든 농기구를 사용하여 농업 생산량 증가

2. 신소재 기존 물질을 구성하는 원소나 화학 결합 규칙을 변형시켜, 기존 물질보다 더 뛰어난 성질을 가지거나 새로운 성질을 가진 물질

2 여러 가지 신소재

1. 초전도체 초전도 현상이 발생하는 물질
① **초전도 현상** 온도를 점점 낮출 때 특정 온도(임계 온도❶) 이하에서 전기 저항이 0이 되는 현상
② **초전도체 성질** 전기 저항이 0일 때 전력 손실이 없고 열이 발생하지 않는다. 센 전류가 흐를 수 있으므로 강한 자기장을 발생시키는 전자석을 만들 수 있다. 또한 마이스너 효과❷에 의해 초전도체가 외부 자기장을 밀어내어 초전도체가 자석 위에 떠 있게 된다.

▲ 온도-전기 저항 그래프

③ **이용 분야** 전력 손실이 없는 초전도 케이블, 핵융합로, 자기 공명 영상(MRI) 장치, 입자 가속기, 자기 부상 열차 등

▲ 자기 부상 열차

▲ 자기 공명 영상(MRI) 장치

▲ 초전도 케이블

④ **한계점** 낮은 온도를 유지하는 데 많은 비용이 들어 널리 상용화되지 못하고 있다.

2. 그래핀 탄소 원자들이 육각형 벌집 모형으로 배열된 평면들이 쌓인 흑연의 한 층에 해당하는 신소재

① **그래핀의 특징**
• 열전도성과 전기 전도성이 뛰어나다.
• 아주 얇기 때문에 빛을 투과시킬 수 있다.
• 강도가 높고, 휘거나 구부릴 수 있다.

탄소
그래핀
흑연
▲ 흑연과 그래핀

② **이용 분야** 투명하며 구부릴 수 있는 디스플레이, 의복형 컴퓨터, 차세대 반도체 소재, 고효율 태양 전지, 가볍고 튼튼한 비행기, 바닷물을 담수로 바꾸는 필터 등
③ **한계점** 대량 생산이 어렵고 가격이 비싸기 때문에 상용화까지 시간이 좀더 필요하다. 반도체에 비해 전기적 성질을 변화시키기가 어렵다.

이 단원의 핵심 개념은~
■ 초전도체, 그래핀, 네오디뮴 자석, 반도체, 액정의 특징과 이용의 예
■ 자연을 모방한 신소재의 예와 그 이용

→ ❶ 임계 온도란 전기 저항이 0이 되어 초전도 현상이 나타나는 온도이다.

→ ❷ 마이스너 효과는 초전도체 위에 자석을 놓았을 때 초전도체가 주변의 자기장을 밀어내어 자석이 초전도체 위에 뜨는 현상이다.

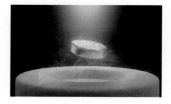

■ 나노 기술을 이용한 신소재
• **탄소 나노 튜브**: 그래핀이 원통 튜브 모양으로 말려 있는 구조, 강도, 전기 전도성, 열전도성이 매우 커서 첨단 현미경의 탐침, 나노 핀셋, 나노 복합 소재에 사용된다.
• **풀러렌**: 탄소 원자가 육각형과 오각형으로 결합한 축구공 모양의 구조, 매우 단단하고 내부에 빈공간이 있어 금속 원자를 넣거나 의약품을 넣어 운반하는 역할을 할 수 있다.

▲ 탄소 나노 튜브

▲ 풀러렌

용어 🔍

임계(臨界)
외부의 변화 때문에 물질의 상태나 성질이 바뀌기 시작하는 경계
나노(nano)
10^{-9}을 나타내는 접두어로, 1나노미터(nm)는 머리카락 굵기의 10만 분의 1정도이다.

3. 네오디뮴 자석 철 원자 사이에 네오디뮴과 붕소를 첨가하여 철 원자의 자기장의 방향이 흐트러지지 않도록 만든 강한 자석
  • **이용 분야** 하드디스크에서 헤드를 움직이는 장치, 고출력 소형 스피커, 강력 모터 등

4. 반도체 도체와 절연체의 중간 정도의 전기적 성질을 갖는 물질로, 특정 조건을 다르게 할 때 전기 전도성이 달라진다.
  ① **특징** 저온에서는 전기 저항이 크지만, 빛 또는 열에너지를 가하거나 미량의 원소를 첨가하면 저항이 작아져 전기 전도성이 증가한다.
  ② **이용 분야** 집적 회로, 발광 다이오드(LED)❸, 태양 전지, 각종 감지기 등

5. 액정 가늘고 긴 막대 모양의 분자로 액체와 고체의 중간적인 성질을 가지고 있는 물질 ➡ 분자들이 액체처럼 이동할 수 있으면서도 고체 결정처럼 일정한 방향으로 배열되는 성질이 있다.

▲ 액정의 원리

수직 편광판, 액정층, 수평 편광판, 광원, 전압, 액정, 컬러 필터, 빛 차단, 빛 통과

  ① **특징** 열이나 전압을 가하면 액정 분자의 배열이 변한다.
  ② **이용 분야** 컴퓨터 모니터, 텔레비전·휴대 전화 등의 영상 표현 장치 등

6. 생체 모방 신소재 생물의 특정 기능을 모방하여 개발한 신소재

게코 도마뱀의 발
수많은 미세 섬모들이 있어서 나무나 벽에 쉽게 붙고 떨어질 수 있다. ➡ 반복하여 붙였다 뗄 수 있는 테이프

상어의 특이한 비늘
상어는 특수한 모양의 비늘이 있어 물과의 저항력을 줄인다.
➡ 전신 수영복

홍합의 질긴 족사
홍합은 족사라는 접착 단백질을 분비해 파도가 쳐도 바위에 단단히 붙어 자란다. ➡ 수중 접착제, 의료용 생체 접착제(지혈 주삿바늘) 등

화려한 공작의 깃털
공작의 깃털 색은 화려한 색이 보이는 비눗방울과 같은 빛의 성질을 이용한 원리이다. ➡ 광원이 필요 없는 디스플레이

출제 자료 Focus

초전도체의 특성

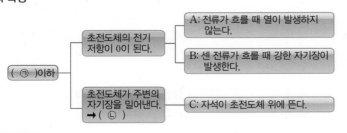

(㉠)이하 ── 초전도체의 전기 저항이 0이 된다. ── A: 전류가 흐를 때 열이 발생하지 않는다. / B: 센 전류가 흐를 때 강한 자기장이 발생한다.
(㉠)이하 ── 초전도체가 주변의 자기장을 밀어낸다. ➡ (㉡) ── C: 자석이 초전도체 위에 뜬다.

출제 자료 확인하기

① ㉠, ㉡에 들어갈 용어는? (임계 온도, 마이스너 효과)
② A의 성질을 이용한 활용 분야는? (초전도 케이블)
③ B의 성질을 이용한 활용 분야는? (자기 공명 영상 장치)
④ C의 성질을 이용한 활용 분야는? (자기 부상 열차)

■ 다양하게 사용되는 반도체
• 압력 감지기 : 온도나 압력 등의 조건에 따라 저항이 변하는 성질 이용
• CD 플레이어 : 전류가 흐를 때 레이저 빛을 방출하는 성질 이용
• 태양 전지 : 빛에너지를 전기 에너지로 바꾸는 성질 이용

❸ 발광 다이오드(LED)는 전류가 흐를 때 빛을 방출하는 성질을 이용하여 정보 표시 장치나 조명에 사용된다.

■ 연잎의 표면
연잎은 육안으로 봤을 때 매끄럽게 보이지만 나노 크기로 확대하면 수많은 돌기가 빼곡히 덮여 있고, 이 돌기들은 물이 잘 스며들지 않게 만드는 코팅제 역할을 한다. 이러한 연잎 구조를 모방해 유리 코팅제, 방수가 되는 옷을 만들었다.

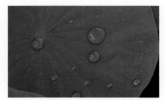

✔ **바로 체크**

1 기존 물질의 성질을 변화시켜 단점을 보완하거나 새로운 기능과 성질을 갖도록 개발한 물질을 (　　) 라고 한다.

2 전기 전도성이 도체와 절연체의 중간 정도인 물질을 (　　)라고 한다.

3 물질의 (　　) 성질을 변화시킨 신소재에는 반도체, 초전도체, 그래핀, 액정 등이 있고, 물질의 (　　) 성질을 변화시킨 신소재에는 초전도체, 네오디뮴 자석 등이 있다.

4 특정 온도 이하에서 전기 저항이 0이 되는 물질을 (　　)라고 한다.

5 (　　)은 투명하고 휘어지며 반도체보다 전자의 이동 속도가 빠르기 때문에 휘어지는 영상 표현 장치를 만들 수 있다.

정답 5 그래핀
1 신소재 2 반도체 3 전기적, 자기적 4 초전도체

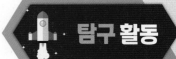

| 탐구 목표 |
물질의 전기적·자기적 성질을 알고 이를 이용하는 예를 말할 수 있다.

자료

물질의 물리적 성질과 이용

그림은 물질의 물리적 성질을 조사하여 만든 마인드 맵이다. 물질의 물리적 성질에는 어떤 것이 있는지 조사하여 마인드맵을 완성해 보자.

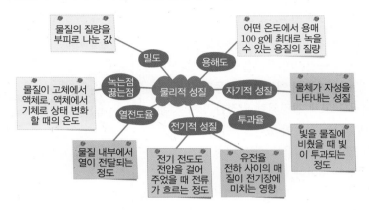

탐구 Plus

물리적 성질
물질의 상태를 나타내는 측정이 가능한 모든 성질이다. 예를 들면 질량, 길이, 밀도, 전기 전도도, 색, 어는점 등이 있다.

탐구 정리

1 표에서 활용 사례를 보고 빈칸에 들어갈 전기적·자기적 성질을 사용하는 소재 2개를 쓰시오.

물리적 성질	소재	활용 사례
전기적 성질	구리	저항이 작아 전기가 잘 통하므로 전선에 이용한다.
	(㉠)	저항이 커서 전기가 잘 통하지 않으므로 전선 피복에 이용하여 감전 등을 방지한다.
자기적 성질	철	전자석을 만들어 전동기에 이용한다.
	(㉡)	다른 금속과 합금을 만들면 강한 자성을 띠므로, 강한 자석이 필요할 때 이용한다.

2 우리 주변에서 전기적·자기적 성질을 이용하는 제품에는 어떤 것이 있는가?
- 전기적 성질을 이용한 제품: 초전도 전력 케이블, 집적 회로, 태양 전지 등
- 자기적 성질을 이용한 제품: 자기 부상 열차, 자기 공명 영상(MRI) 장치 등

이해 Check

1 물질을 전기적 성질에 따라 분류할 때 관계있는 것을 옳게 연결하시오.

(1) 도체 •　　　• ㉠ 플라스틱, 고무, 유리

(2) 부도체 •　　　• ㉡ 구리, 알루미늄, 철

(3) 반도체 •　　　• ㉢ 규소, 저마늄

2 전기적 성질을 이용한 신소재 2가지를 쓰시오.

3 자기적 성질을 이용한 신소재 2가지를 쓰시오.

| 탐구 목표 |
전기적·자기적 성질을 변화시킨 신소재와 생물의 기능을 모방한 신소재를 설명할 수 있다.

| 유의점 |
생물은 오랜 시간 동안 환경에 적응할 수 있도록 구조와 기능을 스스로 변화시키면서 진화하였다. 생명체가 가지고 있는 고유한 특성을 모방해 여러 가지 도구를 만들어 활용한 사례를 찾아보자.

탐구 Plus

생물의 기능을 이용한 신소재
상어의 비늘과 공작의 깃털은 생물체의 구조를, 홍합의 족사는 생물체의 성분을, 파리의 빠른 비행은 생물체의 기능을 모방했다.

자료1

초전도체와 그래핀
전기적·자기적 성질을 변화시켜 만든 초전도체와 그래핀의 성질에 대해 알아보자.

초전도체
특정 온도 이하에서 전기 저항이 0이 되는 (㉢)이 나타난다. 전기 저항이 0일 때 에너지 손실이 없이 강한 전류가 흐를 수 있고, 이를 통해 강한 자기장을 만들 수 있다.

그래핀
열과 (㉣)를 잘 전도하며, 투명하고 유연성이 있다. 또한 강도가 우수하여 휘어지는 투명 디스플레이, 차세대 반도체 소재, 고효율 태양 전지 등에 사용된다.

자료2

생체 모방 신소재
생명체가 가지고 있는 고유한 특성을 이용하여 만든 신소재에 대해 알아보자.

상어의 특이한 비늘
상어는 특수한 모양의 비늘을 가지고 있어 물의 (㉤)을 최소화할 수 있다. 상어의 비늘을 모방하여 마찰력을 줄여 주는 수영복을 만들었다.

파리의 빠른 비행
파리의 움직임이 날렵한 이유는 파리의 날개짓과 그에 따른 공기의 움직임 때문이다. 현재 이를 모방한 소형 로봇 개발이 진행 중이다.

홍합의 질긴 족사
홍합의 족사는 강한 (㉥)을 가지고 있다. 이것을 활용하여 의료용 생체 접착제(지혈 주삿바늘), 수중 접착제를 만들었다.

공작의 화려한 깃털
공작의 깃털 색은 깃털의 구조에 의해 나타나는 색이다. 이를 이용하면 광원이 필요 없는 (㉦)가 가능하다.

이해 Check

4 초전도체에 대한 설명으로 옳은 것만을 |보기|에서 있는 대로 고르시오.

┌ 보기 ┐
ㄱ. 흑연의 한 층에 해당한다.
ㄴ. 전력 손실이 없는 송전선에 이용된다.
ㄷ. 특정 온도 이하에서 외부 자기장을 밀어내는 성질이 있다.
ㄹ. 생물의 특정 기능을 모방하여 만든 신소재이다.

5 생체 모방에 사용한 생물과 이 생물의 특징을 이용하여 만든 제품을 옳게 연결하시오.

(1) 상어 •　　　　• ㉠ 광원이 필요 없는 디스플레이
(2) 파리 •　　　　• ㉡ 지혈 주삿바늘
(3) 홍합 •　　　　• ㉢ 소형 로봇
(4) 공작 •　　　　• ㉣ 전신 수영복

개념 확인 문제

01 물질의 물리적 성질을 이용하거나 물질의 결합 규칙을 변형하여 기존 소재의 결점을 보완하고 새로운 기능과 성질을 갖도록 만든 소재를 무엇이라고 하는지 쓰시오.

02 다음은 어떤 신소재에 대한 설명이다.

(㉠): 임계 온도 이하에서 전기 저항이 0이 되는 물질이다.

㉠에 대한 설명으로 옳은 것은 ○표, 옳지 않은 것은 ×표를 하시오.

(1) ㉠에 들어갈 말은 초전도체이다. (   )

(2) 임계 온도 이하에서 전류가 흐를 때 많은 열이 발생하여 강한 자기장을 만들 수 있다. (   )

(3) 핵융합 장치, 자기 부상 열차, 자기 공명 영상(MRI) 장치 등에 활용된다. (   )

03 다음은 그래핀에 대한 설명이다.

(㉠) 원자가 육각형 모양의 한 층으로 배열된 물질이다.

그래핀에 대한 설명으로 옳은 것은 ○표, 옳지 않은 것은 ×표를 하시오.

(1) ㉠에 들어갈 말은 탄소이다. (   )

(2) 전기 전도성과 열전도성이 매우 뛰어나지만 강도가 높아 휘거나 구부릴 수 없다. (   )

(3) 대량 생산이 어려우며, 반도체보다 전기적 성질을 변화시키기 어렵다. (   )

(4) 구부러지는 디스플레이, 태양 전지, 바닷물을 담수로 바꾸는 필터에 활용된다. (   )

04 강력한 모터에 사용하는 신소재로, 다음과 같은 특징을 가지고 있는 물질을 쓰시오.

철 원자 사이에 네오디뮴과 붕소를 첨가하여 철 원자의 자기장의 방향이 흐트러지지 않도록 만든 물질로, 하드디스크에서 헤드를 움직이는 장치나 고출력 소형 스피커 등에 사용한다.

05 다음은 감지기에 대한 설명이다.

압력 · 가스 · 방사능 감지기는 온도나 압력 등의 조건에 따라 반도체의 (㉠)이 변하는 성질을 이용한다.

㉠에 들어갈 알맞은 말을 쓰시오.

06 그림 (가)와 (나)는 반도체의 활용 분야를 나타낸 것이다.

(가) 발광 다이오드(LED)　　　　(나) 태양 전지

㉠, ㉡에 들어갈 알맞은 말을 쓰시오.

(1) 발광 다이오드(LED)는 전류가 흐를 때 (㉠)을 방출하는 성질을 이용한다.

(2) 태양 전지는 빛을 비출 때 (㉡)가 흐르는 성질을 이용한다.

07 다음에 제시된 신소재와 신소재를 이용하는 예를 옳게 연결하시오.

(1) 그래핀　　　　·　　　　· ㉠ 자기 부상 열차

(2) 초전도체　　　·　　　　· ㉡ 강력 모터

(3) 반도체　　　　·　　　　· ㉢ 각종 감지기

(4) 네오디뮴 자석 ·　　　　· ㉣ 의복형 컴퓨터

08 다음은 자연을 모방한 신소재이다.

- 전신 수영복
- 게코 테이프
- 유리 코팅제
- 의료용 생체 접착제

바닷물 속에서도 바위에 붙어 있는 홍합의 분비물을 모방한 신소재를 쓰시오.

실력 쑥쑥 문제

01 다음은 물질의 성질을 이용한 예를 나타낸 것이다.

물리적 성질	소재	활용 사례
㉠	구리	저항이 작아 전기가 잘 통하므로 전선에 이용한다.
	㉡	저항이 커서 전기가 잘 통하지 않으므로 전선 피복에 이용하여 감전 등을 방지한다.
자기적 성질	철	전자석을 만들어 전동기에 이용한다.
	㉢	다른 금속과 합금을 만들면 강한 자석을 띠므로, 강한 자석이 필요할 때 이용한다.

이에 대한 설명으로 옳은 것만을 |보기|에서 있는 대로 고른 것은?

┌ 보기 ├
ㄱ. ㉠은 전기적 성질이다.
ㄴ. 플라스틱은 ㉡에 해당한다.
ㄷ. ㉢은 열에 강하여 가공하기가 어렵다.

① ㄱ   ② ㄴ   ③ ㄱ, ㄴ
④ ㄴ, ㄷ   ⑤ ㄱ, ㄴ, ㄷ

| 과학적 사고력 |

02 그림은 물질 A, B의 온도에 따른 저항값을 개략적으로 나타낸 것이다.

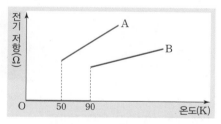

이에 대한 설명으로 옳은 것만을 |보기|에서 있는 대로 고른 것은?

┌ 보기 ├
ㄱ. A는 초전도체이다.
ㄴ. A는 90 K에서 초전도 현상이 일어난다.
ㄷ. B로 만든 코일의 온도가 70 K이면 코일에 전류가 흘러도 열이 발생하지 않는다.

① ㄱ   ② ㄴ   ③ ㄱ, ㄴ
④ ㄱ, ㄷ   ⑤ ㄴ, ㄷ

03 그림은 특정 온도 이하에서 자석이 어떤 신소재 위에 떠 있는 모습을 나타낸 것이다.

이 신소재의 특성과 이용 분야를 바르게 짝 지은 것은?

[특성]
(가) 특정 온도 이하에서 전력 손실이 없다.
(나) 특정 온도에서 원래의 모양으로 되돌아온다.
(다) 아주 얇아서 빛을 투과시킬 수 있다.
[이용 분야]
ㄱ. 안경테   ㄴ. 초전도 케이블
ㄷ. 구부릴 수 있는 디스플레이

① (가)—ㄱ   ② (가)—ㄴ   ③ (나)—ㄱ
④ (나)—ㄷ   ⑤ (다)—ㄷ

04 다음은 최근 주목받고 있는 신소재에 대한 기사의 일부이다.

> 2004년 영국의 안드레 가임과 콘스탄틴 노보셀로프가 흑연에 셀로판테이프를 붙였다 떼어내는 방식으로 얻어낸 것으로, 매우 얇고 평면적인 구조로 이루어진 ㉠신소재이다. 이 소재는 6각형 구조로 결합한 (㉡) 원자로 이루어져 있다.

이에 대한 설명으로 옳은 것만을 |보기|에서 있는 대로 고른 것은?

┌ 보기 ├
ㄱ. ㉠은 그래핀이다.
ㄴ. ㉡은 탄소이다.
ㄷ. ㉠은 자기적 성질을 이용한다.

① ㄱ   ② ㄴ   ③ ㄱ, ㄴ
④ ㄴ, ㄷ   ⑤ ㄱ, ㄴ, ㄷ

05 그림은 탄소 원자로 이루어진 신소재 물질을 나타낸 것이다. 이 신소재에 대한 설명으로 옳은 것만을 |보기|에서 있는 대로 고른 것은?

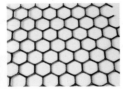

| 보기 |

ㄱ. 이 신소재는 그래핀이다.
ㄴ. 흑연의 한 층에 해당한다.
ㄷ. 휘거나 구부릴 수 있다.

① ㄱ   ② ㄴ   ③ ㄱ, ㄴ
④ ㄴ, ㄷ   ⑤ ㄱ, ㄴ, ㄷ

06 그림 (가), (나)는 어떤 신소재를 이용하여 만든 것이다.

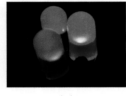 

(가)   (나)

이 신소재에 대한 설명으로 옳은 것만을 |보기|에서 있는 대로 고른 것은?

| 보기 |

ㄱ. 이 신소재는 반도체이다.
ㄴ. 강철보다 단단하고, 구리보다 전기 전도성이 높다.
ㄷ. 규소에 소량의 특정 원소를 첨가하여 전기 전도성을 증가시킨 것이다.

① ㄱ   ② ㄱ, ㄴ   ③ ㄱ, ㄷ
④ ㄴ, ㄷ   ⑤ ㄱ, ㄴ, ㄷ

07 다음은 신소재를 이용하여 만든 장치를 설명한 것이다.

- 가로등, 버스 정류장 등에 활용되고 있다.
- 햇빛을 받는 공간이 확보되면 가정에도 설치하여 전기 에너지를 생산할 수 있다.

이 장치에 사용되는 신소재는?

① 반도체   ② 초전도체   ③ 액정
④ 그래핀   ⑤ 네오디뮴 자석

08 다음은 어떤 신소재 A에 대한 설명이다.

(A): 일렬로 늘어선 긴 유기 분자로 구성된 물질로 액체와 결정의 성질을 모두 가지고 있다. 전압에 따라서 분자의 배열이 변하는 특성이 있기 때문에 수직으로 배열된 편광판 사이에 A를 배열시켜서 통과하는 빛의 양과 색을 조절할 수 있다.

이에 대한 설명으로 옳은 것만을 |보기|에서 있는 대로 고른 것은?

| 보기 |

ㄱ. A는 액정이다.
ㄴ. A는 자기적 성질을 이용한다.
ㄷ. A에 전압을 걸면 수직으로 배열된 편광판에 빛이 모두 통과할 수 있다.

① ㄱ   ② ㄷ   ③ ㄱ, ㄴ
④ ㄴ, ㄷ   ⑤ ㄱ, ㄴ, ㄷ

| 과학적 사고력 |

09 다음 (가), (나)는 신소재 개발을 위해 모방할 수 있는 상어의 비늘과 홍합의 족사를 나타낸 것이다.

(가)   (나)

이에 대한 설명으로 옳은 것만을 |보기|에서 있는 대로 고른 것은?

| 보기 |

ㄱ. (가)를 모방하여 마찰력을 줄일 수 있는 수영복을 만들었다.
ㄴ. 수중 접착제는 (나)의 강한 접착력을 모방하였다.
ㄷ. (가)와 (나)는 생물체의 구조를 모방하였다.

① ㄱ   ② ㄷ   ③ ㄱ, ㄴ
④ ㄴ, ㄷ   ⑤ ㄱ, ㄴ, ㄷ

서술형 문제

| 과학적 의사 소통 능력 |

10 다음은 물질의 물리적 성질을 조사하여 만든 마인드 맵의 일부이다.

초전도체와 그래핀에 이용된 물질의 물리적 성질을 각각 쓰시오.

(1) 초전도체: ＿＿＿＿＿＿＿＿＿＿

(2) 그래핀: ＿＿＿＿＿＿＿＿＿＿

11 다음은 신소재 A의 자기적 성질을 이용한 예이다.

레일과 열차에 있는 전자석의 반발력을 이용하여 선로에서 뜬 상태로 운행한다.

(1) 신소재 A를 쓰시오.

＿＿＿＿＿＿＿＿＿＿＿＿＿＿＿＿＿

(2) 신소재 A가 전기 에너지를 손실 없이 전달하거나 저장할 수 있는 까닭을 서술하시오.

＿＿＿＿＿＿＿＿＿＿＿＿＿＿＿＿＿

12 그림은 특정 온도 이하에서 자석이 어떤 신소재 위에 떠 있는 모습을 나타낸 것이다. 이 신소재를 이용한 예를 2가지만 쓰시오.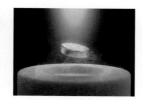

＿＿＿＿＿＿＿＿＿＿＿＿＿＿＿＿＿

＿＿＿＿＿＿＿＿＿＿＿＿＿＿＿＿＿

13 다음은 그래핀에 대한 설명이다.

연필심의 재료인 흑연은 탄소가 층층이 쌓여 있는 형태의 물질이다. 이 탄소층을 한겹으로 떼어 내면 그래핀이라는 새로운 물질이 만들어진다. 그래핀은 구리보다 전기가 100배 이상 잘 통한다. 그리고 빛도 잘 통과시키는 투명 물질이다. 그래핀을 이용하면 고효율의 태양 전지, 휘어지는 디스플레이 등을 만들 수 있지만 ㉠상용화까지는 좀 더 시간이 필요할 것으로 예상된다.

(1) 그래핀이 기존의 소재에 비해 가지는 장점 2가지를 서술하시오.

＿＿＿＿＿＿＿＿＿＿＿＿＿＿＿＿＿

＿＿＿＿＿＿＿＿＿＿＿＿＿＿＿＿＿

(2) ㉠의 이유 2가지를 서술하시오.

＿＿＿＿＿＿＿＿＿＿＿＿＿＿＿＿＿

＿＿＿＿＿＿＿＿＿＿＿＿＿＿＿＿＿

14 다음은 신소재를 이용한 여러 가지 예를 나타낸 것이다.

(가)　　　　　　(나)

(가)와 (나)에서 각각 이용한 신소재의 이름을 쓰시오.

(가) ＿＿＿＿＿＿　　(나) ＿＿＿＿＿＿

| 과학적 문제 해결력 |

15 전신 수영복은 상어의 비늘을 모방하여 만든 것이다. 전신 수영복은 상어 비늘의 어떤 특성을 모방한 것인지 서술하시오.

＿＿＿＿＿＿＿＿＿＿＿＿＿＿＿＿＿

＿＿＿＿＿＿＿＿＿＿＿＿＿＿＿＿＿

2 – 1. 지각과 생명체를 구성하는 물질의 규칙성

01 그림 (가)는 지각을 이루는 원소의 구성 비율을, 그림 (나)는 생명체를 이루는 원소의 구성 비율을 나타낸 것이다.

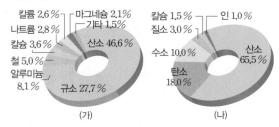

(가)

(나)

이에 대한 설명으로 옳은 것만을 |보기|에서 있는 대로 고른 것은?

┤ 보기 ├

ㄱ. 탄소는 탄소 화합물 형태로 생명체를 구성한다.

ㄴ. 지각과 생명체를 구성하는 원소 중 가장 많은 비율을 차지하는 것은 규소이다.

ㄷ. 지각을 구성하는 원소 중 규소가 많은 부분을 차지하는 것은 지각이 주로 규산염 광물로 이루어져 있기 때문이다.

① ㄱ   ② ㄴ   ③ ㄱ, ㄷ

④ ㄴ, ㄷ   ⑤ ㄱ, ㄴ, ㄷ

02 그림은 탄소 화합물의 여러 가지 기본 골격을 나타낸 것이다.

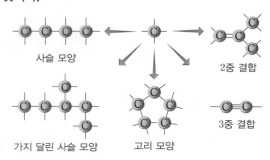

사슬 모양

2중 결합

가지 달린 사슬 모양   고리 모양

3중 결합

이에 대한 설명으로 옳은 것만을 |보기|에서 있는 대로 고른 것은?

┤ 보기 ├

ㄱ. 탄소 화합물의 종류는 무수히 많다.

ㄴ. 탄소 화합물은 탄소끼리의 결합으로만 이루어져 있다.

ㄷ. 하나의 탄소 원자는 다른 탄소와 결합할 때 총 4개의 공유 결합이 가능하다.

① ㄱ   ② ㄴ   ③ ㄱ, ㄷ

④ ㄴ, ㄷ   ⑤ ㄱ, ㄴ, ㄷ

03 생명체에 포함된 탄소 화합물의 역할에 대한 설명으로 옳은 것만을 |보기|에서 있는 대로 고른 것은?

┤ 보기 ├

ㄱ. 단백질, 지방, 탄수화물, 핵산 등을 구성한다.

ㄴ. 생명체의 에너지원이나 유전 정보 저장 등에 이용한다.

ㄷ. 생명체에서 가장 많은 부분을 차지하는 물을 만드는 데 이용한다.

① ㄱ   ② ㄴ   ③ ㄱ, ㄴ

④ ㄴ, ㄷ   ⑤ ㄱ, ㄴ, ㄷ

04 그림은 생명체를 구성하는 물질 (가)~(다)를 나타낸 것이다. (단, (가)~(다)는 각각 녹말, DNA, 단백질 중 하나이다.)

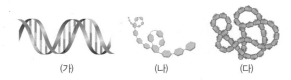

(가)   (나)   (다)

이에 대한 설명으로 옳은 것만을 |보기|에서 있는 대로 고른 것은?

┤ 보기 ├

ㄱ. '(가)의 단위체 종류×4＝(다)의 단위체 종류'이다.

ㄴ. (나)는 단위체의 배열 순서에 따라 기능이 달라진다.

ㄷ. (가)에는 (다)의 단위체의 배열 순서를 저장한다.

① ㄱ   ② ㄴ   ③ ㄷ

④ ㄱ, ㄴ   ⑤ ㄴ, ㄷ

05 그림은 주요 탄소 화합물의 단위체를 나타낸 것이다.

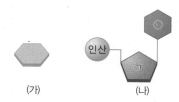

(가)   (나)

이에 대한 설명으로 옳은 것만을 |보기|에서 있는 대로 고른 것은?

┌ 보기 ├
ㄱ. (가)와 ㉠은 모두 탄수화물이다.
ㄴ. ㉡은 다른 단위체의 인산과 결합한다.
ㄷ. (나)는 펩타이드 결합으로 연결되어 큰 분자를 형성한다.

① ㄱ   ② ㄴ   ③ ㄱ, ㄴ
④ ㄴ, ㄷ   ⑤ ㄱ, ㄴ, ㄷ

06 그림은 DNA의 일부를 나타낸 것이다.

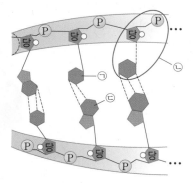

이에 대한 설명으로 옳은 것만을 |보기|에서 있는 대로 고른 것은?

┌ 보기 ├
ㄱ. ㉠이 A이면 ㉢은 C이다.
ㄴ. ㉡은 뉴클레오타이드이다.
ㄷ. 위 그림에서 단위체는 6개가 있다.

① ㄱ   ② ㄴ   ③ ㄱ, ㄴ
④ ㄴ, ㄷ   ⑤ ㄱ, ㄴ, ㄷ

2 - 2. 신소재의 개발과 활용

[07~08] 다음은 초전도체의 특성을 나타낸 것이다.

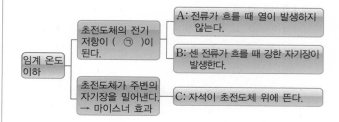

07 이에 대한 설명으로 옳은 것만을 |보기|에서 있는 대로 고른 것은?

┌ 보기 ├
ㄱ. ㉠은 0이다.
ㄴ. A와 C는 전기적 성질을 이용한다.
ㄷ. 마이스너 효과는 초전도체가 주변의 자기장을 밀어 내어 자석이 초전도체 위에 뜨는 현상이다.

① ㄱ   ② ㄱ, ㄴ   ③ ㄱ, ㄷ
④ ㄴ, ㄷ   ⑤ ㄱ, ㄴ, ㄷ

08 A, B, C 특성에 해당하는 활용 분야를 |보기|에서 찾아 바르게 짝 지은 것은?

┌ 보기 ├

(가) 자기 부상 열차 (나) 초전도 케이블 (다) 핵융합 장치

	A	B	C
①	(가)	(나)	(다)
②	(가)	(다)	(나)
③	(나)	(가)	(다)
④	(나)	(다)	(가)
⑤	(다)	(나)	(가)

[09~10] 그림은 흑연에서 한 층을 분리해 낸 신소재의 모습을 나타낸 것이다.

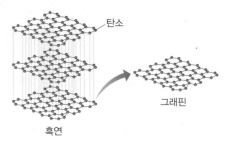

탄소

그래핀

흑연

09 위 신소재의 특징만을 |보기|에서 있는 대로 고른 것은?

| 보기 |
ㄱ. 전기 전도성이 뛰어나다.
ㄴ. 빛을 투과시킬 수 있다.
ㄷ. 휘거나 구부릴 수 있다.
ㄹ. 전류가 흐르면 빛을 방출한다.

① ㄱ, ㄴ　　② ㄱ, ㄷ　　③ ㄷ, ㄹ
④ ㄱ, ㄴ, ㄷ　⑤ ㄴ, ㄷ, ㄹ

10 위 신소재를 이용한 예로 옳은 것은?

① 발광 다이오드
② 자기 부상 열차
③ 자기 공명 영상 장치
④ 전력 손실이 없는 송전선
⑤ 투명하며 구부러지는 디스플레이

11 초전도체에 대한 설명으로 옳은 것만을 |보기|에서 있는 대로 고른 것은?

| 보기 |
ㄱ. 흑연의 한 층에 해당한다.
ㄴ. 외부 자기장을 밀어내는 성질이 있다.
ㄷ. 특정 온도 이하에서 전기 저항이 0이 된다.
ㄹ. 전력 손실이 없는 송전선이나 자기 부상 열차에 이용할 수 있다.

① ㄱ, ㄴ　　② ㄱ, ㄷ　　③ ㄱ, ㄹ
④ ㄴ, ㄷ　　⑤ ㄴ, ㄷ, ㄹ

12 다음은 A를 모방한 신소재에 대한 설명이다.

> A를 모방해 수직의 벽을 오르는 로봇, 붙인 방향의 반대 방향으로 뗄 수 있는 테이프 등을 발명했다. 또한 ㉠탄소 나노 튜브를 비롯해 여러 물질을 혼합한 신소재로 A 구조를 모방해 접착제가 필요 없는 전도성 접착 패드를 만들어 생체 정보를 측정하는 기술도 개발했다.

이에 대한 설명으로 옳은 것만을 |보기|에서 있는 대로 고른 것은?

| 보기 |
ㄱ. A는 게코 도마뱀의 발바닥이다.
ㄴ. 수중 공사용 접착제도 A를 모방한 신소재이다.
ㄷ. ㉠은 구리보다 열과 전기를 잘 통하는 성질이 있다.

① ㄱ　　　② ㄷ　　　③ ㄱ, ㄴ
④ ㄱ, ㄷ　　⑤ ㄴ, ㄷ

서술형

13 초전도체는 그림 (가)와 같이 특정 온도 이하에서 전기 저항이 0이 된다. 이와 같은 초전도체를 이용하여 그림 (나)와 같은 송전선을 만들어 전류를 흘려 주면 어떤 장점이 있는지 서술하시오.

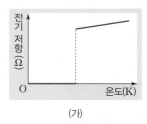

(가)　　　　　　　(나)

_____

_____

서술형

14 현재 초전도체와 그래핀이 널리 상용화되기 어려운 까닭은 각각 1가지씩만 서술하시오.

_____

_____

01 그림은 규산염 광물의 기본 결합 구조를 나타낸 것이다.

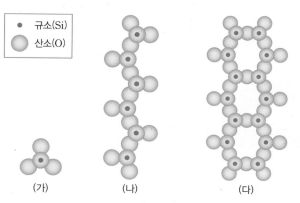

규소(Si)
산소(O)

(가)　　(나)　　(다)

이에 대한 설명으로 옳은 것만을 |보기|에서 있는 대로 고른 것은?

| 보기 |

ㄱ. 규산염 광물은 Si-O 사면체의 기본 골격 구조로 이루어져 있다.
ㄴ. (가)→(나)→(다)로 갈수록 광물 내 규소에 대한 산소의 비율은 감소한다.
ㄷ. Si-O 사면체는 규소 1개와 산소 4개가 공유 결합하여 만들어진 사면체 구조이다.

① ㄱ
② ㄴ
③ ㄱ, ㄷ
④ ㄴ, ㄷ
⑤ ㄱ, ㄴ, ㄷ

출제 Point
Si-O 사면체의 기본 구조에서 산소와 규소의 결합 비율과 기본 구조가 결합할 때의 산소와 규소의 결합 비율을 확인한다.

02 그림은 생물체를 구성하는 물질 (가)~(다)를 구분하는 과정을 나타낸 것이다. (단, (가)~(다)는 글리코젠, 단백질, DNA 중 하나이다.)

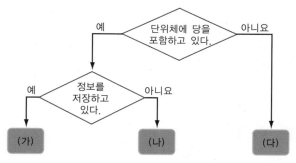

이에 대한 설명으로 옳은 것만을 〈보기〉에서 있는 대로 고른 것은?

| 보기 |

ㄱ. (가)에는 글리코젠이 해당한다.
ㄴ. (나)의 단위체는 4가지 종류가 있다.
ㄷ. (다)는 체내에서 에너지원으로도 사용된다.

① ㄱ
② ㄴ
③ ㄷ
④ ㄴ, ㄷ
⑤ ㄱ, ㄴ, ㄷ

출제 Point
DNA의 단위체인 뉴클레오타이드는 당, 인산, 염기로 이루어져 있다.

03 다음은 신소재 A에 대한 설명이다.

> 액체 질소에 넣었던 신소재 A를 네오디뮴 자석판 위에 올려놓고 힘을 가했더니 ㉠뜬 상태로 이동하다가 떨어졌다.
>
>

이에 대한 설명으로 옳은 것만을 |보기|에서 있는 대로 고른 것은?

┤ 보기 ├

ㄱ. A는 초전도체이다.

ㄴ. ㉠은 마이스너 효과이다.

ㄷ. 이 원리를 이용하여 자기 부상 열차를 만들 수 있다.

① ㄱ   ② ㄷ   ③ ㄱ, ㄴ

④ ㄴ, ㄷ   ⑤ ㄱ, ㄴ, ㄷ

04 그림은 어떤 신소재를 나타낸 것이다.

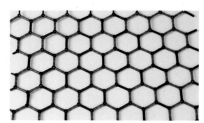

이에 대한 설명으로 옳은 것만을 |보기|에서 있는 대로 고른 것은?

┤ 보기 ├

ㄱ. 이 신소재는 탄소 원자로만 이루어져 있다.

ㄴ. 강도가 커서 구부러지거나 휘어지지 않는다.

ㄷ. 특정 온도 이하에서 강한 자기장을 만들 수 있다.

ㄹ. 빛이 투과할 수 있어 투명한 디스플레이를 만들 수 있다.

① ㄱ   ② ㄱ, ㄷ   ③ ㄱ, ㄹ

④ ㄴ, ㄷ   ⑤ ㄱ, ㄷ, ㄹ

3

이 단원에서는

중력이 지구 시스템과 생명 시스템 유지에 어떤 역할을
하는지 알아본다. 또, 운동량과 충격량에 관한 기본 이해를
바탕으로 일상생활에서의 안전사고 예방 및 안전장치의
원리를 알아본다.

단원별 정답과 해설을
QR 코드로 확인할 수 있어요.

역학적 시스템

3-1 중력과 역학적 시스템
3-2 충돌과 안전장치

이 단원의 핵심 개념

역학적 시스템

중력과 역학적 시스템	충돌과 안전장치
중력, 자유 낙하 운동, 수평 방향으로 던진 물체 운동, 중력과 자연 현상	관성, 운동량, 충격량, 운동량과 충격량의 관계, 충격력, 안전장치의 원리

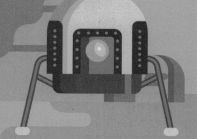

3-1 중력과 역학적 시스템

1 역학적 시스템과 중력

1. 역학적 시스템 자연에 존재하는 여러 가지 힘이 상호 작용 하면서 일정한 규칙이 있는 체계를 유지하는 시스템으로, 지구 시스템과 생명 시스템을 유지하게 한다.
- 상호 작용하는 여러 가지 힘의 예

날다람쥐와 지구 사이에 상호 작용 하는 중력이 있다.	고래와 물 사이에 상호 작용 하는 부력이 있다.	나무와 도마뱀 사이에 상호 작용 하는 마찰력이 있다.

공통으로 작용하는 힘: 지구 상의 모든 물체와 생명체에 중력이 끊임없이 작용한다.

2. 중력

① **중력** 질량이 있는 모든 물체 사이에 상호 작용 하는 서로 당기는 힘, 보통 지구에서는 지구가 물체를 끌어당기는 힘을 의미한다. 중력의 방향은 지구 중심 방향이다.

② **중력의 크기** 흔히 무게라고 하며, 지표면과 가까운 곳의 중력의 크기는 (9.8 × 질량) N과 같다.

- 두 물체 A와 B 사이에 작용하는 중력은 서로 크기는 같고 방향이 반대이다.
- A와 B의 질량이 클수록, A와 B 사이의 거리가 가까울수록 중력의 크기가 커진다.

B가 A를 당기는 중력   A가 B를 당기는 중력

2 중력에 의한 물체의 운동

1. 자유 낙하 운동 공기 저항을 무시할 때, 물체가 중력만을 받아 지표면으로 떨어지는 물체의 운동
① 1초마다 약 9.8 m/s씩 속력이 일정하게 증가한다.
② **물체의 운동 방향** 중력의 방향과 같은 연직 방향이다.

2. 수평 방향으로 던진 물체의 운동

① **운동 분석** 수평 방향으로는 힘이 작용하지 않으므로 등속 직선 운동을 하고, 연직 방향으로는 지구에 의한 중력만 작용하므로 등가속도 운동을 한다.

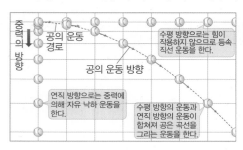

중력의 방향 ↓
공의 운동 경로
공의 운동 방향
수평 방향으로는 힘이 작용하지 않으므로 등속 직선 운동을 한다.
연직 방향으로는 중력에 의해 자유 낙하 운동을 한다.
수평 방향의 운동과 연직 방향의 운동이 합쳐져 공은 곡선을 그리는 운동을 한다.

구분	수평 방향	연직 방향
힘	0	중력
속도	일정	일정하게 증가
가속도	0	중력 가속도
운동	등속 직선 운동	등가속도 운동

이 단원의 핵심 개념은~
- 중력의 특징
- 수평으로 던진 물체의 운동
- 중력이 지구 시스템과 생명 시스템에 미치는 영향

■ **여러 가지 힘**
힘에는 중력뿐만 아니라 전기력, 자기력, 탄성력, 마찰력 등이 있다.
- 전기력: 전기를 띤 물체들 사이에 작용하여 물체가 서로 당기거나 밀어내는 힘
- 자기력: 자석과 자석 또는 자석과 쇠붙이 사이에 서로 당기거나 밀어내는 힘
- 탄성력: 변형된 물체에 작용하여 물체가 원래 상태로 되돌아가려는 힘
- 마찰력: 물체와 물체의 접촉면에 작용하여 물체의 운동을 방해하는 힘

❶ 무게란 물체에 작용하는 중력의 크기이다. 단위로는 N(뉴턴)을 사용하며, 지표 부근에서 질량 1 kg인 물체의 무게는 약 9.8 N이다.

■ **힘과 물체의 운동**
① 물체에 힘이 작용하지 않을 때: 물체는 정지 상태를 유지하거나 등속 직선 운동을 한다.
② 물체에 일정한 크기의 힘이 작용할 때: 속도가 일정하게 변하는 등가속도 운동을 한다.

❷ 가속도는 단위 시간 동안의 속도 변화량을 나타낸다.

$$가속도 = \frac{속도\ 변화량}{시간}$$
$$= \frac{나중\ 속도 - 처음\ 속도}{시간}$$

용어 🔍

연직(鉛直) 방향
납으로 된 추가 가리키는 방향이라는 뜻으로, 중력 방향을 의미한다.

② **포물선 운동하는 물체** 수평 방향으로는 속력의 변화가 없는 등속 직선 운동, 연직 방향으로는 매초 속력이 9.8 m/s씩 빨라지는 등가속도 운동이 합쳐진 포물선 운동을 한다.

③ 수평 방향으로 물체를 던지는 속력이 클수록 물체는 더 멀리 날아가지만, 처음 높이가 같으면 바닥에 도달하는 시간은 같다.

3. 뉴턴의 사고 실험 물체를 수평 방향으로 던질 때 속력이 클수록 더 먼 곳에 떨어진다. 공기 저항을 무시할 때 물체를 충분히 높은 곳에서 충분히 빠른 속력으로 던지면 물체는 지구 표면에 닿지 않고 지구 주위를 계속 돌 수 있다. ➡ 뉴턴은 이와 같은 사고 실험으로 지구 중력을 계속 받고 있는 달이 지표면으로 떨어지지 않는 이유를 설명하였다.

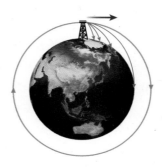

3 중력이 지구 시스템과 생명 시스템에 미치는 영향

1. 중력과 자연 현상 중력은 지구상의 모든 물체에 끊임없이 작용하면서 일정한 질서와 지속성을 유지하게 하므로, 지구 시스템과 생명 시스템에서 일어나는 여러 가지 자연 현상에도 매우 중요한 역할을 한다.

2. 중력이 지구 시스템과 생명 시스템에 미치는 영향

① **중력이 지구 시스템에 미치는 영향**

물질의 밀도 차이에 따라 상대적으로 중력의 차이가 발생하므로, 공기와 바닷물의 대류가 일어나 대기와 물의 순환이 일어난다. ❸	수소·헬륨에 비해 무겁고 느린 산소·질소와 같은 기체는 지구 중력에 붙잡혀 대기를 구성한다.	구름에서 물방울이 뭉쳐 무거워지면 중력이 작용하여 비나 눈의 형태로 지표로 내려온다.

- 달과 지구 사이에 작용하는 중력은 밀물과 썰물 현상을 일으킨다.
- 지표면 상에서 높은 곳일수록 중력이 약해져 대기가 희박해지므로 기압이 낮아진다.

② **중력이 생명 시스템에 미치는 영향**

		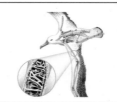
기린과 같이 목이 긴 동물은 머리까지 혈액을 공급하기 위해 심장에서 큰 압력으로 혈액을 밀어내야 하므로 다른 포유류에 비해 혈압이 높다.	심장보다 아래쪽에 있는 정맥에는 판막이 있어서, 심장으로 혈액을 보낼 때 중력으로 인해 혈액이 아래쪽으로 내려오려고 하는 역류를 방지하는 역할을 한다.	조류는 뼛속이 비어 있어 다른 동물에 비해 뼈가 가볍다. 이는 조류가 중력을 극복하고 하늘을 날기 위해 진화한 결과이다.

- 척추동물은 귓속의 전정 기관 ❹ 이 중력을 감지하여 몸의 평형을 유지한다.
- 식물은 중력 방향으로 뿌리를 내리고, 중력 반대 방향으로 줄기를 뻗는다.

❸ 온도가 높은 액체나 기체 분자는 밀도가 상대적으로 낮으므로 가벼워져 위로 올라가고, 상대적으로 온도가 낮은 액체나 기체는 밀도가 높아져 무거워지므로 중력에 의해 아래로 하강한다.

❹ 전정 기관은 귀의 가장 안쪽에 있는 내이에 위치하며, 몸의 균형 유지를 담당하는 평형 기관이다.

✔ 바로 체크

1 ( )는 물체에 작용하는 중력의 크기이다.

2 자유 낙하 하는 물체에는 연직 방향으로 일정한 크기의 ( )이 계속 작용하여 물체의 속력이 매초 당 ( ) m/s씩 증가한다.

3 수평 방향으로 던진 물체는 수평 방향으로는 ( ) 운동을 하고, 연직 방향으로는 자유 낙하와 같은 ( ) 운동을 한다.

4 ( )은 자연에 존재하는 여러 가지 힘들이 물체 사이에 상호 작용하면서 전체적으로 일정한 운동 체계를 유지하고 있는 시스템이며, ( )이 매우 중요한 역할을 한다.

정답
1 무게 2 중력, 9.8 3 등속 직선, 등가속도
4 역학적 시스템, 중력

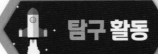

| 탐구 목표 |
정지 상태에서 아래로 떨어지는 물체의 운동과 수평으로 던진 물체의 운동을 비교할 수 있다.

| 유의점 |
동전 A와 B가 동시에 낙하할 수 있도록 한다.

과정

① 모눈종이를 도화지에 붙여 수평 방향과 수직 방향의 눈금이 보이는 눈금판을 만들어 실험대 옆면에 고정한다.

② 자의 끝부분에 동전 A를 올려놓고, 동전 B는 실험대 끝에 놓는다.

③ 카메라 렌즈가 눈금판의 가운데 부분을 향하도록 고정한다.

④ 책상 위에 놓인 자의 중앙 부분을 손가락으로 누르고 자 끝을 쳐서 동전 A, B가 동시에 운동을 시작하도록 한 후, 바닥에 닿은 소리를 들어 어느 동전이 먼저 바닥에 닿는지 비교한다.

⑤ 모눈종이를 배경으로 A와 B를 가만히 놓은 후 물체의 운동 모습을 촬영하고, 동영상 파일을 재생한 후 0.1초마다 물체의 위치를 나타낸다.

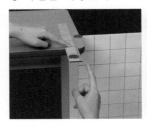 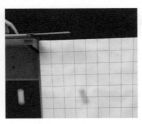 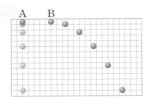

⚲ 탐구 Plus

수평으로 던진 물체 운동
수평 방향으로 등속도 운동과 연직 방향의 등가속도 운동이 합쳐진 운동

탐구 결과

1 A와 B가 (㉠)에 바닥에 닿는다.

2 A의 속력은 일정하게 (㉡)한다. B는 연직 방향으로는 A와 같은 속력으로 일정하게 (㉢)하며, 수평 방향으로는 속력이 (㉣)하다.

탐구 정리

A는 연직 방향으로 (㉤) 운동을 한다. B는 수평 방향으로는 (㉥) 운동을 하고, 연직 방향으로는 A와 같은 등가속도 운동을 하므로 A와 B는 동시에 떨어진다.

🌑 이해 Check

1 이 실험에 대한 설명으로 옳은 것은 ○표, 옳지 <u>않은</u> 것은 ×표를 하시오.

(1) A와 B가 운동하는 동안 힘의 방향은 서로 수직이다. (　　)

(2) 속력이 빨라질수록 A와 B에 작용하는 힘의 크기는 커진다. (　　)

(3) 질량이 큰 동전을 사용하면 바닥에 도달하는 데 걸리는 시간이 길어진다. (　　)

(4) B의 가속도의 크기는 9.8 m/s²이다. (　　)

2 이 실험에서 자 끝을 세게 치면 증가하는 물리량만을 |보기|에서 있는 대로 고르시오.

| 보기 |
ㄱ. A의 가속도의 크기
ㄴ. B의 가속도의 크기
ㄷ. B의 낙하 시간
ㄹ. B가 수평으로 운동한 거리

탐구 활동

중력이 지구 시스템과 생명 시스템에 미친 영향

| 탐구 목표 |

지구 시스템과 생명 시스템에서 중력의 역할을 설명할 수 있다.

탐구 Plus

중력은 물체의 무게에 비례하고 부력은 유체 속에 위치한 물체의 크기에 비례하므로 밀도가 작은 경우에는 중력에 비해 부력이 상대적으로 크게 작용하여 위로 상승하고 밀도가 큰 경우에는 중력이 부력에 비해서 상대적으로 커서 하강한다.

자료1

중력이 지구 시스템에 작용하여 나타나는 현상

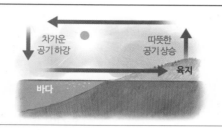

차가운 공기의 밀도가 따뜻한 공기의 밀도보다 크다. 밀도가 큰 공기는 하강하고 상대적으로 밀도가 작은 공기는 상승하게 된다. 이것은 공기에 작용하는 (Ⓐ)의 크기가 다르기 때문에 일어나는 현상이다.

강에서 바다로 물이 흘러갈 때, 높은 곳에서 낮은 곳으로 흐르는 까닭은 중력 때문이다. 공기 중의 물이 비나 눈으로 내리는 것은 물방울이 수직 아래 방향으로 (Ⓞ)을 받기 때문이다.

자료2

중력이 작용하여 생명 시스템에 미친 영향

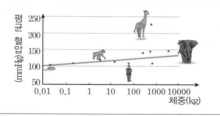

기린은 목이 매우 길다. 중력의 영향으로 혈액이 머리 끝까지 순환하기 어렵지만 다른 대형 동물보다 혈압이 두 배 정도로 높아 혈액 순환이 가능하다.

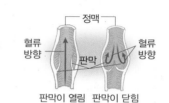

심장 아래쪽에 분포한 정맥은 혈액이 위로 흐르게 되는데 이는 (Ⓩ)과 반대 방향이므로 혈액이 아래로 역류할 가능성이 있어 심장 아래쪽 정맥에는 판막이 있다.

이해 Check

3 다음 빈칸에 들어갈 알맞은 말을 쓰시오.

(1) ( )은 지구상에 있는 모든 물체의 다양한 운동의 원인이 되고 생명체의 생명 유지에 큰 역할을 하므로 지구와 생명 시스템을 유지하는 데 중요한 역할을 한다.

(2) 밀도가 큰 공기에 작용하는 중력의 크기는 상대적으로 밀도가 작은 공기에 작용하는 중력의 크기보다 ( ).

(3) 가만히 놓은 공이나 빗방울과 같이 지구상의 모든 물체는 ( ) 방향으로 작용하는 중력에 의해 지면으로 떨어진다.

4 다음 빈칸에 들어갈 알맞은 말을 쓰시오.

(1) 기린은 목이 길어서 ( )의 영향으로 혈액이 머리 끝까지 순환하기 어렵지만 다른 동물에 비해서 혈압이 두 배 정도 높아 혈액 순환이 가능하다.

(2) 심장 위쪽에 분포한 정맥에 흐르는 혈액의 방향은 중력과 (㉠) 방향이고, 심장 아래쪽에 분포한 정맥에 흐르는 혈액의 방향은 중력과 (㉡) 방향이므로 역류할 가능성이 있어 (㉢)이 필요하다.

개념 확인 **문제**

01 다음은 자연 현상에 대한 설명이다.

> • 수소·헬륨에 비해 무겁고 느린 산소와 질소 같은 기체는 (㉠)에 붙잡혀 대기를 구성한다.
> • 자연에 존재하는 (㉠)과 같은 여러 가지 힘들이 물체들 사이에 상호 작용 하면서 전체적으로 일정한 운동 체계를 유지하고 있는 시스템을(㉡)이라고 한다.

㉠, ㉡에 들어갈 알맞은 말을 쓰시오.

02 그림과 같이 지구 주위에 질량이 1 kg인 물체 P가 있다. P에 작용하는 중력에 대한 설명으로 옳은 것은 ○표, 옳지 않은 것은 ×표를 하시오. (단, 중력 가속도는 9.8 m/s²이다.)

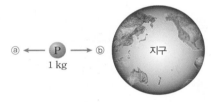

(1) P에 작용하는 중력의 방향은 ⓑ이다. (   )
(2) P에 작용하는 중력의 크기는 약 9.8 N이다.
(   )
(3) P에 작용하는 중력의 크기는 P의 무게와 같다.
(   )
(4) P와 지구가 붙어 있다면 P에 작용하는 중력은 0이다. (   )

03 자유 낙하 운동에 대한 설명으로 옳은 것만을 |보기|에서 있는 대로 고르시오. (단, 중력 가속도는 9.8 m/s²이다.)

┤ 보기 ├
ㄱ. 중력만을 받으면서 낙하 하는 운동이다.
ㄴ. 질량이 2 kg인 물체가 낙하 할 때, 가속도의 크기는 9.8 m/s²이다.
ㄷ. 질량이 3 kg인 물체가 낙하 할 때 2초 후의 속력은 19.6 m/s이다.
ㄹ. 2 kg인 물체와 3 kg인 물체를 같은 높이에서 동시에 자유 낙하시키면 3 kg인 물체가 먼저 지면에 도달한다.

04 그림은 수평 방향으로 던진 물체 A, B, C가 지면에 도달하는 모습을 나타낸 것이다.

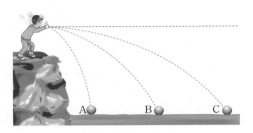

빈칸에 들어갈 알맞은 말을 쓰시오.

(1) A는 수평 방향으로 (   ) 직선 운동을 한다.
(2) B는 연직 방향으로 (   )와 같은 운동을 한다.
(3) C에 작용하는 힘의 방향은 (   ) 방향이다.
(4) A가 지면에 도달하는 데 걸리는 시간은 B가 지면에 도달하는 데 걸리는 시간과 (   ).

05 그림은 수평 방향으로 2 m/s의 속력으로 던진 질량이 2 kg인 공의 위치를 1초 간격으로 나타낸 것이다.

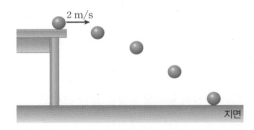

다음은 물체의 운동에 대한 설명이다. 빈칸에 알맞은 물리량을 쓰시오. (단, 중력 가속도는 9.8 m/s²이고, 공기 저항은 무시한다.)

(1) 2초일 때 공의 수평 방향의 속력은 (   )이고, 연직 방향의 속력은 (   )이다.
(2) 3초일 때 공에 작용하는 중력의 크기는 (   )이고 가속도의 크기는 (   )이다.
(3) 던지는 순간부터 지면에 도달할 때까지 공이 수평 방향으로 이동한 거리는 (   )이다.

실력 쑥쑥 문제

01 표는 무게와 질량을 비교하여 설명한 것이다.

구분	뜻	측정 장소	달에서의 값
무게	물체에 작용하는 (㉠)의 크기	측정 장소의 (㉡)에 비례	지구에서 무게$\times\frac{1}{6}$
질량	물체의 고유한 양	장소에 관계없이 일정	(㉢)

이에 대한 설명으로 옳은 것만을 |보기|에서 있는 대로 고른 것은?

┌ 보기 ├
ㄱ. ㉠은 중력이다.
ㄴ. ㉡은 중력 가속도이다.
ㄷ. ㉢은 지구에서보다 작다.

① ㄱ   ② ㄷ   ③ ㄱ, ㄴ
④ ㄴ, ㄷ   ⑤ ㄱ, ㄴ, ㄷ

| 과학적 사고력 |

02 그림 (가)는 지구에서 사과가 자유 낙하 하는 모습을, (나)는 달이 지구 주위를 일정한 속력으로 등속 원운동 하는 모습을 나타낸 것이다.

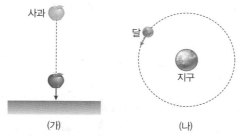

(가)   (나)

이에 대한 설명으로 옳은 것만을 |보기|에서 있는 대로 고른 것은? (단, 공기의 저항은 무시한다.)

┌ 보기 ├
ㄱ. 사과의 속도는 일정하게 빨라진다.
ㄴ. 사과의 가속도는 일정하다.
ㄷ. 달에 작용하는 중력은 0이다.

① ㄱ   ② ㄷ   ③ ㄱ, ㄴ
④ ㄴ, ㄷ   ⑤ ㄱ, ㄴ, ㄷ

03 표는 지표면의 서로 다른 지점에 놓인 물체 A, B, C의 질량과 A, B, C가 놓여 있는 지점의 중력 가속도를 나타낸 것이다.

물체	질량(kg)	중력 가속도(m/s²)
A	1.0	9.82
B	1.5	9.78
C	2.0	9.8

이에 대한 설명으로 옳은 것만을 |보기|에서 있는 대로 고른 것은? (단, 공기의 저항은 무시한다.)

┌ 보기 ├
ㄱ. 물체에 작용하는 중력의 크기는 A와 B가 같다.
ㄴ. 물체에 작용하는 중력의 방향은 B와 C가 모두 지구 중심을 향한다.
ㄷ. A, B, C를 같은 높이에서 떨어뜨릴 때 가장 늦게 떨어지는 물체는 B이다.

① ㄱ   ② ㄷ   ③ ㄱ, ㄴ
④ ㄴ, ㄷ   ⑤ ㄱ, ㄴ, ㄷ

04 그림은 높이가 h인 곳에서 수평 방향으로 v의 속력으로 야구공을 던지는 모습을 나타낸 것이다.

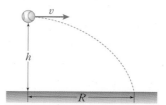

이에 대한 설명으로 옳은 것만을 |보기|에서 있는 대로 고른 것은? (단, 공기의 저항은 무시한다.)

┌ 보기 ├
ㄱ. 바닥에 떨어질 때까지 야구공에 작용하는 힘의 방향은 계속해서 변한다.
ㄴ. 높이 h가 같다면 속력 v가 클수록 야구공이 바닥에 떨어질 때까지 걸리는 시간은 증가한다.
ㄷ. 속력 v가 같다면 높이 h가 높을수록 야구공의 수평으로 움직인 거리 R는 길어진다.

① ㄱ   ② ㄷ   ③ ㄱ, ㄴ
④ ㄴ, ㄷ   ⑤ ㄱ, ㄴ, ㄷ

| 과학적 탐구 능력 |

05 그림과 같이 자를 이용하여 같은 높이에서 동전 A는 자유 낙하시키고, 동시에 B는 수평 방향으로 운동시켰다. 이에 대한 설명으로 옳은 것만을 |보기|에서 있는 대로 고른 것은? (단, 공기의 저항은 무시한다.)

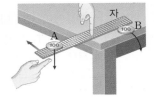

┤ 보기 ├
ㄱ. A와 B의 가속도의 크기는 같다.
ㄴ. 바닥에 닿는 순간의 속력은 A와 B가 같다.
ㄷ. A가 B보다 먼저 떨어진다.

① ㄱ   ② ㄷ   ③ ㄱ, ㄴ
④ ㄴ, ㄷ   ⑤ ㄱ, ㄴ, ㄷ

06 그림은 수평 방향으로 던진 공의 모습을 나타낸 것이다.

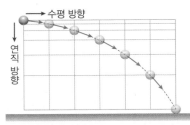

이에 대한 설명으로 옳은 것만을 |보기|에서 있는 대로 고른 것은? (단, 공기의 저항은 무시한다.)

┤ 보기 ├
ㄱ. 연직 방향으로는 힘이 작용한다.
ㄴ. 수평 방향으로는 등가속도 운동을 한다.
ㄷ. 연직 방향으로는 속력이 일정하게 증가하는 운동을 한다.

① ㄱ   ② ㄴ   ③ ㄱ, ㄷ
④ ㄴ, ㄷ   ⑤ ㄱ, ㄴ, ㄷ

07 그림과 같이 물체 A, B를 건물의 옥상에서 수평 방향으로 던졌더니 A와 B가 수평면에 동시에 떨어졌다.

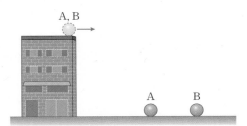

이에 대한 설명으로 옳은 것만을 |보기|에서 있는 대로 고른 것은? (단, 공기의 저항은 무시한다.)

┤ 보기 ├
ㄱ. A와 B를 동시에 던졌다.
ㄴ. 가속도의 크기는 B가 A보다 크다.
ㄷ. 수평면에 떨어질 때 속력은 B가 A보다 크다.

① ㄱ   ② ㄴ   ③ ㄱ, ㄷ
④ ㄴ, ㄷ   ⑤ ㄱ, ㄴ, ㄷ

08 그림과 같이 높이가 각각 $2h$, h인 지점에서 질량이 $2m$인 물체 A와 m인 B를 각각 v_A, v_B의 속력으로 수평 방향으로 던졌더니, A와 B가 P점에 동시에 떨어졌다.

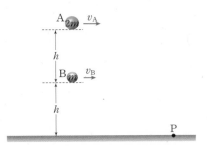

이에 대한 설명으로 옳은 것만을 |보기|에서 있는 대로 고른 것은? (단, 공기의 저항은 무시한다.)

┤ 보기 ├
ㄱ. A와 B를 동시에 던졌다.
ㄴ. $v_A < v_B$이다.
ㄷ. 가속도의 크기는 A가 B의 2배이다.

① ㄱ   ② ㄴ   ③ ㄱ, ㄷ
④ ㄴ, ㄷ   ⑤ ㄱ, ㄴ, ㄷ

09 중력 때문에 나타나는 자연 현상이나 생명 현상에 대한 예로 옳은 것만을 |보기|에서 있는 대로 고른 것은?

┤ 보기 ├
ㄱ. 추위를 느끼면 피부에 소름이 돋는다.
ㄴ. 공기나 바닷물의 대류 현상이 나타난다.
ㄷ. 고도가 낮은 곳은 높은 곳보다 산소가 상대적으로 많다.

① ㄱ   ② ㄷ   ③ ㄱ, ㄴ
④ ㄴ, ㄷ   ⑤ ㄱ, ㄴ, ㄷ

서술형 문제

10 다음은 기권에 대한 설명이다.

> • 그림과 같이 ㉠ 대기의 구성 성분의 대부분을 차지하는 것은 질소와 산소이다.
>
>
>
> 산소 21 % 질소 78 %
>
> • 대부분 지표 부근에 존재하며, ㉡ 높이 올라갈수록 희박해진다.

(1) ㉠과 ㉡에 관련된 힘을 쓰시오.

_____

(2) ㉠에 대한 까닭을 서술하시오.

_____

(3) ㉡에 대한 까닭을 서술하시오.

_____

_____

11 그림은 (㉠) 중에서 쇠구슬과 깃털을 같은 높이에서 가만히 놓았을 때 모습을 나타낸 것이다.

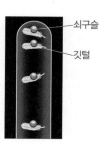

쇠구슬
깃털

(1) ㉠에 들어갈 알맞은 말을 쓰시오.

_____

(2) 쇠구슬과 깃털이 동시에 떨어지는 까닭을 서술하시오.

_____

_____

12 그림은 질량이 각각 $2m$, m인 물체 A, B를 실로 연결한 후, A를 가만히 놓았을 때 떨어지는 모습을 나타낸 것이다. (단, 중력 가속도는 9.8 m/s^2이고, 공기 저항은 무시한다.)

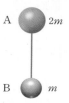

A $2m$

B m

(1) A를 가만히 놓았을 때 2초 후의 A의 속력을 구하시오.

_____

(2) A를 가만히 놓았을 때 2초 후의 B의 가속도의 크기를 구하시오.

_____

13 그림은 물체 A를 수평으로 던지고 동시에 물체 B를 자유 낙하시켰을 때 A와 B의 위치를 일정한 시간 간격으로 나타낸 것이다.

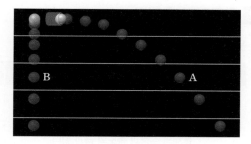

B A

(1) A의 운동을 연직 방향과 수평 방향으로 나누어 속력이 각각 어떻게 변하는지 서술하시오. (단, 공기 저항은 무시한다.)

_____

_____

(2) B에서 A를 보았을 때 A의 시간에 따른 속력을 그래프에 그리시오. (단, 공기 저항은 무시한다.)

속력
O 시간

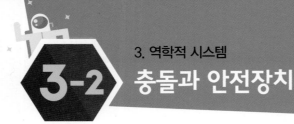

3-2 충돌과 안전장치

교과서 98~107쪽

1 관성

1. 관성 물체가 현재의 운동 상태를 계속 유지하려는 성질

운동 상태	운동하던 물체	정지해 있던 물체
나타나는 관성	운동하고 있는 물체가 운동 상태를 유지하려고 함.	정지 상태를 계속 유지하려고 함.
예	버스가 갑자기 정지하면 승객이 앞으로 넘어진다. ➡ 버스는 멈추지만 승객의 몸은 계속 운동 상태를 유지하려는 관성 때문	버스가 갑자기 출발하면 승객이 뒤로 넘어진다. ➡ 버스는 앞으로 움직이지만 승객의 몸은 정지 상태를 유지하려는 관성 때문

① **관성 크기** 물체의 질량이 클수록 관성❶이 크다.
② **관성 법칙(뉴턴 제1법칙)** 물체에 힘이 작용하지 않으면 정지해 있던 물체는 계속 정지해 있고, 움직이던 물체는 등속 직선 운동을 한다.

2. 관성과 안전장치 자동차의 안전띠나, 유아용 안전 좌석은 관성으로 인한 피해를 줄여 주는 장치이다.

2 운동량과 충격량

1. 운동량과 충격량

물리량	운동량	충격량
의미	물체가 운동할 때 운동 정도를 나타내는 양, 크기와 방향을 가진다.	물체가 받는 충격의 정도를 나타내는 양, 크기와 방향을 가진다.
크기	물체의 질량과 속도의 곱과 같다. 운동량=질량×속도, $p=mv$ [단위: kg·m/s]	힘과 힘이 작용하는 시간의 곱과 같다. 충격량=힘×시간, $I=F\Delta t$ [단위: N·s]
방향	속도의 방향과 같다.	물체에 작용하는 힘의 방향과 같다.

2. 운동량과 충격량의 관계 물체가 일정한 시간 동안 힘을 받으면 힘을 받는 동안 속도가 변하므로 운동량도 그만큼 변한다. ➡ 충격량은 운동량 변화량과 같다.

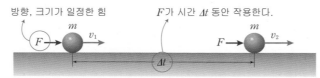

방향, 크기가 일정한 힘 F가 시간 Δt 동안 작용한다.

처음 운동량＋충격량＝나중 운동량
$$mv_1+F\Delta t=mv_2$$
충격량＝나중 운동량－처음 운동량＝운동량의 변화량
$$F\Delta t=mv_2-mv_1=\Delta p$$

이 단원의 핵심 개념은~

- 관성, 관성의 크기
- 운동량과 충격량의 관계, 시간-힘 그래프, 충격력의 크기, 안전장치의 원리

❶ 물체의 질량과 관성
같은 크기의 힘이 작용하여도 물체의 질량이 클수록 운동 상태가 잘 변하지 않는다.

❷ 운동량의 크기 비교

A 2 kg → 3 m/s	A의 운동량 =6 kg·m/s
B 2 kg → 4 m/s	B의 운동량 =8 kg·m/s
C 3 kg → 3 m/s	C의 운동량 =9 kg·m/s

- 질량이 같을 때: B＞A
- 속력이 같을 때: C＞A

■ **운동량과 충격량의 방향과 부호**
운동량과 충격량은 크기와 방향을 갖는 물리량이므로 물체의 운동 방향에 유의해야 한다. 물체가 오른쪽으로 움직일 때를 운동량의 방향을 (＋)라고 하면 왼쪽으로 움직일 때 운동량의 방향은 (－)이다.

■ **운동량과 충격량의 단위**

운동량의 단위	충격량의 단위
kg·m/s	N·s
kg·m/s＝N·s	

용어 🔍

I(Impulse)
충격량을 나타내는 기호

---

3. 시간–힘 그래프 물체에 작용하는 힘의 변화를 시간에 따라 나타낸 그래프에서 그래프 아랫부분의 넓이는 물체가 받은 충격량, 즉 운동량 변화량을 나타낸다.

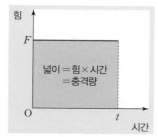

▲ 힘의 크기 일정   ▲ 힘의 크기 변함

• 넓이가 같으면($S_1=S_2$) 충격량의 크기는 같지만 물체가 받는 최대 힘의 크기는 다를 수 있다. 충격량이 같으므로 힘의 크기가 작으면 시간이 길어야 하고, 시간이 짧으면 힘의 크기가 커야 한다.

3 충격 흡수 원리와 안전장치

1. 충격력 물체가 충돌할 때 받는 힘
① **충격력의 크기** 단위 시간 동안 운동량의 변화량(충격량)과 같다.

$$힘(F) = \frac{운동량의\ 변화량(\varDelta p)}{시간(\varDelta t)} = \frac{충격량(I)}{시간(\varDelta t)}$$

② **충격력과 충돌 시간의 관계** 충격량이 같을 때 충돌 시간이 짧을수록 충격력은 커지고, 충돌 시간이 길수록 충격력은 작아진다.
③ **물체가 받는 충격 줄이기** 충격량이 같더라도 충돌 시간을 길게 하면 충돌 시 받는 힘이 감소하여 피해가 줄어든다.

마룻바닥   방석

• 달걀이 받는 충격량: 바닥과 충돌 전후 두 달걀의 운동량 변화량이 같으므로 충격량도 같다.
• 달걀이 받은 힘의 크기: 방석은 마룻바닥보다 푹신하므로 충돌 시간이 더 길다. 방석과 충돌할 때 달걀이 받는 평균 힘(충격력)이 작아 달걀이 깨지지 않는다.

2. 안전장치의 원리 일반적으로 충격량이 일정할 때 충돌 시간을 길게 하면 물체에 작용하는 평균 힘(충격력)의 크기가 줄어드는 원리를 이용한다. 예 모서리 보호대, 선박에 매다는 타이어, 포장재 뽁뽁이, 에어백, 야구공 글러브, 자동차 범퍼 등

모서리 보호대 뾰족한 모서리에 부딪칠 때 모서리와의 충돌 시간을 길게 하여 위험을 줄인다.	**선박에 다는 타이어** 선박이 충돌할 때 충돌 시간을 길게 하여 충돌 피해를 줄인다.	**포장재 뽁뽁이** 물건이 부딪칠 때 충돌 시간을 길게 하여 파손되는 것을 방지한다.

---

❸ 평균 힘($\overline{F}$)
충돌 과정에서 물체가 받는 힘은 보통 일정하지 않다. 이때 충격량을 시간으로 나눈 값은 물체가 충돌하면서 받는 힘의 평균을 의미한다.

$$\overline{F} = \frac{I}{\varDelta t}$$

■ 두 달걀의 시간–힘 그래프

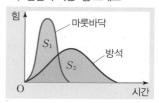

• 두 계란이 받은 충격량은 같다. ➡ 그래프 아래의 면적이 같다.($S_1=S_2$)
• 충돌 시간은 마룻바닥에서보다 방석에서 더 길다. ➡ 달걀이 받는 평균 힘(충격력)의 크기는 마룻바닥에서보다 방석에서가 더 작다.

☑ **바로 체크**

1 (　　)은 물체가 처음 운동 상태를 유지하려는 성질로, 질량이 클수록 운동을 변화시키기 어렵다.
2 운동량은 물체의 질량과 (　　)의 곱으로 나타낸다.
3 충격량은 물체에 작용하는 (　　)과 시간의 곱으로 나타낸다.
4 충격량이 같을 때, 평균 힘(충격력)의 크기는 힘이 작용하는 시간이 (　　) 작아진다.
5 같은 크기의 힘이 작용할 때, 힘이 작용하는 시간이 (　　) 충격량을 크게 받는다.

1 관성 2 속도 3 힘 4 길수록
5 길수록

정답

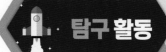
| 탐구 목표 |
충돌 시 작용하는 힘과 시간의 관계를 이해할 수 있다.

| 유의점 |
(가)와 (나)에서 떨어뜨리는 유리컵의 높이를 같게 한다.

과정

① 그림 (가)와 같이 유리컵을 가만히 놓아 시멘트 바닥에 충돌한 후 유리컵의 상태를 관찰한다.

② 그림 (나)와 같이 유리컵을 가만히 놓아 방석에 충돌한 후 유리컵의 상태를 관찰한다.

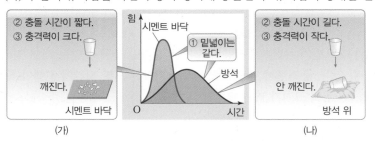

② 충돌 시간이 짧다.
③ 충격력이 크다.
깨진다.
시멘트 바닥
(가)

힘　시멘트 바닥
① 밑넓이는 같다.
방석
O　시간

② 충돌 시간이 길다.
③ 충격력이 작다.
안 깨진다.
방석 위
(나)

탐구 Plus

운동량과 충격량의 관계
충격량＝나중 운동량－처음 운동량
＝운동량 변화량

탐구 정리

1 유리컵이 시멘트 바닥과 방석에 충돌한 후의 각각의 상태는 어떠한가?
- 시멘트 바닥에 충돌한 경우에는 깨지고, 방석에 충돌한 경우에는 (　㉠　).

2 충돌 과정에서 물리량 비교

비교 물리량	유리컵이 시멘트 바닥에 떨어질 때	유리컵이 방석 위에 떨어질 때
바닥과 충돌하기 직전의 운동량	같다.	같다.
바닥과 충돌한 직후의 운동량	0	0
운동량 변화량(충격량)의 크기	같다.	같다.
바닥과의 충돌 시간	짧다.	(　㉡　)
바닥으로부터 받는 힘(충격력)	(　㉢　)	작다.

3 충격량이 같더라도 힘을 받는 시간이 길어지면 물체가 받는 힘의 크기는 (　㉣　).

이해 Check

1 이 실험의 결과에 대한 설명으로 옳은 것만을 |보기|에서 있는 대로 고르시오.

| 보기 |
ㄱ. 시멘트 바닥 위에 떨어지는 유리컵이 받은 충격량이 더 크다.
ㄴ. 방석 위에 떨어지는 유리컵의 충돌 시간이 더 길다.
ㄷ. 방석 위에 떨어지는 유리컵이 받는 충격력이 더 크다.

2 이 실험의 결과로 설명할 수 있는 현상만을 |보기|에서 있는 대로 고르시오.

| 보기 |
ㄱ. 체조 선수가 착지할 때 무릎을 구부리면서 착지한다.
ㄴ. 포수가 공을 받을 때 글러브를 뒤로 빼면서 받는다.
ㄷ. 공을 찰 때 발이 공에 닿는 시간을 길게 하면 공을 더 멀리 보낼 수 있다.
ㄹ. 타자가 공을 칠 때 배트에 닿는 시간을 길게 하면 공을 멀리 보낼 수 있다.

| 탐구 목표 |
충격을 흡수하는 안전장치의 원리를 추론할 수 있다.

자료

자동차와 운동 관련 안전 장치의 원리

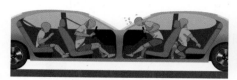
(가) 안전띠의 착용과 미착용

(나) 에어백의 작동과 미작동

(다) 헤드 기어

(라) 헬멧

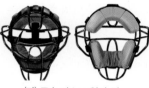
(마) 포수 마스크 앞과 뒤

♀ 탐구 Plus

헤드기어, 헬멧, 마스크를 착용하여도 사람이 받는 충격량은 같다.

탐구 정리

1 안전띠가 충돌 사고에서 부상 위험을 줄여 주는 까닭은 무엇인가?
- 안전띠를 매면 몸이 갑자기 앞으로 쏠리거나 자동차 바깥으로 튕겨 나가는 것을 방지하여 피해를 줄여 준다.

2 에어백이 작동했을 때 운전자의 부상 위험을 줄여 주는 까닭은 무엇인가?
- 운전자가 핸들에 부딪칠 때 (㉢)을 길게 하여 피해를 줄인다.

3 태권도와 야구에서 사용하는 안전 장치의 공통점은 무엇인가?
- 충돌 시간을 (㉣)하여 충돌 시 받은 힘을 줄여 준다.

😊 이해 Check

3 운동 경기 중에 착용하는 헤드 기어와 포수 마스크의 공통된 원리로 옳은 것은?

① 충격력 증가　　　　② 충격량 증가
③ 충격량 감소　　　　④ 충돌 시간 증가
⑤ 충돌 시간 감소

4 다음은 투수가 던지는 강한 공을 많이 받는 포수가 다른 선수들보다 더 두툼한 재질의 글러브를 사용한 까닭을 설명한 것이다. 빈칸에 들어갈 알맞은 말을 쓰시오.

> 야구공을 잡을 때 같은 충격량을 받더라도 충돌 시간을 (㉠) 하여 손에 전달되는 (㉡)의 크기를 줄이기 위함이다.

5 포수용 글러브가 손에 전달되는 힘의 크기를 줄이는 것과 같은 원리를 적용한 예만을 |보기|에서 있는 대로 고르시오.

> **┤ 보기 ├**
> ㄱ. 자동차에 탑승할 때 안전띠를 맨다.
> ㄴ. 자동차 앞좌석에 에어백을 설치한다.
> ㄷ. 깨지기 쉬운 물건을 포장할 때 뽁뽁이로 감싼다.
> ㄹ. 태권도 경기에서 선수들은 머리에 헤드 기어를 착용한다.
> ㅁ. 가구 모서리에 고무로 만든 보호대를 부착한다.

개념 확인 문제

01 다음은 물리량 A에 대한 설명이다.

> A: 물체가 현재의 운동 상태를 계속 유지하려는 성질로, 물체의 질량이 클수록 크다.

A로 설명할 수 있는 현상들만을 |보기|에서 있는 대로 고르시오.

┤ 보기 ├
ㄱ. 옷을 털면 먼지가 떨어진다.
ㄴ. 버스가 급출발하면 몸이 뒤로 쏠린다.
ㄷ. 오징어는 물을 분사함으로써 앞으로 나아간다.
ㄹ. 축구공을 세게 차면 축구공의 속력이 더 빨라진다.
ㅁ. 망치 자루를 바닥에 내리치면 망치가 자루에 단단히 박힌다.

02 다음은 운동량과 충격량에 대한 설명으로 옳은 것은 ○표, 옳지 않은 것은 ×표를 하시오.

(1) 운동량의 방향은 속도의 방향과 같다. ( )
(2) 충격량은 물체에 작용하는 힘과 속도의 곱으로 나타낸다. ( )
(3) 힘과 시간의 그래프에서 그래프의 아랫부분의 넓이는 운동량의 변화량을 나타낸다. ( )
(4) 물체가 받은 충격량의 크기는 물체가 받은 운동량의 변화량의 크기와 같다. ( )
(5) 충격량이 같으면 힘을 받는 시간이 길수록 물체에 작용하는 힘의 크기는 크다. ( )

03 그림은 질량이 각각 3 kg, 4 kg, 5 kg인 물체 A, B, C가 각각 5 m/s, 3 m/s, 2 m/s의 속력으로 직선 운동하고 있는 모습을 나타낸 것이다.

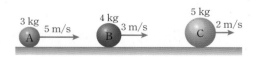

A, B, C의 운동량의 크기를 바르게 비교한 것은?

① A>B>C ② A>C>B ③ B>A>C
④ B>C>A ⑤ C>A>B

04 그림 (가)는 마찰이 없는 수평면 위에 정지해 있는 질량이 2 kg인 물체가 수평 방향으로 힘을 받는 모습을, (나)는 물체가 받는 힘을 시간에 따라 나타낸 것이다.

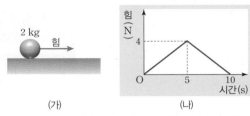

(가)   (나)

물체의 운동에 대하여 빈칸에 알맞은 수를 쓰시오.

(1) 5초일 때 물체의 운동량의 크기는 ( ) kg·m/s이다.
(2) 0~10초 동안 물체가 받은 충격량의 크기는 ( ) N·s이다.
(3) 10초일 때 물체의 속력은 ( ) m/s이다.
(4) 0~10초 동안 물체의 운동량 변화량의 크기는 ( ) kg·m/s이다.

[05~06] 다음은 자동차 안전장치인 범퍼의 원리를 설명한 것이다.

> 자동차의 범퍼는 자동차가 충돌하여 정지할 때까지의 (㉠)을 길게 하여 탑승자가 받는 (㉡)의 크기를 줄여 준다.

05 ㉠, ㉡에 알맞은 말을 쓰시오.

06 범퍼와 같은 원리로 설명할 수 있는 현상만을 |보기|에서 있는 대로 고르시오.

┤ 보기 ├
ㄱ. 포수는 두꺼운 야구 장갑을 착용한다.
ㄴ. 태권도 경기에서 선수들이 보호대를 착용한다.
ㄷ. 야구 방망이와 공의 접촉 시간이 길수록 홈런 가능성은 커진다.
ㄹ. 골프 선수가 공을 멀리 보낼 때 헤드 부분이 나무로 된 골프채를 사용한다.

실력 쑥쑥 문제

01 다음은 버스가 출발할 때 몸이 뒤로 쏠리는 이유에 대한 설명이다.

> 정지해 있던 버스가 갑자기 출발할 때 몸이 뒤로 쏠리는 이유는 버스는 앞으로 이동하는데 몸은 제자리에 있으려는 (㉠) 때문이다.

이에 대한 설명으로 옳지 <u>않은</u> 것은?

① ㉠은 관성이다.
② ㉠의 크기는 질량에 비례한다.
③ 물체가 정지해 있을 때는 ㉠이 없다.
④ ㉠은 물체가 원래 상태를 유지하려는 성질이다.
⑤ ㉠으로 달리던 사람이 돌부리에 걸려 넘어지는 이유를 설명할 수 있다.

02 관성과 관련 있는 현상으로 옳은 것만을 |보기|에서 있는 대로 고른 것은?

> **보기**
> ㄱ. 자동차를 탈 때 안전띠를 맨다.
> ㄴ. 노를 저으면 배가 앞으로 나아간다.
> ㄷ. 이불을 막대기로 두드려 먼지를 턴다.
> ㄹ. 움직이는 자전거의 페달을 밟지 않아도 얼마 동안 계속 달린다.

① ㄱ, ㄴ   ② ㄷ, ㄹ   ③ ㄱ, ㄴ, ㄷ
④ ㄱ, ㄷ, ㄹ   ⑤ ㄴ, ㄷ, ㄹ

03 그림은 버스가 갑자기 정지할 때 몸이 앞으로 쏠리는 현상을 나타낸 것이다. 이와 같은 원리로 설명할 수 있는 현상만을 |보기|에서 있는 대로 고른 것은?

> **보기**
> ㄱ. 로켓이 가스를 내뿜으며 위로 올라간다.
> ㄴ. 달리던 사람이 돌부리에 걸려 넘어진다.
> ㄷ. 삽으로 흙을 떠서 던지면 흙이 멀리 날아간다.
> ㄹ. 망치 자루를 바닥에 내리치면 망치가 자루에 단단히 박힌다.

① ㄱ, ㄴ   ② ㄱ, ㄷ   ③ ㄱ, ㄴ, ㄷ
④ ㄱ, ㄷ, ㄹ   ⑤ ㄴ, ㄷ, ㄹ

04 다음 |보기|의 물체들 중에서 운동량이 가장 큰 것부터 순서대로 옳게 나열한 것은?

> **보기**
> ㄱ. 5 m/s의 속도로 운동하는 질량이 0.6 kg인 농구공
> ㄴ. 20 m/s의 속도로 운동하는 질량이 300 g인 공
> ㄷ. 1 m/s의 속도로 걸어가는 질량이 60 kg인 사람
> ㄹ. 주차장에 서 있는 질량이 15000 kg인 자동차

① ㄱ>ㄷ>ㄹ>ㄴ   ② ㄴ>ㄷ>ㄱ>ㄹ
③ ㄷ>ㄱ>ㄹ>ㄴ   ④ ㄷ>ㄴ>ㄱ>ㄹ
⑤ ㄹ>ㄷ>ㄴ>ㄱ

05 그림은 질량 2 kg인 물체가 속도 3 m/s로 등속 직선 운동을 하다가 A 구간을 통과한 후 속도 5 m/s로 등속 직선 운동을 하는 모습을 나타낸 것이다.

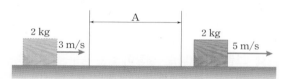

A 구간에서 물체가 받은 충격량의 크기는 몇 N·s인가? (단, 물체의 운동 방향은 일정하고, 물체는 A구간에서만 힘을 받았다.)

① 4 N·s   ② 6 N·s   ③ 8 N·s
④ 10 N·s   ⑤ 12 N·s

| 과학적 사고력 |
06 그림은 마찰이 없는 수평면 위에 정지해 있던 물체에 작용하는 힘을 시간에 따라 나타낸 것이다.

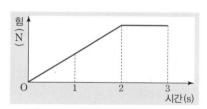

1초, 2초, 3초일 때의 물체의 운동량의 크기를 각각 p_1, p_2, p_3라고 할 때, $p_1 : p_2 : p_3$은?

① 1 : 2 : 2   ② 1 : 2 : 3   ③ 1 : 3 : 4
④ 1 : 4 : 8   ⑤ 1 : 4 : 16

07 그림은 마찰이 없는 수평면에서 직선 운동하는 질량 2 kg인 물체의 운동량을 시간에 따라 나타낸 것이다.

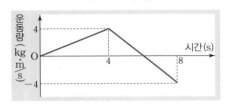

이에 대한 설명으로 옳은 것만을 |보기|에서 있는 대로 고른 것은?

| 보기 |

ㄱ. 0~4초 동안 물체가 받은 힘의 크기는 1 N 이다.
ㄴ. 4초일 때 물체의 운동 방향이 바뀐다.
ㄷ. 4~8초 동안 물체가 받은 충격량은 0이다.

① ㄱ   ② ㄴ   ③ ㄱ, ㄷ
④ ㄴ, ㄷ   ⑤ ㄱ, ㄴ, ㄷ

08 그림 (가), (나)는 질량이 같은 농구공 A와 축구공 B를 같은 높이에서 동시에 놓았더니 바닥에 충돌한 후 A가 B보다 더 많이 튀어 오르는 모습을 나타낸 것이다.

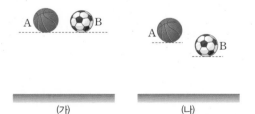

(가)   (나)

이에 대한 설명으로 옳은 것만을 |보기|에서 있는 대로 고른 것은?

| 보기 |

ㄱ. 바닥에 충돌하기 직전의 운동량의 크기는 A와 B가 같다.
ㄴ. 바닥에 충돌한 후 운동량의 크기는 A가 B보다 크다.
ㄷ. 바닥으로부터 받은 충격량의 크기는 A가 B보다 크다.

① ㄱ   ② ㄷ   ③ ㄱ, ㄴ
④ ㄴ, ㄷ   ⑤ ㄱ, ㄴ, ㄷ

09 그림은 마찰이 없는 수평면 위에서 질량이 $2m$인 물체 A와 질량이 m인 물체 B가 각각 $2v$, v의 일정한 속도로 운동하는 모습을 나타낸 것이다. 표는 A, B를 정지시킬 때 작용하는 힘의 크기와 시간을 나타낸 것이다.

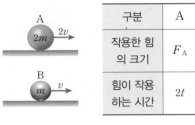

구분	A	B
작용한 힘의 크기	F_A	F_B
힘이 작용하는 시간	$2t$	t

작용한 힘의 크기 $F_A : F_B$는?

① 1 : 1   ② 1 : 2   ③ 1 : 3
④ 2 : 1   ⑤ 3 : 1

| 과학적 사고력 |

10 그림과 같이 자동차에 에어백을 설치하면 충돌 사고가 났을 때 사람이 입는 피해를 줄일 수 있다.

충돌 사고가 났을 때, 에어백의 역할에 대한 설명으로 옳은 것만을 |보기|에서 있는 대로 고른 것은?

| 보기 |

ㄱ. 사람이 받는 충격량을 줄인다.
ㄴ. 사람이 힘을 받는 시간을 길게 한다.
ㄷ. 사람이 받는 충격력의 크기를 줄인다.

① ㄱ   ② ㄷ   ③ ㄱ, ㄴ
④ ㄴ, ㄷ   ⑤ ㄱ, ㄴ, ㄷ

서술형 문제

| 과학적 탐구 능력 |

11 그림과 같이 질량이 큰 추를 실에 연결한 다음 스탠드에 매달았다. 다음과 같이 2가지 방법으로 실을 잡아당기면서 실의 A 또는 B 중에서 어느 쪽이 끊어지는지를 관찰하였다.

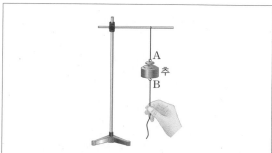

방법 1: 실을 천천히 잡아당겼더니 (㉠)가 끊어진다.

방법 2: 실을 빨리 잡아당겼더니 (㉡)가 끊어진다.

(1) ㉠을 쓰시오.

_____

(2) (㉡)가 끊어지는 까닭을 관성으로 서술하시오.

_____

_____

12 그림 (가)는 같은 높이에서 동일한 달걀을 시멘트 바닥에 떨어뜨렸을 때는 깨졌지만 방석에 떨어뜨렸을 때는 깨지지 않은 것을 나타낸 것이다. 그림 (나)는 달걀에 작용하는 힘의 크기를 시간에 따라 순서 없이 나타낸 것이다. 그래프 아랫부분의 넓이는 같다.

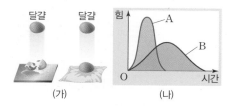

(1) 시멘트 바닥에 떨어뜨린 달걀에 작용하는 힘의 크기를 시간에 따라 나타낸 그래프가 어느 것인지 그림 (나)에서 찾아 그 기호를 쓰시오.

_____

| 과학적 의사소통 능력 |

(2) 달걀을 방석에 떨어뜨렸을 때는 깨지지 않고 시멘트 바닥에 떨어뜨렸을 때 깨지는 까닭을 다음의 단어를 모두 사용하여 서술하시오.

> 충격량, 운동량의 변화량, 힘(충격력), 시간

_____

_____

13 그림은 같은 높이에서 동일한 물체 A와 B를 각각 가만히 놓은 순간과 수평으로 던지는 모습을 나타낸 것이다.

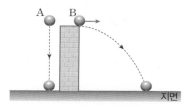

(1) 낙하 하는 동안 A와 B가 받는 충격량의 크기를 비교하시오.

_____

(2) 위의 (1)과 같이 답한 까닭을 서술하시오.

_____

_____

14 야구 선수 중에서 포수는 충격력을 줄이기 위해 다른 선수들이 사용하는 글러브보다 두꺼운 것을 사용한다. 포수 글러브와 같은 원리를 이용한 안전장치의 예를 2가지 이상 원리와 함께 서술하시오.

_____

_____

01 다음은 ㉠ <u>갈릴레이의 사고 실험</u>에 대한 설명이다.

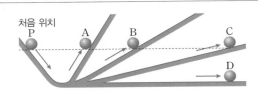

- 빗면과 수평면에서 모든 마찰을 무시할 때, 빗면의 P에서 출발한 공은 빗면 A, B, C에서 처음과 같은 높이까지 올라간다.
- 수평면 D에서는 처음의 높이까지 올라갈 수 없으므로 공은 계속 (㉡)을 할 것이다.

이에 대한 설명으로 옳은 것만을 |보기|에서 있는 대로 고른 것은?

| 보기 |

ㄱ. ㉠을 통해 관성을 설명할 수 있다.
ㄴ. ㉡은 등가속도 운동이다.
ㄷ. ㉠으로 사과가 나무에서 떨어지는 이유를 설명할 수 있다.

① ㄱ   ② ㄴ   ③ ㄱ, ㄴ
④ ㄴ, ㄷ   ⑤ ㄱ, ㄴ, ㄷ

02 그림은 진공관에서 질량이 서로 다른 쇠구슬과 깃털을 같은 높이에서 동시에 떨어뜨리는 모습을 나타낸 것이다.

이에 대한 설명으로 옳은 것만을 |보기|에서 있는 대로 고른 것은?

| 보기 |

ㄱ. 쇠구슬과 깃털이 바닥에 떨어질 때까지 걸린 시간은 같다.
ㄴ. 쇠구슬과 깃털이 바닥에 닿을 때의 속력은 같다.
ㄷ. 쇠구슬과 깃털에 작용하는 힘의 크기는 같다.

① ㄱ   ② ㄴ   ③ ㄱ, ㄴ
④ ㄴ, ㄷ   ⑤ ㄱ, ㄴ, ㄷ

03 그림은 영희가 탑에서 쇠공을 가만히 놓아 떨어뜨리는 모습을 나타낸 것이다.

이에 대한 설명으로 옳은 것만을 |보기|에서 있는 대로 고른 것은? (단, 공기의 저항은 무시한다.)

| 보기 |

ㄱ. 쇠공의 질량이 클수록 빨리 떨어진다.
ㄴ. 쇠공의 질량이 클수록 큰 힘을 받는다.
ㄷ. 떨어지는 동안 쇠공의 가속도는 일정하다.

① ㄱ   ② ㄴ   ③ ㄱ, ㄴ
④ ㄴ, ㄷ   ⑤ ㄱ, ㄴ, ㄷ

04 그림과 같이 50 m 높이에서 20 m 떨어져 있는 두 공 A, B가 있다. 공 A가 자유 낙하 하는 동시에 공 B를 A쪽으로 10 m/s의 일정한 속력으로 던졌다.

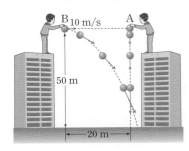

충돌하는 순간 A의 속력은? (단, 중력 가속도는 9.8 m/s²이고, 공기 저항은 무시한다.)

① 9.8 m/s   ② 14.7 m/s   ③ 19.6 m/s
④ 24.5 m/s   ⑤ 29.4 m/s

[05~06] 그림과 같이 수평 방향으로 질량이 m인 물체 A 를 v의 속력으로 던지는 순간 같은 높이에서 질량이 m인 물체 B를 자유 낙하시켰더니, P 점에서 A와 B는 충돌하였다.

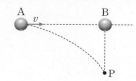
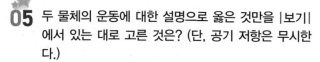

지표면

05 두 물체의 운동에 대한 설명으로 옳은 것만을 |보기| 에서 있는 대로 고른 것은? (단, 공기 저항은 무시한다.)

┤ 보기 ├
ㄱ. A는 수평 방향으로 등속도 운동을 한다.
ㄴ. A에 작용하는 힘의 방향은 계속 변한다.
ㄷ. P에서 A와 B의 연직 방향의 속도는 같다.

① ㄱ   ② ㄴ   ③ ㄱ, ㄷ
④ ㄴ, ㄷ   ⑤ ㄱ, ㄴ, ㄷ

06 표는 A와 B의 조건을 다르게 한 방법을 나타낸 것이다.

방법	A의 질량	B의 질량	A의 수평 방향의 속력
I	m	m	$2v$
II	m	$2m$	v
III	$2m$	m	v

A와 B를 같은 높이에서 던졌을 때, P에서 충돌하는 경우만을 표에서 있는 대로 고른 것은? (단, 공기 저항은 무시한다.)

① I   ② III   ③ I, II
④ II, III   ⑤ I, II, III

07 다음은 자연 현상과 생명 현상에 대한 설명이다.

물질의 밀도 차이에 따라 상대적으로 (㉠) 차이가 발생하므로 공기와 바닷물의 대류가 일어난다.	코끼리와 육상에서 살아가는 무거운 동물은 (㉠)에 적응하기 위해 강한 근육과 단단한 골격을 갖추고 있다.

이에 대한 설명으로 옳은 것만을 |보기|에서 있는 대로 고른 것은?

┤ 보기 ├
ㄱ. ㉠은 서로 접촉해 있거나 멀리 떨어져 있어도 작용한다.
ㄴ. 무거운 동물일수록 ㉠이 크게 작용한다.
ㄷ. ㉠은 지구 시스템과 생명 시스템에 매우 중요한 역할을 한다.

① ㄱ   ② ㄴ   ③ ㄱ, ㄷ
④ ㄴ, ㄷ   ⑤ ㄱ, ㄴ, ㄷ

3 – 2. 충돌과 안전장치

08 그림 (가)는 철수와 영희가 일직선 상에서 동일한 범퍼카 A와 B를 타고 운동하는 모습을, (나)는 A와 B가 충돌하는 모습을 나타낸 것이다. 철수와 영희의 질량은 같다.

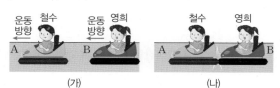

(가)   (나)

이에 대한 설명으로 옳은 것만을 |보기|에서 있는 대로 고른 것은? (단, 모든 마찰은 무시한다.)

┤ 보기 ├
ㄱ. 충돌 전 A와 B의 운동량의 크기는 같다.
ㄴ. B의 운동량의 크기는 (가)에서가 (나)에서보다 크다.
ㄷ. 충돌 후 A와 B의 운동량의 변화량의 크기는 같다.

① ㄱ   ② ㄴ   ③ ㄷ
④ ㄱ, ㄴ   ⑤ ㄴ, ㄷ

09 그림 (가)와 (나)는 질량이 각각 m, $2m$인 공 A와 B가 수평면에서 운동하다가 벽에 정면으로 충돌한 후 튀어 나오는 것을 나타낸 것이다. 벽에 충돌하기 전 A와 B의 속력은 각각 $4v$, $3v$이고, 충돌 후 A의 속력은 $3v$, B의 속력은 v_B이다. A와 B가 벽으로부터 받은 충격량은 같다.

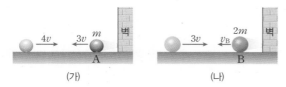

충돌 후 B의 속력 v_B는? (단, 모든 마찰은 무시한다.)

① $\frac{1}{2}v$　　　　② v　　　　③ $\frac{3}{2}v$

④ $2v$　　　　⑤ $3v$

10 그림 (가)는 마찰이 없는 수평면 위에서 각각 $2v$, v의 일정한 속력으로 다가오는 질량이 m인 공을 수평 방향으로 발로 차는 모습을 나타낸 것이다. 그림 (나)는 (가)에서 공이 발로부터 받은 힘의 크기를 시간에 따라 나타낸 것이다. 설명은 과정 A, B와 공에 작용하는 힘에 관한 것이다.

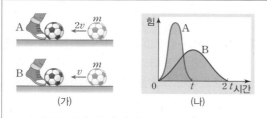

• A와 B 아래의 면적이 $4mv$로 같으므로 A와 B가 받는 (㉠)이 같다.
• 힘을 받는 시간은 B가 A의 2배이다.

이에 대한 설명으로 옳은 것만을 |보기|에서 있는 대로 고른 것은? (단, 공을 차기 전과 후에 공은 동일 직선 상에서 운동하고, 공의 크기는 무시한다.)

보기
ㄱ. ㉠은 충격량이다.
ㄴ. A에서 공이 발을 떠나는 순간의 운동량의 크기는 $4mv$이다.
ㄷ. 공이 발을 떠나는 순간 공의 속력은 B가 A의 2배이다.

① ㄱ　　　　② ㄴ　　　　③ ㄷ
④ ㄱ, ㄴ　　　　⑤ ㄴ, ㄷ

서술형

11 그림은 질량이 m인 공을 수평으로 던졌을 때 공의 위치를 일정한 시간 간격으로 나타낸 것이다.

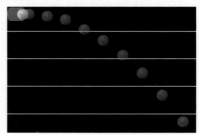

(1) 공에 작용하는 힘의 종류와 방향을 쓰시오.

(2) 위의 물체의 운동을 수평 방향과 연직 방향으로 나누어 분석했을 때 각각 어떤 운동을 하는지 서술하시오.

서술형

12 물체가 운동 상태를 유지하려고 하는 관성이 나타나는 예를 2가지만 쓰시오.

서술형

13 그림 (가)와 (나)는 충돌에 의한 피해나 통증을 줄이기 위한 방법들이다.

(가)　　　　(나)

이 방법들에 공통으로 적용된 원리를 서술하시오.

01 그림 (가)는 손으로 사과를 잡고 있는 모습을, (나)는 (가)에서 사과를 가만히 놓았더니 사과가 지면으로 떨어지고 있는 모습을 나타낸 것이다.

 사과

 지면
(가)

 지면
(나)

이에 대한 설명으로 옳은 것만을 |보기|에서 있는 대로 고른 것은? (단, 공기의 저항은 무시한다.)

> **보기**
> ㄱ. (가)에서 손이 사과에 가하는 힘의 크기는 사과에 작용하는 중력의 크기와 같다.
> ㄴ. (나)에서 사과의 속도는 일정하게 증가한다.
> ㄷ. 지구가 사과에게 작용하는 힘의 크기는 (가)에서가 (나)에서보다 크다.

① ㄱ ② ㄴ ③ ㄷ
④ ㄱ, ㄴ ⑤ ㄴ, ㄷ

출제 Point
(가)에서 사과가 정지해 있으므로 사과에 작용하는 알짜힘은 0이다.

02 그림은 수평 방향으로 $2\,m/s$의 속력으로 던진 물체의 위치를 모눈종이 위에 $\frac{1}{10}$초 간격으로 나타낸 것이다. 처음 위치는 물체를 처음 던진 순간의 위치이다.

처음 위치
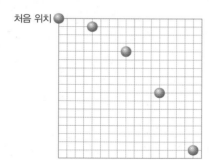

이에 대한 설명으로 옳은 것만을 |보기|에서 있는 대로 고른 것은? (단, 중력 가속도는 $10m/s^2$이고, 모눈의 간격은 동일하며, 공기의 저항은 무시한다.)

> **보기**
> ㄱ. 물체는 연직 방향으로 속력이 일정하게 증가하는 운동을 한다.
> ㄴ. 모눈종이 1칸의 간격은 5 cm이다.
> ㄷ. 0~0.4초 동안 물체가 등속도 운동한 거리와 등가속도 운동한 거리는 같다.

① ㄱ ② ㄷ ③ ㄱ, ㄴ
④ ㄴ, ㄷ ⑤ ㄱ, ㄴ, ㄷ

출제 Point
수평 방향으로 등속도 운동을 하는 물체가 $\frac{1}{10}$초 동안 수평 방향으로 움직인 거리는 20 cm이다.

03 그림 (가), (나)는 마찰이 없는 수평면에서, 일정한 속력 v로 직선 운동을 하던 물체 A가 정지해 있던 물체 P, Q와 각각 충돌하는 모습을 나타낸 것이다. (가)와 (나)에서 충돌 후 A의 속도는 같고, 충돌 직후 P, Q의 속도는 표와 같다.

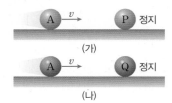

물체	충돌 후 속도
P	$\dfrac{v}{2}$
Q	$\dfrac{v}{3}$

물체 P, Q의 질량을 m_P, m_Q이라고 할 때 $m_P : m_Q$는? (단, 충돌 전후 물체가 일직선 상에서 운동한다.)

① 1 : 2 ② 2 : 1 ③ 2 : 3

④ 3 : 2 ⑤ 4 : 3

출제 Point

(가)와 (나)에서 A가 받은 충격량이 같다. 따라서 P, Q가 받은 충격량의 크기도 같다.

04 그림 (가)와 같이 시멘트 바닥 위에 방석을 놓고 유리컵을 놓아 떨어뜨렸다. 그림 (나)는 유리컵을 놓는 순간부터 유리컵의 속도를 시간에 따라 나타낸 것이다.

(가)

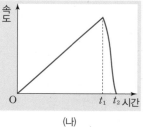

(나)

이에 대한 설명으로 옳은 것만을 |보기|에서 있는 대로 고른 것은? (단, 방석의 두께는 무시한다.)

┌ 보기 ├
ㄱ. 유리컵이 받은 충격량의 크기는 $0 \sim t_1$ 동안이 $t_1 \sim t_2$ 동안보다 작다.
ㄴ. 유리컵에 작용하는 충격력의 크기는 $0 \sim t_1$ 동안이 $t_1 \sim t_2$ 동안보다 작다.
ㄷ. 방석을 치우면 유리컵이 받는 충격량의 크기는 증가한다.

① ㄱ ② ㄴ ③ ㄷ

④ ㄱ, ㄴ ⑤ ㄴ, ㄷ

출제 Point

$0 \sim t_1$, $t_1 \sim t_2$의 운동량 변화량의 크기가 같으므로 $0 \sim t_1$, $t_1 \sim t_2$에서 물체가 받은 충격량의 크기도 같다.

4

이 단원에서는

태양으로부터 받은 에너지와 지구 내부의 에너지가 지구에서
각 권으로 이동하고 물질이 순환하면서 다양한 자연 현상이 발생함을
이해한다. 또, 지구 환경 변화가 지구 시스템 내부의 상호 작용에 의한
것이며, 이러한 변화가 우리에게 어떤 영향을 미치는지 알아본다.

단원별 정답과 해설을
QR 코드로 확인할 수 있어요.

지구 시스템

4-1 지구 시스템과 상호 작용
4-2 지권의 변화와 그 영향

이 단원의 핵심 개념

지구 시스템

지구 시스템과 상호 작용

지구 시스템, 지권, 수권, 기
권, 생물권, 외권, 지구 시스
템의 상호 작용, 물의 순환과
탄소 순환

지권의 변화와 그 영향

지진대와 화산대, 판과 판 구
조론, 발산형 경계, 수렴형 경
계, 보존형 경계, 화산, 지진

4-1 지구 시스템과 상호 작용

1 지구 시스템

1. 시스템
① **시스템** 특정한 목적을 달성하거나 기능을 수행하기 위해 관련된 여러 구성 요소들이 상호 작용하는 집합체이다. **예** 태양계, 소화계, 순환계 등
② **지구 시스템** 고체 지구와 이를 구성하는 지권, 기권, 수권, 생물권, 외권이 서로 상호 작용을 하며 이루고 있는 지구 환경을 지구 시스템이라고 한다.

2. 지구 시스템의 구성 요소와 특징
① **지권** 암석과 흙으로 이루어진 지표와 지구 내부를 포함하여 지권이라고 한다.
  • 지권의 구분 **❶**

지각	암석으로 이루어진 지구의 겉 부분, 대륙 지각과 해양 지각으로 구성
맨틀	유동성이 있는 고체 상태의 물질로 이루어져 있으며, 지구 전체 부피의 약 80 % 이상을 차지
핵	액체 상태 물질로 이루어진 외핵과 고체 상태 물질로 이루어진 내핵으로 구성

주된 구성 원소는 철과 니켈

② **수권 ❷** 지구에 있는 모든 물로 해수, 육수, 수증기 등을 모두 포함한다.
  ─빙하, 지하수, 호수, 강 등에 분포
  • 수권에 있는 물은 수증기나 빙하 등으로 그 형태가 변하면서 다른 권역으로 이동하는 과정을 통해 지구에 생명체가 살아갈 수 있는 환경을 조성한다.
  • 해수의 층상 구조 **❸**

혼합층	태양 복사 에너지로 가열된 해수가 바람에 의해 혼합되면서 수온이 일정하게 유지되는 층
수온 약층	수심이 깊어질수록 수온이 낮아지므로 안정하여 해수의 수직 운동이 일어나지 않는 층 – 혼합층과 심해층 사이의 물질 교환을 차단
심해층	위도나 계절에 관계 없이 항상 수온이 일정한 층 – 태양 복사 에너지가 거의 도달하지 않는다.

③ **기권 ❹** 지구를 덮고 있는 대기층으로 지표에서 높이 약 1,000 km까지 분포한다.
  • 태양에서 오는 자외선이나 지구로 떨어지는 유성 등을 차단하고 생물이 숨 쉴 수 있는 공기를 제공한다.
  • 기권의 구조

열권	위로 올라갈수록 기온이 올라가는 가장 높은 곳에 있는 층 – 오로라 관측
중간권	위로 올라갈수록 기온이 낮아지므로 대류 현상은 일어나지만, 기상 현상은 나타나지 않는 층
성층권	위로 올라갈수록 기온이 올라가는 층으로 오존층이 존재하여 태양에서 오는 자외선을 차단하는 층 – 안정한 층
대류권	위로 올라갈수록 기온이 낮아지므로 대류 현상이 일어나며, 수증기가 많아 기상 현상이 나타나는 가장 아래에 있는 층

④ **생물권** 지구에는 사람을 비롯하여 동물과 식물 그리고 미생물 등 수많은 생물이 살고 있는데, 지구에 사는 생물과 생물이 서식하는 영역을 모두 포함하여 생물권이라고 한다. – 태양계 행성 중 지구에만 존재한다.
  ─지표에서 약 1,000 km 이상의 우주 공간
⑤ **외권** 기권 바깥의 영역으로 태양계를 구성하는 천체들을 모두 포함하며 우주선과 태양풍으로부터 지구를 보호하는 역할을 한다.

이 단원의 핵심 개념은~
- 지구 시스템의 구성 요소
- 지구 시스템 각 권의 상호 작용
- 물의 순환과 탄소 순환

❶ 지구 내부에 전달되는 지진파를 이용하여 내부 구조를 확인한다.

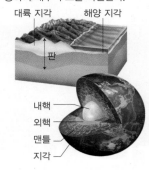

❷ 수권을 구성하는 물의 대부분은 해수가 차지한다.

❸ 수심에 따른 수온 변화를 기준으로 3개의 층으로 구분한다.

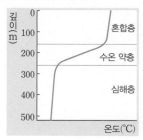

❹ 높이에 따른 기온 변화를 기준으로 4개의 층으로 구분한다.

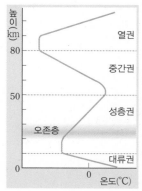

2 지구 시스템과 물질의 상호 작용

1. 지구 시스템의 상호 작용❸

① 지구 시스템의 에너지원

태양 복사 에너지	・태양의 수소 핵융합 반응 ・생명 활동의 에너지원, 대기와 해수 순환의 원인
지구 내부 에너지	・지구 내부 방사성 원소의 붕괴 + 지구 생성 당시 높은 온도 ・지진과 화산 활동, 외핵의 운동으로 지구 자기장 형성
조력 에너지	・달과 태양의 인력 ・밀물과 썰물의 원인, 해안 지형의 변화

② 상호 작용으로 나타나는 현상 – 상호 작용하는 과정에서 물질과 에너지가 순환한다.

자연 현상	상호 작용의 결과	구성 요소
구름	수권의 물이 태양 복사 에너지를 받아 증발하여 수증기가 되어 기권으로 유입된 후 응결하여 구름을 형성	수권−기권 (외권−수권−기권)
지진 해일	지진, 해저 화산 폭발, 단층 운동 등의 급격한 지각 변동이나 해저에서의 사태에 의해 해일이 발생	지권−수권
태풍	열대 해상에서 태양 복사 에너지를 받은 바닷물이 증발하면서 대기 중으로 수증기가 유입되어 상승 기류가 만들어지고 저기압이 발달하면서 태풍이 발생	수권−기권 (외권−수권−기권)
오로라	지구 밖에서 날아온 태양풍이 지구 대기 상층부의 공기 분자와 반응하여 빛을 내는 현상	외권−기권

2. 물의 순환과 탄소 순환

① 물의 순환 지구 시스템에서 물은 상태가 변하면서 각 권 사이를 이동하며, 이 과정에서 태양 복사 에너지를 이동시키면서 지구는 에너지 평형을 유지한다.

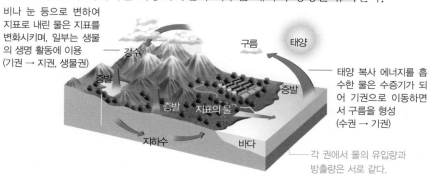

비나 눈 등으로 변하여 지표로 내린 물은 지표를 변화시키며, 일부는 생물의 생명 활동에 이용 (기권 → 지권, 생물권)

태양 복사 에너지를 흡수한 물은 수증기가 되어 기권으로 이동하면서 구름을 형성 (수권 → 기권)

각 권에서 물의 유입량과 방출량은 서로 같다.

② 탄소의 순환 탄소는 기권에서 주로 이산화 탄소로, 수권에서는 주로 탄산 이온으로, 생물권에서는 탄소 화합물의 형태로, 지권에서는 석회암이나 화석 연료 등의 형태로 존재한다.

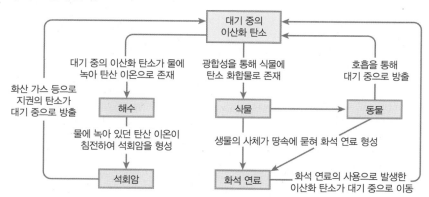

❺ 지구 시스템에서는 어느 한 요소에서 변화가 생기면 다른 요소에 영향을 미치게 된다.

■ 탄소의 분포
탄소는 다양한 형태로 지구 시스템에 분포하고 있으며, 이 중에서도 지권에 가장 많은 양이 포함되어 있다.

영역	존재 형태
지권	석회암, 화석 연료 등
수권	탄산 이온
기권	이산화 탄소
생물권	유기물(탄소 화합물)

■ 지구 온난화와 탄소 순환
화석 연료의 연소 → 기권에 이산화 탄소 증가로 기온 상승 → 기온 상승에 따른 해수의 이산화 탄소 용해도 감소 → 기권의 이산화 탄소 증가로 지구 온난화 가속

✅ 바로 체크

1 지구를 구성하는 여러 요소들이 상호 작용하면서 이루고 있는 지구 환경을 (   )이라고 한다.

2 지구 시스템에서 지표와 지구 내부를 포함하여 (   )이라고 한다.

3 지구 시스템에서 지구를 덮고 있는 대기층을 (   )이라고 한다.

4 지구 시스템에서 지구에 사는 생물과 생물이 서식하는 영역을 포함하여 (   )이라고 한다.

5 물의 순환은 주로 (   ) 에너지에 의해 일어난다.

6 화석 연료의 사용으로 지권에 있던 탄소가 (   )권으로 이동한다.

5 태양 복사, 6 기
1 지구 시스템, 2 지권, 3 기권, 4 생물권,

| 탐구 목표 |
지구 시스템의 구성 요소와 각 권의 층상 구조를 이해할 수 있다.

■ **지각의 구조**
대륙 지각은 주로 화강암질 암석으로 해양 지각은 주로 현무암질 암석으로 이루어져 있다.

■ **기권의 역할**
우주에 떠돌던 작은 유성체가 지구로 진입하면 기권의 공기와 마찰을 일으켜 타면서 작아지거나 사라지면서 지표면에 주는 피해를 줄여준다.

■ **수온 약층**
안정한 층으로 해수의 연직 운동이 일어나기 어려워 혼합층과 심해층 사이의 물질 교환을 차단한다.

자료1

지구 시스템 각 권의 특징

지구 시스템을 구성하는 구성 요소에는 지권, 수권, 기권, 생물권, 외권이 존재한다. 이들 사이에서 일어나는 상호 작용으로 지구는 생물이 살 수 있는 환경을 유지한다.

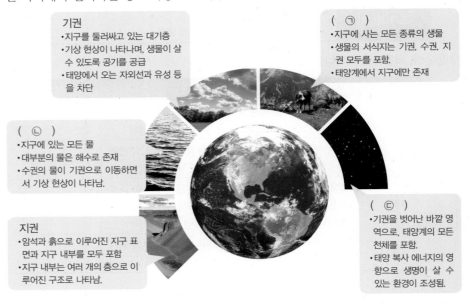

기권
• 지구를 둘러싸고 있는 대기층
• 기상 현상이 나타나며, 생물이 살 수 있도록 공기를 공급
• 태양에서 오는 자외선과 유성 등을 차단

(㉠)
• 지구에 사는 모든 종류의 생물
• 생물의 서식지는 기권, 수권, 지권 모두를 포함.
• 태양계에서 지구에만 존재

(㉡)
• 지구에 있는 모든 물
• 대부분의 물은 해수로 존재
• 수권의 물이 기권으로 이동하면서 기상 현상이 나타남.

지권
• 암석과 흙으로 이루어진 지구 표면과 지구 내부를 모두 포함
• 지구 내부는 여러 개의 층으로 이루어진 구조로 나타남.

(㉢)
• 기권을 벗어난 바깥 영역으로, 태양계의 모든 천체를 포함.
• 태양 복사 에너지의 영향으로 생명이 살 수 있는 환경이 조성됨.

자료2

지구 시스템의 각 권의 층상 구조

지권, 수권, 기권은 일정한 기준에 따라 서로 다른 특징을 나타내는 층으로 구분된다.

구분	층상 구조
지권	지각, 맨틀, 핵으로 이루어져 있으며, 지각은 (㉣) 지각과 (㉤) 지각으로 구분한다.
수권	해수는 깊이에 따른 (㉥) 분포를 기준으로 혼합층, 수온 약층, 심해층으로 구분한다.
기권	높이에 따른 (㉦) 분포를 기준으로 대류권 성층권, 중간권, 열권으로 구분한다.

이해 Check

1 지구 시스템과 구성 요소에 대한 설명으로 옳은 것만을 |보기|에서 있는 대로 고르시오.

┤ 보기 ├
ㄱ. 지권은 지표에 물이 존재하는 영역이다.
ㄴ. 기권의 층은 기온 변화를 기준으로 구분한다.
ㄷ. 생물권은 지권, 수권, 기권 모두에 걸쳐 분포한다.
ㄹ. 외권에 형성된 자기장은 우주선이나 태양풍을 차단한다.
ㅁ. 우리가 주로 이용하는 하천수와 지하수는 수권에 있는 물의 대부분을 차지한다.

2 그림은 지구 시스템 각 권의 상호 작용을 나타낸 것이다. (가)~(다)에 해당하는 권역의 이름을 쓰시오.

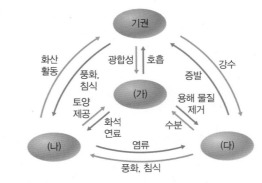

지구 시스템에서의 물과 탄소의 순환

정답과 해설 16쪽

| 탐구 목표 |

지구 시스템에서 일어나는 물과 탄소의 순환을 통해 지구 시스템에서 물질과 에너지가 순환한다는 것을 이해할 수 있다.

■ 물의 평형

지구 시스템에서 각 권을 순환하는 물은 그 형태는 변하지만 유입되는 양과 방출하는 양은 평형을 이루므로, 지구 시스템 안에서 전체 물의 양은 변화가 없다.

■ 탄소의 순환

지구 시스템에서 탄소는 물과 마찬가지로 여러 형태로 변하면서 순환하는 과정에서 물질과 에너지의 흐름으로 나타난다. 이때 지구 전체에 존재하는 탄소의 양은 일정하다.

자료1

지구 시스템에서 물의 순환

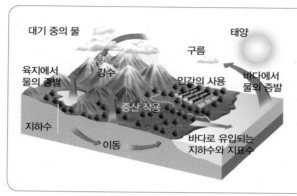

지표에 있는 물은 태양 복사 에너지를 (ⓐ)하여 증발하고, 다시 응결하면서 에너지를 (ⓧ)한다. 이 과정에서 에너지는 '외권 → (ⓧ)권 → 기권'으로 이동하게 된다. 이때 물은 지표와 바다에서 증발하여 구름이 되었다가 다시 비나 눈 등의 강수로 지표에 내리면서 이동하므로, 이 과정에서 물질과 에너지는 '(ⓒ)권 → 기권 → 수권'으로 이동한다.

자료2

지구 시스템에서 탄소의 순환

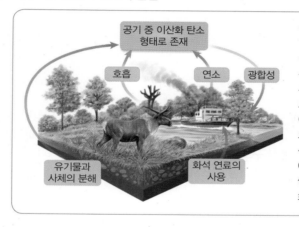

식물은 대기 중의 이산화 탄소를 이용한 광합성으로 탄소 화합물을 생산하며, 이러한 식물을 동물이 섭취하면서 탄소는 동물로 이동한다. 식물과 동물은 모두 호흡을 통해 이산화 탄소를 대기 중으로 방출한다. 한편 생물의 사체가 분해되어 발생하는 이산화 탄소는 (ⓔ)권으로 들어가고, 일부 탄산 칼슘을 포함한 생물의 사체는 석회암이 되어 (ⓜ)권에 포함된다. 또한, 동물과 식물의 사체가 쌓여 오랜 시간이 지나 석유나 석탄 등의 화석 연료로 만들어지기도 한다.

⊙ 이해 Check

3 지구 시스템에서 물이 순환하는 과정에 대한 설명으로 옳은 것만을 |보기|에서 있는 대로 고르시오.

┌ 보기 ├

ㄱ. 물이 증발하여 수증기로 변할 때는 에너지를 방출한다.

ㄴ. 수증기가 응결하여 구름이 형성될 때 에너지를 흡수한다.

ㄷ. 물의 순환에 가장 큰 영향을 주는 요인은 태양 복사 에너지이다.

ㄹ. 물의 순환 과정으로 물질과 에너지가 지구 시스템에서 순환한다.

ㅁ. 비나 눈과 같은 강수 과정으로 지표에 내린 물은 지표를 흐르면서 지형 변화에 영향을 주기도 한다.

4 그림은 지구 시스템에서 탄소가 순환하는 과정을 모식도로 나타낸 것이다.

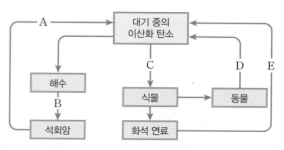

A~E 중 수권에서 지권으로 탄소가 이동하는 과정을 고르고, 탄소가 어떻게 이동하는지 구체적인 예시를 들어 서술하시오.

개념 확인 문제

01 지구 시스템을 구성하는 각 권에 관한 설명으로 옳은 것은 ○표, 옳지 않은 것은 ×표를 하시오.

(1) 지표를 흐르는 물은 지권에 포함된다. ( )

(2) 수권에 있는 물의 대부분은 지하수가 차지한다.
( )

(3) 생물권은 태양계에서 지구에만 유일하게 존재한다. ( )

(4) 지구 시스템은 지권, 수권, 기권으로만 이루어져 있다. ( )

(5) 태양에서 오는 자외선을 막아주는 오존층이 존재하는 곳은 기권이다. ( )

02 지권을 이루는 각 층에 관한 설명이다. 해당하는 층의 이름을 쓰시오.

(1) 암석으로 이루어진 지구의 가장 겉 부분이다.
( )

(2) 유동성을 가지는 고체 상태의 물질로 이루어진 층이다. ( )

(3) 주로 철과 니켈로 이루어진 고체 상태 물질로 지구 내부에서 온도와 압력이 가장 높다. ( )

03 그림은 깊이에 따른 해수의 층상 구조를 나타낸 것이다. A~C층에 해당하는 해수 층의 이름을 쓰시오.

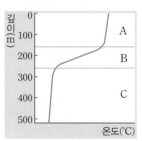

04 기권에 관한 설명으로 옳은 것만을 |보기|에서 있는 대로 고르시오.

┤ 보기 ├
ㄱ. 높이에 따른 기온 분포를 기준으로 4개의 층으로 구분한다.
ㄴ. 중간권에서는 공기의 대류 현상이 있으므로 기상 현상이 나타난다.
ㄷ. 태양에서 오는 자외선을 오존층에서 흡수하므로 성층권에서는 위로 올라갈수록 기온이 낮아진다.

05 지구 시스템에서 일어나는 여러 현상을 설명한 것이다. 각각 어느 권역 사이의 상호 작용으로 일어나는 것인지 해당하는 권역의 이름을 빈칸에 쓰시오.

(1) 지표를 흐르는 물이 지형을 변화시킨다.
⇨ (㉠)권과 (㉡)권의 상호 작용

(2) 식물이 광합성을 하면서 이산화 탄소를 소모하고 산소를 배출한다.
⇨ (㉠)권과 (㉡)권의 상호 작용

(3) 화산 가스로 분출한 물질이 대기 중에 포함되면서 대기의 성분은 변화시킨다.
⇨ (㉠)권과 (㉡)권의 상호 작용

[06~07] 그림은 지구에서 나타나는 물의 순환 과정이다.

06 그림에 나타나는 물의 순환 과정에 관한 설명으로 옳은 것만을 |보기|에서 있는 대로 고르시오.

┤ 보기 ├
ㄱ. 육지에서는 물이 증발하지 않는다.
ㄴ. 육지에서 흐르는 물은 지표 변화에 영향을 준다.
ㄷ. 물의 순환에 가장 큰 영향을 주는 에너지는 태양 복사 에너지이다.

07 그림을 참고하여 물이 해수에서 시작하여 어떻게 순환하는지 물의 순화 과정을 서술하시오.

_____

_____

08 다음은 지구 시스템에 다양한 형태로 포함된 탄소이다. 이러한 형태의 탄소가 포함된 권역은 각각 어디인지 해당하는 권역을 쓰시오.

(1) 이산화 탄소: ( )

(2) 탄산 이온: ( )

(3) 석회암, 화석 연료: ( )

실력 쑥쑥 문제

01 지구 시스템에 대한 설명으로 옳지 <u>않은</u> 것은?

① 생물권은 지권에만 존재한다.

② 지구를 덮고 있는 대기층을 기권이라고 한다.

③ 외권에서 오는 태양 복사 에너지는 생명 활동의 근원이 된다.

④ 해수는 수온 변화를 기준으로 혼합층, 수온 약층, 심해층으로 구분한다.

⑤ 지구 시스템은 지구를 구성하는 구성 요소들이 끊임없이 상호 작용을 하며 이루어진다.

02 그림은 지권의 내부 층상 구조를 나타낸 것이다. A~D층에 대한 설명으로 옳은 것만을 |보기|에서 있는 대로 고른 것은?

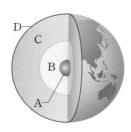

| 보기 |

ㄱ. A층은 액체 상태의 물질로 이루어져 있다.

ㄴ. B층은 수권과 밀접하게 상호 작용을 한다.

ㄷ. C층이 가장 많은 부피를 차지한다.

ㄹ. D층은 대륙 지각과 해양 지각으로 구분한다.

① ㄱ, ㄴ   ② ㄴ, ㄷ   ③ ㄴ, ㄹ

④ ㄷ, ㄹ   ⑤ ㄴ, ㄷ, ㄹ

03 그림은 해수의 층상 구조를 나타낸 것이다.

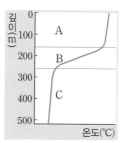

A~C층에 대한 설명으로 옳지 <u>않은</u> 것은?

① A층의 두께는 기권의 영향을 받는다.

② B층은 수심이 깊어질수록 수온이 급격히 낮아진다.

③ C층은 기권과 상호 작용하여 수온이 항상 일정하다.

④ 그림과 같이 해수의 층을 구분하는 기준은 깊이에 따른 해수의 수온 변화이다

⑤ 태양 복사 에너지의 영향을 가장 많이 받는 층은 A이며, 가장 영향을 받지 못하는 층은 C이다.

04 그림은 높이에 따른 기온 변화를 기준으로 기권을 4개의 층으로 구분한 것이다.

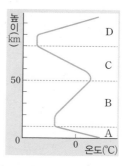

A~D층에 대한 설명으로 옳지 <u>않은</u> 것은?

① D층의 최상단은 기권과 외권의 경계이다.

② A층은 위로 올라 갈수록 기온이 낮아진다.

③ B층에는 오존층이 존재하여 자외선을 막아준다.

④ C층에서 대류 현상은 있지만 기상 현상은 일어나지 않는다.

⑤ 수권과 상호 작용이 가장 밀접하게 일어나는 층은 D층이다.

05 생물권에 대한 설명으로 옳은 것만을 |보기|에서 있는 대로 고른 것은?

| 보기 |

ㄱ. 태양계 행성 중 지구에만 있는 특징이다.

ㄴ. 생물은 지권, 수권, 기권 모두에서 생활하고 있다.

ㄷ. 지구에 사는 생물과 생물이 서식하는 영역을 뜻한다.

① ㄱ   ② ㄴ   ③ ㄱ, ㄷ

④ ㄴ, ㄷ   ⑤ ㄱ, ㄴ, ㄷ

06 외권에 대한 설명으로 옳지 <u>않은</u> 것만을 |보기|에서 있는 대로 고른 것은?

| 보기 |

ㄱ. 지구를 둘러싼 기권의 바깥 영역이다.

ㄴ. 지구 자기장은 태양풍을 통과시켜 지구의 보호막 역할을 한다.

ㄷ. 외권에서 지구로 들어오는 태양 복사 에너지는 지구에 생물이 살아갈 수 있는 환경을 만들어주는 역할을 한다.

① ㄱ   ② ㄴ   ③ ㄱ, ㄷ

④ ㄴ, ㄷ   ⑤ ㄱ, ㄴ, ㄷ

07 그림은 지구 시스템을 이루는 권역 사이의 상호 작용을 나타낸 것이다.

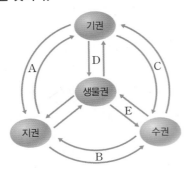

A~E에 해당하는 상호 작용의 예로 옳은 것은?

① A: 호흡을 통해 산소를 소모하고 이산화 탄소를 배출한다.
② B: 운석이 지구로 떨어지는 과정에서 대기 중에서 연소한다.
③ C: 바닷물이 증발하여 구름을 형성한다.
④ D: 파도에 의해 해안가에 해식 동굴이 형성된다.
⑤ E: 대기 대순환으로 해류를 발생시킨다.

08 그림은 지구 시스템에서 일어나는 여러 현상을 나타낸 것이다.

태풍

지진

태풍과 지진을 발생시키는 에너지원을 옳게 짝 지은 것은?

	태풍	지진
①	태양 복사 에너지	지구 내부 에너지
②	지구 내부 에너지	태양 복사 에너지
③	조력 에너지	지구 내부 에너지
④	지구 내부 에너지	조력 에너지
⑤	조력 에너지	태양 복사 에너지

09 그림은 물의 순환 과정을 나타낸 것이다.

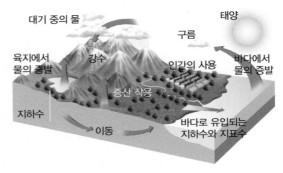

이에 대한 설명으로 옳은 것만을 |보기|에서 있는 대로 고른 것은?

┤ 보기 ├
ㄱ. 물이 순환할 때 에너지도 함께 순환한다.
ㄴ. 물의 순환을 일으키는 기본이 되는 에너지는 지구 내부 에너지이다.
ㄷ. 수권에서 에너지를 흡수하여 증발한 물은 기권에서 수증기 상태로 존재하거나 구름을 형성하면서 여러 가지 기상 현상을 일으킨다.

① ㄱ   ② ㄴ   ③ ㄱ, ㄷ
④ ㄴ, ㄷ   ⑤ ㄱ, ㄴ, ㄷ

10 그림은 탄소의 순환 과정을 나타낸 것이다.

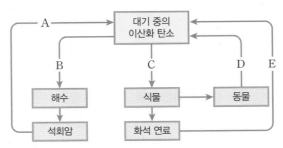

이에 대한 설명으로 옳지 않은 것은?

① A는 지권의 탄소가 기권으로 이동하는 것이다.
② B는 해수에 녹아 수권으로 이동하는 것이다.
③ C는 광합성을 통해 생물권으로 이동하는 것이다.
④ D는 호흡을 통해 생물권으로 이동하는 것이다.
⑤ E는 화석 연료의 사용을 통해 기권으로 이동하는 것이다.

11 그림 (가)는 해수의 층상 구조를, (나)는 기권의 층상 구조를 나타낸 것이다.

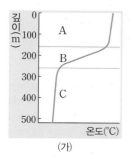
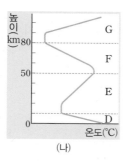

(가)　　　　　　　(나)

(1) 그림 (가)와 같이 해수를 3개의 층으로 구분하는 기준은 무엇인지 서술하시오.

(2) 그림 (가)와 (나)의 A~G 중 불안정한 층은 각각 어디인지 고르고, 그 까닭을 서술하시오.

12 그림 (가)는 지구에서 관측되는 현상이며, (나)는 지구 시스템을 이루는 각 권 사이의 상호 작용 관계를 나타낸 것이다.

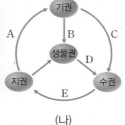

(가)　　　　　　　(나)

(가)와 같은 현상이 일어나기 위한 상호 작용 관계를 그림 (나)의 A~E 중에서 고르고 그 까닭을 설명하시오.

13 그림은 지구 시스템에서 평형 상태를 이루고 있는 물의 순환 과정을 나타낸 것이다.

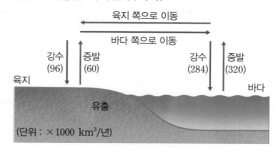

(1) 그림에서 설명하는 물의 증발량와 강수량을 참고하여 현재 지구 전체적으로 물의 양은 어떻게 변화하고 있는지 서술하시오.

(2) 물의 순환 과정에서 지구 온난화로 인해 지구의 기온이 계속 상승하면 이에 따라 육지나 바다에서 증발하는 물의 양도 늘어난다. 이처럼 증발하는 물의 양이 증가할 때 지구 전체에서 물의 총량은 어떻게 변하게 될지를 예상하여 서술하시오.

14 그림은 지구 시스템에서 평형 상태를 이루고 있는 탄소의 순환 과정을 나타낸 것이다.

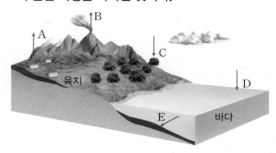

(1) 기권에 탄소가 증가하는 과정을 A~E 중에서 고르고, 해당하는 예를 한 가지 이상 서술하시오.

(2) D에서 일어나는 탄소의 이동 과정은 해수의 수온이 상승하게 되면 어떻게 변하게 될지를 변화가 일어나는 과정을 서술하시오.

4-2 지권의 변화와 그 영향

교과서 128~139쪽

1 판의 경계

1. 지진대와 화산대 — 지진대와 화산대는 태평양 주변 지역에서는 대륙의 주변부에, 대서양에서는 중앙 해령을 중심으로 나타난다.

① **지진대** 지진이 자주 발생하는 곳을 연결하면 띠 모양으로 나타나는 데 이를 지진대라고 한다.

② **화산대** 화산 활동이 자주 발생하는 곳이 분포하는 띠 모양의 지역으로, 대륙의 주변부와 대양의 중앙에서 나타난다.

2. 판과 판 구조론

① **판** 지각과 상부 맨틀의 일부를 포함하는 두께 약 100 km 정도의 암석으로 이루어진 층을 판이라고 한다. — 지표를 이루는 판은 여러 개의 조각으로 분리되어 있다.

암석권	•대륙판: 대륙 지각을 포함하며, 해양판보다 두껍지만 밀도는 더 작다. •해양판: 해양 지각을 포함하며 대륙판보다 얇지만 밀도는 더 크다.	
연약권	•지표면으로부터 깊이 약 100 km~400 km의 구간에 해당한다. —맨틀의 상부 •유동성을 가지는 맨틀로 이루어져 있어 대류 현상이 일어난다. —판을 움직이게 하는 원동력	

② **판 구조론** 지구 표면을 이루는 판이 서로 다른 방향과 속도로 움직이면서 판 경계에서 지진이나 화산 활동과 같은 지각 변동이 활발히 일어난다는 이론이다.

• 지구 표면은 크고 작은 약 10여 개의 판으로 이루어져 있다.

• 각 판은 서로 다른 속도와 방향으로 이동하고 있으며, 이 과정에서 판이 서로 멀어지거나 부딪치면서 지각 변동이 일어난다.[2]

▲ 판의 경계와 지진대와 화산대

3. 판 경계의 종류와 특징

① **발산형 경계** 판과 판이 멀어지는 경계이다. — 맨틀 대류가 상승하면서 새로운 판이 형성된다.

해양판과 해양판이 멀어지는 경계[3]	해령(해저 산맥)에서 판이 갈라진 틈 사이로 마그마가 분출하면서 새로운 해양 지각이 만들어지며, 지진과 화산 활동이 발생한다. 예) 동태평양 해저 산맥(태평양판 — 나스카판)
대륙판과 대륙판이 멀어지는 경계	두 판이 벌어지는 사이로 맨틀 대류가 상승하면서 새로운 지각이 만들어지며, 지진과 화산 활동이 발생한다. 예) 동아프리카 열곡대(아프리카판)

이 단원의 핵심 개념은~

■ 지진대와 화산대
■ 판과 판 구조론
■ 판 경계의 종류
■ 화산 활동과 지진의 영향

■ 환태평양 지진대(불의 고리)
태평양 가장자리에 위치한 환태평양 지진대는 전 세계 지진의 약 80 %가 발생하며, 일본은 환태평양 지진대에 위치하기 때문에 지진이 자주 발생한다.

❶ 대륙판은 두께가 100 km~150 km이며 화강암질 암석으로 이루어져 있다. 해양판은 두께가 수 km~100 km이며 밀도가 큰 현무암질 암석으로 이루어져 있다.

❷ 지진과 화산 활동은 주로 판의 움직임으로 발생하는 에너지의 영향으로 일어난다. 이 때문에 판의 경계와 지진대와 화산대는 거의 일치한다.

❸ 해령이 연속되는 열곡대가 이어지고 새로운 해양판이 생성된다.

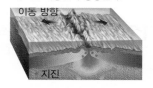

❹ 아프리카 동쪽인 동아프리카에 위치하는 발산형 경계로 아프라카판이 갈라지면서 멀어지고 있다. 대부분의 발산형 경계가 해양에 위치하는 것과는 달리 육지에 위치한다.

용어 🔍

해령(海嶺)
깊은 바다에 있는 길고 좁게 발달한 산맥이다.

열곡(裂谷)
해령의 정상 부분에 발달하는 V자 모양의 깊은 골짜기이다.

② **수렴형 경계** 판과 판이 서로 가까워지는 경계이다. ─맨틀 대류가 하강하면서 판이 소멸된다.

해양판과 대륙판이 가까워지는 경계❺	해구에서 밀도가 큰 해양판이 대륙판 아래로 내려가 소멸하며, 지진과 화산 활동이 일어난다. ─해양판이 대륙판보다 밀도가 크므로 서로 충돌하면 예 안데스 산맥(나스카판─남아메리카판) 해양판이 대륙판 밑으로 섭입.
해양판과 해양판이 가까워지는 경계	밀도가 더 큰 해양판이 다른 해양판 아래로 내려가면서 소멸하며, 지진 과 화산 활동이 일어난다. 예 마리아나 군도(태평양판─필리핀판)
대륙판과 대륙판이 가까워지는 경계❻	대륙판 끼리의 충돌로 판 경계에 습곡 산맥이 만들어지고, 지진이 발 생한다. 예 히말라야 산맥(인도판─유라시아판)

③ **보존형 경계** 판과 판이 서로 어긋나 이동하는 경계이다. ─판이 생성되거나 소멸하지 않는다.

대륙판과 대륙판이 서로 어긋나는 경계	판이 서로 어긋나 이동하면서 변환 단층을 따라 지진이 발생한다. 예 산안드레아스 단층
해양판과 해양판이 서로 어긋나는 경계❼	두 개의 해저 산맥에서 만들어지는 판이 서로 반대 방향으로 이동할 때 변환 단층을 따라 서로 스쳐 지나가며 지진이 발생한다.─

주로 깊이가 얕은 천발 지진이 발생한다.

2 지구 환경과 인간 생활

1. 화산

① **화산 활동** 지구 내부에서 형성된 마그마가 지각의 약한 틈으로 분출하는 것으로
주로 불안정한 판의 경계에서 잘 일어난다.

② **화산 활동의 영향** ─화산이 폭발하며 화산재와 화산 가스 등의 화산 분출물이 분출하고, 대규모의 화산이
폭발하면 지권과 기권의 상호 작용으로 지구의 기온이 내려가기도 한다.

부정적인 면	• 화산과 가까운 곳: 고온의 용암류와 화쇄류가 흘러내려 화산 주위를 휩쓸고, 화산 쇄설물과 물이 섞인 화산 이류가 빠르게 흘러내리며 재해를 일으킨다. • 화산과 멀리 떨어진 곳: 화산 폭발 시 화산재나 화산 가스가 대기 중으로 유 입되며 먼 지역까지 퍼져 나가고, 화산 가스가 빗물에 녹은 산성비가 내리 며 피해가 발생한다.
긍정적인 면	• 화산 활동으로 형성된 지형과 온천을 관광지로 이용한다. • 화구 주변에서 광물 자원을 얻을 수도 있다.─화산 주변에서는 유황을 주로 얻는다. • 화산 활동으로 발생하는 열에너지를 지열 발전에 활용한다. • 화산재에 무기질이 풍부하게 포함되어 있어 토양을 비옥하게 만든다.

2. 지진

① **지진** 지구 내부의 에너지가 지표로 방출하면서 지표가 흔들리는 현상으로, 주로
판의 경계에 축적된 에너지가 분출되면서 잘 일어난다.─

암석에 힘이 가해지면 암석이 구부러지면서 발생하는 탄성 에너지가 오랜 시간 동안
축적되다가 단층 또는 깨진 틈을 따라서 암석이 미끄러지면 지진이 발생한다.

② **지진의 영향**

부정적인 면	• 땅에 일어나는 진동으로 지반의 균열이 일어나거나 산사태 등이 일어난다. • 해저에서 발생한 지진으로 지진 해일이 일어난다. • 건물이 무너지거나 도로에 균열이 생긴다. • 가스 누출이나 전기 누전 등에 의한 화재가 발생하여 2차적인 피해를 준다.
긍정적인 면	• 지진으로 발생하는 지진파를 통해 지구의 내부 구조를 파악할 수 있다. • 지진파를 이용하여 유용한 석유나 천연 가스 등의 지질 자원을 찾는데 활 용할 수 있다.

③ **지진 피해의 예방** 지진이 자주 발생하는 지역에서는 시설물을 설치할 때 내진 설
계를 강화하며, 지진 발생 시 대처 방법을 평상시에 숙지해 둔다.

❺ 해양판이 소멸하면서 해구가 형성
된다.

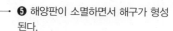

❻ 대륙판이 서로 밀려 올라가면서 대
규모 습곡 산맥이 형성된다.

❼ 판이 새로 만들어지거나 사라지지
않는 경계로, 판이 서로 다른 방향으
로 스쳐 지나가면서 만들어지는 단층
이다.

■ 지진 해일(쓰나미)
해저에서 발생한 지진의 영향으로 해
수에서 발생하는 거대한 파도를 지진
해일(쓰나미)라고 한다. 지진 해일이
발생하면 해안가 지방에 많은 피해를
준다.

✔ 바로 체크

1 지진이 자주 발생하는 곳이 띠 모
양으로 나타나는 곳을 ( )라고
한다.

2 화산 활동이 자주 일어나는 곳이 띠
모양으로 나타나는 곳을 ( )라
고 한다.

3 지구 표면을 이루는 판이 서로 다른
방향과 속도로 움직이며, 이 때문에
판의 경계에서 지각 변동이 활발히
일어난다는 이론을 ( )이라고
한다.

4 판이 충돌하는 과정에서 판의 소멸
이 일어나는 판의 경계를 ( )
형 경계라고 한다.

5 보존형 경계에 주로 나타나는 단층
은 ( ) 단층이다.

6 지구 내부 에너지가 지표로 방출하
며 땅이 흔들리는 현상을 ( )
이라고 한다.

정답

1 지진대, 2 화산대, 3 판 구조론, 4 수렴
5 변환, 6 지진

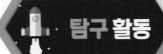

탐구 활동 — 판 경계 구분하기

정답과 해설 17쪽

| 탐구 목표 |

주요 판의 상대적인 이동 방향을 확인하여 판 경계의 종류를 구분할 수 있다.

| 유의점 |

판이 이동하는 방향으로 나타나는 판 경계의 종류는 주요 판을 기준으로 확인한다.

■ 판 경계와 지진대와 화산대

지진이나 화산 활동은 주로 맨틀 대류로 움직이는 판의 운동으로 발생하므로 지진대와 화산대는 판의 경계와 거의 일치한다.

탐구 Plus

해령과 열곡대
해저에 만들어진 산맥을 해령이라고 하며, 열곡대는 이러한 해령이 연속적으로 연결되어 나타나는 지역이다.

과정

그림은 지구의 주요 판과 그 상대적인 이동 방향을 나타낸 것이다.

1 그림에서 다음 두 판의 경계를 찾고, 두 판의 상대적인 이동 방향을 비교해 보자.

판과 판의 경계	두 판의 상대적인 이동 방향
태평양판과 인도—오스트레일리아판	두 판이 서로 가까워지는 방향으로 이동하고 있다.
남아메리카판과 아프리카판	두 판이 서로 멀어지는 방향으로 이동하고 있다.

2 태평양판과 북아메리카판의 경계에 원으로 표시한 지역에서 두 판의 움직임을 설명해 보자.
  • 검은색 원으로 표시한 지역에서는 두 판이 서로 어긋나 비켜 지나가면서 이동한다.

결과

1 판 경계는 판의 상대적인 이동 방향에 따라 두 판이 서로 멀어지는 발산형 경계, 두 판이 서로 가까워지는 수렴형 경계, 두 판이 서로 어긋나 이동하는 보존형 경계로 구분할 수 있다.

2 발산형 경계에서는 해령이나(㉠)가 나타나며, 수렴형 경계에서는 (㉡) 산맥이나 해구 등이 나타난다. 보존형 경계에서는 (㉢) 단층이 나타난다.

이해 Check

1 판 경계에 대한 설명으로 옳은 것만을 |보기|에서 있는 대로 고르시오.

┤ 보기 ├
ㄱ. 수렴형 경계에서 나타나는 지형에는 습곡 산맥과 해구가 있다.
ㄴ. 판이 서로 멀어지는 경계인 발산형 경계에서 변환 단층이 나타난다.
ㄷ. 남아메리카판과 아프리카판 사이에서는 열곡대가 나타난다.
ㄹ. 태평양판과 인도—오스트레일리아 판은 서로 가까워지는 방향으로 이동하므로 수렴형 경계이다.

2 그림은 서로 다른 종류의 판 경계를 나타낸 것으로 (가)에서는 해구를, (나)에서는 해령을 확인할 수 있다.

태평양판과 유라시아판이 만나는 경계에서 볼 수 있는 판 경계는 (가)와 (나) 중 어느 것이며, 그 까닭은 무엇인지 서술하시오.

| 탐구 목표 |

화산 폭발이 지구 시스템과 인간 생활에 미치는 영향을 지구 시스템의 상호 작용의 관점에서 설명할 수 있다.

■ 응결핵

대기 중에서 수증기가 응결할 때 중심이 되는 고체나 액체 상태의 작은 입자이다.

과정

다음은 1815년에 폭발한 탐보라 화산에 관한 글이다.

> 1815년 인도네시아의 탐보라 화산의 폭발은 인류 역사상 큰 피해를 가져온 화산 폭발 중 하나이다. 약 150억 톤으로 추정되는 화산재가 분출하며 주변 지역의 하늘을 뒤덮었고, 사흘 동안 어둠이 이어졌다. 또한, 황산화물이 포함된 수백만 톤의 화산 가스가 성층권까지 올라가서 극지방의 상공까지 퍼졌다. 그 결과 지구의 평균 기온이 0.4~0.7 ℃ 정도 내려갔으며, 이듬해인 1816년은 여름철에도 눈과 서리가 내리는 등 기상 이변이 발생했다. 이로 인해 북유럽과 미국, 캐나다 지역의 곡물 생산량이 크게 줄어 사람과 가축들이 기근에 시달렸다. 식량 가격이 치솟아 폭동이 일어났으며 전염병까지 창궐하였다. 그 여파로 유럽에 대규모의 경제 공황이 불어닥쳤고, 이는 유럽인들의 신대륙 이주로 이어져 미국의 인구가 이전의 두 배로 증가하였다.

결과

1 탐보라 화산 폭발이 인간 생활에 미친 사회적, 경제적 영향을 설명해 보자.

사회적 영향	• 곡물 생산량이 급격히 크게 줄어 사람과 가축이 기근에 시달림. • 폭동이 발생하고 전염병이 창궐하였으며, 유럽인의 신대륙 이주가 증가함.
경제적 영향	• 식량 가격이 폭등하였고, 유럽에 대규모 경제 공황이 일어남.

2 탐보라 화산 폭발 이듬해에 전 지구적으로 기온이 내려간 까닭을 지구 시스템 각 권의 상호 작용 측면에서 추론해 보자.

• (㉣)권의 화산 폭발로 (㉤)권으로 방출된 다량의 화산재가 햇빛을 가리고, (㉥)가 응결핵으로 작용하여 구름이 형성되면서 햇빛을 반사하여 전 지구적으로 기온이 내려갔다.

결과

지구 시스템의 각 권은 서로 상호 작용하므로 지구의 한 곳에서 발생한 화산 폭발의 영향이 전 지구적으로 나타난다. 인간을 포함한 생물에도 연쇄적인 피해가 발생하므로 화산 폭발로 인한 피해를 줄이기 위한 대책 수립이 필요하다.

🔎 탐구 Plus

탐보라 화산 폭발이 지구 환경에 미친 영향

• 화산재가 하늘을 뒤덮어서 며칠 동안 어둠이 이어짐.
• 화산 가스가 성층권까지 올라가 지구의 평균 기온이 0.4~0.7 ℃ 정도 낮아짐.
• 1816년 여름철에도 눈과 서리가 내리는 등의 기상 이변이 발생함.

이해 Check

3 화산 폭발로 예상되는 피해와 그 영향에 대한 설명으로 옳은 것만을 |보기|에서 있는 대로 고르시오.

┌ 보기 ┐

ㄱ. 화산재가 대기 중으로 분출하여 햇빛을 가리면 지구의 기온은 낮아진다.
ㄴ. 화산 폭발로 발생하는 피해는 사람들의 경제적인 활동에는 큰 영향을 주지 않는다.
ㄷ. 대기 중으로 분출한 화산재는 지권과 기권의 상호 작용으로 나타나는 현상이다.
ㄹ. 화산 폭발이 지구 시스템에 주는 영향은 거의 없으므로 이에 대한 피해 대책을 세우는 것은 무의미하다.

4 다음은 1815년 탐보라 화산 폭발의 결과로 나타난 여러 현상을 설명한 것이다.

> (가) 유럽인의 신대륙 이주가 증가하면서 미국의 인구가 증가하였다.
> (나) 화산 폭발로 분출된 다량의 화산재가 대기를 가려 지구의 기온이 낮아진다.
> (다) 화산 폭발로 식물의 잘 자라지 않아 식량 가격이 폭등하여 대규모 경제 공항이 일어났다.

(가)~(다) 중 지구 시스템 권역 사이에서 일어나는 현상은 어느 것이며, 이 현상은 어느 권역이 서로 영향을 주면서 일어난 것인지를 서술하시오.

개념 확인 문제

01 지진대와 화산대에 관한 설명으로 옳은 것은 ○표, 옳지 <u>않은</u> 것은 ×표를 하시오.

(1) 화산대는 주로 대륙의 중심부에 위치한다.
( )

(2) 지진대와 화산대는 판의 경계와 거의 일치한다.
( )

(3) 지진대는 주로 대륙의 주변부나 해양의 중심에 위치한다.
( )

02 판에 관한 설명으로 옳은 것만을 |보기|에서 있는 대로 고르시오.

┤ 보기 ├

ㄱ. 판을 움직이는 원동력은 맨틀 대류이다.
ㄴ. 판을 이루는 암석권은 지각만을 포함한다.
ㄷ. 암석권 아래에 있는 연약권은 부분 용융 상태로 대류를 일으킨다.
ㄹ. 판은 대륙 지각을 포함하는 대륙판과 해양 지각을 포함하는 해양판으로 구분한다.

03 다음에서 설명하는 이론을 무엇이라고 하는지 쓰시오.

지구 표면은 여러 개의 판으로 이루어져 있으며, 이러한 판들은 맨틀 대류에 의해 이동한다. 판이 이동하면서 판 경계에서는 에너지가 분출하고, 이 과정에서 지진이나 화산 활동과 같은 지각 변동이 많이 일어나게 된다는 이론이다.

04 그림은 전 세계에 나타나는 판의 경계이다.

다음 설명에 해당하는 판의 경계를 A~E 중에 골라 빈칸에 쓰시오.

(1) A~E 중 발산형 경계에 해당하는 것은 ( ) 이다.

(2) A~E 중 수렴형 경계에 해당하는 것은 ( ) 이다.

(3) A~E 중 보존형 경계에 해당하는 것은 ( ) 이다.

05 다음은 판의 경계에 관한 설명이다. 발산형 경계인 경우에는 '발', 수렴형 경계인 경우에는 '수', 보존형 경계인 경우에는 '보'라고 쓰시오.

(1) 판이 생성되거나 소멸하지 않는다. ( )

(2) 해양판과 해양판이 멀어지는 경계에서는 해령이 형성된다. ( )

(3) 밀도가 큰 해양판이 대륙판 아래로 섭입하면서 해구를 형성한다. ( )

06 그림은 판의 경계를 나타낸 것이다. 각 판의 경계에서 나타나는 지형을 |보기|에서 골라 그 기호를 쓰시오.

┤ 보기 ├

ㄱ. 해령   ㄴ. 해구
ㄷ. 습곡 산맥   ㄹ. 변환 단층

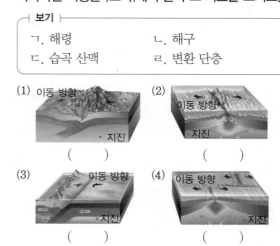

07 화산 활동이 우리 생활에 도움을 주는 경우로 옳은 것만을 |보기|에서 있는 대로 고르시오.

┤ 보기 ├

ㄱ. 지열 에너지로 발전을 한다.
ㄴ. 화산 분출물로 산사태가 일어난다.
ㄷ. 화산 활동으로 형성된 지형과 온천을 관광 자원으로 이용한다.

08 지진에 관한 설명으로 옳은 것은 ○표, 옳지 <u>않은</u> 것은 ×표를 하시오.

(1) 지진파를 이용하여 석유 매장 지역을 확인할 수 있다. ( )

(2) 해저에서 일어나는 지진은 일반적으로 피해를 주지 않는다. ( )

(3) 지진이 발생하면 지표면이 갈라지고 건물이 부서지는 등의 피해를 입는다. ( )

실력 쑥쑥 문제

01 그림은 전 세계에서 지진이 자주 발생하는 위치를 나타낸 것이다.

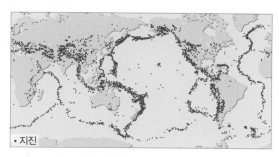

• 지진

이에 대한 설명으로 옳은 것만을 |보기|에서 있는 대로 고른 것은?

| 보기 |

ㄱ. 지진대는 지진이 자주 발생하는 곳이다.
ㄴ. 지진은 지구 시스템 중 지권에서 발생한다.
ㄷ. 태평양 주변 지역에서 지진이 자주 발생하는 지역을 확인하면 고리 모양으로 나타난다.

① ㄱ   ② ㄷ   ③ ㄱ, ㄴ
④ ㄴ, ㄷ   ⑤ ㄱ, ㄴ, ㄷ

02 그림은 전 세계에서 화산 활동이 활발한 지역을 나타낸 것이다.

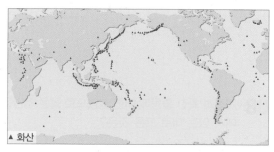

▲ 화산

이에 대한 설명으로 옳지 <u>않은</u> 것만을 |보기|에서 있는 대로 고른 것은?

| 보기 |

ㄱ. 화산 활동이 주로 일어나는 지역은 대륙의 중앙부이다.
ㄴ. 태평양의 주변 지역에서는 화산 활동이 잘 일어나지 않는다.
ㄷ. 화산 활동이 활발한 지역을 연결하면 띠 모양으로 나타나는 데, 이를 화산대라고 한다.

① ㄱ   ② ㄴ   ③ ㄱ, ㄴ
④ ㄴ, ㄷ   ⑤ ㄱ, ㄴ, ㄷ

03 그림은 판의 단면을 나타낸 것이다.

이에 대한 설명으로 옳은 것만을 |보기|에서 있는 대로 고른 것은?

| 보기 |

ㄱ. A를 암석권이라고 한다.
ㄴ. B를 연약권이라고 한다.
ㄷ. 암석권은 연약권 아래에서 움직인다.
ㄹ. 판 경계에서 지진이나 화산 활동 등이 많이 일어난다.

① ㄱ, ㄴ   ② ㄴ, ㄷ   ③ ㄴ, ㄹ
④ ㄱ, ㄴ, ㄹ   ⑤ ㄱ, ㄴ, ㄷ, ㄹ

| 과학적 사고력 |

04 그림 (가)와 (나)는 서로 다른 판의 경계를 나타낸 것이다.

(가)   (나)

이에 대한 설명으로 옳은 것만을 |보기|에서 있는 대로 고른 것은?

| 보기 |

ㄱ. (가)와 (나) 모두 새로운 판이 생성되는 지역이다.
ㄴ. (나)에서는 화산 활동은 일어나지만 지진은 발생하지 않는다.
ㄷ. (가)에서는 해양판이 대륙판 아래로 이동하면서 해구가 발달한다.

① ㄱ   ② ㄴ   ③ ㄷ
④ ㄴ, ㄷ   ⑤ ㄱ, ㄴ, ㄷ

05 그림은 판의 경계를 나타낸 것이다.

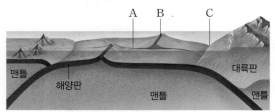

이에 대한 설명으로 옳은 것만을 |보기|에서 있는 대로 고른 것은?

┌ 보기 ┐
ㄱ. A에서는 변환 단층을 확인할 수 있다.
ㄴ. B에서는 새로운 해양 지각이 생성된다.
ㄷ. C에서는 대륙 지각이 해양 지각 아래로 이동한다.
└─────┘

① ㄱ 　② ㄱ, ㄴ 　③ ㄱ, ㄷ
④ ㄴ, ㄷ 　⑤ ㄱ, ㄴ, ㄷ

| 과학적 사고력 |

06 그림 (가)는 북아메리카 대륙 부근에서 확인되는 판의 경계를, (나)는 히말라야 산맥 부근에서 확인되는 판의 경계를 나타낸 것이다.

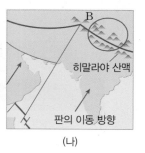

(가)　　　　　(나)

A와 B 지역에 관한 설명으로 옳은 것만을 |보기|에서 있는 대로 고른 것은?

┌ 보기 ┐
ㄱ. A는 판이 소멸하는 지역이다.
ㄴ. B는 맨틀 대류가 상승하는 지역이다.
ㄷ. B에서는 대륙판과 대륙판이 서로 충돌한다.
ㄹ. A에서는 변환 단층이, B에서는 습곡 산맥이 나타난다.
└─────┘

① ㄱ, ㄷ 　② ㄱ, ㄹ 　③ ㄴ, ㄹ
④ ㄷ, ㄹ 　⑤ ㄱ, ㄴ, ㄷ

07 그림은 전 세계에 나타나는 주요 판의 경계와 각 판의 이동 방향을 나타낸 것이다.

판의 경계인 A~E에 대한 설명으로 옳은 것은?

① A에서는 판이 충돌하여 습곡 산맥을 형성한다.
② B에서는 대륙 지각이 소멸하면서 해구가 만들어진다.
③ C에서는 변환 단층이 발달하면서 해양 지각이 소멸한다.
④ D에서는 습곡 산맥을 중심으로 마그마를 분출하면서 새로운 판을 형성한다.
⑤ E에서는 두 판에 서로 충돌하면서 지진과 화산 활동이 활발하게 일어난다.

08 지진과 화산 활동에 대한 설명으로 옳은 것만을 |보기|에서 있는 대로 고른 것은?

┌ 보기 ┐
ㄱ. 지진과 화산 활동이 자주 일어나는 지역은 주로 판의 경계이다.
ㄴ. 지진과 화산 활동의 근원이 되는 에너지는 태양 복사 에너지이다.
ㄷ. 해저에서 발생한 지진은 지진 해일을 일으켜 해안 지방에 피해를 주기도 한다.
ㄹ. 지진이나 화산 활동은 자연 환경의 변화뿐만 아니라 사회적으로나 경제적으로도 많은 피해를 준다.
└─────┘

① ㄱ, ㄷ 　② ㄴ, ㄹ 　③ ㄱ, ㄷ, ㄹ
④ ㄴ, ㄷ, ㄹ 　⑤ ㄱ, ㄴ, ㄷ, ㄹ

09 화산 활동이 지구 시스템에 미치는 영향에 대한 설명으로 옳지 **않은** 것은?

① 화산 쇄설물이 지표를 흐르는 과정에서 화재가 발생하기도 한다.

② 기권으로 방출된 화산재는 햇빛을 막아 기온을 떨어뜨리기도 한다.

③ 화산 활동으로 형성된 지형과 마그마의 영향으로 만들어진 온천은 관광 산업으로 활용된다.

④ 화산이 폭발할 때 가까운 곳으로 흐르는 고온의 용암류는 주변 지역에 많은 피해를 준다.

⑤ 화산재에 포함된 물질은 주변 토양을 오염시켜 오랜 시간이 지나도 농작물이 잘 자라지 못하게 한다.

10 지진의 이용과 피해에 대한 설명으로 옳은 것만을 |보기|에서 있는 대로 고른 것은?

| 보기 |

ㄱ. 지진으로 건물이나 도로가 무너진다.

ㄴ. 지진은 지층에 모인 에너지가 한꺼번에 방출되면서 일어나는 현상이다.

ㄷ. 지진으로 발생하는 지진파를 이용하면 지구의 내부 구조를 파악할 수 있다.

ㄹ. 지진 해일 발생 지역에 있을 때는 최대한 빨리 주변보다 낮은 지역으로 이동한다.

① ㄱ, ㄷ   ② ㄴ, ㄹ   ③ ㄱ, ㄴ, ㄷ
④ ㄴ, ㄷ, ㄹ   ⑤ ㄱ, ㄴ, ㄷ, ㄹ

서술형 문제

11 그림은 전 세계에 분포하는 지진대와 화산대의 위치를 나타낸 것이다.

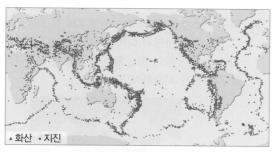

▲ 화산   • 지진

그림과 같이 지진대와 화산대의 위치가 거의 비슷하게 나타나는 까닭을 서술하시오.

12 그림은 판의 구조를 나타낸 것이다.

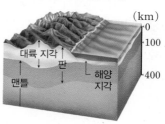

그림과 같은 판은 어떻게 이동하는지 그 원리를 서술하시오.

13 그림은 전 세계에 분포하는 판의 경계를 나타낸 것이다.

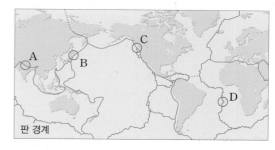

판 경계

다음 그림과 같은 구조의 판 경계를 확인할 수 있는 곳은 A~D 중 어디이며, 그 특징은 무엇인지 서술하시오.

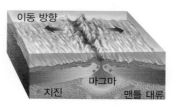

14 화산 활동이 우리 생활에 주는 긍정적인 영향에는 어떤 것이 있는지 서술하시오.

4 – 1. 지구 시스템과 상호 작용

01 그림은 지구 시스템에서 각 권의 상호 작용 관계를 나타낸 것이다.

이에 대한 설명으로 옳은 것만을 |보기|에서 있는 대로 고른 것은?

| 보기 |

ㄱ. A는 외권에서 들어오는 태양 복사 에너지만 포함된다.
ㄴ. B를 통해 생물이 호흡하고, E를 통해 구름이 만들어진다.
ㄷ. 지표면에서 일어나는 다양한 변화는 C와 D를 통해서이다.
ㄹ. F와 G를 통해 생물은 생활할 수 있는 서식처를 공급받는다.

① ㄱ, ㄷ ② ㄴ, ㄹ ③ ㄷ, ㄹ
④ ㄴ, ㄷ ⑤ ㄱ, ㄴ, ㄷ, ㄹ

02 그림 (가)는 수권을 이루는 물의 분포 비율을, (나)는 해수의 층상 구조를 나타낸 것이다.

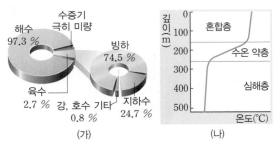

이에 대한 설명으로 옳은 것만을 |보기|에서 있는 대로 고른 것은?

| 보기 |

ㄱ. 수권의 대부분은 해수가 차지한다.
ㄴ. 지하수와 빙하도 해수에 포함되는 물이다.
ㄷ. 가장 안정한 상태인 해수층은 혼합층이다.
ㄹ. 태양 복사 에너지를 가장 많이 흡수하는 해수층은 심해층이다.

① ㄱ ② ㄴ, ㄹ ③ ㄷ, ㄹ
④ ㄱ, ㄴ, ㄷ ⑤ ㄱ, ㄴ, ㄷ, ㄹ

03 지권에 대한 설명으로 옳지 않은 것은?

① 지권의 대부분은 맨틀이 차지한다.
② 지권의 중앙부에는 뜨거운 핵이 위치한다.
③ 겉 부분인 지각은 대륙 지각과 해양 지각으로 구분할 수 있다.
④ 지권은 암석과 흙으로 이루어진 지표와 지구 내부를 포함한다.
⑤ 핵은 액체 상태의 내핵과 고체 상태의 외핵으로 구성되어 있다.

04 그림은 지구 시스템의 구성 요소 사이에서 일어나는 탄소의 순환 과정을 나타낸 것이다.

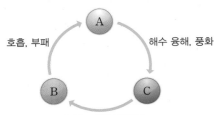

A~C에 해당하는 지구 시스템의 구성 요소를 옳게 짝 지은 것은?

	A	B	C
①	수권	기권	생물권
②	수권	생물권	기권
③	생물권	기권	수권
④	기권	생물권	수권
⑤	기권	수권	생물권

서술형

05 지구 시스템을 구성하는 권역 사이를 이동하는 물은 그 형태가 변하면서 다양한 기상 현상을 일으킨다. 그림과 같은 구름이 형성되는 과정을 수권과 기권의 상호 작용으로 서술하시오.

06 그림은 1년 동안 육지와 바다에서 물이 증발하는 양을 100이라고 가정할 때 지구 전체에서 평균적으로 나타나는 물의 순환 과정을 나타낸 것이다.

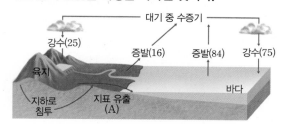

이에 대한 설명으로 옳은 것만을 |보기|에서 있는 대로 고른 것은?

┤ 보기 ├
ㄱ. 지표에서 유출되는 물의 양인 A는 19이다.
ㄴ. 물이 증발할 때 주로 태양 복사 에너지를 사용한다.
ㄷ. 육지는 강수가 증발보다 많으므로 담수의 양이 증가한다.

① ㄱ   ② ㄴ   ③ ㄱ, ㄷ
④ ㄴ, ㄷ   ⑤ ㄱ, ㄴ, ㄷ

4 – 2. 지권의 변화와 그 영향

07 그림은 전 세계의 지진대와 화산대를 나타낸 것이다.

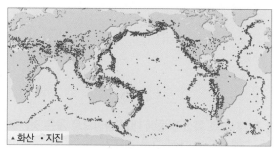

▲화산 •지진

이에 대한 설명으로 옳은 것만을 |보기|에서 있는 대로 고른 것은?

┤ 보기 ├
ㄱ. 지진대와 화산대의 위치는 거의 비슷하다.
ㄴ. 대서양에서 지진이 자주 발생하는 곳은 주로 대륙 주변부이다.
ㄷ. 지진이 일어날 때는 항상 화산 활동도 함께 나타난다.
ㄹ. 지진과 화산 활동이 활발한 지역이 고리처럼 나타나는 태평양 주변을 불의 고리라고 한다.

① ㄱ, ㄴ   ② ㄱ, ㄹ   ③ ㄴ, ㄷ
④ ㄱ, ㄴ, ㄷ   ⑤ ㄱ, ㄴ, ㄷ, ㄹ

08 그림은 판의 구조를 나타낸 것이다.

이에 대한 설명으로 옳은 것만을 |보기|에서 있는 대로 고른 것은?

┤ 보기 ├
ㄱ. A를 암석권, B를 연약권이라고 한다.
ㄴ. A는 지각과 상부 맨틀의 일부를 포함한다.
ㄷ. B는 맨틀에 포함되는 지역으로 유동성을 가지고 있다.

① ㄱ   ② ㄷ   ③ ㄱ, ㄴ
④ ㄴ, ㄷ   ⑤ ㄱ, ㄴ, ㄷ

09 판의 경계에 대한 설명으로 옳지 <u>않은</u> 것은?

① 해구는 수렴형 경계에서 만들어진다.
② 변환 단층은 보존형 경계에서 만들어진다.
③ 습곡 산맥은 수렴형 경계에서 만들어진다.
④ 판이 새롭게 생성되는 곳은 발산형 경계이다.
⑤ 맨틀 대류가 상승하는 곳에서 수렴형 경계가 형성된다.

10 그림은 해양판과 대륙판이 서로 만나는 판의 경계를 나타낸 것이다.

이에 대한 설명으로 옳은 것만을 |보기|에서 있는 대로 고른 것은?

┤ 보기 ├
ㄱ. A는 해구로 판이 소멸하는 곳이다.
ㄴ. 대륙판 아래에서 맨틀 대류가 상승하면서 화산을 형성한다.
ㄷ. 이곳에서 발생하는 지진은 판의 경계에서 대륙쪽으로 갈수록 그 깊이가 얕아진다.

① ㄱ   ② ㄷ   ③ ㄱ, ㄴ
④ ㄴ, ㄷ   ⑤ ㄱ, ㄴ, ㄷ

11 그림은 판 경계의 단면을 간략하게 나타낸 것이다.

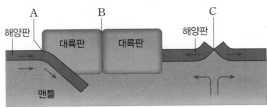

A, B, C에서 나타날 수 있는 지형을 옳게 짝 지은 것은?

	A	B	C
①	습곡 산맥	해구	해령
②	습곡 산맥	해령	해구
③	해구	습곡 산맥	해령
④	해구	해령	습곡 산맥
⑤	해령	습곡 산맥	해구

12 그림은 바다 밑에서 확인할 수 있는 판의 경계를 나타낸 것이다.

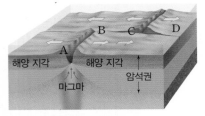

이에 대한 설명으로 옳은 것만을 |보기|에서 있는 대로 고른 것은? (단, 같은 방향으로 이동하는 판의 이동 속도는 서로 같다.)

┌ 보기 ┐
ㄱ. A에서는 마그마가 상승하면서 새로운 판이 형성된다.
ㄴ. B와 C 사이에서는 판과 판이 서로 멀어지면서 열곡대가 나타난다.
ㄷ. D에서는 두 판이 서로 어긋나는 경계로 변환 단층이 나타난다.

① ㄱ   ② ㄴ   ③ ㄱ, ㄷ
④ ㄴ, ㄷ   ⑤ ㄱ, ㄴ, ㄷ

13 그림은 세계 주요 판의 경계와 이동 방향을 나타낸 것이다.

이에 대한 설명으로 옳지 <u>않은</u> 것은?

① A는 대륙판과 대륙판이 충돌하는 경계로 습곡 산맥이 나타난다.
② B에서는 해양판이 대륙판 아래로 이동하면서 해구가 나타난다.
③ C는 대륙판과 해양판이 서로 어긋나 이동하면서 변환 단층이 나타난다.
④ D에서는 해양과 대륙판이 서로 충돌하면서 열곡대를 형성한다.
⑤ E는 해양판이 서로 멀어져 가는 경계로 새로운 판이 생성된다.

14 지진과 화산 활동에 대한 설명으로 옳은 것만을 |보기| 에서 있는 대로 고른 것은?

┌ 보기 ┐
ㄱ. 지진과 화산 활동은 사람들에게 피해만 주는 자연 현상이다.
ㄴ. 지진 해일은 수권과 지권의 상호 작용으로 나타나는 현상이다.
ㄷ. 화산 활동으로 만들어진 지형이나 온천 등은 관광 자원으로 활용할 수 있다.
ㄹ. 화산 활동으로 발생하는 화산재가 대기 중으로 분출하여 햇빛을 가리면 지구의 기온이 상승할 수도 있다.

① ㄱ   ② ㄷ   ③ ㄱ, ㄴ
④ ㄴ, ㄷ   ⑤ ㄱ, ㄴ, ㄷ

01 그림은 지구 시스템에서의 상호 작용을, |보기|는 상호 작용의 예를 설명한 것이다.

출제 Point

지구 시스템에서 일어나는 상호 작용은 다양한 자연 현상으로 일어난다. 기권에서는 주로 기체 상태의 변화가, 수권에서는 주로 액체 상태의 변화가, 지권에서는 주로 고체 상태의 변화가 나타난다.

| 보기 |

ㄱ. 해저에서 일어나는 지진으로 지진 해일이 발생하여 피해를 준다.

ㄴ. 식물의 광합성으로 대기 중의 이산화 탄소를 소모하고 산소를 공급한다.

ㄷ. 물이 태양 복사 에너지를 흡수하여 증발하면 수증기가 되어 기권으로 유입된 후 응결하여 구름을 형성한다.

ㄹ. 황사는 사막과 황토 지대의 작은 모래나 황토가 하늘에 떠다니다가 상층 바람을 타고 멀리까지 날아가 떨어지는 현상이다.

ㄱ~ㄹ에 해당하는 상호 작용을 그림의 A~F 중에서 골라 옳게 짝 지은 것은?

	ㄱ	ㄴ	ㄷ	ㄹ			ㄱ	ㄴ	ㄷ	ㄹ
①	A	C	D	F		②	B	E	C	A
③	B	D	C	A		④	E	F	B	C
⑤	F	D	A	B						

02 그림은 지구 시스템의 구성 요소에서 탄소가 순환하는 과정을 나타낸 것이다.

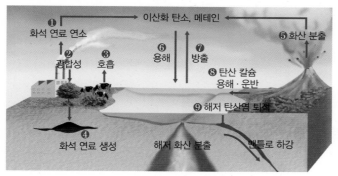

이에 대한 설명으로 옳은 것만을 |보기|에서 있는 대로 고른 것은?

| 보기 |

ㄱ. ❶과 ❺는 지권에 있던 탄소가 기권으로 이동하는 과정이다.

ㄴ. ❸과 ❹는 생물권에 있던 탄소가 지권으로 이동하는 과정이며, ❾는 지권에 있던 탄소가 수권으로 이동하는 과정이다.

ㄷ. ❻과 ❽의 과정으로 기권과 지권에 있던 탄소가 수권으로 이동하며, ❼의 과정을 통해 수권에 있던 탄소가 기권으로 이동한다.

ㄹ. 지구 전체적으로 탄소의 양은 순환하는 과정에서 변함이 없이 일정하다.

① ㄱ, ㄴ ② ㄴ, ㄷ ③ ㄱ, ㄷ, ㄹ
④ ㄴ, ㄷ, ㄹ ⑤ ㄱ, ㄴ, ㄷ, ㄹ

03 그림은 맨틀의 대류로 일어나는 판의 운동을 나타낸 것이다.

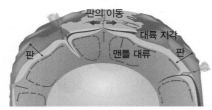

출제 Point

판 구조론에서 판을 이동시키는 원동력은 맨틀 대류이며, 맨틀 대류로 맨틀이 상승하거나 하강하는 지역에서 판이 새롭게 생성되거나 기존의 판이 소멸한다.

이에 대한 설명으로 옳은 것만을 |보기|에서 있는 대로 고른 것은?

┤ 보기 ├

ㄱ. 맨틀 대류에 의해 맨틀의 물질이 하강하는 지역에서는 새로운 지각이 생성된다.

ㄴ. 유동성이 있는 연약권의 위에 있는 암석권은 맨틀 대류에 의해 움직이는 과정을 통하여 판이 이동한다.

ㄷ. 맨틀 대류로 일어나는 판의 이동으로 판이 서로 충돌하거나 멀어지는 과정에서 다양한 지각 변동이 일어나는 것을 설명하는 이론이 판 구조론이다.

① ㄱ ② ㄷ ③ ㄱ, ㄴ
④ ㄴ, ㄷ ⑤ ㄱ, ㄴ, ㄷ

04 그림은 전 세계에서 관측되는 판의 경계를 나타낸 것이다.

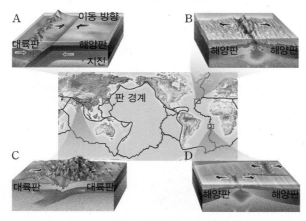

출제 Point

판이 이동하는 방향에 따라 판 경계에서 나타나는 지형이 서로 다르다. 판의 경계에는 판이 이동하는 방향에 따라 수렴형 경계, 발산형 경계, 보존형 경계로 구분한다.

A～D에 해당하는 판 경계에 대한 설명으로 옳은 것만을 |보기|에서 있는 대로 고른 것은?

┤ 보기 ├

ㄱ. A는 판이 서로 충돌하면서 해구를 형성하며, 해양판이 대륙판 아래로 이동하여 소멸한다.

ㄴ. B는 주로 열곡대에서 나타나는 판의 경계로, 맨틀의 물질이 상승하면서 새로운 판을 생성한다.

ㄷ. C는 대륙판과 대륙판이 서로 충돌하는 경계로, 지진이나 화산 활동이 없이 변환 단층만 나타난다.

ㄹ. D는 판이 서로 엇갈려 이동하는 판의 경계로, 판이 엇갈리는 과정에서 판이 소멸하거나 새롭게 생성된다.

① ㄱ ② ㄷ ③ ㄱ, ㄴ
④ ㄱ, ㄴ, ㄷ ⑤ ㄱ, ㄴ, ㄷ, ㄹ

5

생명 시스템

5-1 생명 시스템
5-2 세포 내 정보의 흐름

이 단원에서는

생물, 즉 개체를 이루는 기본 단위가 세포임을 인식하고,
세포는 생명을 유지하기 위해 외부와 끊임없이 상호 작용 한다는 것을
이해한다. 또한, 생명 시스템을 유지하기 위해 세포가 외부와 어떻게
상호 작용을 하여 정보를 전달하는지 알아본다.

단원별 정답과 해설을
QR 코드로 확인할 수 있어요.

이 단원의 핵심 개념

생명 시스템

생명 시스템

생명 시스템, 세포의 구조, 세
모막, 확산을 통한 물질 이동,
물질대사, 활성화 에너지, 촉
매, 효소

세포 내 정보의 흐름

유전자와 단백질, 생명 중심
원리, 전사, 번역, 선천성 대사
이상 질환, 유전 정보의 흐름

1 생명 시스템

1. 생명 시스템

① **정의** 구성 요소들이 유기적으로 조직되고 상호 작용하여 다양한 생명 활동을 수행하는 시스템이다.

② **구성 단계** '세포 → 조직 → 기관 → 개체' 순으로 이루어져 있다.

단계	특징
세포	생명 시스템으로서의 생명체를 구성하는 구조적·기능적 기본 단위
조직	형태와 기능이 비슷한 세포들의 모임 ⑩ 신경 조직, 상피 조직, 근육 조직 등
기관	여러 조직이 모여 고유한 형태와 기능을 나타내는 단계 ⑩ 심장, 위, 간 등
개체	여러 기관이 모여 독립된 구조와 기능을 가지고 생명 활동을 하는 시스템으로서의 생명체

2. 세포의 구조

핵: 생명 활동을 조절하는 중심 역할을 한다.

세포질: 세포 소기관들이 있어서 다양한 생명 활동이 일어난다.

리보솜: 단백질을 합성하는 장소이다.

소포체: 단백질 합성에 관여한다.

세포막: 세포의 형태를 유지하고, 세포 안팎의 물질 출입을 조절한다.

미토콘드리아: 세포 활동에 필요한 에너지를 생산한다.

▲ 동물 세포

핵: 생명 활동을 조절하는 중심 역할을 한다.

리보솜: 단백질을 합성하는 장소이다.

액포: 물, 양분, 노폐물 등을 저장하는 역할을 한다.

미토콘드리아: 세포 활동에 필요한 에너지를 생산한다.

세포질: 세포 소기관들이 있어서 다양한 생명 활동이 일어난다.

소포체: 단백질 합성에 관여한다.

엽록체: 광합성이 일어나는 세포 소기관이다.

세포벽: 식물의 형태를 유지해 준다.

세포막: 세포의 형태를 유지하고, 세포 안팎의 물질 출입을 조절한다.

▲ 식물 세포

① 세포는 크게 핵, 세포막, 세포질로 이루어져 있다.

② **세포 소기관의 특징과 기능** – 식물 세포에만 있는 세포 소기관에는 엽록체, 세포벽이 있다.

구분	특징과 기능
핵	세포의 생명 활동 조절, 유전 물질인 DNA가 있음.
세포막	세포 전체를 둘러싸고 있는 막으로, 세포의 형태 유지, 세포 안팎으로의 물질 출입 조절
미토콘드리아	세포의 생명 활동에 필요한 에너지(ATP) 생산
리보솜	DNA의 유전 정보에 따라 단백질을 합성하는 장소
소포체	단백질 등 세포 내 물질의 이동 및 합성 장소
엽록체	광합성을 하여 포도당과 같은 유기 물질 합성
액포	물, 양분, 색소, 노폐물 등을 저장, 성숙한 식물 세포일수록 크기가 큼.
세포벽	식물 세포의 세포막 바깥쪽에 있는 단단한 구조물로, 식물 세포를 싸서 보호하고 세포의 형태 유지

이 단원의 핵심 개념은~

■ 생명 시스템의 기본 단위
■ 세포막을 통한 물질 출입
■ 물질대사와 효소

---

❶ 일반적으로 생명체와 유사한 의미이다.

❷ 세포질에는 다양한 세포 소기관이 있다. 핵과 세포막도 세포 소기관으로 간주한다.

❸ 핵 이외에 미토콘드리아와 엽록체도 자체 DNA를 가지고 있다.

용어 🔍

유기물(有機物)
물질을 이루는 구조의 기본 골격으로, 탄소 원자를 갖는 물질을 말한다.

☑ 세포막을 경계로 한 물질 출입

1. 세포막의 구조 유동성이 있는 인지질[4] 2중층에 여러 가지 막단백질이 군데군데 박혀 있는 구조이다.

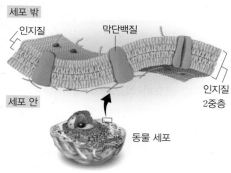
▲ 세포막의 구조

2. 세포막에서 확산을 통한 물질 이동
① **확산** 분자가 스스로 운동하여 농도가 높은 쪽에서 낮은 쪽으로 물질이 퍼져 나가는 현상이다.
② 인지질 2중층을 통한 확산, 막단백질을 통한 확산, 삼투와 같은 방법이 있다.[5]

구분	인지질 2중층을 통한 확산	막단백질을 통한 확산	삼투
이동 방식	산소(O₂), 세포 밖, 세포 안	포도당, 세포 밖, 단백질, 세포 안	용액, 용질, 농도가 낮은 용액, 농도가 높은 용액, 세포막
이동 물질	크기가 매우 작은 기체 분자, 지용성 물질, 지질 입자	크기가 크고 수용성인 물질, 전하를 띤 이온(물질)	세포막을 통과할 수 없는 용질이 들어 있는 수용액 중 물 분자
예	폐포와 모세 혈관 사이의 산소와 이산화 탄소의 교환	세포막을 통한 포도당, 아미노산, 나트륨 이온의 확산	농도가 다른 소금물 속에 넣은 적혈구와 식물 세포의 모양 변화

3. 세포막의 선택적 투과성 세포막을 통한 물질의 출입은 물질의 종류에 따라 선택적으로 일어난다.

☑ 물질대사와 효소

1. 물질대사 — 물질대사가 일어날 때는 반드시 에너지 출입이 함께 일어나므로, 물질대사를 에너지 대사라고도 한다.
① 생명 시스템 내에서 일어나는 모든 화학 반응이다.
② 세포는 물질대사를 통해 에너지를 얻고, 생명 시스템 유지에 필요한 물질을 합성한다.
③ **물질대사의 구분**

구분	동화 작용	이화 작용
물질의 변화	크기가 작은 물질을 크기가 큰 물질로 합성하는 과정 예 광합성, 단백질 합성	크기가 큰 물질을 크기가 작은 물질로 분해하는 과정 예 소화, 세포 호흡
에너지 출입	큰 분자 / 동화 작용 / 단백질 / 효소 / 에너지 흡수 / 아미노산 / 작은 분자 / 물	포도당 / 이화 작용 / 효소 / 이산화 탄소 / 에너지 방출

---

❹ 소수성인 지질로 이루어진 부분이 서로 마주 보며 2중층을 이루고 있고, 친수성인 인산기로 이루어진 부분은 막의 안팎을 향하고 있다.

❺ 세포막을 경계로 농도가 낮은 용액에서 높은 용액으로 물이 이동하는 현상으로, 용질 입자는 크기가 커서 세포막을 통과할 수 없을 때 일어난다. 세포막을 통한 물의 확산이라고 할 수 있다.
식물의 뿌리털에서 주변의 물을 흡수할 때 뿌리털 주변의 물이 고농도인 뿌리털 세포 안쪽으로 삼투 현상을 통해 이동한다.

■ 확산의 속도 비교
인지질 2중층을 통한 단순 확산은 세포 안팎의 물질 농도 차에 비례하여 확산 속도가 계속 증가하지만, 막단백질을 통한 촉진 확산은 일정 농도 차 이상에서는 확산 속도가 더 이상 증가하지 않는다.

■ 물질대사와 에너지 출입
동화 작용은 에너지를 흡수하여 반응이 일어나므로(흡열 반응) 반응물의 에너지가 생성물의 에너지보다 작다.
이화 작용은 에너지를 방출하며 반응이 일어나므로(발열 반응) 반응물의 에너지가 생성물의 에너지보다 크다.

5-1 생명 시스템

2. 활성화 에너지와 촉매

① **활성화 에너지** 화학 반응이 일어나는 데 필요한 최소한의 에너지이다.

② **촉매** 화학 반응의 활성화 에너지를 변화시켜 화학 반응의 속도를 조절하는 물질로, 화학 반응 전후에 촉매 자신은 변하지 않는다. ─ 반응물이나 생성물 자체의 에너지를 변화시키는 것은 아니다.

예) 과산화 수소 분해 반응에서 감자즙 속의 카탈레이스는 화학 반응의 촉매이다.

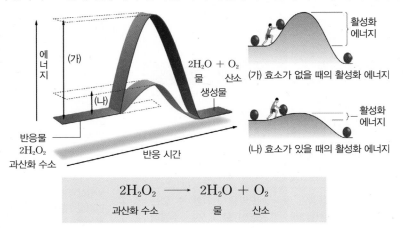

(가) 효소가 없을 때의 활성화 에너지

(나) 효소가 있을 때의 활성화 에너지

$$2H_2O_2 \longrightarrow 2H_2O + O_2$$
과산화 수소　　　　물　　산소

→ ❻ 한 분자의 카탈레이스는 초당 수백 만 개의 과산화 수소 분자를 분해할 수 있다.

■ **활성화 에너지**
효소가 없을 때보다 효소가 있을 때 활성화 에너지가 작으므로 반응이 빠르게 일어난다.

3. 효소

① 생명 시스템 유지를 위해서는 물질대사가 빠르게 일어나야 한다. 효소는 물질대사가 일어나는 데 필요한 **활성화 에너지를 낮추어 물질대사가 빠르게 일어나도록 하는 생체 촉매이다.**

② 효소는 생명 시스템에서 일어나는 모든 반응에 관여한다.

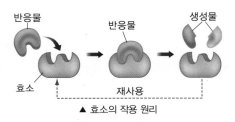

▲ 효소의 작용 원리

■ **효소의 작용 원리**
효소는 자신의 입체 구조와 맞는 특정한 반응물(기질)하고만 결합하여 활성화 에너지를 낮춘다(→ 기질 특이성). 효소는 화학 반응이 일어난 후 생성물과 분리되며, 다른 반응물과 다시 결합하여 반응을 촉진한다.

출제 자료 Focus

물질대사의 활성화 에너지와 효소

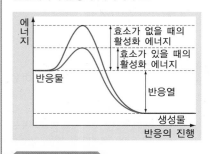

• 물질대사 반응을 일으키는 데 필요한 최소한의 에너지를 활성화 에너지라고 한다.

• 활성화 에너지가 작을수록 물질대사의 반응 속도가 빨라진다.

• 효소는 물질대사의 활성화 에너지를 낮추어 반응이 빠르게 일어나도록 한다.

출제 자료 확인하기

① 과산화 수소의 분해 반응에서 카탈레이스가 없을 때보다 카탈레이스가 있을 때 반응의 활성화 에너지는 (낮아진다).

② 효소는 물질대사의 (활성화 에너지)를 낮추어 반응 속도는 변화시키지만, 반응물과 생성물의 에너지는 변화시킬 수 없다.

③ 물질대사 전후에 효소 자신은 (변하지 않는다).

✔ 바로 체크

1 생명 시스템의 기본 단위는 (　　) 이다.

2 세포의 생명 활동을 조절하고 유전 물질인 DNA가 있는 세포 소기관은 (　　)이다.

3 산소는 세포막의 (　　)을 통한 확산을 통해 이동한다.

4 (　　)는 물질대사의 활성화 에너지를 낮추어 반응이 빠르게 일어나도록 한다.

정답 1 세포 2 핵 3 인지질 2중층 4 효소

| 탐구 목표 |

난각막을 통한 물질 이동 실험 결과를 해석하여 물질 출입 과정에서 세포막의 기능을 추론할 수 있다.

| 유의점 |

• 1 L 눈금실린더에 달걀을 넣을 때 달걀이 깨지지 않도록 눈금실린더를 기울여서 넣는다.
• 실험 도중에 달걀이 터질 수 있으므로 달걀 A는 모둠별로 3개 정도 만들도록 한다.

🔍 탐구 Plus

난각막
달걀 껍데기 안쪽에 붙어 있는 얇은 막이다.

과정

① 달걀 A, 달걀 B를 900 mL의 물이 든 눈금실린더에 각각 넣어 부피를 측정한다.

② 달걀 A는 2배 식초 200 mL가 든 비커에, 달걀 B는 물 200 mL가 든 비커에 각각 넣고 24시간 동안 기다린다.

③ 24시간 후 달걀 A와 달걀 B를 꺼내어 외형 변화를 관찰하고 900 mL의 물이 든 눈금실린더에 각각 넣어 부피 변화를 측정한다.

탐구 결과

구분	외형 변화	부피 변화
달걀 A	• 달걀 껍데기가 식초에 녹아 기체가 발생함. • 24시간 후에는 말랑말랑한 (㉠)을 관찰할 수 있음.	증가함.
달걀 B	변화 없음.	변화 없음.

탐구 정리

1 달걀 A와 달걀 B에서 변화가 나타난 까닭은 무엇인가?

• 달걀 A에서는 식초에 의해 껍데기가 녹아서 난각막을 관찰할 수 있으며, 부피가 증가하였다. 그 까닭은 (㉡)에 의해 식초 속의 물이 난각막을 통해 달걀 A 속으로 이동하였기 때문이다. 즉, 달걀 안쪽이 식초보다 높은 농도이다. 반면, 달걀 껍데기는 물의 출입을 막아 주는 역할을 하므로 달걀 껍데기가 녹지 않은 달걀 B에서는 외형과 부피의 변화가 없다.

2 난각막을 세포막이라고 가정하면 세포막은 어떤 역할을 했을지 추론해 보자.

• 세포막을 경계로 농도가 다른 두 용액이 있을 때 용질의 농도가 낮은 쪽에서 높은 쪽으로 세포막을 통과하지 못하는 용질 대신 (㉢)이 세포막을 통해 이동한다. 즉, 세포막은 특정 물질만 선택적으로 투과시킨다는 것을 알 수 있다.

😊 이해 Check

1 과정 ②에서 달걀 A를 식초가 든 비커에 넣은 까닭을 서술하시오.

2 과정 ②에서 달걀 B를 물이 든 비커에 넣은 까닭을 서술하시오.

3 위 탐구를 통해 알 수 있는 난각막을 통한 물질 이동의 원리로 옳은 것은 ○표, 옳지 않은 것은 ✕표를 하시오.

(1) 난각막은 세포막과 같이 특정 물질만 통과시키는 선택적 투과성을 갖는다. ( )

(2) 식초 속 물이 난각막을 통해 달걀 속으로 이동한 것으로 보아 식초가 달걀 속보다 농도가 높다. ( )

(3) 물은 난각막을 통해 이동할 수 있다. ( )

개념 확인 문제

01 생명 시스템의 구성과 유지에 대한 설명으로 옳은 것은 ○표, 옳지 않은 것은 ×표를 하시오.

(1) 생명 시스템의 기본 단위는 세포이며, 세포, 조직, 기관, 개체의 구성 단계로 이루어져 있다. ( )

(2) 세포벽은 식물 세포의 세포막 바깥쪽에 있는 단단한 구조물로, 세포 안팎으로의 물질 출입을 조절한다. ( )

(3) 크기가 매우 작은 기체 분자나 지용성 물질은 세포막의 인지질 2중층을 직접 통과하여 이동한다. ( )

(4) 과산화 수소 분해 반응에서 효소로 작용한 카탈레이스는 생성물의 에너지를 낮춘다. ( )

02 그림은 세포막의 구조를 나타낸 것이다. ㉠과 ㉡의 이름을 각각 쓰시오.

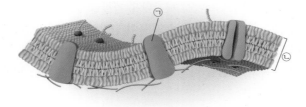

03 다음은 효소에 대한 설명이다. 빈칸에 들어갈 알맞은 말을 각각 쓰시오.

> 효소는 생명 시스템 내에서 물질대사가 빠르게 일어나도록 하는 생체 (㉠)이며, 물질대사의 (㉡)를 낮춰 준다.

04 다음 세포 소기관과 이 세포 소기관과 관련 있는 설명을 옳게 연결하시오.

(1) 리보솜 •   • ㉠ 단백질이 합성되는 장소이다.

(2) 엽록체 •   • ㉡ 세포의 생명 활동을 조절한다.

(3) 핵 •   • ㉢ 광합성이 일어나는 장소이다.

05 세포막에서 확산을 통해 일어나는 물질 이동에 대한 설명으로 옳은 것만을 |보기|에서 있는 대로 고르시오.

> ┤ 보기 ├
> ㄱ. 아미노산은 특정 막단백질을 통과하여 이동한다.
> ㄴ. 물은 농도가 낮은 용액에서 높은 용액 쪽으로 세포막을 통해 이동한다.
> ㄷ. 산소나 나트륨 이온은 인지질 2중층을 직접 통과하여 이동한다.

06 다음 설명에 해당하는 용어를 |보기|에서 찾아 각각 기호를 쓰시오.

(1) 세포의 구조 중 세포의 생명 활동에 필요한 에너지를 생산하는 세포 소기관은 무엇인가?

(2) 나트륨 이온은 세포막의 어떤 구성 요소를 통과하여 세포 안팎으로 이동할 수 있는가?

(3) 생명 시스템 내에서 물질이 분해되거나 합성되는 모든 화학 반응을 무엇이라고 하는가?

> ┤ 보기 ├
> ㄱ. 물질대사   ㄴ. 막단백질
> ㄷ. 미토콘드리아

 실력 쑥쑥 문제

01 생명 시스템의 구성 단계에 대한 설명으로 옳지 <u>않은</u> 것은?

① 세포, 조직, 기관, 개체 순으로 구성되어 있다.
② 생명 시스템은 기본 단위인 세포로 구성되어 있다.
③ 조직에는 신경 조직, 상피 조직, 결합 조직 등이 있다.
④ 여러 조직이 모여 만들어진 기관에는 심장과 위 등이 있다.
⑤ 신경 세포, 근육 세포, 혈구 세포가 모여 근육 조직을 이룬다.

02 세포의 구조에 대한 설명으로 옳지 <u>않은</u> 것은?

① 핵과 세포질은 세포막으로 둘러싸여 있다.
② 세포는 핵, 세포막, 세포질로 이루어져 있다.
③ 세포벽은 세포 안팎으로의 물질 출입을 조절한다.
④ 세포막과 세포벽은 모두 세포의 형태를 유지해 준다.
⑤ 다양한 세포 소기관에서 여러 가지 생명 활동이 일어난다.

03 다음 설명에 해당하는 세포 소기관의 특징으로 옳은 것은?

> 세포의 생명 활동을 조절하는 중추 역할을 한다.

① 단백질이 합성되는 장소이다.
② 유전 물질인 DNA가 들어 있다.
③ 광합성을 하여 포도당을 합성한다.
④ 식물 세포에만 있는 세포 소기관이다.
⑤ 세포의 생명 활동에 필요한 에너지를 생산한다.

| 과학적 사고력 |

04 표는 식물 세포에 들어 있는 세포 소기관 A~C의 특징을 정리한 것이다. A~C는 각각 세포막, 리보솜, 액포 중 하나이다.

구분	특징
A	물, 양분, 노폐물을 저장한다.
B	세포의 형태를 유지하고, 세포 안팎으로의 물질 출입을 조절한다.
C	DNA의 유전 정보에 따라 단백질을 합성하는 장소이다.

이에 대한 설명으로 옳은 것만을 |보기|에서 있는 대로 고른 것은?

┤ 보기 ├
ㄱ. A는 성숙한 식물 세포일수록 크기가 크다.
ㄴ. B, C는 동물 세포에도 있다.
ㄷ. C의 단백질은 핵 안에서 합성된다.

① ㄱ   ② ㄷ   ③ ㄱ, ㄴ
④ ㄱ, ㄷ   ⑤ ㄴ, ㄷ

05 세포막의 구조와 기능에 대한 설명으로 옳지 <u>않은</u> 것은?

① 세포막을 구성하는 인지질 2중층은 유동성이 있다.
② 산소는 세포막의 인지질 2중층을 통해 이동한다.
③ 세포막은 물질의 종류에 따라 선택적 투과성이 있다.
④ 세포막은 인지질 2중층에 여러 가지 아미노산이 군데군데 박혀 있는 구조이다.
⑤ 아미노산과 같이 크기가 크고 수용성인 물질은 특정 막단백질을 통해 확산된다.

| 과학적 사고력 |

06 그림은 물질 A, B가 세포막을 통해 이동하는 방식을 나타낸 것이다.

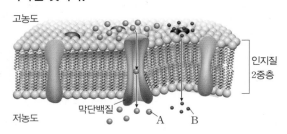

고농도

인지질 2중층

막단백질 A B

저농도

이에 대한 설명으로 옳은 것은? (답 2개)

① 아미노산, 산소는 물질 A에 속한다.
② 물질 B가 이동하는 원리는 확산이다.
③ 물질 A는 크기가 크고 지용성인 물질이다.
④ 이산화 탄소, 나트륨 이온은 물질 B에 속한다.
⑤ 물질 B는 세포막의 인지질 2중층을 직접 통과하여 이동한다.

07 확산에 의해 세포막의 인지질 2중층을 직접 통과하여 이동할 수 있는 물질끼리만 옳게 짝 지은 것은?

① 포도당, 산소
② 아미노산, 포도당
③ 나트륨 이온, 산소
④ 이산화 탄소, 산소
⑤ 이산화 탄소, 아미노산

08 물질대사와 효소에 대한 설명으로 옳은 것은?

① 효소는 물질대사의 활성화 에너지를 낮춘다.
② 세포는 물질대사를 통해 에너지를 얻을 수 없다.
③ 생명 시스템 내에서 물질이 분해되는 반응만을 의미한다.
④ 크기가 큰 물질이 크기가 작은 물질로 분해될 때는 에너지를 흡수한다.
⑤ 세포에서 체온 정도의 낮은 온도에서는 물질대사가 일어날 수 없다.

| 과학적 문제 해결력 |

09 다음은 세포 내에서 물질 A가 B와 C로 분해되는 반응에서 효소 X가 있을 때와 없을 때의 에너지 변화를 나타낸 것이다. ⓐ와 ⓑ는 각각 효소 X가 있을 때와 없을 때의 활성화 에너지 중 하나이다.

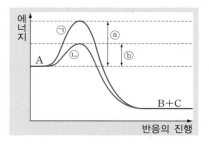

에너지

ⓐ

ⓑ

A

B+C

반응의 진행

이에 대한 설명으로 옳은 것만을 |보기|에서 있는 대로 고른 것은?

┌ 보기 ┐
ㄱ. 에너지가 방출되는 동화 작용이다.
ㄴ. ㉠은 효소 X가 있을 때의 에너지 변화를 나타낸다.
ㄷ. 효소 X가 있을 때의 활성화 에너지는 ⓑ이다.
└──────┘

① ㄱ   ② ㄷ   ③ ㄱ, ㄴ
④ ㄱ, ㄷ   ⑤ ㄴ, ㄷ

10 효소의 이용에 대한 설명으로 옳지 않은 것은?

① 단백질 분해 효소를 이용해 세제를 만들 수 있다.
② 바이오 에너지를 생산하는 데 효소가 이용된다.
③ 김치와 같은 발효 식품을 만드는 데 미생물의 효소를 이용한다.
④ 식혜는 보리의 새싹에 들어 있는 아밀레이스라는 효소를 이용한 음식이다.
⑤ 음식을 만들 때는 효소를 이용하지만 의료 분야에는 효소를 이용할 수 없다.

서술형 문제

11 식물에만 존재하는 세포 소기관을 |보기|에서 있는 대로 골라 기호를 쓰고, 그 기능을 서술하시오.

┌─ 보기 ├─
ㄱ. 핵　　　　　　　ㄴ. 액포
ㄷ. 엽록체　　　　　ㄹ. 소포체
ㅁ. 세포벽　　　　　ㅂ. 세포막
ㅅ. 리보솜　　　　　ㅇ. 미토콘드리아

_____

_____

12 그림은 폐포와 폐포를 둘러싼 모세 혈관 사이에서 일어나는 기체 교환을 나타낸 것이다. ㉠과 ㉡은 각각 산소와 이산화 탄소 중 하나이고, 폐동맥과 폐정맥의 화살표는 혈액의 흐름을 나타낸다.

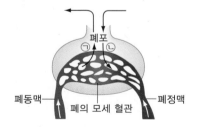

(1) ㉠과 ㉡의 이름을 각각 쓰시오.

_____

(2) ㉡이 모세 혈관과 폐포의 세포막을 이동하는 방식을 서술하시오.

_____

13 다음은 적양파를 이용한 실험 과정을 나타낸 것이다.

[과정]
(가) 적양파의 표피를 일정한 크기로 칼집을 낸 후 핀셋을 이용하여 벗겨 낸다.
(나) 적양파의 표피 조각을 증류수, 10 % 설탕 용액, 20 % 설탕 용액이 든 페트리 접시에 약 15분 동안 담가 둔다.
(다) 각 페트리 접시에 담가 둔 적양파의 표피 조각을 꺼내 현미경으로 관찰한다.

[결과]

용액	증류수	10 % 설탕 용액	20 % 설탕 용액
세포 부피	늘어남.	거의 변하지 않음.	줄어듦.

증류수에 담가 둔 적양파의 표피 조각을 구성하는 세포의 부피가 늘어난 까닭을 서술하시오.

_____

_____

14 흰 쌀밥을 입에 넣고 씹으면 단맛을 느낄 수 있는데 이런 현상은 침 속에 있는 효소인 아밀레이스의 작용과 관련이 있다. 아밀레이스를 예로 들어 효소의 기능을 설명하되 녹말과 엿당을 포함하여 서술하시오.

_____

_____

1 유전자 정보의 전달

1. 유전자와 단백질의 관계

(1) **DNA와 유전자**

① **유전자** DNA 염기 서열 중 단백질이나 RNA에 대한 정보를 저장하고 있는 특정 부위이다.

② 한 분자의 DNA에는 수많은 유전자가 있다. ─1개의 염색체는 1분자의 DNA로 이루어져 있고, 사람의 경우 1분자의 DNA에는 수십 ~수천 종류의 유전자가 있다.

(2) **유전자와 단백질**

① 생명 시스템은 유전자의 정보에 따라 단백질을 합성하고, 단백질에 의해 여러 유전 형질이 나타난다.

② 단백질의 기본 단위는 아미노산이고, 아미노산의 배열 순서에 따라 단백질의 구조와 기능이 결정된다.

• DNA는 단백질과 함께 염색체를 구성한다.

• DNA의 각 유전자에는 특정 단백질에 대한 정보가 저장되어 있다.

• 각 유전자에 저장된 정보에 따라 만들어진 단백질이 특정 기능을 수행하여 혀 말기 여부, 눈꺼풀 모양 등과 같은 유전 형질이 나타난다.

• 같은 유전자의 염기 서열 정보가 다르면 합성되는 단백질의 구조와 기능에 차이가 생겨 결과적으로 유전 형질이 다르게 나타날 수 있다.

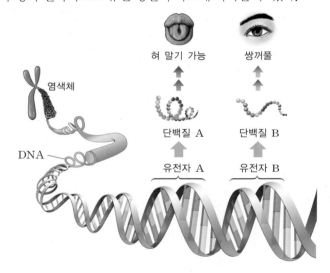

혀 말기 가능   쌍꺼풀

단백질 A   단백질 B

유전자 A   유전자 B

염색체

DNA

2. 생명 중심 원리

(1) **세포 내 정보의 흐름** 세포 내에서 전사와 번역을 통해 'DNA(유전자) → RNA → 단백질' 순서로 정보의 흐름이 일어난다.

(2) **생명 중심 원리** 유전자로부터 단백질로의 정보의 흐름, 즉 DNA에 있는 유전 정보가 RNA를 거쳐 단백질로 전달되는 과정이다.

① **전사** DNA에 있는 유전자를 원본으로 하여 DNA 염기 서열에 상보적인 염기 서열을 가진 RNA가 합성되는 과정이다.

② **번역** 전사된 RNA의 코돈이 지정하는 아미노산이 리보솜으로 운반되어 리보솜에서 아미노산 간 펩타이드 결합이 일어나 단백질이 합성되는 과정이다.

이 단원의 핵심 개념은~

■ 유전자와 단백질의 관계
■ 유전자로부터 단백질로의 정보의 흐름
■ 선천성 대사 이상 질환

■ **유전 형질**
홍채의 색깔, 혈액형 등 생물이 가지고 있는 모양 또는 성질을 말하며, 부모로부터 자손으로 유전되는 모든 특징을 말한다.

❶ 단백질의 구조에 따라 단백질의 기능이 결정된다. 단백질은 세포의 주요 구성 성분이고 효소, 호르몬, 항체의 주요 구성 물질로, 생명 시스템 유지에 매우 중요한 역할을 한다.

유전자로부터 만들어진 단백질에 의해 특정 형질이 바로 나타날 수도 있고, 단백질이 관련된 물질대사 과정에 의해 유전 형질이 나타날 수도 있다.

❷ 두 아미노산 사이에서 물 분자 1개가 빠져나오면서 형성되는 결합이다.

용어 🔍

염색체(染色體)
세포가 분열할 때 나타나는 막대 모양의 구조물로, 유전 물질인 DNA를 포함하고 있다.

형질(形質)
홍채의 색깔, 피부색, 혈액형 등과 같이 생물에서 나타나는 특성을 말한다.

(3) 정보의 전달과 발현

① 전사
- DNA가 있는 핵 속에서 일어난다.
- 유전자 염기 서열에 상보적인 염기 서열을 가진 RNA를 합성하는 과정이다.

② 번역
- 세포질의 리보솜에서 일어난다.
- 전사된 RNA로부터 단백질이 합성되는 과정이다. RNA의 각 코돈이 지정하는 아미노산들이 리보솜에서 연결되어 단백질이 합성된다. ─ 합성된 단백질이 특정한 기능을 수행하여 형질이 나타난다.

(4) 생명 중심 원리의 의미

① 현재까지 지구상에 존재하는 모든 생명체는 DNA를 유전 물질로 가지며, DNA의 유전 정보를 이용하여 전사와 번역 과정을 통해 단백질을 만들어 생명 시스템을 유지한다.

② 생명 시스템에서 유전자 정보 전달 방식은 모든 생명체의 모든 세포에서 같다.

③ 지구 생명 역사의 모든 생물종이 계속 같은 유전 정보 방법을 사용해 왔다는 점에서 생명 중심 원리로 불릴만하다고 할 수 있다.

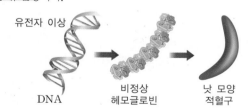

전사에 이용된 가닥
3염기 조합
코돈
아미노산 1 아미노산 2 아미노산 3 아미노산 4
아미노산

2 선천성 대사 이상 질환과 유전 정보 흐름의 중요성

1. 페닐케톤뇨증과 같은 선천성 대사 이상 질환은 대부분 단백질에 대한 정보를 담고 있는 유전자에 문제가 생겨 나타난다.

2. 단백질에 대한 정보를 담고 있는 유전자에 문제가 생기면 전사와 번역 과정을 통해 만들어지는 단백질이 제 기능을 하지 못한다.

3. 유전자로부터 단백질로의 정보 흐름에 문제가 생기면 생명 시스템의 유지가 어려워진다.

출제 자료 Focus

낫 모양 적혈구 빈혈증

- 그림은 유전자 이상에 따른 대표적인 질환인 낫 모양 적혈구 빈혈증이 나타나는 과정을 나타낸 것이다.
- 낫 모양 적혈구 빈혈증은 적혈구 세포를 구성하는 헤모글로빈 유전자의 염기 서열 이상으로 발생하는 유전병이다.

유전자 이상

DNA → 비정상 헤모글로빈 → 낫 모양 적혈구

출제 자료 확인하기

① 유전자 염기 서열에 이상이 있는 헤모글로빈 유전자로부터 (전사)와 번역 과정을 통해 만들어진 헤모글로빈 단백질의 구조와 기능이 비정상이다.

② 낫 모양 적혈구 빈혈증을 통해 특정 유전자는 특정 (단백질)에 대한 정보를 저장한다는 것을 알 수 있다.

---

❸ 유전자의 염기 서열은 연속된 3개의 염기가 조합을 이루어 하나의 아미노산을 지정하는데, 이를 3염기 조합이라고 한다.

■ 코돈(Codon)
DNA의 3염기 조합으로부터 전사된 RNA의 3개의 염기 단위로, 하나의 코돈은 하나의 아미노산으로 번역된다.

❹ 아미노산인 페닐알라닌을 분해하는 효소가 결핍되어 체내에 페닐알라닌이 축적되어 경련 및 발달 장애를 일으키는 선천성 대사 이상 질환이다.

■ 선천성 대사 이상 질환
유전자의 돌연변이로 유전자로부터 만들어지는 단백질(특히 효소)이 제 기능을 하지 못해 일어나는 질환이다.

✓ 바로 체크

1 ( )는 DNA 염기 서열 중 단백질이나 RNA에 대한 정보를 저장하고 있는 특정 부위이다.

2 유전자의 정보는 전사와 ( ) 과정을 통해 단백질로 전달된다.

3 ( )는 생명 시스템 내에서 유전자로부터 단백질로의 정보의 흐름을 의미한다.

정답 1 유전자 2 번역 3 생명 중심 원리

탐구 활동

유전자로부터 단백질로의 정보의 흐름

| 탐구 목표 |
생명 중심 원리 모형을 보고 토의를 통해 유전자로부터 단백질로 정보가 흐르는 방법에 대해 설명할 수 있다.

| 유의점 |
DNA의 3염기 조합이 전사되어 만들어진 RNA 코돈의 염기 서열과 RNA의 1개의 코돈이 번역되어 만들어진 단백질을 이루는 아미노산 1개 간의 관계를 추론해 본다.

자료 1

유전자로부터 단백질로의 정보의 흐름

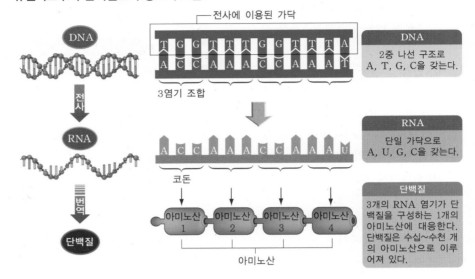

자료 2

전사와 번역

전사	• 유전자는 DNA의 특정 부위로서 특정 유전 형질의 정보를 아데닌(A), 타이민(T), 구아닌(G), 사이토신(C) 염기로 이루어진 각기 다른 4종류의 뉴클레오타이드 서열의 형태로 저장하고 있음. • 전사는 유전자를 원본으로 하여 유전자 염기 서열에 (㉠)인 염기 서열을 가진 RNA를 합성하는 과정으로, DNA가 있는 핵 안에서 일어남. • (㉡): 유전자의 3염기 조합이 전사되어 만들어진 RNA의 유전 부호로, 3개의 염기로 이루어져 있음.
번역	• 전사된 RNA의 코돈이 지정하는 아미노산이 리보솜으로 운반되어 아미노산 간 펩타이드 결합이 일어나 (㉢)이 합성되는 과정으로, 세포질에서 일어남. • 단백질의 아미노산 서열은 유전자의 염기 서열에 의해 결정됨. • DNA를 구성하는 염기는 4종류이고, 단백질을 구성하는 아미노산은 20종류이므로 3개의 염기가 조합되어야 20종류의 아미노산을 모두 지정할 수 있음.

♀탐구 **Plus**

상보적
전사 과정에서 만들어지는 RNA의 염기 서열과 원본인 DNA의 염기 서열과의 관계를 의미한다. 예를 들어 DNA가 아데닌(A)이라면 이로부터 만들어지는 RNA는 유라실(U)이다.

이해 Check

1 세포 내에서 전사와 번역이 일어나는 장소는 각각 어디인지 쓰시오.

2 유전자, RNA, 단백질이 저장하는 정보의 형태는 각각 무엇인지 서술하시오.

3 위 탐구를 통해 알 수 있는 세포 내 정보 전달 과정의 원리로 옳은 것은 ○표, 옳지 않은 것은 ×표를 하시오.

(1) 유전자의 염기 서열 정보가 TGGCTA라면 전사를 통해 만들어지는 RNA의 염기 서열은 ACCGAT이다. ( )

(2) RNA의 10개의 코돈으로부터 번역을 통해 만들어지는 아미노산의 수는 30개이다. ( )

(3) 단백질의 아미노산 서열은 유전자의 염기 서열에 의해 결정된다. ( )

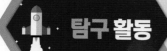
| 탐구 목표 |
대표적인 선천성 대사 이상 질환의 원인과 증상을 말할 수 있다.

| 유의점 |
자료 조사 과정에서 선천성 대사 이상 질환이라는 말 대신에 대사 이상 질환, 선천성 대사 증후군과 같은 유사 용어가 나올 수 있으나 대부분 같은 의미라고 이해하면 좋다.

탐구 Plus

페닐알라닌
우리 몸에서 유전자로부터 단백질을 합성할 때 단백질의 재료인 20가지 아미노산 중 하나이다. 단풍뇨증에 나오는 류신, 아이소류신, 발린도 이들 20가지 아미노산 중 하나이다.

과정

① 다음은 신생아의 선천성 대사 이상 질환 검사에 대한 우리나라 정부의 복지 정책이다.

> 아기가 태어나면 선천적으로 물질대사에 이상이 있는지 확인하기 위해 채혈을 하여 검사한다. 우리나라에서는 모든 신생아에 대해 페닐케톤뇨증을 포함하여 6가지 대표적인 선천성 대사 이상 질환에 대한 검사를 필수적으로 시행하고 있다.

② 페닐케톤뇨증과 단풍뇨증 중 조사하고자 하는 선천성 대사 이상 질환의 종류를 결정한다.

③ 과정 ②에서 결정한 대사 이상 질환의 증상, 원인, 치료 방법에 대해 인터넷 등을 활용하여 조사한다.

탐구 결과

질환 이름	증상	원인	가능한 치료 방법
페닐케톤뇨증	정신 지체, 습진, 구토, 경련	효소 유전자의 염기 서열이 정상적이지 않은 상염색체 열성 대사 질환으로, 페닐알라닌 수산화 효소가 결핍되어 페닐알라닌이 정상적으로 물질대사되지 않아 비정상적인 대사 물질이 분비되고, 이로 인해 여러 증상이 나타난다.	페닐알라닌 함량이 적은 음식 섭취를 통해 혈중 페닐알라닌 수치를 조절한다.
단풍뇨증	정신 지체, 경련, 호흡 장애, 발육 장애	효소 유전자의 염기 서열이 정상적이지 않은 상염색체 열성 대사 질환으로, 필수 아미노산인 류신, 아이소류신, 발린의 물질대사 과정에 관여하는 특정 탈탄산 효소의 이상으로 α-케토글루타르산이 체내에 축적되어 나타난다.	혈액 투과를 통해 류신, 아이소류신, 발린, α-케토글루타르산의 체내 수치를 낮추고 식이 요법을 시행한다.

탐구 정리

1 페닐케톤뇨증과 단풍뇨증을 완화하는 방법에는 어떤 것이 있는가?
- 페닐케톤뇨증은 (㉣) 함량이 적은 음식 섭취를 통해 혈중 (㉣) 수치를 조절하고, 단풍뇨증은 혈액 투과를 통해 류신, 아이소류신, 발린, α-케토글루타르산의 체내 수치를 낮추고, 식이 요법을 시행한다.

이해 Check

4 페닐케톤뇨증과 단풍뇨증의 공통적인 원인은 무엇인지 쓰시오.

5 페닐케톤뇨증과 단풍뇨증을 유발하는 유전자의 염기 서열은 무엇으로 이루어져 있는지 쓰시오.

6 위 탐구를 통해 알 수 있는 선천성 대사 이상 질환과 관련된 원리로 옳은 것만을 |보기|에서 있는 대로 고르시오.

> **보기**
> ㄱ. 특정 유전자는 특정 단백질에 대한 정보를 저장한다.
> ㄴ. 세포 내 정보 전달 과정에서 유전자의 염기 서열 정보는 단백질의 염기 서열 정보로 직접 전달된다.
> ㄷ. 유전자 이상은 전사와 번역을 거쳐 만들어지는 단백질의 이상을 유발할 수 있다.

개념 확인 문제

01 다음 설명에 해당하는 용어를 |보기|에서 찾아 각각 기호를 쓰시오.

(1) 생명체에서 세포의 주요 구성 성분이며, 효소, 호르몬, 항체의 주요 구성 물질은 무엇인가?

(2) 유전 형질의 정보를 저장하고 있는 DNA의 특정 부위를 무엇이라고 하는가?

(3) 전사된 RNA의 정보를 이용하여 단백질을 합성하는 과정을 무엇이라고 하는가?

(4) RNA를 구성하는 염기의 종류는 무엇인가?

┌ 보기 ├
ㄱ. 번역   ㄴ. 유전자
ㄷ. 단백질   ㄹ. A, G, C, U

02 그림은 유전자로부터 단백질로의 정보의 흐름을 나타낸 것이다. ㉠과 ㉡ 단계는 각각 무엇인지 쓰시오.

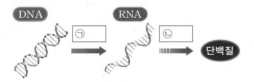

03 다음은 생명 시스템 유지를 위한 세포 내 정보 전달에 대한 설명이다. 빈칸에 들어갈 알맞은 말을 각각 쓰시오.

지구상에 존재하는 모든 생물은 DNA를 유전 물질로 가지고 있으며, DNA에 있는 (㉠)로부터 수십~수천 개의 아미노산으로 이루어진 (㉡)을 만들어서 생명 시스템을 유지한다.

04 생명 중심 원리의 각 과정과 이와 관련된 설명을 옳게 연결하시오.

(1) 전사 •   • ㉠ RNA를 이용하여 단백질을 합성하는 과정

(2) 번역 •   • ㉡ DNA에 있는 유전자의 염기 서열을 원본으로 하여 RNA를 합성하는 과정

05 생명 중심 원리에 대한 설명으로 옳은 것만을 |보기|에서 있는 대로 고르시오.

┌ 보기 ├
ㄱ. DNA로부터 RNA가 만들어지는 과정만을 의미한다.
ㄴ. DNA의 염기 서열을 원본으로 하여 RNA를 합성하는 과정을 전사라고 한다.
ㄷ. DNA로부터 단백질을 합성하는 과정을 번역이라고 한다.

06 생명 시스템 유지를 위한 세포 내 정보 전달 과정에 대한 설명으로 옳은 것은 ○표, 옳지 않은 것은 ×표를 하시오.

(1) 유전자의 유전 정보는 A, G, C, T으로 이루어진 염기 서열로 저장되어 있다. ( )

(2) 유전자를 원본으로 하여 RNA를 합성하는 전사 과정은 세포질에서 일어난다. ( )

(3) 유전자를 구성하는 1개의 염기는 단백질을 구성하는 1개의 아미노산을 지정한다. ( )

(4) 유전자를 이루는 A, G, C, T 염기의 비율이 같으면 저장된 단백질의 정보도 같다. ( )

(5) 페닐케톤뇨증은 염기 서열에 이상이 있는 유전자로부터 만들어지는 효소 단백질이 정상적인 기능을 수행하지 못해 나타난다 ( )

실력 쑥쑥 문제

01 단백질에 의해 나타나는 유전 형질에 해당하는 것만을 |보기|에서 있는 대로 고른 것은?

| 보기 |
ㄱ. 혀 말기 여부   ㄴ. 눈꺼풀 모양
ㄷ. 귓불 모양   ㄹ. ABO식 혈액형

① ㄱ, ㄴ, ㄷ   ② ㄱ, ㄴ, ㄹ
③ ㄱ, ㄷ, ㄹ   ④ ㄴ, ㄷ, ㄹ
⑤ ㄱ, ㄴ, ㄷ, ㄹ

02 유전자와 단백질에 대한 설명으로 옳지 <u>않은</u> 것은?

① 유전자는 DNA 염기 서열 중 일부이다.
② 유전자와 단백질을 이루는 기본 단위는 같다.
③ 단백질에 의해 여러 가지 유전 형질이 나타난다.
④ 유전자는 단백질이나 RNA에 대한 정보를 저장하고 있다.
⑤ 아미노산 배열 순서에 따라 단백질의 구조와 기능이 결정된다.

03 생명 중심 원리에 따른 세포 내 정보의 흐름이 일어나는 순서로 옳은 것은?

① DNA → 단백질 → RNA
② DNA → RNA → 단백질
③ RNA → 단백질 → DNA
④ RNA → DNA → 단백질
⑤ 단백질 → RNA → DNA

| 과학적 사고력 |

04 그림은 세포에서 유전 정보를 저장하고 있는 물질의 구조를 나타낸 것이다. ㉠~㉢은 각각 DNA, 유전자, 염색체 중 하나이다.

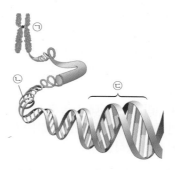

이에 대한 설명으로 옳은 것만을 |보기|에서 있는 대로 고른 것은?

| 보기 |
ㄱ. ㉠은 ㉡과 ㉢으로만 이루어져 있다.
ㄴ. ㉡에는 여러 개의 ㉢이 있다.
ㄷ. ㉢에는 특정 단백질에 대한 정보가 저장되어 있다.

① ㄱ   ② ㄴ   ③ ㄱ, ㄴ
④ ㄱ, ㄷ   ⑤ ㄴ, ㄷ

05 세포의 구조와 유전 정보의 흐름에 대한 설명으로 옳은 것만을 |보기|에서 있는 대로 고른 것은?

| 보기 |
ㄱ. 유전 물질인 DNA는 핵 속에 있다.
ㄴ. 단백질 합성 과정에서 DNA가 세포질로 이동한다.
ㄷ. 전사는 핵에서, 번역은 세포질의 리보솜에서 일어난다.

① ㄱ   ② ㄷ   ③ ㄱ, ㄴ
④ ㄱ, ㄷ   ⑤ ㄴ, ㄷ

| 과학적 사고력 |

06 다음은 정상적인 호랑이에서 노란색 색소가 발현되기까지의 과정을 순서 없이 나타낸 것이다.

> (가) 노란색 색소가 합성된다.
> (나) 노란색 색소 합성 효소가 만들어진다.
> (다) 호랑이의 털이 담황색을 나타낸다.
> (라) 노란색 색소 합성 효소 유전자가 전사되어 RNA가 만들어진다.

(가)~(라)를 순서대로 옳게 나열한 것은? (단, 정상적인 호랑이의 담황색 털은 붉은색 색소와 노란색 색소에 의해 나타난다.)

① (나)ー(라)ー(가)ー(다)
② (나)ー(라)ー(다)ー(가)
③ (라)ー(가)ー(나)ー(다)
④ (라)ー(나)ー(가)ー(다)
⑤ (라)ー(나)ー(다)ー(가)

07 생명 중심 원리에서 나타나는 DNA, RNA, 단백질에 대한 설명으로 옳은 것은? (답 2개)

① RNA는 단일 가닥으로 A, T, G, C을 갖는다.
② DNA는 2중 나선 구조이며, A, T, G, C을 갖는다.
③ 전사를 통해 만들어지는 RNA의 염기 서열 정보는 유전자의 염기 서열 정보와 같다.
④ 단백질은 수십~수천 개의 염기 서열로 이루어져 있다.
⑤ 번역 과정에서 3개의 RNA 염기 서열에 대응되는 1개의 아미노산이 연결되어 단백질이 합성된다.

08 그림은 유전자로부터 단백질로의 정보의 흐름을 나타낸 것이다.

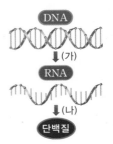

이에 대한 설명으로 옳은 것만을 |보기|에서 있는 대로 고른 것은?

┤ 보기 ├
ㄱ. (가)는 전사, (나)는 번역 과정이다.
ㄴ. (가) 과정에서 DNA의 유전자의 염기 서열에 상보적인 염기 서열을 갖는 RNA가 합성된다.
ㄷ. (나) 과정에서 RNA의 염기 서열 정보는 단백질을 구성하는 단위체인 아미노산 서열로 번역된다.

① ㄴ   ② ㄱ, ㄴ   ③ ㄱ, ㄷ
④ ㄴ, ㄷ   ⑤ ㄱ, ㄴ, ㄷ

09 유전자 변이에 의한 선천성 대사 이상 질환으로 볼 수 없는 것은?

① 감기
② 단풍뇨증
③ 갈락토스혈증
④ 페닐케톤뇨증
⑤ 선천성 부신과형성증

서술형 문제

10 그림은 DNA의 유전자로부터 RNA가 만들어지는 전사 과정을 나타낸 것이다.

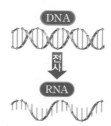

전사의 뜻을 DNA와 RNA를 구성하는 염기의 차이를 중심으로 서술하시오.

| 과학적 사고력 |

11 그림은 어떤 유전자로부터 전사되어 만들어진 RNA의 염기 서열 전체를 나타낸 것이다. 이 RNA의 염기 서열은 모두 단백질로 번역된다.

ACCAAACCGAGU

(1) RNA를 구성하는 코돈의 수는 몇 개인지 쓰시오.

---

(2) 번역을 통해 합성되는 단백질을 구성하는 아미노산의 수는 몇 개인지 쓰고, 그렇게 판단한 까닭을 서술하시오.

---

12 그림은 정상인의 적혈구와 낫 모양 적혈구 빈혈증 환자의 적혈구의 작용으로 인해 나타나는 혈관에서의 적혈구의 흐름을 나타낸 것이다.

(가) 정상 적혈구

(나) 낫 모양 적혈구

낫 모양 적혈구 빈혈증 환자는 헤모글로빈 유전자의 염기 서열에 이상이 있다. 이러한 유전자의 염기 서열 이상이 낫 모양 적혈구 빈혈증을 유발하는 까닭을 서술하시오.

---

13 페닐케톤뇨증은 염기 서열 순서에 이상이 있는 효소 유전자로 인해 물질대사에 이상이 생겨 발생하는 선천성 대사 이상 질환이다. 이와 같이 유전자에 이상이 생기면 유전 질환이 나타나는 까닭을 서술하시오.

---

5 - 1. 생명 시스템

01 그림은 사람 몸의 구성 단계의 예를 나타낸 것이다. A와 B는 각각 기관과 조직 중 하나이다.

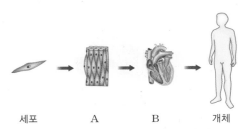

세포　　　A　　　B　　　개체

이에 대한 설명으로 옳은 것만을 |보기|에서 있는 대로 고른 것은?

┌ 보기 ┐
ㄱ. A는 조직이다.
ㄴ. B는 생명 시스템의 기본 단위이다.
ㄷ. 사람의 위는 B에 해당한다.
└──────┘

① ㄱ　　　　　② ㄷ　　　　　③ ㄱ, ㄴ
④ ㄱ, ㄷ　　　⑤ ㄴ, ㄷ

02 표는 세포 소기관 (가)~(라)의 특징과 각 세포 소기관이 기린의 간세포와 진달래의 잎세포에 있는지의 여부를 나타낸 것이다. (가)~(라)는 각각 엽록체, 리보솜, 핵, 세포벽 중 하나이다.

세포 소기관	특징	기린의 간세포	진달래의 잎세포
(가)	단백질을 합성하는 장소	○	○
(나)	세포의 형태를 유지	A	○
(다)	염색사가 있으며 생명 활동을 조절하는 중심	○	B
(라)	광합성을 통해 포도당을 합성	?	?

(○: 있음, ×: 없음)

이에 대한 설명으로 옳은 것은?

① (가)는 핵 속에 존재한다.
② A는 ○, B는 ×이다.
③ (나)는 선택적 투과성을 갖는다.
④ (다)에서 전사가 일어난다.
⑤ (나), (다), (라)는 식물 세포에만 존재한다.

03 세포막을 통한 물질의 출입에 대한 설명으로 옳은 것만을 |보기|에서 있는 대로 고른 것은?

┌ 보기 ┐
ㄱ. 모든 물질은 세포막을 구성하는 인지질 2중층 또는 특정 막단백질을 통해 이동한다.
ㄴ. 세포막은 식물 세포에서 가장 바깥쪽에 있는 막으로, 물질의 종류에 관계없이 이동시킨다.
ㄷ. 포도당과 아미노산은 세포막의 같은 막단백질을 통해 이동한다.
└──────┘

① ㄱ　　　　　② ㄴ　　　　　③ ㄷ
④ ㄱ, ㄴ　　　⑤ ㄴ, ㄷ

04 그림은 어떤 세포에서 세포막을 통해 물질 X와 Y가 이동하는 두 가지 방식 Ⅰ과 Ⅱ를 나타낸 것이다. X와 Y는 각각 산소와 포도당 중 하나이다.

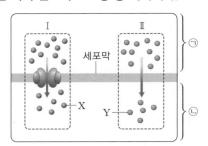

이에 대한 설명으로 옳은 것만을 |보기|에서 있는 대로 고른 것은?

┌ 보기 ┐
ㄱ. Ⅰ, Ⅱ 모두 ㉠에서 ㉡으로의 확산 현상에 의한 물질의 이동이 일어났다.
ㄴ. X는 포도당이고, Y는 산소이다.
ㄷ. 이산화 탄소는 Ⅰ과 같은 방식으로 이동한다.
└──────┘

① ㄱ　　　　　② ㄴ　　　　　③ ㄱ, ㄴ
④ ㄱ, ㄷ　　　⑤ ㄴ, ㄷ

05 다음은 적혈구를 설탕 용액 X, Y에 넣었을 때의 모양 변화를 나타낸 것이다. 설탕 용액 X와 Y의 농도는 0.01 %와 3 % 중 하나이다.

구분	용액 X에 넣었을 때	정상 적혈구	용액 Y에 넣었을 때
모양 변화			

이에 대한 설명으로 옳은 것만을 |보기|에서 있는 대로 고른 것은?

|보기|
ㄱ. 용액 X는 0.01 % 설탕 용액이다.
ㄴ. 용액 X에 넣었을 때 적혈구 안의 물이 상대적으로 저농도인 용액 X 쪽으로 이동하였다.
ㄷ. 용액 Y에 넣었을 때 물이 적혈구 안으로 세포막을 통해 확산되었다.

① ㄱ ② ㄷ ③ ㄱ, ㄴ
④ ㄱ, ㄷ ⑤ ㄴ, ㄷ

06 그림은 생명 시스템 내에서 일어나는 물질대사를 나타낸 것이다.

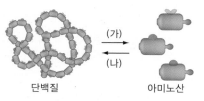

이에 대한 설명으로 옳은 것만을 |보기|에서 있는 대로 고른 것은?

|보기|
ㄱ. (가), (나) 과정은 모두 효소가 촉매하는 반응이다.
ㄴ. (가)를 촉매하는 효소는 활성화 에너지를 높인다.
ㄷ. (나)는 포도당에서 녹말이 합성되는 반응처럼 에너지를 방출하는 반응이다.

① ㄱ ② ㄷ ③ ㄱ, ㄴ
④ ㄱ, ㄷ ⑤ ㄴ, ㄷ

07 다음은 감자즙 속에 든 효소의 작용을 알아보는 실험이다.

[과정]
(가) 2개의 눈금실린더 A와 B에 35 % 과산화수소수를 같은 양씩 넣는다.
(나) A에는 감자즙을, B에는 증류수를 같은 양씩 넣은 다음 변화를 관찰였더니 A에서만 흰 거품이 갑자기 다량 발생하였고, B에서는 변화가 없었다.
(다) A와 B에 각각 향 불씨를 넣어 불씨의 상태를 관찰하였더니 A에서만 향 불씨에 불이 붙었고, B에서는 변화가 없었다.

이에 대한 설명으로 옳은 것만을 |보기|에서 있는 대로 고른 것은?

|보기|
ㄱ. A에서는 감자즙 속의 카탈레이스가 과산화수소의 분해 반응을 촉매하였다.
ㄴ. (나)를 통해 B에서만 산소가 발생했음을 알 수 있다.
ㄷ. (다)를 통해 B에서는 촉매에 의한 물질대사가 빠르게 일어남을 알 수 있다.

① ㄱ ② ㄴ ③ ㄱ, ㄴ
④ ㄱ, ㄷ ⑤ ㄴ, ㄷ

5-2. 세포 내 정보의 흐름

08 그림은 유전자 A와 유전자 B에 의해 귓불 모양과 혀 말기 형질이 나타나는 과정을 나타낸 것이다.

유전자 A → (가) 단백질 a → 귓불 모양
유전자 B → 단백질 b → 혀 말기

이에 대한 설명으로 옳은 것만을 |보기|에서 있는 대로 고른 것은?

|보기|
ㄱ. 유전자 A와 유전자 B는 각각 DNA 염기 서열 중 일부분이다.
ㄴ. 유전자 A와 유전자 B의 염기 서열은 서로 다르다.
ㄷ. (가) 과정에 RNA가 관여한다.

① ㄱ ② ㄱ, ㄴ ③ ㄱ, ㄷ
④ ㄴ, ㄷ ⑤ ㄱ, ㄴ, ㄷ

09 유전자와 단백질에 대한 설명으로 옳은 것만을 |보기|에서 있는 대로 고른 것은?

┌ 보기 ├
ㄱ. 유전자는 RNA나 단백질에 대한 정보를 저장하고 있다.
ㄴ. 귓불 모양, 혀 말기 여부, 눈꺼풀 모양과 같은 유전 형질은 단백질에 의해 나타나는 특성이다.
ㄷ. 유전자는 세포질의 리보솜으로 이동하여 단백질을 합성한다.

① ㄱ
② ㄷ
③ ㄱ, ㄴ
④ ㄱ, ㄷ
⑤ ㄴ, ㄷ

10 그림은 유전자로부터 단백질로의 정보의 흐름을 나타낸 것이다.

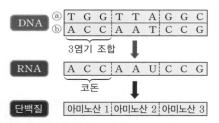

이에 대한 설명으로 옳은 것만을 |보기|에서 있는 대로 고른 것은? (단, RNA의 왼쪽 첫 번째 염기부터 번역된다.)

┌ 보기 ├
ㄱ. 전사 과정에서 DNA의 가닥 @가 주형 가닥으로 이용되어 이에 상보적인 서열을 갖는 RNA가 합성되었다.
ㄴ. RNA의 염기 서열은 T이 U로 바뀐 것을 제외하면 DNA의 가닥 ⓑ의 염기 서열과 같다.
ㄷ. 코돈을 이루는 3개의 염기가 1개의 아미노산으로 번역된다.

① ㄴ
② ㄱ, ㄴ
③ ㄱ, ㄷ
④ ㄴ, ㄷ
⑤ ㄱ, ㄴ, ㄷ

11 그림은 유전자로부터 단백질이 합성되는 과정을 나타낸 것이다. @와 ⓑ는 각각 아미노산과 RNA 중 하나이다.

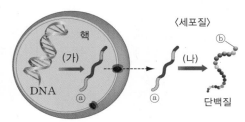

이에 대한 설명으로 옳은 것만을 |보기|에서 있는 대로 고른 것은?

┌ 보기 ├
ㄱ. (가) 과정을 통해 DNA가 만들어진다.
ㄴ. (나) 과정에서 @의 코돈 1개는 1개의 ⓑ를 지정한다.
ㄷ. @는 세포질의 리보솜에서 합성된다.

① ㄱ
② ㄴ
③ ㄱ, ㄴ
④ ㄱ, ㄷ
⑤ ㄴ, ㄷ

12 다음은 낫 모양 적혈구 빈혈증에 대한 설명이다.

헤모글로빈은 적혈구의 세포질에 많은 양이 존재하는 단백질이다. 낫 모양 적혈구 빈혈증은 헤모글로빈 단백질의 정보를 담고 있는 헤모글로빈 유전자의 @DNA 염기 서열 중 1개의 염기가 다른 염기로 바뀌어 ⓑ정보 전달 과정 결과 비정상적인 헤모글로빈이 합성되어 발생한다.

이에 대한 설명으로 옳은 것만을 |보기|에서 있는 대로 고른 것은?

┌ 보기 ├
ㄱ. @는 A, G, C, U로 이루어져 있다.
ㄴ. 유전자의 염기 서열 정보가 바뀌면 결과적으로 합성되는 단백질의 구조와 기능이 바뀔 수 있다.
ㄷ. ⓑ는 핵과 세포질에서 일어난다.

① ㄱ
② ㄴ
③ ㄱ, ㄴ
④ ㄱ, ㄷ
⑤ ㄴ, ㄷ

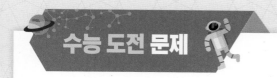

01 다음은 생명 시스템의 기본 단위인 세포를 구성하는 세포 소기관에 대한 설명이다. (가)~(라)는 각각 핵, 리보솜, 미토콘드리아, 세포벽 중 하나이다.

> • (가): (ⓐ)에 존재하며, 단백질이 합성되는 세포 소기관이다.
> • (나): 식물 세포의 (ⓑ) 바깥쪽에 있는 단단한 구조물로, 식물 세포를 싸서 보호하고 식물 세포의 형태를 유지한다.
> • (다): 세포의 생명 활동을 조절하며, 유전 물질인 (ⓒ)가 들어 있다.
> • (라): (ⓓ)에 존재하며, 세포의 생명 활동에 필요한 에너지를 생산하는 세포 소기관이다.

이에 대한 설명으로 옳지 않은 것은?

① (가)~(라)는 순서대로 리보솜, 세포벽, 핵, 미토콘드리아이다.
② (가)에서 RNA의 정보를 이용해 단백질이 합성된다.
③ ⓐ, ⓓ는 모두 세포질이다.
④ ⓑ는 세포벽이다.
⑤ ⓒ를 구성하는 기본 단위는 뉴클레오타이드이다.

출제 Point

엽록체와 세포벽은 식물 세포에만 있는 세포 소기관이다.

02 다음은 달걀의 난각막을 이용한 물질 이동을 알아보는 실험이다.

> (가) 2개의 달걀 A, B를 식초에 완전히 담가두어 달걀 껍데기를 모두 녹인다.
> (나) 달걀 껍데기를 녹인 달걀 A는 증류수가 든 비커에, 달걀 B는 30 % 설탕물이 든 비커에 각각 넣는다.
> (다) 일정 시간이 지난 후 달걀 A, B의 모양을 관찰하였더니 다음과 같았다.
>
> | 달걀 A | 달걀의 부피가 증가하여 증류수가 든 비커에 넣기 전보다 탱탱해졌다. |
> |---|---|
> | 달걀 B | 달걀의 부피가 줄어들었으며 30 % 설탕물이 든 비커에 넣기 전보다 쭈그러들었다. |

이에 대한 설명으로 옳은 것만을 |보기|에서 있는 대로 고른 것은?

┤ 보기 ├
ㄱ. 달걀 A에서는 삼투에 의해 물이 달걀 안쪽으로 이동하였다.
ㄴ. 달걀 B에서는 달걀 안쪽의 물이 30 % 설탕물 쪽으로 이동하였다.
ㄷ. 이 실험 결과로부터 달걀 안쪽의 물은 난각막 바깥쪽 방향으로만 이동한다는 것을 알 수 있다.

① ㄱ   ② ㄷ   ③ ㄱ, ㄴ
④ ㄱ, ㄷ   ⑤ ㄴ, ㄷ

출제 Point

삼투는 세포막을 경계로 농도가 낮은 용액에서 높은 용액으로 물이 이동하는 현상이다. 용질 입자는 크기가 커서 세포막을 통과할 수 없으므로 세포막을 통한 물의 확산이라고 할 수 있다.

03 다음은 식혜를 만드는 과정을 나타낸 것이다.

> (가) 잘게 부순 보리싹을 물에 불린 다음 고운 체로 걸러 낸다.
> (나) ⓐ걸러 낸 액체를 밥에 붓는다.
> (다) 온도를 따뜻하게 유지한 상태에서 시간이 지나면 ⓑ밥풀이 수면으로 떠오른다.
> (라) 불에 올려놓고 끓인 후 식혀서 먹는다.

이에 대한 설명으로 옳은 것만을 |보기|에서 있는 대로 고른 것은?

> ┤ 보기 ├
> ㄱ. ⓐ에는 아밀레이스가 들어 있다.
> ㄴ. ⓑ에 들어 있는 효소는 녹말이 분해되는 물질대사의 활성화 에너지를 낮춰 준다.
> ㄷ. (다) 과정을 통해 효소는 촉매 작용 중에 변하지 않음을 알 수 있다.

① ㄱ ② ㄴ ③ ㄱ, ㄴ
④ ㄱ, ㄷ ⑤ ㄴ, ㄷ

출제 Point
식혜는 보리싹(엿기름이라고도 함)에 들어 있는 효소를 이용한 음식이다.

04 다음은 정상적인 호랑이의 담황색 털이 나타나는 데 관련된 붉은색 색소가 만들어지는 과정을 나타낸 것이다.

> (가) 붉은색 색소 합성 효소 유전자의 유전 정보가 전사된다.
> (나) 번역 과정을 통해 (ⓐ   )가 만들어진다.
> (다) 붉은색 색소 합성 효소의 ⓑ촉매 작용으로 붉은색 색소가 합성된다.
> (라) ⓒ호랑이의 담황색 털색이 나타난다.

이에 대한 설명으로 옳은 것만을 |보기|에서 있는 대로 고른 것은?

> ┤ 보기 ├
> ㄱ. ⓐ는 붉은색 색소를 합성하는 효소이다.
> ㄴ. ⓑ를 통해 붉은색 색소를 합성하는 물질대사 반응의 활성화 에너지가 줄어든다.
> ㄷ. ⓒ는 호랑이의 대표적인 유전 형질이다.

① ㄱ ② ㄴ ③ ㄱ, ㄴ
④ ㄴ, ㄷ ⑤ ㄱ, ㄴ, ㄷ

출제 Point
호랑이의 담황색 털은 붉은색과 노란색 색소가 든 털에 의해 나타나는 대표적인 유전 형질이다.

6

이 단원에서는

물질은 화학 반응을 통해 변화를 일으킨다는 것을 이해하고, 자연에서 일어나는 여러 가지 화학 변화 중 산화와 환원, 중화 반응을 통해 물질 변화의 규칙성 및 원리를 알아본다.

단원별 정답과 해설을 QR 코드로 확인할 수 있어요.

화학 변화

6-1 산화와 환원

6-2 산과 염기

6-3 중화 반응

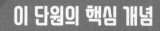

이 단원의 핵심 개념

화학 변화

산화와 환원	산과 염기	중화 반응
산화, 환원, 산화 환원의 동시성, 일상생활 속 산화 환원 반응	산, 염기, 산 염기의 특징, 일상생활 주변의 산성, 염기성 물질, 지시약, 이산화 탄소와 지구 환경	중화 반응, 중화 반응의 확인, 중화점, 중화열, 일상생활 속 중화 반응

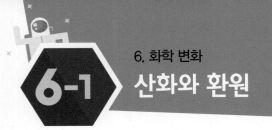

6-1 산화와 환원

1 지구와 생명의 역사를 바꾼 화학 반응

1. 광합성 빛에너지를 이용하여 이산화 탄소와 물로부터 포도당과 산소를 만드는 반응으로, 광합성은 생명체의 출현, 진화 및 생명 유지에 크게 기여하였다.

2. 화석 연료의 연소 화석 연료가 산소와 반응해 연소할 때 이산화 탄소와 물이 생성되며, 이 과정에서 발생하는 열을 교통수단이나 산업 발전에 이용하였다.

3. 철의 제련 자연 상태의 철광석에서 산소를 제거하고 순수한 철을 얻는 제련 반응을 통해 철기 시대가 열렸고, 문명이 발전하였다.

> **이 단원의 핵심 개념은~**
> - 산소의 이동에 의한 산화 환원
> - 전자의 이동에 의한 산화 환원
> - 일상생활 속 산화 환원 반응 예

2 산화 환원

1. 산소의 이동과 산화 환원

	산화	환원
정의	물질이 **산소와 결합**하는 반응	물질이 **산소를 잃는** 반응
예	구리를 가열하면 산소와 결합하여 산화 구리(Ⅱ)가 된다. 붉은색의 구리가 산소와 만나 검은색의 산화 구리(Ⅱ)가 된다. $$2Cu + O_2 \longrightarrow 2CuO$$ 구리 / 산소 / 산화 구리(Ⅱ)	산화 구리(Ⅱ)에 탄소를 넣고 가열하면 산화 구리(Ⅱ)는 산소를 잃고, 구리가 된다. 산화 구리(Ⅱ)가 잃은 산소는 탄소가 얻는다. $$2CuO + C \longrightarrow 2Cu + CO_2$$ 산화 구리(Ⅱ) / 탄소 / 구리 / 이산화 탄소

■ 산소와 전자의 이동
대체로 산소는 전자를 얻어 옥텟 규칙을 만족하면서 안정해지므로 산소와 결합하는 것은 산소에게 전자를 주는 것과 같다. 따라서 산소를 얻는 산화는 전자를 잃는 것과 같다.

2. 전자의 이동과 산화 환원

	산화	환원
정의	물질이 **전자를 잃는** 반응	물질이 **전자를 얻는** 반응
예	마그네슘이 산소와 결합할 때 Mg은 전자를 잃고 Mg^{2+}이 된다. $$2Mg + O_2 \longrightarrow 2MgO$$ 마그네슘 / 산소 / 산화 마그네슘 $Mg^{2+}O^{2-}$	산화 구리(Ⅱ)가 수소와 반응할 때 Cu^{2+}이 전자를 얻어 Cu가 된다. $$CuO + H_2 \longrightarrow Cu + H_2O$$ 산화 구리(Ⅱ) / 수소 / 구리 / 물 $Cu^{2+}O^{2-}$

■ 이온 전하량이 다른 금속의 반응은 이온과 금속 구리의 반응에서 은 이온이 얻는 전자 수와 구리가 잃는 전자 수가 같으려면 구리 원자가 1개 반응할 때 은 이온은 2개 반응해야 한다. 따라서 이온의 전하량이 다른 경우 반응식은 이동하는 전자의 수가 같도록 계수를 맞춰 주어야 한다.
$$2Ag^+ + Cu \longrightarrow 2Ag + Cu^{2+}$$

3. 산화 환원의 동시성 물질이 산소를 잃고 환원되면 다른 물질은 그 산소를 얻어 산화되고, 물질이 전자를 잃고 산화되면 다른 물질은 그 전자를 얻어 환원된다.

⇨ 하나의 화학 반응에서 산화와 환원은 동시에 일어난다.

하나의 화학 반응에서 잃은 전자의 수와 얻은 전자의 수는 같아야 한다.

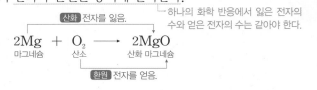

산화 전자를 잃음.
$$2Mg + O_2 \longrightarrow 2MgO$$
마그네슘 / 산소 / 산화 마그네슘
환원 전자를 얻음.

용어 |🔍

제련(製鍊)
철광석 등을 용광로에 넣고 녹여서 함유한 금속을 분리·추출하여 정제하는 것

3 일상생활과 산화 환원

1. 산화 반응의 예

① **연소** 물질이 산소와 빠르게 결합하여 빛과 열을 내는 반응이다.

예 메테인의 연소

$$\underset{\text{메테인}}{CH_4} + \underset{\text{산소}}{2O_2} \xrightarrow{\text{산화}} \underset{\text{물}}{2H_2O} + \underset{\text{이산화 탄소}}{CO_2}$$

② **금속의 부식** 금속이 산소와 서서히 결합하는 반응이다.

예 철의 부식

$$\underset{\text{철}}{4Fe} + \underset{\text{산소}}{3O_2} \xrightarrow{\text{산화}} \underset{\text{산화 철(III)}}{2Fe_2O_3}$$

③ **호흡** 생물체 내에서 포도당이 산소와 반응해 이산화 탄소와 물, 에너지를 얻는 반응이다.

예 식물의 호흡

$$\underset{\text{포도당}}{C_6H_{12}O_6} + \underset{\text{산소}}{6O_2} \xrightarrow{\text{산화}} \underset{\text{이산화 탄소}}{6CO_2} + \underset{\text{물}}{6H_2O} + \text{에너지}$$

2. 환원 반응의 예

① **철의 제련** 철광석을 코크스와 섞어 가열하여 순수한 철을 얻는 반응이다.
　주성분이 산화 철(III)

$$\underset{\text{산화 철(III)}}{Fe_2O_3} + \underset{\text{일산화 탄소}}{3CO} \xrightarrow{\text{환원}} \underset{\text{철}}{2Fe} + \underset{\text{이산화 탄소}}{3CO_2}$$

② **광합성** 식물이 빛에너지를 이용해 이산화 탄소와 물로부터 포도당과 산소를 얻는 반응이다.

$$\underset{\text{이산화 탄소}}{6CO_2} + \underset{\text{물}}{6H_2O} \xrightarrow[\text{빛에너지}]{\text{환원}} \underset{\text{포도당}}{C_6H_{12}O_6} + \underset{\text{산소}}{6O_2}$$

▲ 철의 제련 과정

(철광석, 코크스 / 배기 가스 / 열풍 / 쇳물)

■ 빠른 산화와 느린 산화
· 빠른 산화: 연소, 폭발 등이 해당되며, 빛과 열을 발생한다.
· 느린 산화: 부식, 부패, 발효 등이 해당된다.

■ 산화 반응의 억제(철의 부식 방지 방법)
· 산소나 물 차단: 페인트칠이나 기름칠, 도금
· 반응성이 큰 금속 이용: 철보다 반응성이 큰 금속을 철에 부착

❶ ① 코크스 산화
　$2C + O_2 \longrightarrow 2CO$
② 일산화 탄소로 산화 철(III) 환원
　$Fe_2O_3 + 3CO \longrightarrow 2Fe + 3CO_2$

■ 산화 환원 반응의 이용
· 연료의 연소: 연소 과정에서 발생하는 열에너지 이용
· 전지: 방전과 충전 과정에서 산화 환원 반응이 일어남.
· 산화 피막: 알루미늄 창틀의 산화 피막은 금속 내부의 산화를 막아줌.

출제 자료 Focus

황산 구리(II) 수용액과 아연의 반응

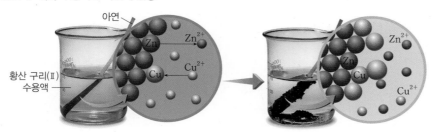

아연 / Zn / Zn^{2+} / Cu / Cu^{2+} / 황산 구리(II) 수용액 / Zn^{2+} / Cu^{2+}

출제 자료 확인하기

① 황산 구리(II) 수용액의 푸른색이 점점 옅어진다.
　⇦ (구리) 이온은 수용액 상태에서 푸른색을 띤다.

② 구리 이온(Cu^{2+})은 전자를 얻어 구리(Cu)가 되면서 아연판 표면에는 (붉은)색의 구리가 석출된다.

$$\underset{\text{환원 전자를 얻음.}}{\overset{\text{산화 전자를 잃음.}}{Zn + Cu^{2+} \longrightarrow Zn^{2+} + Cu}}$$

· 산화 반응: $Zn \longrightarrow Zn^{2+} + 2e^-$
· 환원 반응: $Cu^{2+} + 2e^- \longrightarrow Cu$

✔ **바로 체크**

1 산소와 결합하는 화학 반응은 (　　) 반응이다.

2 전자를 잃는 것은 (　　), 전자를 얻는 것은 (　　) 반응에 해당한다.

3 구리와 질산 은 수용액이 반응하면 은 이온은 전자를 (　　), 구리는 전자를 (　　).

1 산화 2 산화, 환원 3 얻고, 잃는다

| 탐구 목표 |

산화 구리(Ⅱ)와 탄소를 섞은 후 가열하는 실험을 통해 산화 구리(Ⅱ)의 환원 반응을 이해할 수 있다.

과정

시험관에 산화 구리(Ⅱ)와 탄소 가루(C)를 잘 섞어서 넣고 토치로 가열하였다.

탐구 결과

시험관에서 기체가 발생하면서 석회수는 뿌옇게 흐려지고, 검은색 산화 구리(Ⅱ)는 붉은색으로 변하였다.

탐구 정리

1 석회수가 변한 까닭을 이야기해 보자.

- 석회수는 수산화 칼슘($Ca(OH)_2$) 수용액으로 (㉠)와 반응하면 탄산 칼슘의 앙금을 생성해 뿌옇게 흐려진다. 석회수가 뿌옇게 흐려졌으므로 산화 구리(Ⅱ)와 탄소의 반응에서 (㉠) 기체가 발생했음을 알 수 있다.

2 산화 구리(Ⅱ)의 색깔이 변한 까닭을 설명해 보자.

- 검은색의 산화 구리(Ⅱ)가 (㉡)를 잃고, 붉은색의 구리로 변하였기 때문이다.

3 산화 구리(Ⅱ)와 탄소(C)의 화학 반응식을 쓰고, 산화 환원을 표시해 보자.

$$\overbrace{2CuO\ +\ C\ \longrightarrow\ 2Cu}^{(\ ㉢\ )}\ +\ CO_2$$

산화 구리(Ⅱ)　　탄소　　　구리　　이산화 탄소

(㉣)

이해 Check

1 이 실험에 대한 설명으로 옳은 것은 ○표, 옳지 않은 것은 ×표를 하시오.

(1) 탄소는 산소를 잃었다. ( )

(2) 가열 후 산화 구리(Ⅱ)는 산화되었다. ( )

(3) 산화 구리(Ⅱ)의 구리 이온은 전자를 잃는다.

( )

(4) 산화와 환원 반응이 동시에 일어난다. ( )

2 산화 구리(Ⅱ)와 탄소 가루의 실험처럼 산화 철(Ⅲ)에 코크스(C)를 넣고 가열하면 순수한 철을 얻을 수 있다. 이 반응의 화학 반응식에 산화와 환원을 표시하시오.

$$2C\ +\ O_2\ \longrightarrow\ 2CO$$
코크스　산소　　일산화 탄소

$$Fe_2O_3\ +\ 3CO\ \longrightarrow\ 2Fe\ +\ 3CO_2$$
산화 철(Ⅲ)　일산화 탄소　　철　　이산화 탄소

| 탐구 목표 |

금속과 금속 이온의 반응을 통해 산화 환원 반응에 따른 전자의 이동을 설명할 수 있다.

| 유의점 |

황산 구리(II) 수용액의 색이 옅어지는 것을 관찰하기 위해서 한 개의 홈판에는 반응하지 않는 황산 구리(II) 수용액을 넣어 둔다.

과정

① 6홈판 세 곳에 황산 구리(II) 수용액을 넣는다.
② 사포로 문지른 철판과 아연판을 ①의 홈판 두 곳에 각각 담그고 변화를 관찰한다.

 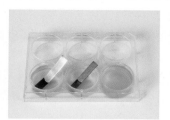

탐구 결과

금속	금속판의 변화	황산 구리(II) 수용액의 색깔 변화
철판	붉은색의 금속이 석출됨.	푸른색이 옅어짐.
아연판	붉은색의 금속이 석출됨.	푸른색이 옅어짐.

♀ **탐구 Plus**

금속과 금속 이온의 반응

반응성이 큰 금속과 반응성이 작은 금속 이온 사이에 반응이 일어나면 금속은 전자를 잃어 산화되고, 금속 양이온은 전자를 얻어 환원된다.

탐구 정리

1 반응 후 철판과 아연판에 붙어 있는 물질은 무엇인가?
  • 구리 이온이 붉은색의 (㉢)가 되어 석출되었다.
2 황산 구리(II) 수용액의 색깔이 변한 까닭이 무엇인가?
  • 수용액의 푸른색이 옅어지는 것은 (㉤)의 양이 줄어들었기 때문이다.
3 각 홈판에서 일어난 반응을 전자의 이동으로 설명해 보자.
  • 철판과 황산 구리(II) 수용액: 철(Fe)은 전자를 (㉦) 철 이온(Fe^{2+})이 되고, 수용액 속의 구리 이온(Cu^{2+})은 전자를 (◎) 철 표면에 구리(Cu)로 석출된다.
  • 아연판과 황산 구리(II) 수용액: 아연(Zn)은 전자를 (㉦) 아연 이온(Zn^{2+})이 되고, 수용액 속의 구리 이온(Cu^{2+})은 전자를 (◎) 구리(Cu)로 석출된다.

🙂 이해 Check

3 이 실험에서 황산 구리(II) 수용액과 철판, 아연판 사이에 일어나는 반응에 대한 설명으로 옳은 것만을 |보기|에서 있는 대로 고르시오.

┤ 보기 ├
  ㄱ. 구리 이온이 산화된다.
  ㄴ. 철판은 점점 얇아진다.
  ㄷ. 아연판은 점점 두꺼워진다.
  ㄹ. 전자는 아연판에서 구리 이온으로 이동하였다.

4 황산 구리(II) 수용액과 아연판 사이에 일어나는 반응의 화학 반응식을 쓰고, 산화와 환원 과정 및 전자의 잃고 얻음을 표시하시오.

01 다음 설명 중 옳은 것은 ○표, 옳지 <u>않은</u> 것은 ×표를 하시오.

(1) 산화는 전자를 잃는 반응이다. (　　)

(2) 메테인의 연소 반응에서는 산화만 일어난다.

(　　)

(3) 산화 철(Ⅲ)이 철이 될 때 산화 철(Ⅲ)은 환원된다.

(　　)

(4) 아연(Zn)이 아연 이온(Zn^{2+})이 되는 반응은 환원 반응이다. (　　)

02 다음 빈칸에 들어갈 알맞은 말을 쓰시오.

(1) 물질이 산소와 결합하는 것을 (　　), 산소를 잃는 것을 (　　)이라고 한다.

(2) 산화 철(Ⅲ)을 코크스와 섞어 가열하면 산화 철(Ⅲ)은 산소를 잃고 (　　)된다.

(3) 구리를 가열하면 구리는 산소와 반응하여 산화되며, 이때 구리는 전자를 (　　).

(4) 질산 은 수용액에 구리판을 담그면 은 이온은 전자를 (　　)고, 구리는 전자를 (　　).

03 산화 반응의 예로 옳은 것만을 |보기|에서 있는 대로 고르시오.

┤ 보기 ├

ㄱ. 철 못이 붉게 녹이 슬었다.

ㄴ. 깎아 놓은 사과가 갈색으로 변하였다.

ㄷ. 동맥혈이 정맥혈보다 더 붉은색을 띤다.

04 철의 제련 과정에 대한 설명이다. 빈칸에 들어갈 알맞은 말을 쓰시오.

산화 철(Ⅲ)을 (㉠)(C)와 섞어 가열하면 (㉠)는 (㉡)와 반응하여 일산화 탄소가 되고, 이 일산화 탄소가 산화 철(Ⅲ)의 (㉡)를 가져가 순수한 철을 얻게 된다.

05 다음 화학 반응식에서 산화와 환원이 일어나는 과정을 각각 화살표로 표시하고, 화살표 위에 산화 과정인지 환원 과정인지 쓰시오.

(1) $2CuO + C \longrightarrow 2Cu + CO_2$

(2) $Mg + Cu^{2+} \longrightarrow Mg^{2+} + Cu$

06 다음 반응에서 산화되는 물질을 모두 쓰시오.

(가) 산화 구리(Ⅱ) + 수소 ⟶ 구리 + 물
(나) 철 + 구리 이온 ⟶ 철 이온 + 구리

07 일상생활 속 산화 환원 반응 예에 대한 설명으로 옳은 것만을 |보기|에서 있는 대로 고르시오.

┤ 보기 ├

ㄱ. 전지가 작동할 때 전자를 주고 받는 반응이 일어난다.

ㄴ. 연료가 연소할 때 발생하는 열에너지를 난방에 이용한다.

ㄷ. 광합성 과정에서는 산화 반응과 환원 반응이 모두 일어난다.

ㄹ. 철로 된 공구에 기름칠을 하는 것은 철의 환원 반응을 막기 위해서이다.

08 다음은 황산 구리(Ⅱ) 수용액에 아연판을 담갔을 때의 변화이다.

(가) 수용액의 푸른색이 옅어진다.
(나) 아연판에 붉은색 고체가 석출된다.

(가)와 (나)를 참고로 황산 구리(Ⅱ) 수용액과 아연판의 반응에서 전자의 이동을 서술하시오.

_____

_____

01 산화 환원에 대한 설명으로 옳은 것은?

① 산화는 전자를 얻는 것이다.
② 환원은 산소를 얻는 것이다.
③ 연소 과정에서 환원되는 물질은 없다.
④ 금속이 금속 이온이 되는 것은 환원이다.
⑤ 구리가 산소를 얻으면 전자를 잃는 것과 같다.

02 그림과 같이 시험관에 산화 구리(Ⅱ)와 탄소 가루(C)를 넣고 가열하였더니 석회수가 뿌옇게 흐려졌다.

산화 구리(Ⅱ) + 탄소(C)

석회수

이에 대한 설명으로 옳은 것만을 |보기|에서 있는 대로 고른 것은?

| 보기 |

ㄱ. 탄소는 산소를 얻는다.
ㄴ. 산화 구리(Ⅱ)는 환원된다.
ㄷ. 구리 이온은 전자를 얻는다.

① ㄱ　　　　② ㄴ　　　　③ ㄱ, ㄷ
④ ㄴ, ㄷ　　　⑤ ㄱ, ㄴ, ㄷ

03 다음은 생명 현상에서 중요한 화학 반응을 나타낸 것이다.

$$6CO_2 + 6H_2O \longrightarrow C_6H_{12}O_6 + 6O_2$$

이에 대한 설명으로 옳은 것만을 |보기|에서 있는 대로 고른 것은?

| 보기 |

ㄱ. 전자가 이동하는 반응이다.
ㄴ. 이산화 탄소는 포도당으로 산화된다.
ㄷ. 반응이 일어나기 위해서는 빛에너지가 필요하다.

① ㄱ　　　　② ㄷ　　　　③ ㄱ, ㄷ
④ ㄴ, ㄷ　　　⑤ ㄱ, ㄴ, ㄷ

[04~05] 다음은 철의 제련 과정에 대한 설명이다.

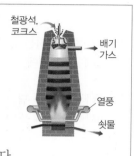

ⓐ 철은 주로 산소와 결합한 산화 철(Ⅲ)의 형태로 매장되어 있다. 산화 철(Ⅲ)을 코크스와 섞어 가열하면 ⓑ 코크스는 산소와 반응하여 일산화 탄소가 되고, 이 ⓒ 일산화 탄소가 산화 철(Ⅲ)의 산소와 반응하여 순수한 철을 얻을 수 있다.

철광석, 코크스

배기 가스

열풍

쇳물

04 ⓐ~ⓒ에서 산화되는 물질의 화학식으로 옳은 것은?

	ⓐ	ⓑ	ⓒ
①	Fe	C	CO
②	Fe	CO	Fe_2O_3
③	Fe_2O_3	C	CO
④	Fe_2O_3	CO	Fe_2O_3
⑤	O_2	C	CO

05 ⓒ의 반응을 화학 반응식으로 옳게 나타낸 것은?

① $Fe + CO \longrightarrow FeO + C$
② $Fe + CO_2 \longrightarrow FeO + CO$
③ $FeO + C \longrightarrow Fe + CO_2$
④ $Fe_2O_3 + CO \longrightarrow Fe + CO_2$
⑤ $Fe_2O_3 + 3CO \longrightarrow 2Fe + 3CO_2$

06 일상생활에서 일어나는 산화 환원 반응의 예가 <u>아닌</u> 것은?

① 건전지를 넣은 손전등에 불이 켜졌다.
② 세면대에 놓아 둔 철 핀이 붉게 녹슬었다.
③ 한 번 사용한 기름에서 불쾌한 냄새가 났다.
④ 생선에 레몬즙을 뿌리면 비린내가 줄어든다.
⑤ 초에 불을 붙이면 빛과 열을 내며 초가 탄다.

[07~08] 다음은 금속과 금속 이온 반응에 대한 실험이다.

[과정]
(가) 6홈판 3곳에 황산 구리(Ⅱ) 수용액을 넣는다.
(나) 사포로 문지른 철판과 아연판을 두 곳의 황산 구리
　　(Ⅱ) 수용액에 각각 담그고 변화를 관찰한다.

[결과]
철판과 아연판을 담근 용액의 색이 옅어지고, 철판과
아연판에서 모두 붉은색 고체가 석출되었다.

07 이 실험에 대한 설명으로 옳은 것만을 |보기|에서 있는 대로 고른 것은?

┤ 보기 ├
ㄱ. 석출된 고체는 아연이다.
ㄴ. (나)에서 구리 이온은 환원된다.
ㄷ. (가)에서 홈판 3곳에 수용액을 넣는 것은 수
　 용액의 색 변화를 비교하기 위한 것이다.

① ㄱ　　　　　② ㄴ　　　　　③ ㄱ, ㄷ
④ ㄴ, ㄷ　　　　⑤ ㄱ, ㄴ, ㄷ

| 과학적 탐구 능력 |

08 추가 실험으로 황산 철(Ⅱ) 수용액에 아연판을 넣었을
때 반응이 일어났다면 철, 구리, 아연의 산화되기 쉬운
순서로 옳은 것은?

① 철>구리>아연
② 철>아연>구리
③ 아연>철>구리
④ 아연>구리>철
⑤ 구리>철>아연

09 철의 부식을 방지하기 위한 방법 중 원리가 나머지 넷
과 **다른** 것은?

① 공구에 기름칠을 한다.
② 철 대문에 페인트를 칠한다.
③ 철 캔을 주석으로 도금한다.
④ 배의 바닥에 아연을 부착한다.
⑤ 철 수도꼭지에 크롬을 도금한다.

10 그림과 같이 묽은 염산에 아연 조각을 넣
었더니 수소 기체가 발생하였다.
이에 대한 설명으로 옳은 것만을 |보기|
에서 있는 대로 고른 것은?

아연
조각

┤ 보기 ├
ㄱ. 염산의 수소 이온이 환원된다.
ㄴ. 수소 이온과 아연이 2 : 1의 개수비로 반응
　 한다.
ㄷ. 반응식은 $Zn + H^+ \longrightarrow Zn^{2+} + H$와 같
　 이 쓸 수 있다.

① ㄱ　　　　　② ㄴ　　　　　③ ㄱ, ㄴ
④ ㄴ, ㄷ　　　　⑤ ㄱ, ㄴ, ㄷ

11 그림은 마그네슘 리본의 연
소 반응을 나타낸 것이다. 이
때 산화되는 물질과 환원되
는 물질을 순서대로 옳게 나
열한 것은?

① 마그네슘 — 산소
② 산소 — 마그네슘
③ 마그네슘 — 산화 이온
④ 산화 이온 — 마그네슘 이온
⑤ 마그네슘 이온 — 산화 이온

12 다음은 산화 환원과 관련된 화학 반응식이다.

> (1) $CuO + H_2 \longrightarrow Cu + H_2O$
> (2) $CuCl_2 + Zn \longrightarrow Cu + ZnCl_2$

각 반응에서 산화와 환원 과정을 화살표로 연결하고, 산소 또는 전자의 이동으로 산화 환원 반응을 설명하시오.

| 과학적 사고력 |

13 그림은 철의 부식을 방지하는 방법을 확인하기 위한 실험 장치이다.

(1) (가)와 (나) 중 철의 부식을 방지하는 데 더 효과적인 방법은 무엇일지 예측하고, 그 까닭을 서술하시오.

(2) 위의 두 방법 외에 철의 부식을 방지하기 위해 사용할 수 있는 또 다른 방법을 1가지만 쓰시오.

14 은(Ag)은 공기 중의 황화 수소와 반응하여 검은 녹인 황화 은(Ag_2S)을 형성한다. 다음은 은반지의 검은 녹을 제거하는 실험이다.

> [과정]
> (가) 비커에 물을 넣은 후 베이킹 소다를 조금 녹인다.
> (나) (가)의 비커 바닥에 알루미늄박을 깔고 녹슨 은반지를 넣은 후 가열한다.
>
>
>
> [결과]
> 은반지의 검은 녹이 사라지고, 원래의 은색으로 되돌아왔다.

실험 결과를 바탕으로 이 실험에서 산화된 물질과 환원된 물질이 무엇인지 쓰고, 그 까닭을 서술하시오.

| 과학적 탐구 능력 |

15 다음은 금속의 산화 환원 반응 실험이다. (단, A~C는 임의의 원소 기호이다.)

> (가) ASO_4 수용액에 금속 B를 넣었더니 금속 A가 석출되었다.
> (나) 묽은 염산에 금속 A, B, C를 각각 넣었더니 금속 B와 C에서 기포가 발생하였다.

(1) 실험 결과를 바탕으로 금속 A, B와 수소(H)를 산화되기 쉬운 순서대로 나열하시오.

(2) 금속 A, B, C와 수소(H)를 산화되기 쉬운 순서대로 나열하기 위해 추가로 수행해야 하는 실험을 쓰시오.

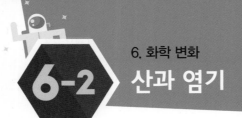
1 산

1. 산 수용액에서 수소 이온(H^+)을 내놓는 물질이다.

　예 염산(HCl), 황산(H_2SO_4), 질산(HNO_3), 아세트산(CH_3COOH) 등

2. 산의 특징

- 대부분 신맛이 난다.
- 수용액에서 전류가 흐른다. ┌물속에서 이온화된다는 의미. 염기도 수용액에서 전류가 흐른다.
- 푸른색 리트머스 종이를 붉게 변화시킨다.
- 마그네슘 등의 금속과 반응하면 수소 기체가 발생한다.
- 달걀 껍데기(탄산 칼슘)와 반응하여 이산화 탄소 기체를 발생한다.

3. 산의 이온화 산은 물에 녹아 수소 이온(H^+)과 음이온으로 이온화한다.

$$산 \longrightarrow H^+ + 음이온$$

- 산의 공통적인 성질은 양이온인 H^+ 때문에 나타난다.
- 산마다 성질이 다른 것은 음이온의 종류가 다르기 때문이다.

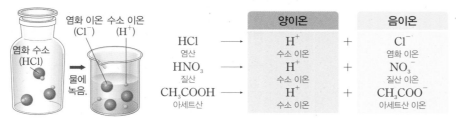

	양이온		음이온
HCl 염산	H^+ 수소 이온	$+$	Cl^- 염화 이온
HNO_3 질산	H^+ 수소 이온	$+$	NO_3^- 질산 이온
CH_3COOH 아세트산	H^+ 수소 이온	$+$	CH_3COO^- 아세트산 이온

4. 산성을 나타내는 이온의 확인 장치에 전류를 흘려 주면 양이온인 H^+이 (−)극 쪽으로 이동하므로 푸른색 리트머스 종이가 (−)극 쪽으로 붉게 변한다. ⇨ 산의 공통적인 성질을 나타내는 입자는 H^+임을 알 수 있다.

묽은 염산을 적신 실

(−)극　　　(+)극

질산 칼륨은 전해질의 역할을 한다.

질산 칼륨 수용액을 적신 푸른색 리트머스 종이

5. 생활 주변의 산성 물질

과일	식초	탄산음료
과일에는 시트르산 등 여러 가지 산이 들어 있다.	식초 속에는 아세트산이 들어 있다.	이산화 탄소가 녹아 탄산을 생성한다.

2 염기

1. 염기 수용액에서 수산화 이온(OH^-)을 내놓는 물질이다.

　예 수산화 나트륨($NaOH$), 수산화 칼륨(KOH), 수산화 칼슘($Ca(OH)_2$) 등

이 단원의 핵심 개념은~

- 산과 염기의 성질
- 지시약의 색깔 변화
- 이산화 탄소가 지구 환경에 미치는 영향

■ **맛과 액성**

신맛이 나는 과일 등은 산이고, 쓴 맛이 나는 약은 모두 염기라고 생각할 수 있으나 해열 진통제로 사용되는 살리실산은 산성을 띤다.

■ **전해질**

전해질이란 어떤 물질을 물에 녹였을 때 전기가 통하는 물질로, 산과 염기, 이온 결합을 하는 물질들이 전해질이다.

용어 　🔍

수용액(水溶液)
물을 용매로 해 만든 용액
액성(液性)
산성, 중성, 염기성 등의 용액의 성질

2. 염기의 특징

- 대부분 쓴맛이 난다.
- 수용액에서 전류가 흐른다.
- 붉은색 리트머스 종이를 푸르게 변화시킨다.
- 단백질을 녹이는 성질이 있어 피부에 묻으면 미끈거린다.

3. 염기의 이온화
염기는 물에 녹아 수산화 이온(OH^-)과 양이온으로 이온화한다.

$$염기 \longrightarrow 양이온 + OH^-$$

- 염기의 공통적인 성질은 OH^- 때문에 나타난다.
- 염기마다 성질이 다른 것은 양이온의 종류가 다르기 때문이다.

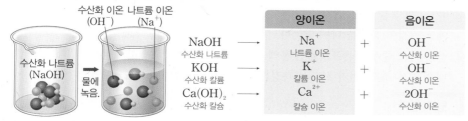

	양이온		음이온
$NaOH$ 수산화 나트륨 $\longrightarrow$	Na^+ 나트륨 이온	+	OH^- 수산화 이온
KOH 수산화 칼륨 $\longrightarrow$	K^+ 칼륨 이온	+	OH^- 수산화 이온
$Ca(OH)_2$ 수산화 칼슘 $\longrightarrow$	Ca^{2+} 칼슘 이온	+	$2OH^-$ 수산화 이온

4. 염기성을 나타내는 이온의 확인
장치에 전류를 흘려 주면 음이온인 OH^-이 (+)극 쪽으로 이동하므로 붉은색 리트머스 종이가 (+)극 쪽으로 푸르게 변한다. ⇨ 염기의 공통적인 성질을 나타내는 입자는 OH^-임을 알 수 있다.

수산화 나트륨 수용액을 적신 실

(−)극   (+)극

질산 칼륨 수용액을 적신 붉은색 리트머스 종이

5. 생활 주변의 염기성 물질

비누	제산제	하수구 세정제
수산화 나트륨을 원료로 해 만든다.	제산제 속 수산화 마그네슘 등이 위산에 작용한다.	세정제 속 수산화 나트륨 등이 단백질을 녹이는 성질이 있다.

3 이산화 탄소가 지구 환경에 미치는 영향

이산화 탄소는 화석 연료의 연소나 동식물의 호흡 등을 통해 배출되며, 배출된 이산화 탄소가 바닷물에 녹으면 수소 이온의 농도를 높여 산호초가 하얗게 변하거나 조개껍데기가 얇아지고, 해양 생물의 개체수가 감소한다.

출제 자료 Focus

지시약
용액의 액성에 따라 색이 달라지는 물질로, 용액의 액성을 구별하는 데 사용한다.

출제 자료 확인하기

지시약	리트머스 종이	BTB 용액	페놀프탈레인 용액	메틸 오렌지 용액
산성	푸른색 → (붉은색)	노란색	무색	(붉은색)
중성	—	(초록색)	무색	노란색
염기성	붉은색 → (푸른색)	푸른색	(붉은색)	노란색

✔ 바로 체크

1 산은 수용액 상태에서 (　　) 이온을 내놓는 물질이다.

2 염기는 수용액 상태에서 (　　) 이온을 내놓는 물질이다.

3 산과 염기가 수용액 상태에서 전류가 흐르는 것은 산과 염기가 수용액에서 (　　)되기 때문이다.

4 용액의 액성을 구별하기 위해 사용하는 물질로 액성에 따라 색이 변하는 물질을 (　　)이라고 한다.

5 페놀프탈레인 용액은 (　　)에서 붉은색으로 변한다.

정답
1 수소 2 수산화 3 이온화 4 지시약 5 염기성

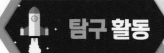
| 탐구 목표 |

우리 주변의 다양한 산과 염기가 지니는 공통적인 성질을 확인할 수 있다.

| 유의점 |

• 보안경과 실험용 장갑을 반드시 착용한다.
• 용액이 피부에 닿으면 흐르는 물에 바로 씻는다.
• 각 용액에 넣었던 유리막대와 전기 전도성 측정기는 증류수로 깨끗이 씻은 후 재사용한다.
• 실험이 끝난 후 사용한 시약은 지정된 폐수통에 버린다.

과정

① 6가지 용액(식초, 탄산음료, 묽은 염산, 유리 세정제, 제산제, 비눗물)을 준비한다.
② 각 용액을 유리 막대로 찍어 붉은색과 푸른색 리트머스 종이의 색 변화로 산과 염기를 구별한다.
③ 6가지 용액을 산과 염기로 나눠 24홈판의 같은 가로줄에 각각 담고, 3개의 가로줄에도 똑같이 용액을 나눠 담는다.
④ 같은 가로 줄에 페놀프탈레인 용액을 떨어뜨려 변화를 확인하고, 달걀 껍데기, 마그네슘 리본 조각, 전기 전도성 측정기에 대해서도 똑같이 변화를 확인한다.

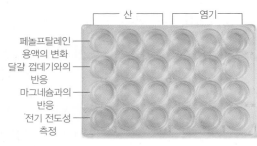
산 · 염기
페놀프탈레인 용액의 변화
달걀 껍데기와의 반응
마그네슘과의 반응
전기 전도성 측정

탐구 결과

과정	산			염기		
	식초	탄산음료	묽은 염산	유리 세정제	제산제	비눗물
리트머스 종이	붉은색	붉은색	붉은색	푸른색	푸른색	푸른색
페놀프탈레인 용액	없음.	없음.	없음.	붉은색	붉은색	붉은색
달걀 껍데기	기체 발생	기체 발생	기체 발생	없음.	없음.	없음.
마그네슘 리본	기체 발생	기체 발생	기체 발생	없음.	없음.	없음.
전기 전도성	있음.	있음.	있음.	있음.	있음.	있음.

탐구 정리

1 산과 염기는 각각 어떤 공통적인 성질을 가졌는지 정리해 보자.
• 산은 푸른색 리트머스 종이를 (㉠)색으로 변화시키고, 달걀 껍데기 및 마그네슘과 반응하여 (㉡)를 발생한다.
• 염기는 붉은색 리트머스 종이를 (㉢)색으로, 페놀프탈레인 용액을 (㉣)색으로 변화시키고, 달걀 껍데기 및 마그네슘과는 반응하지 않는다.

2 전기 전도성 측정으로 알 수 있는 산과 염기의 공통적인 성질은 무엇인지 정리해 보자.
• 산 염기 수용액에는 (㉤)이 포함되어 있어 전류가 흐른다.

이해 Check

1 위 실험 결과에 대한 설명으로 옳지 않은 것은?

① 식초와 탄산음료는 산성을 띤다.
② 페놀프탈레인은 염기성에서 색을 띤다.
③ 제산제 용액을 손으로 만지면 비누를 만질 때처럼 미끈거릴 것이다.
④ 레몬즙을 이용해 실험한다면 유리 세정제와 같은 실험 결과가 나타날 것이다.
⑤ 유리 세정제와 제산제는 붉은색 리트머스 종이를 푸르게 변화시키므로 염기성을 띤다.

2 미지의 시약이 산인지 염기인지 구별할 수 있는 방법으로 옳은 것만을 |보기|에서 있는 대로 고르시오.

| 보기 |
ㄱ. 달걀 껍데기를 넣어 본다.
ㄴ. 전기 전도성을 측정한다.
ㄷ. 마그네슘 리본을 넣어 본다.
ㄹ. 페놀프탈레인 용액을 넣어 본다.

탐구 활동 — 산성과 염기성을 나타내는 이온

| 탐구 목표 |
염산과 수산화 나트륨 수용액에 들어 있는 이온의 성질을 확인할 수 있다.

| 유의점 |
- 보안경과 실험용 장갑을 반드시 착용한다.
- 용액이 피부에 닿으면 흐르는 물에 바로 씻는다.
- 전원 장치를 사용할 때는 전기 안전에 주의한다.
- 실험이 끝난 후 사용한 시약은 지정된 폐수통에 버린다.

과정

① 유리판에 질산 칼륨 수용액에 적신 거름종이를 올려놓고, 그 위에 푸른색 리트머스 종이와 붉은색 리트머스 종이를 올려놓는다.

② 묽은 염산과 수산화 나트륨 수용액을 적신 실을 각각 푸른색 리트머스 종이와 붉은색 리트머스 종이의 중앙에 올려놓은 후 집게로 고정한다.

③ 집게 양 끝에 전원 장치를 연결해 전류를 흘려 준 후 리트머스 종이의 변화를 관찰한다.

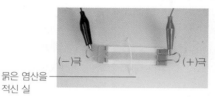
(−)극 (+)극
묽은 염산을 적신 실

(−)극 (+)극
수산화 나트륨 수용액을 적신 실

탐구 결과

구분	묽은 염산	수산화 나트륨 수용액
결과	실에서 (−)극 쪽으로 푸른색 리트머스 종이가 붉게 변한다.	실에서 (+)극 쪽으로 붉은색 리트머스 종이가 푸르게 변한다.

탐구 정리

1 염산과 수산화 나트륨의 이온화식을 각각 써 보자.
- $HCl \longrightarrow$ (㉣) $+ Cl^-$ $NaOH \longrightarrow Na^+ +$ (㉤)

2 리트머스 종이에 변화가 나타나는 것은 어떤 이온 때문인지 또 그렇게 생각한 까닭이 무엇인지 정리해 보자.
- 염산의 경우 전류를 흘려 주었을 때 (−)극 쪽에서만 색의 변화가 일어난 것으로 보아 (+) 이온이 리트머스 종이의 색을 변화시킨다고 추측할 수 있다. 즉, 리트머스 종이가 붉게 변한 것은 (㉣) 때문이다.
- 수산화 나트륨 수용액의 경우 전류를 흘려 주었을 때 (+)극 쪽에서만 색의 변화가 일어난 것으로 보아 (−) 이온이 리트머스 종이의 색을 변화시킨다고 추측할 수 있다. 즉, 리트머스 종이가 푸르게 변한 것은 (㉤) 때문이다.

이해 Check

3 위 실험에 대한 설명으로 옳은 것만을 |보기|에서 있는 대로 고르시오.

┌ 보기 ┐
ㄱ. 수산화 나트륨에서 나트륨 이온은 이동하지 않았다.
ㄴ. 질산 칼륨은 전류를 쉽게 흐르게 하기 위해 사용한다.
ㄷ. 염산 대신 질산을 사용해도 염산과 같은 실험 결과를 얻을 수 있다.

4 위 실험에서 수산화 마그네슘($Mg(OH)_2$)을 사용하였을 때 (+)극과 (−)극 중 어떤 전극으로 어떤 이온이 이동할지와 리트머스 종이의 색 변화를 서술하시오.

개념 확인 문제

01 다음 설명 중 산의 특징에는 '산', 염기의 특징에는 '염기', 공통된 특징에는 '공통'이라고 쓰시오.

(1) 신맛이 난다. ( )

(2) 쓴맛이 난다. ( )

(3) 물에 녹으면 이온화된다. ( )

(4) 손에 문지르면 미끈거린다. ( )

(5) 수용액 상태에서 전류가 흐른다. ( )

(6) 페놀프탈레인 용액을 붉게 변화시킨다.

( )

(7) 탄산 칼슘과 반응하여 기체를 발생한다.

( )

(8) 금속과 반응하여 수소 기체를 발생한다.

( )

(9) 푸른색 리트머스 종이를 붉게 변화시킨다.

( )

(10) 붉은색 리트머스 종이를 푸르게 변화시킨다.

( )

02 다음 산을 물에 녹였을 때의 이온화식을 완성하시오.

(1) 염산: $HCl \longrightarrow$ ( ) $+ Cl^-$

(2) 황산: $H_2SO_4 \longrightarrow 2H^+ +$ ( )

(3) 질산: ( ) $\longrightarrow H^+ + NO_3^-$

03 다음 염기를 물에 녹였을 때의 이온화식을 완성하시오.

(1) 수산화 칼륨: $KOH \longrightarrow K^+ +$ ( )

(2) 수산화 나트륨: $NaOH \longrightarrow$ ( ) $+ OH^-$

(3) 수산화 마그네슘: ( ) $\longrightarrow Mg^{2+} + 2OH^-$

04 다음 물질들이 산성을 갖는 이유와 가장 관련이 깊은 이온은?

| 염산 황산 질산 |

① H^+ ② Na^+ ③ OH^-

④ Cl^- ⑤ NO_3^-

05 그림과 같이 질산 칼륨 수용액을 적신 붉은색 리트머스 종이 위에 수산화 나트륨 수용액을 적신 실을 가운데 놓고 전류를 흘려 주었더니 리트머스 종이의 색이 푸른색으로 변하였다.

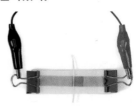

색이 변하는 쪽의 전극과 색을 변화시킨 원인이 되는 이온을 쓰시오.

06 표는 산성, 중성, 염기성에서의 지시약의 색깔 변화를 나타낸 것이다.

지시약	산성	중성	염기성
BTB	노란색	㉠	푸른색
메틸 오렌지	㉡	㉢	노란색
페놀프탈레인	무색	무색	㉣

빈칸에 들어갈 알맞은 말을 쓰시오.

07 다음 |보기|의 물질을 산과 염기로 분류하시오.

보기

ㄱ. 식초   ㄴ. 비누

ㄷ. 과일   ㄹ. 제산제

• 산:

• 염기:

실력 쑥쑥 문제

01 식초로 얻을 수 있는 실험 결과로 옳은 것만을 |보기|에서 있는 대로 고른 것은?

┤ 보기 ├
ㄱ. 수용액에 전류가 흐른다.
ㄴ. 손에 묻으면 미끈거린다.
ㄷ. BTB 용액을 노란색으로 변화시킨다.
ㄹ. 수용액에 마그네슘을 넣으면 수소 기체가 발생한다.

① ㄱ, ㄴ   ② ㄱ, ㄷ   ③ ㄴ, ㄷ
④ ㄱ, ㄷ, ㄹ   ⑤ ㄴ, ㄷ, ㄹ

02 대표적 산인 황산과 질산은 산으로서의 공통적인 성질 외에 다음과 같이 각각 특유의 성질을 가진다.

황산	질산
탈수 작용이 있다.	햇빛에 의해 쉽게 분해되므로 갈색 병에 보관한다.

이에 대한 까닭으로 가장 적절한 것은?

① 물에 녹아 이온화하기 때문
② 수용액에서 전류가 흐르기 때문
③ 서로 다른 음이온을 가졌기 때문
④ 서로 같은 양이온을 가졌기 때문
⑤ 수용액 상태에서 이온의 수가 같기 때문

03 수산화 나트륨과 수산화 마그네슘의 공통적인 성질로 옳지 않은 것은?

① 수용액에 전류가 흐른다.
② 단백질을 녹이는 성질이 있다.
③ 수용액에서 OH^-을 내놓는다.
④ 페놀프탈레인 용액을 붉게 변화시킨다.
⑤ 달걀 껍데기와 반응시키면 기체가 발생한다.

[04~05] 그림과 같이 질산 칼륨 수용액을 적신 푸른색 리트머스 종이 위에 묽은 염산을 적신 실을 올려놓고 전류를 흘려 주었다.

04 (+)극과 (−)극 쪽으로 이동하는 이온을 모두 옳게 짝 지은 것은?

	(+)극	(−)극
①	Cl^-	H^+
②	H^+, K^+	Cl^-, NO_3^-
③	H^+, Cl^-	K^+, NO_3^-
④	K^+, NO_3^-	H^+, Cl^-
⑤	Cl^-, NO_3^-	H^+, K^+

05 염산 대신 사용하여 위 실험과 같은 결과를 얻을 수 있는 물질로 옳게 짝 지은 것은?

① HNO_3, NH_3
② KOH, $NaOH$
③ $Ca(OH)_2$, HCl
④ H_2CO_3, KOH
⑤ H_2SO_4, CH_3COOH

06 수용액에 페놀프탈레인 용액을 떨어뜨렸을 때 붉은색으로 변하는 물질만을 |보기|에서 있는 대로 고른 것은?

┤ 보기 ├
ㄱ. 염산   ㄴ. 질산
ㄷ. 암모니아   ㄹ. 아세트산
ㅁ. 수산화 칼슘   ㅂ. 수산화 나트륨

① ㄱ, ㄴ, ㄹ   ② ㄱ, ㄷ, ㅂ   ③ ㄴ, ㄷ, ㅁ
④ ㄷ, ㄹ, ㅁ   ⑤ ㄷ, ㅁ, ㅂ

| 과학적 탐구 능력 |

07 묽은 염산과 수산화 나트륨 수용액을 구별하기 위한 실험 방법으로 옳은 것만을 |보기|에서 있는 대로 고른 것은?

┤ 보기 ├
ㄱ. 수용액의 맛을 보고 구분한다.
ㄴ. 수용액에 마그네슘을 넣어 본다.
ㄷ. 수용액에 전구와 전선을 연결하여 불이 들어오는지 확인한다.

① ㄱ　　　② ㄴ　　　③ ㄷ
④ ㄱ, ㄷ　　　⑤ ㄱ, ㄴ, ㄷ

08 다음은 지시약을 이용해 용액의 액성을 알아보는 실험이다.

(가) 아세트산에 BTB 용액을 넣는다.
(나) 황산에 페놀프탈레인 용액을 넣는다.
(다) 증류수에 메틸 오렌지 용액을 넣는다.
(라) 수산화 나트륨 수용액에 메틸 오렌지 용액을 넣는다.

(가)~(라) 실험 중 용액이 노란색을 나타내는 것만을 있는 대로 고른 것은?

① (가), (나)　　　② (나), (다)
③ (다), (라)　　　④ (가), (다), (라)
⑤ (나), (다), (라)

[09~10] 다음은 어떤 수용액의 성질을 알아보기 위한 실험이다.

[과정]
그림과 같이 질산 칼륨 수용액을 적신 붉은색 리트머스 종이 위에 어떤 용액을 적신 실을 올려놓고 전류를 흘려 주었다.

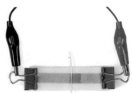

[결과]
실의 오른쪽으로 붉은색 리트머스 종이의 색이 푸르게 변하였다.

| 과학적 사고력 |

09 이 실험에 대한 설명으로 옳은 것만을 |보기|에서 있는 대로 고른 것은?

┤ 보기 ├
ㄱ. 오른쪽이 (+)극이다.
ㄴ. 위 실험으로 H^+의 존재를 확인할 수 있다.
ㄷ. 전극을 바꾸어도 리트머스 종이의 색은 오른쪽으로 푸르게 변한다.

① ㄱ　　　② ㄴ　　　③ ㄷ
④ ㄱ, ㄴ　　　⑤ ㄱ, ㄴ, ㄷ

10 이 수용액의 특징에 대한 설명으로 옳은 것만을 |보기|에서 있는 대로 고른 것은?

┤ 보기 ├
ㄱ. 신맛이 난다.
ㄴ. 단백질을 녹이는 성질이 있다.
ㄷ. BTB 용액을 넣으면 푸른색으로 변한다.

① ㄱ　　　② ㄴ　　　③ ㄱ, ㄷ
④ ㄴ, ㄷ　　　⑤ ㄱ, ㄴ, ㄷ

11 최근 들어 해양의 산성화로 인해 해양 생태계의 파괴가 심각하다. 산호초가 하얗게 변하거나 조개껍데기의 두께가 얇아지는 등 수많은 문제들이 발생하고 있다.

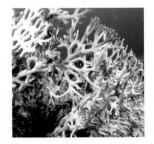

해양 산성화가 일어나는 가장 큰 원인으로 옳은 것은?
① 유조선 기름 유출 사고로 인해서
② 대기 중의 이산화 탄소 양이 많아져서
③ 플라스틱으로 인한 해양 오염이 증가해서
④ 해양 생물의 개체수가 갑자기 줄어들어서
⑤ 수온 증가로 인한 기체의 용해도 감소로 인해서

서술형 문제

12 묽은 염산과 황산에 마그네슘 리본을 넣었을 때 발생하는 기체에 불이 붙은 성냥을 가까이 대었더니 '펑' 소리가 나면서 터졌다.

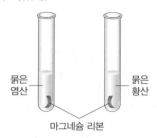

(1) 발생하는 기체가 무엇인지 쓰시오.

_____

(2) 묽은 염산 및 황산과 마그네슘이 반응하여 기체를 생성하는 반응의 화학 반응식을 각각 쓰시오.

_____

_____

13 표는 어떤 용액을 이용해 실험한 결과이다.

실험	달걀 껍데기와 반응	페놀프탈레인 용액 첨가	전기 전도성 측정
결과	반응하지 않음.	붉은색으로 변함.	전기 전도성 있음.

다음 용액 중 위와 같은 결과가 나타날 것으로 예상되는 물질을 모두 고르고, 해당 물질들이 같은 실험 결과를 나타내는 까닭을 서술하시오.

레몬즙	식초	탄산음료
비눗물	제산제	하수구 세정제

_____

_____

| 과학적 사고력 |

14 그림과 같이 세 가지 용액이 들어 있는 비커의 라벨이 떨어졌다.

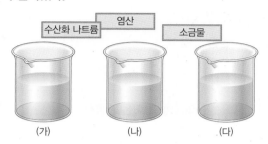

표는 (가)~(다) 용액을 확인하기 위해 실시한 실험의 결과이다.

구분	실험 결과
(가)	페놀프탈레인 용액이 붉게 변했다.
(나)	BTB 용액이 초록색이 되었다.
(다)	마그네슘을 넣었더니 기포가 발생하였다.

(가)~(다) 용액이 무엇일지 추측해 보고, 그렇게 추측한 까닭을 서술하시오.

_____

_____

15 옛날 이집트의 여왕 클레오파트라가 진주 귀걸이를 식초에 녹여 마셨다는 것은 사실 여부는 확인되지 않았지만 매우 유명한 이야기이

다. 진주의 주성분이 탄산 칼슘이라는 것을 고려할 때 이 이야기가 과학적으로 가능하다는 주장을 하려고 한다면 어떻게 설명할 수 있을지 아래의 단어를 포함하여 서술하시오.

산, 식초, 탄산 칼슘

_____

_____

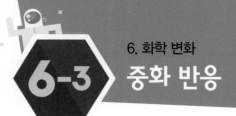

6. 화학 변화
6-3 중화 반응

1 중화 반응

1. 중화 반응 수용액에서 산과 염기가 반응하여 물과 염❶을 생성하는 반응이다.

$$산 + 염기 \longrightarrow 물 + 염$$

① **중화 반응의 모형과 이온 반응식**

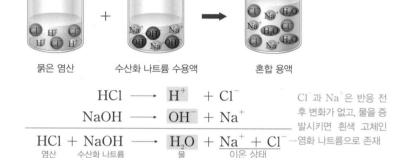

묽은 염산   수산화 나트륨 수용액   혼합 용액

$$HCl \longrightarrow H^+ + Cl^-$$
$$NaOH \longrightarrow OH^- + Na^+$$
$$\overline{HCl + NaOH \longrightarrow H_2O + Na^+ + Cl^-}$$

염산   수산화 나트륨   물   이온 상태

Cl^-과 Na^+은 반응 전후 변화가 없고, 물을 증발시키면 흰색 고체인 ─염화 나트륨으로 존재

② **중화 반응에서 수소 이온(H^+)과 수산화 이온(OH^-)의 반응 개수비** 항상 1:1의 개수비로 반응하여 물을 생성한다.

$$H^+ + OH^- \longrightarrow H_2O$$

2. 중화 반응이 일어날 때의 변화

① **중화점** 산의 수소 이온(H^+)과 염기의 수산화 이온(OH^-)이 모두 반응하여 완전히 중화되는 지점이다.

② **용액의 액성 변화** 중화 반응에서 일정량의 염기에 산을 계속 넣으면 수산화 이온이 수소 이온과 반응하여 점점 없어지다가 중화점을 지나 수소 이온이 남게 되면 용액은 산성을 띤다.

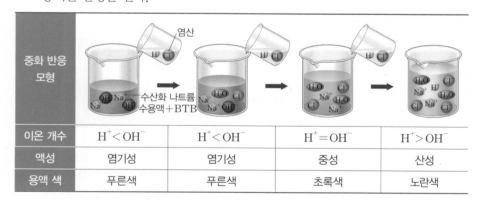

중화 반응 모형			
이온 개수	$H^+ < OH^-$	$H^+ < OH^-$	$H^+ = OH^-$	$H^+ > OH^-$
액성	염기성	염기성	중성	산성
용액 색	푸른색	푸른색	초록색	노란색

3. 중화 반응의 확인

① **지시약의 색깔 변화** 지시약을 넣고 산이나 염기를 중화시켜 중화점에서 변색되는 것을 이용해 중화점을 확인한다.

② **혼합 용액의 온도 변화** 산과 염기가 반응하여 중화 반응이 일어날 때 발생하는 열을 중화열이라고 하며, 이 온도가 최고가 되는 순간이 중화점이다.

이 단원의 핵심 개념은~
- 산 염기 중화 반응
- 중화점과 중화열
- 일상생활 속 중화 반응의 활용

❶ 산의 음이온과 염기의 양이온이 결합한 물질. 염화 나트륨처럼 물에 잘 녹기도 하지만 탄산 칼슘처럼 물에 잘 녹지 않는 경우도 많다.

구경꾼 이온
반응에 참여하지 않아 반응 전과 후에 변화가 없는 이온이다. 염산과 수산화 나트륨 수용액의 반응에서 Na^+과 Cl^-이 구경꾼 이온이다.

중화 반응의 이온 개수 변화 그래프

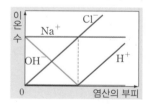

4. 중화 반응과 중화열 중화열은 산과 염기의 종류에 관계없이 중화 반응이 많이 일어나 물이 많이 생성될수록 많이 발생한다. └반응하는 H^+과 OH^-이 많을수록

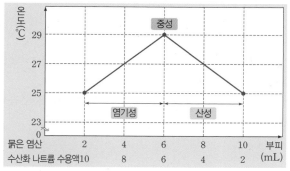

■ 혼합 용액의 전기 전도도
중화 반응에서 혼합 용액의 전기 전도도가 최저인 지점이 중화점이다.

2 일상생활 속 중화 반응의 활용

레몬즙을 이용해 생선 비린내의 원인인 염기를 중화한다.	제산제를 이용해 위산을 중화시킨다.	벌레에 물려 산성을 띠는 부위를 염기성 약을 발라 중화한다.
		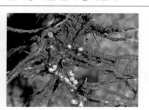
치약의 염기성 물질이 입속 산성 물질을 중화한다.	석회 가루를 뿌려 산성화된 토양을 중화한다.	뿌리혹박테리아를 이용해 산성화된 토양을 중화한다.

■ 산성화된 토양의 중화
산성비가 내리거나 땅속의 마그네슘이나 칼륨 이온 등이 식물에 의해 흡수되면 토양이 산성화된다. 토양이 산성화되면 농작물이 자라기 어려우므로 염기성 물질인 석회 가루나 콩의 뿌리에 사는 뿌리혹박테리아가 공기 중의 질소를 이용해 만든 염기성의 질소 화합물을 이용해 토양을 중화한다.

출제 자료 Focus

일정량의 수산화 나트륨 수용액에 묽은 염산을 넣을 때 중화 반응 그래프

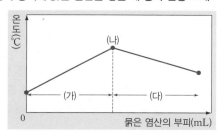

출제 자료 확인하기

① (가): 중화열에 의해 혼합 용액의 온도가 점점 (높아진다). (반응하지 않은 염기가 존재한다.)

② (나): 완전히 중화되는 지점으로, 온도가 가장 높다. (산의 H^+과 염기의 OH^-이 모두 반응하였다.)

③ (다): 중화 반응이 더 이상 일어나지 않고 처음과 같은 온도의 산을 넣어 주므로 온도가 점점 (낮아진다). (반응하지 않은 산이 존재한다.)

✔ **바로 체크**

1 산의 ( ) 이온과 염기의 ( ) 이온이 반응하여 ( )이 생성되는 반응을 중화 반응이라고 한다.

2 중화 반응이 일어날 때 산과 염기의 종류와는 관계없이 H^+과 OH^-이 ( ):( )의 비로 반응한다.

3 염산이 든 비커에 수산화 나트륨 수용액을 계속 넣을 때 용액의 액성 변화는 ( )→( )→( )이다.

4 중화 반응이 일어날 때 발생하는 열을 ( )이라고 하며, 이를 통해 ( )을 알 수 있다.

1 수소, 수산화, 물 2 1, 1 3 산성, 중성, 염기성 4 중화열, 중화점

| 탐구 목표 |
산과 염기가 만났을 때 액성이 어떻게 변화하는지 지시약의 색 변화를 이용하여 추측할 수 있다.

| 유의점 |
• 보안경과 실험용 장갑을 반드시 착용한다.
• 용액이 피부에 닿으면 흐르는 물에 바로 씻는다.
• 실험이 끝난 후 사용한 시약은 지정된 폐수통에 버린다.

과정

① 홈판의 한 곳에 묽은 염산 1 mL를 넣은 후 BTB 용액 2~3방울을 떨어뜨리고 색 변화를 관찰한다.
② ①의 용액에 같은 농도의 수산화 나트륨 수용액 1.5 mL를 조금씩 떨어뜨리면서 색 변화를 관찰한다.

탐구 결과

과정	①	②
용액의 색	노란색	초록색 → 푸른색

탐구 정리

1 BTB 지시약의 색 변화를 바탕으로 용액의 성질이 어떻게 변하는지 이야기해 보자.
　• 처음엔 (㉠)을 띠었다가 중성을 거쳐 (㉡)으로 변하였다.
2 실험 결과를 바탕으로 산에 염기를 넣으면 용액의 성질이 어떻게 변하는지 이야기해 보자.
　• 일정량의 산에 염기를 넣으면 완전히 중화되기 전까지 (㉢)을 띠다가 완전히 중화된 후 수산화 이온이 더 많아지게 되면 용액은 (㉣)을 띤다.
3 묽은 염산에 같은 농도의 수산화 나트륨 수용액을 넣었을 때 용액의 액성 변화를 입자 모형으로 그려보자.

이해 Check

1 위 실험에 대한 설명으로 옳은 것만을 |보기|에서 있는 대로 고르시오.

| 보기 |
ㄱ. 수소 이온과 수산화 이온이 만나 물을 생성한다.
ㄴ. 수산화 나트륨 수용액을 넣을수록 염화 이온의 양이 증가한다.
ㄷ. 수산화 나트륨 수용액에 의해 혼합 용액의 액성이 점점 변한다.
ㄹ. 중성 상태에서는 혼합 용액에 남는 수소 이온과 수산화 이온이 존재하지 않는다.

2 홈판에 수산화 칼륨 1 mL를 넣고 BTB 용액을 떨어뜨린 후 같은 농도의 질산을 조금씩 1.5 mL까지 넣었을 때 BTB 용액의 색이 차례로 어떻게 변할지 쓰시오.

| 탐구 목표 |

중화 반응이 일어날 때 온도 변화를 관찰하여 중화점을 찾을 수 있다.

| 유의점 |

• 보안경과 실험용 장갑을 반드시 착용한다.
• 용액이 피부에 닿으면 흐르는 물에 바로 씻는다.
• 실험이 끝난 후 사용한 시약은 지정된 폐수통에 버린다.

과정

① 수산화 나트륨 수용액을 홈판에 부피를 다르게 하여 넣는다.

② 같은 농도의 묽은 염산을 부피를 다르게 하여 ①에 섞고, 최고 온도를 측정한다.

③ ②의 각 용액에 페놀프탈레인 용액을 1~2방울 떨어뜨리고, 색 변화를 관찰한다.

탐구 결과

실험	1	2	3	4	5	6	7	8	9
묽은 염산(mL)	0	1	2	3	4	5	6	7	8
수산화 나트륨 수용액(mL)	10	9	8	7	6	5	4	3	2
최고 온도(℃)	22.0	22.4	22.8	23.3	23.6	24.0	23.7	23.4	22.9
용액의 색깔	붉은색	붉은색	붉은색	붉은색	붉은색	없음.	없음.	없음.	없음.

탐구 정리

1 측정 결과를 바탕으로 묽은 염산과 수산화 나트륨 수용액의 부피에 따른 온도 변화를 그래프로 나타내고, 온도가 가장 높은 지점을 표시해 보자.

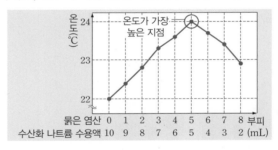

2 지시약의 색 변화를 통해 온도가 가장 높은 지점에서 용액의 액성을 추측해 보고, 산과 염기가 만나면 어떤 변화가 일어나는지 이야기해 보자.

• 산과 염기가 만나 중화 반응이 일어나면 열이 발생하고, 온도가 가장 높은 지점인 (㉢)점에서 혼합 용액은 (㉣)을 나타낸다.

이해 Check

3 위 실험에 대한 설명으로 옳은 것만을 |보기|에서 있는 대로 고르시오.

┌ 보기 ├

ㄱ. 수소 이온과 수산화 이온이 1 : 1로 반응한다.

ㄴ. 중화 반응이 많이 일어날수록 용액의 온도가 올라간다.

ㄷ. 생성되는 물의 양이 많을수록 용액의 온도가 올라간다.

ㄹ. 가장 높은 온도에서 용액 속에 존재하는 이온의 종류가 가장 많다.

4 표와 같이 온도와 농도가 같은 묽은 염산과 수산화 나트륨 수용액을 부피를 달리하며 혼합하는 실험을 하였다.

실험	A	B	C	D	E
묽은 염산(mL)	6	8	10	12	14
수산화 나트륨 수용액(mL)	14	12	10	8	6

혼합 용액의 온도가 가장 높은 것을 고르고, 해당 용액에 BTB 용액을 떨어뜨렸을 때 어떤 색이 나타날지 그 까닭과 함께 서술하시오.

개념 확인 문제

01 다음 빈칸에 들어갈 알맞은 말을 쓰시오.

(1) 산의 (　　　) 이온과 염기의 (　　　) 이온이 반응하면 (　　　)이 생성되는데, 이 반응을 중화 반응이라고 한다.

(2) 산과 염기의 중화 반응에서 반응이 완전히 일어난 지점을 (　　　)이라고 한다.

(3) 중화 반응이 일어나면 열이 발생하여 용액의 온도가 올라가는데, 이 열을 (　　　)이라고 한다.

(4) 중화 반응이 일어날 때 수소 이온과 수산화 이온은 (　　　):(　　　)의 비로 결합한다. 따라서 만약 수소 이온이 10개 있을 때, 중화 반응이 완전히 일어나려면 수산화 이온은 (　　　)개가 있어야 한다.

02 그림은 농도가 같은 산과 염기의 입자 모형이다.

두 용액을 섞었을 때 반응에 참여한 이온만으로 이온 반응식을 나타내 보시오.

[03~05] 그래프는 온도와 농도가 같은 묽은 염산과 수산화 나트륨 수용액의 부피를 달리하여 혼합한 후, 혼합 용액의 최고 온도를 측정하여 나타낸 것이다.

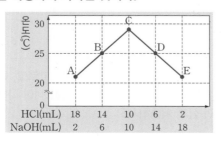

03 A~E 중 H^+과 OH^-이 모두 반응한 실험을 쓰시오.

04 A~E 중 생성된 물의 양이 가장 많은 실험을 쓰시오.

05 A~E 혼합 용액의 액성을 각각 쓰시오.

A	B	C	D	E

06 중화 반응에 대한 설명으로 옳은 것은 ○표, 옳지 않은 것은 ×표를 하시오.

(1) 중화 반응에서는 물과 함께 염이 생성된다.
(　　　)

(2) 중화 반응이 일어날 때 중화점에서의 온도가 가장 높다.
(　　　)

(3) 지시약이 변색되는 것을 이용해 중화점을 확인할 수 있다.
(　　　)

(4) 질산과 수산화 칼륨의 중화 반응을 반응에 참여한 이온만으로 나타내면 $H_2O \longrightarrow H^+ + 2OH^-$이다.
(　　　)

(5) 염산과 수산화 나트륨 수용액이 반응하면 염화 나트륨이 생성되어 비커 바닥에 가라앉는다.
(　　　)

07 일상생활 속 중화 반응의 예로 옳은 것만을 |보기|에서 있는 대로 고른 것은?

┤ 보기 ├
ㄱ. 레몬즙을 이용해 생선 비린내를 제거한다.
ㄴ. 벌에 쏘인 곳에 묽은 암모니아수를 바른다.
ㄷ. 막힌 배수관에 염기성의 세정제를 붓는다.
ㄹ. 충치균을 줄이기 위해 치약을 이용해 이를 닦는다.

① ㄱ, ㄷ　　② ㄱ, ㄴ, ㄹ　　③ ㄱ, ㄷ, ㄹ
④ ㄴ, ㄷ, ㄹ　　⑤ ㄱ, ㄴ, ㄷ, ㄹ

실력 쑥쑥 문제

01 그림은 수산화 나트륨 수용액에 같은 농도의 염산을 조금씩 넣어 중화 반응시킬 때의 입자 모형을 나타낸 것이다.

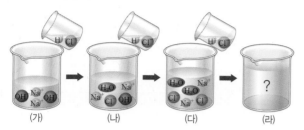

(가)   (나)   (다)   (라)

이에 대한 설명으로 옳은 것만을 |보기|에서 있는 대로 고른 것은?

┌ 보기 ├
ㄱ. (다)의 온도가 가장 높을 것이다.
ㄴ. (나)와 (라)에서 Na^+의 수는 같다.
ㄷ. (라)에서 Cl^-의 수는 (다)보다 증가한다.

① ㄱ   ② ㄴ   ③ ㄷ
④ ㄱ, ㄴ   ⑤ ㄱ, ㄴ, ㄷ

| 과학적 사고력 |

02 그림은 산 수용액 (가)와 염기 수용액 (나)를 10 mL씩 섞었을 때 혼합 용액에 들어있는 이온들을 모형으로 나타낸 것이다.

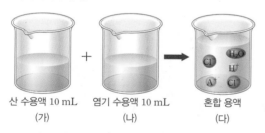

산 수용액 10 mL   염기 수용액 10 mL   혼합 용액
(가)   (나)   (다)

이에 대한 설명으로 옳은 것만을 |보기|에서 있는 대로 고른 것은?

┌ 보기 ├
ㄱ. (나)의 염기의 화학식은 AOH이다.
ㄴ. (다)에 염기 수용액 10 mL를 더 넣어 주면 용액의 온도는 더 올라갈 것이다.
ㄷ. (가)에 녹아 있는 수소 이온의 개수가 (나)에 녹아 있는 수산화 이온의 개수보다 많다.

① ㄱ   ② ㄴ   ③ ㄷ
④ ㄱ, ㄴ   ⑤ ㄱ, ㄴ, ㄷ

[03~04] 그림은 25 ℃에서 BTB 용액을 떨어뜨린 염산 10 mL에 같은 농도의 수산화 나트륨 수용액을 조금씩 떨어뜨릴 때의 입자 모형을 나타낸 것이다.

03 용액의 색이 초록색이 되기 위해서 필요한 수산화 나트륨 수용액의 양은 몇 mL인가?

① 5 mL   ② 10 mL   ③ 15 mL
④ 20 mL   ⑤ 25 mL

04 수산화 나트륨 수용액을 20 mL 넣었을 때, 용액의 색깔과 pH 범위를 옳게 짝 지은 것은?

	용액의 색깔	pH
①	노란색	$pH < 7$
②	노란색	$pH > 7$
③	푸른색	$pH < 7$
④	푸른색	$pH > 7$
⑤	푸른색	$pH = 7$

05 같은 온도와 농도의 질산과 수산화 나트륨 수용액의 중화 반응에 대한 설명으로 옳은 것만을 |보기|에서 있는 대로 고른 것은?

┌ 보기 ├
ㄱ. 중화점에서 이온이 가장 많이 존재한다.
ㄴ. 중화 반응에 직접 참여하는 이온은 2가지이다.
ㄷ. 산과 염기가 완전히 중화되었는지 지시약이나 혼합 용액의 온도를 이용하여 확인할 수 있다.

① ㄱ   ② ㄴ   ③ ㄷ
④ ㄱ, ㄴ   ⑤ ㄴ, ㄷ

06 그림은 25 ℃에서 같은 농도와 부피의 황산과 수산화 나트륨 수용액을 섞어 중화 반응시킬 때의 입자 모형을 나타낸 것이다.

이에 대한 설명으로 옳은 것만을 |보기|에서 있는 대로 고른 것은?

┤ 보기 ├
ㄱ. 두 용액의 혼합 용액의 pH는 7이다.
ㄴ. 두 용액을 섞은 후 BTB 용액을 떨어뜨리면 노란색이 나타난다.
ㄷ. 중화 반응이 일어날 때 수소 이온 : 수산화 이온＝2 : 1의 비로 반응한다.

① ㄱ   ② ㄴ   ③ ㄷ
④ ㄱ, ㄴ   ⑤ ㄱ, ㄴ, ㄷ

07 그림은 묽은 염산과 수산화 칼슘 수용액의 입자 모형을 나타낸 것이다.

묽은 염산   수산화 칼슘 수용액

두 용액을 중화 반응시켰을 때 중화 반응 후 혼합 용액에 들어 있는 입자의 모형을 옳게 나타낸 것은?

①   ②   ③

④   ⑤

[08~09] 그래프는 온도와 농도가 같은 묽은 염산과 수산화 나트륨 수용액의 부피를 달리하여 혼합한 후 혼합 용액의 최고 온도를 측정하여 나타낸 것이다.

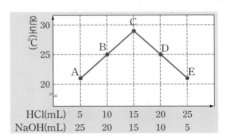

08 이에 대한 설명으로 옳은 것만을 |보기|에서 있는 대로 고른 것은?

┤ 보기 ├
ㄱ. A에는 수산화 이온이 존재한다.
ㄴ. B에 페놀프탈레인 용액을 떨어뜨리면 무색이 된다.
ㄷ. C에서만 중화 반응이 일어난다.
ㄹ. B와 D에서 총 이온의 개수는 같다.

① ㄱ, ㄴ   ② ㄱ, ㄹ   ③ ㄴ, ㄷ
④ ㄱ, ㄴ, ㄷ   ⑤ ㄴ, ㄷ, ㄹ

| 과학적 사고력 |

09 B의 입자 모형을 오른쪽 그림과 같이 표현한다고 했을 때 C의 입자 모형에 그려야 하는 이온의 종류와 개수가 옳게 짝 지어진 것은?

	Na^+	OH^-	H^+	Cl^-	H_2O
①	4	1	0	3	3
②	4	0	0	4	4
③	3	0	0	3	3
④	3	0	1	4	4
⑤	4	0	0	4	2

서술형 문제

[10~12] 묽은 염산과 수산화 나트륨 수용액을 이용하여 다음과 같은 실험을 하였다.

[과정]
(가) 질산 칼륨 수용액과 BTB 혼합 용액에 거름종이를 충분히 적신 후 그림과 같이 장치한다.
(나) 묽은 염산과 수산화 나트륨 수용액을 그림과 같이 양쪽에 떨어뜨린 후, 전류를 흘려 준다.

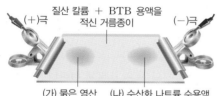

10 전류를 흘려 주었을 때 (+)극으로 이동하는 이온과 (−)극으로 이동하는 이온을 각각 쓰고, 그 까닭을 서술하시오.

| 과학적 탐구 능력 |
11 전류를 흘려 주기 전 (가), (나) 부근의 색을 쓰고, 전류를 흘려 준 직후의 변화를 서술하시오.

12 일정한 시간이 지난 후 가운데 부분에서 어떠한 일이 일어날지 예측하고, 그 이유를 서술하시오.

[13~14] 그림은 일정량의 묽은 염산에 같은 온도와 농도의 수산화 나트륨 수용액을 조금씩 가할 때의 변화를 입자 모형으로 나타낸 것이다.

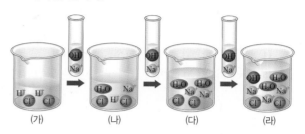

13 그래프는 (가)~(라)에서의 온도 변화를 측정하여 나타낸 것이다.

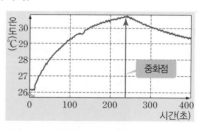

(가)~(라)의 비커 중에 온도가 가장 높은 지점인 중화점에 해당하는 비커를 선택하고, 그렇게 생각한 까닭을 서술하시오.

14 (나)와 (라)의 용액을 다시 섞으면 용액의 온도는 어떻게 될지 예측하고, 그렇게 생각한 까닭을 서술하시오.

6 – 1. 산화와 환원

01 산화 환원에 대한 설명으로 옳지 <u>않은</u> 것은?

① 전자를 잃는 것은 산화이다.
② 철의 부식은 산화 반응이다.
③ 산화와 환원은 항상 동시에 일어난다.
④ 물질이 산소와 결합하는 것은 환원이다.
⑤ 구리 이온(Cu^{2+})이 구리가 되는 것은 환원이다.

02 그림은 구리 조각을 가열하는 모습을 나타낸 것이다.

이때 구리의 변화에 대한 설명으로 옳은 것만을 |보기|에서 있는 대로 고른 것은?

┤ 보기 ├
ㄱ. 구리의 색이 변한다.
ㄴ. 구리가 전자를 잃는다.
ㄷ. 구리의 질량이 증가한다.

① ㄱ   ② ㄷ   ③ ㄱ, ㄴ
④ ㄴ, ㄷ   ⑤ ㄱ, ㄴ, ㄷ

03 산화 환원 반응과 연관된 예에 관한 설명으로 옳지 <u>않</u>은 것은?

① 불이 났을 때 소화기를 사용하여 산화를 막는다.
② 용접 과정에서 산소를 불어 넣어 산화를 촉진한다.
③ 과자 봉지에 질소 기체를 채워 과자의 환원을 막는다.
④ 산화 철(Ⅲ)에 코크스(C)를 넣고 가열하여 산화 철(Ⅲ)을 환원시킨다.
⑤ 깎아 놓은 사과를 설탕물에 담그면 산화에 의한 갈변을 막을 수 있다.

04 그림은 질산 은($AgNO_3$)이 든 수용액에 구리선을 넣은 모습을 나타낸 것이다.

시간이 지나 구리선 표면에 은이 생성되었을 때에 대한 설명으로 옳은 것만을 |보기|에서 있는 대로 고른 것은?

┤ 보기 ├
ㄱ. 수용액의 색은 푸르게 변한다.
ㄴ. 전자는 은에서 구리 이온으로 이동한다.
ㄷ. 은 이온 1개가 환원될 때 구리 원자 1개가 산화된다.

① ㄱ   ② ㄷ   ③ ㄱ, ㄴ
④ ㄴ, ㄷ   ⑤ ㄱ, ㄴ, ㄷ

05 다음은 철과 관련된 두 가지 화학 반응식이다.

(가) $Fe_2O_3 + a\,CO \longrightarrow 2Fe + b\,CO_2$
(나) $4Fe + c\,O_2 \longrightarrow 2Fe_2O_3$

(가)와 (나)에 대한 설명으로 옳은 것만을 |보기|에서 있는 대로 고른 것은? (단, a, b, c는 반응 계수이다.)

┤ 보기 ├
ㄱ. $a+b+c=6$이다.
ㄴ. (가)에서 CO는 산화된다.
ㄷ. 철에 기름칠이나 도금을 하면 (나) 과정을 막을 수 있다.

① ㄱ   ② ㄴ   ③ ㄱ, ㄷ
④ ㄴ, ㄷ   ⑤ ㄱ, ㄴ, ㄷ

6 – 2. 산과 염기

06 그림과 같이 어떤 물질의 수용액에 마그네슘을 넣은 후 발생하는 기체를 포집하여 성냥불을 가까이 댔더니 '펑'하고 터지는 것을 관찰할 수 있었다.

이 물질로 적절한 것만을 |보기|에서 있는 대로 고른 것은?

| 보기 |
ㄱ. HCl　　　　　ㄴ. HNO_3
ㄷ. KOH　　　　　ㄹ. NaOH
ㅁ. H_2SO_4　　　ㅂ. $Ca(OH)_2$

① ㄱ, ㄴ, ㄷ　　② ㄱ, ㄴ, ㅁ　　③ ㄴ, ㄷ, ㅂ
④ ㄷ, ㄹ, ㅁ　　⑤ ㄱ, ㄴ, ㅁ, ㅂ

07 산과 염기의 이온화 반응식으로 옳은 것만을 |보기|에서 있는 대로 고른 것은?

| 보기 |
ㄱ. $KOH \longrightarrow K^+ + OH^-$
ㄴ. $HNO_3 \longrightarrow H^+ + 3NO^-$
ㄷ. $H_2SO_4 \longrightarrow 2H^+ + SO_4^{2-}$
ㄹ. $Ca(OH)_2 \longrightarrow 2Ca^+ + 2OH^-$
ㅁ. $Mg(OH)_2 \longrightarrow Mg^{2+} + 2OH^-$
ㅂ. $CH_3COOH \longrightarrow CH_3CO^+ + OH^-$

① ㄱ, ㄴ, ㄷ　　② ㄱ, ㄷ, ㅁ　　③ ㄴ, ㄷ, ㅂ
④ ㄷ, ㄹ, ㅁ　　⑤ ㄱ, ㄴ, ㅁ, ㅂ

[08~09] 그림과 같이 질산 칼륨 수용액을 적신 푸른색 리트머스 종이 위에 묽은 황산에 적신 실을 올려놓고 전류를 흘려 주었다.

★
08 위 실험에서 색 변화가 일어나는 방향과 원인이 되는 이온만을 옳게 짝 지은 것은?

	색 변화 방향	원인이 되는 이온
①	(+)극 쪽	SO_4^{2-}
②	(+)극 쪽	NO_3^-
③	(−)극 쪽	OH^-
④	(−)극 쪽	H^+
⑤	(−)극 쪽	H^+, K^+

09 위 실험에 대한 설명으로 옳은 것만을 |보기|에서 있는 대로 고른 것은?

| 보기 |
ㄱ. 질산 칼륨 수용액은 전류가 잘 흐르게 한다.
ㄴ. 황산 대신 아세트산을 사용하면 색 변화의 방향은 반대 쪽이 된다.
ㄷ. 황산 대신 수산화 나트륨을 사용하면 푸른 색의 리트머스 종이의 색은 변하지 않는다.

① ㄱ　　　　② ㄴ　　　　③ ㄱ, ㄷ
④ ㄴ, ㄷ　　⑤ ㄱ, ㄴ, ㄷ

10 라벨이 없는 미지의 시약이 산인지, 염기인지, 아니면 중성인지 알아보기 위해 할 수 있는 실험으로 가장 적절한 것은?

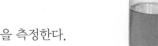

① 전기 전도성을 측정한다.
② BTB 지시약을 떨어뜨린다.
③ 탄산 칼슘을 넣어 반응을 관찰한다.
④ 페놀프탈레인 용액을 떨어뜨려 본다.
⑤ 마그네슘 리본을 넣어 반응을 관찰한다.

6 – 3. 중화 반응

11 그림은 온도와 농도가 같은 산 수용액과 염기 수용액을 섞었을 때 입자 모형을 나타낸 것이다.

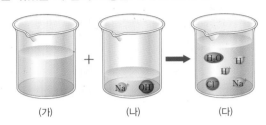

(가) 전부와 (다)의 음이온을 다 그리지 못했다고 할 때, 완성된 입자 모형에 대한 설명으로 옳은 것만을 |보기|에서 있는 대로 고른 것은?

┤ 보기 ├

ㄱ. (가)에는 H^+ 입자와 Cl^- 입자가 각각 3개 존재한다.

ㄴ. (가)의 전체 입자의 개수는 (다)의 전체 입자의 개수보다 많다.

ㄷ. (다)에는 염화 이온을 두 개 더 그려야 한다.

ㄹ. (다)에 페놀프탈레인 용액을 떨어뜨려도 용액의 색이 변하지 않는다.

① ㄱ, ㄷ   ② ㄴ, ㄹ   ③ ㄱ, ㄷ, ㄹ

④ ㄴ, ㄷ, ㄹ   ⑤ ㄱ, ㄴ, ㄷ, ㄹ

12 실험 1에서 9까지 순차적으로 실행하여 보고서를 작성한다고 했을 때 용액의 색이 없음으로 처음 기록되는 실험은 몇 번인가?

① 3번 실험   ② 4번 실험   ③ 5번 실험

④ 6번 실험   ⑤ 7번 실험

13 위 실험에 대한 설명으로 옳지 <u>않은</u> 것은?

① ㉡의 온도가 가장 높다.

② 실험 6에서의 이온의 개수가 가장 많다.

③ 실험 1~5의 혼합 용액은 모두 염기성이다.

④ 실험 5와 7에 존재하는 이온의 개수는 같다.

⑤ 실험 6에 BTB 용액을 떨어뜨리면 용액은 초록색을 띤다.

[12~13] 표는 온도와 농도가 같은 묽은 염산과 수산화 나트륨 수용액의 부피를 다르게 하여 혼합한 용액의 최고 온도와 페놀프탈레인 용액을 떨어뜨렸을 때의 색 변화를 일부 나타낸 것이다.

실험	1	2	3	4	5	6	7	8	9
묽은 염산(mL)	0	1	2	3	4	5	6	7	8
수산화 나트륨 수용액(mL)	10	9	8	7	6	5	4	3	2
최고 온도(℃)	22.0	22.4	22.8	23.3	㉠	㉡	㉢	23.4	22.9
용액의 색깔	붉은색	붉은색						없음.	없음.

14 우리 생활에서 볼 수 있는 중화 반응을 이용한 예로 옳은 것만을 |보기|에서 있는 대로 고른 것은?

┤ 보기 ├

ㄱ. 오래된 철이 녹이 슨다.

ㄴ. 벌에 쏘이면 암모니아수를 바른다.

ㄷ. 상처난 곳을 소독하기 위해 과산화 수소를 바른다.

ㄹ. 충치를 방지하기 위해 치약을 이용해 양치질을 한다.

① ㄱ, ㄷ   ② ㄴ, ㄹ   ③ ㄱ, ㄷ, ㄹ

④ ㄴ, ㄷ, ㄹ   ⑤ ㄱ, ㄴ, ㄷ, ㄹ

정답과 해설 28쪽

01 다음은 금속의 산화 환원 실험이다.

> (가) ANO_3 수용액에 금속 B를 넣었더니 고체가 석출되었다.
> (나) $B(NO_3)_2$ 수용액에 금속 C를 넣었더니 수용액의 푸른색이 옅어졌다.

이에 대한 설명으로 옳은 것만을 |보기|에서 있는 대로 고른 것은? (단, A, B, C는 임의의 금속 원소이고, 음이온은 반응하지 않는다.)

┤ 보기 ├
ㄱ. (가)에서 석출된 고체는 금속 A이다.
ㄴ. (가)에서 반응한 A 이온과 B 원자의 개수비는 2:1이다.
ㄷ. 세 금속의 산화되기 쉬운 순서는 A>B>C의 순이다.

① ㄱ   ② ㄷ   ③ ㄱ, ㄴ
④ ㄴ, ㄷ   ⑤ ㄱ, ㄴ, ㄷ

출제 Point
금속 이온과 금속의 반응에서 석출된 물질은 환원되기 쉽고, 이온이 된 물질은 산화되기 쉽다.

02 다음은 산과 염기가 갖는 일반적 성질을 정리한 것이다.

구분	산	염기
전기 전도성	있음.	있음.
맛	신맛	쓴맛
리트머스 색깔 변화	푸른색 → ㉠	붉은색 → 푸른색
반응성	금속과 반응하여 기체 ㉡ 발생	단백질을 녹임.

이에 대한 설명으로 옳은 것만을 |보기|에서 있는 대로 고른 것은?

┤ 보기 ├
ㄱ. 산과 염기는 모두 전해질이다.
ㄴ. 산에 페놀프탈레인 용액을 넣으면 ㉠과 같은 색을 나타낸다.
ㄷ. ㉡ 기체에 꺼져가는 성냥불을 가져가면 성냥불이 다시 환하게 타오른다.

① ㄱ   ② ㄴ   ③ ㄷ
④ ㄱ, ㄴ   ⑤ ㄱ, ㄴ, ㄷ

출제 Point
금속이나 탄산 칼슘과 반응하는 것은 산이며, 산이 금속과 반응할 때 수소 이온으로 인해 수소 기체가 발생한다.

03 그림은 산 A와 염기 B를 각각 녹인 수용액에 들어 있는 양이온과 음이온의 비율을 나타낸 것이다.

■ 음이온
■ 양이온

A와 B는 수용액에서 모두 이온화한다고 했을 때 이에 대한 설명으로 옳은 것만을 |보기|에서 있는 대로 고른 것은?

| 보기 |

ㄱ. 산 A라고 할 수 있는 물질은 황산이나 탄산이다.
ㄴ. 같은 분자 수의 A와 B는 수용액에 총 존재하는 이온의 수가 같다.
ㄷ. 같은 농도의 A와 B를 섞어 완전 중화 반응이 일어났다고 할 때 B 용액의 부피는 A 용액 부피의 2배가 된다.

① ㄱ   ② ㄴ   ③ ㄷ
④ ㄱ, ㄷ   ⑤ ㄱ, ㄴ, ㄷ

출제 Point

같은 산, 염기라도 수소, 수산화 이온을 여러 개 가진 산이 존재한다. 모두 다 이온화한다고 했을 때 한 분자에 수소 이온이 두 개 나오는 산은 전체 이온이 3개가 생성된다.

04 다음은 묽은 염산과 수산화 나트륨, 미지의 산 수용액을 이용한 중화 반응 실험의 과정과 결과이다.

[과정]

(가) HCl, NaOH 수용액과 미지의 산을 이용하여 같은 농도의 수용액을 만들었다.
(나) (가)에서 만든 세 수용액을 실험 Ⅰ ~ Ⅲ과 같은 부피로 섞은 후, 혼합 용액에 존재하는 H^+또는 OH^-의 수를 상대적으로 나타내었다.

[결과]

실험	HCl 부피(mL)	미지의 산 부피(mL)	NaOH 부피(mL)	혼합 용액 속의 H^+또는 OH^- 수
Ⅰ	30	10	40	N개
Ⅱ	20	10	40	0
Ⅲ	20	40	20	8N개

이에 대한 설명으로 옳은 것만을 |보기|에서 있는 대로 고른 것은?

| 보기 |

ㄱ. 실험 Ⅰ에서 혼합 용액은 산성이다.
ㄴ. 실험 Ⅲ에서 혼합 용액에 존재하는 전체 이온의 수는 실험 Ⅱ의 2배가 넘는다.
ㄷ. 미지의 산 수용액은 염산에 비해 같은 분자 수일 때 더 많은 수소 이온이 나온다.

① ㄱ   ② ㄴ   ③ ㄱ, ㄴ
④ ㄴ, ㄷ   ⑤ ㄱ, ㄴ, ㄷ

출제 Point

미지의 산 한 분자가 이온화할 때 몇 개의 수소 이온이 나오는지 실험 Ⅱ를 통해 먼저 알아낸다.

7

생물 다양성과 유지

7-1 지질 시대와 생물의 변천

7-2 진화와 생물 다양성

이 단원은

지구 환경 변화와 생물 변천의 과정을 살펴보고,
생물이 진화하는 과정에서 유전 형질을 다음 세대로 전달하는 방법을
통해 생물 다양성과 생물의 진화 현상에서 또 다른 자연의 규칙성을
알아본다.

단원별 정답과 해설을
QR 코드로 확인할 수 있어요.

이 단원의 핵심 개념

생물 다양성과 유지

지질 시대와 생물의 변천

화석, 지질 시대, 지질 시대와
대륙 이동, 생물 대멸종, 대멸
종과 생물 다양성

진화와 생물 다양성

진화와 변이, 생물 진화 원리,
자연 선택설, 변이와 자연 선
택, 생물 다양성, 생물 다양성
보전을 위한 노력

1 지질 시대와 환경

1. 화석

① **화석** 과거에 살았던 생물의 유해나 흔적이 퇴적층에 보존된 것을 화석이라고 한다.

② **화석의 생성 과정**

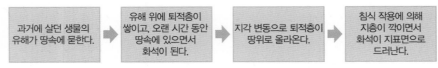

| 과거에 살던 생물의 유해가 땅속에 묻힌다. | → | 유해 위에 퇴적층이 쌓이고, 오랜 시간 동안 땅속에 있으면서 화석이 된다. | → | 지각 변동으로 퇴적층이 땅위로 올라온다. | → | 침식 작용에 의해 지층이 깎이면서 화석이 지표면으로 드러난다. |

③ **화석의 이용** 과거 생물의 모습과 생활 환경, 지층의 생성 시기와 생물이 살던 시대, 대륙과 해양의 분포, 지형 변화와 대륙의 이동 등을 유추할 수 있다.

2. 지질 시대

① **지질 시대** 약 46억 년 전 지구가 탄생한 후부터 현재까지의 시대를 지질 시대라고 한다.

② **지질 시대 구분** 과거에 살았던 생물의 종에 급격한 변화가 나타난 시기를 기준으로 선캄브리아 시대, 고생대, 중생대, 신생대로 구분한다.
　　　　　　　　　　　└생물의 출현, 번성, 멸종 등

③ **지질 시대 특징**

지질 시대	지구 환경의 변화	생물의 변화	대표 화석
선캄브리아 시대	• 초기에는 대기 중에 산소가 없어 오존층도 존재하지 않음. • 여러 차례의 대규모 조산 운동이 일어남.	• 최초의 생명체 출현함. • 남세균이 출현하여 광합성을 시작하면서 산소가 공급됨.❶ • 후기에 무척추 동물이 출현함.	스트로마톨라이트❷
고생대	• 바다의 산소 농도가 증가함에 따라 대기 중에 산소 농도도 증가하여 오존층이 형성됨. • 후기에 초대륙 판게아가 형성됨.	• 바다에 삼엽충과 갑주어가 출현하고 어류가 번성하였으며, 육지에 식물이 먼저 진출함. • 양치식물과 양서류가 번성하였고, 말기에 대멸종이 일어남.	삼엽충, 갑주어
중생대	• 판게아가 분리되어 대륙들이 이동하기 시작함. • 전반적으로 온난한 기후였음. • 말기에 급격한 환경 변화가 일어남.	• 파충류가 번성하여 공룡의 시대가 되었으며, 겉씨식물과 암모나이트가 번성함. • 작은 크기의 포유류가 출현하였으며, 말기에는 대멸종이 일어남.	암모나이트, 공룡
신생대	• 대륙이 계속 이동하여 현재의 수륙 분포와 비슷해짐.	• 속씨식물과 포유류가 번성함. • 말기에 인류의 조상 출현함.	화폐석, 매머드

④ **지질 시대에 따른 대륙의 이동**

▲ 고생대 말
고생대 말 판게아의 형성으로 해안가가 축소되어 생물의 서식 환경이 급격하게 변하면서 멸종이 일어났다.

▲ 중생대 중기
대륙이 이동하여 새로운 해양이 만들어지면서 생물 서식지가 증가하였고, 기후도 온난하여 다양한 생물이 번성하였다.

▲ 신생대
대서양이 넓어지면서 현재와 비슷한 대륙과 해양의 분포를 이루게 되었다.

■ **화석의 생성 조건**
죽은 생물 위로 빠르게 흙이 덮여야 하며, 생물의 몸에 단단한 부분이 있어야 한다. 또 생물의 개체수가 많고, 땅속에 묻힌 후 변형을 받지 않아야 한다.

■ **지질 시대의 구분**
지구의 역사를 24시간으로 나타내면 신생대는 자정에 가까운 시간이다.

❶ 광합성을 통해 산소를 만드는 세균이다.

❷ 얕은 물에서 미생물, 특히 남세균으로 이루어진 퇴적물 알갱이들이 여러 겹으로 쌓이면서 만들어진다. 약 35억 년 이전에 만들어진 것도 있어 지구 상의 생명체가 남긴 가장 오래된 화석이다.

■ **신생대의 기후**
전반기의 기후는 온난했으나, 후반기에는 빙하기와 간빙기가 반복되었다.

■ **대륙의 이동**
베게너의 대륙 이동설에서 제안되었으며, 초대륙 판게아가 대륙의 이동으로 분리되어 현재의 모습이 되었다.

용어 🔍

판게아(Pangaea)
고생대 후기에 대륙이 모여 만들어진 초대륙으로 대륙 이동설을 주장한 베게너가 제안한 이름이다.

간빙기(間氷期)
빙하기와 빙하기 사이에 기후가 온난했던 시기를 간빙기라고 한다.

2 생물의 대멸종

1. 대멸종

① **생물 대멸종** <mark>대부분의 생물이 사라지고 남은 생물도 개체수가 급격히 감소한 것</mark>을 대멸종이라고 한다. ─과거 지질 시대 동안 큰 생물의 대멸종은 5번 정도 일어났다.

② **생물 대멸종의 원인** 빙하기의 도래와 같은 급격한 기후 변화, 대륙 이동에 따른 서식 환경의 변화, 소행성의 충돌 등과 같은 원인으로 생물 대멸종이 일어났다.
└─ 지구 환경의 급격한 변화로 대멸종이 일어났다.─┘

③ **대표적인 생물 대멸종**
- 고생대말 생물 대멸종(3차): 판게아의 형성❸과 빙하기의 도래로 생물 서식지가 감소하면서 해양 생물의 대멸종이 일어났다.
- 중생대 말 생물 대멸종(5차): 소행성 충돌❹로 발생한 먼지 구름과 화산재가 햇빛을 차단하여 지구의 평균 기온이 낮아지면서 생물 대멸종이 일어났다.

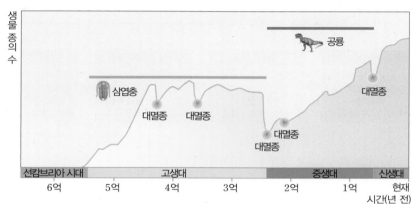

▲ 지질 시대 동안 생물 종의 변화와 대멸종

2. 대멸종과 생물 다양성

① **생물의 대멸종과 진화** 급격한 지구 환경 변화에서 살아남은 소수의 생물이 환경에 적응하면서 새로운 종으로 진화하게 된다.

② **생물의 다양성** 대멸종 과정에서 살아남은 생물이 진화하는 과정에서 새로운 생물 종이 출현하면서 생물의 다양성이 증가한다.

출제 자료 Focus

지질 시대의 대표 화석

지질 시대	대표 화석	특징
선캄브리아 시대	스트로마톨라이트	남세균의 광합성 증거
고생대	삼엽충	바다 생물이며 해저를 기어 다니며 생활
고생대	갑주어	어류의 조상으로 표면이 단단한 껍질로 덮여 있던 생물
중생대	암모나이트	바다에서 번성했으며 나선형의 껍데기를 가진 생물
중생대	공룡	육상에 서식한 거대 파충류
신생대	매머드	코끼리와 닮은 거대 포유류

출제 자료 확인하기

① 최초 광합성의 증거가 될 수 있는 화석은 (스트로마톨라이트) 이다.

② 삼엽충이 발견된 지층은 (고생)대의 (바다) 환경에서 퇴적된 것이다.

③ A 지층에서 암모나이트의 화석이, B 지층에서 매머드의 화석이 발견되었다면 (A) 지층이 (B) 지층보다 먼저 생성된 것이다.

■ 빙하기의 대륙간 이동
빙하기에는 해수면이 낮아지기 때문에 수심이 낮은 해협이 육지가 되어 동물들이 이곳을 통해 다른 대륙으로 이동하여 퍼져나갔다.

❸ 대륙의 해안선 주변 지역은 수심이 얕아 생물의 서식지로 활용된다. 판게아가 형성되면서 대륙이 하나로 뭉쳐짐에 따라 해안선의 길이는 축소되었고, 이 과정에서 해안 주변의 생물 서식지가 줄어들면서 생물 멸종의 원인으로 작용하였다.

❹ 소행성 충돌의 첫 번째 증거에는 멕시코 유카탄 반도에서 발견된 운석 구덩이로, 이 운석 구덩이는 중생대 말에 만들어진 것으로 밝혀졌다. 또 다른 증거는 중생대와 신생대의 경계에서 형성된 지층에서 이리듐의 농도가 다른 지층보다 매우 높게 나타나는 것이다. 이리듐은 지구의 지각에는 그 함량이 매우 적은 물질이지만 소행성에는 상대적으로 많이 존재한다. 따라서 이리듐이 많이 포함된 지층이 나타난다는 것은 지층이 형성될 때 소행성의 영향을 받았다는 것을 의미한다.

■ 생물의 진화 과정 확인
지층의 생성 시기에 따라 발견된 생물 화석을 나열하면 생물의 진화 과정을 알 수 있다.

✓ 바로 체크

1 과거에 살았던 생물의 유해나 흔적을 ( )이라고 한다.

2 지질 시대는 선캄브리아 시대, 고생대, ( ), ( )로 구분한다.

3 고생대에는 대기 중에 산소의 농도가 증가하여 오존층이 형성되면서 ( )을 차단하여 육상에 식물이 출현할 수 있었다.

4 파충류가 번성하여 공룡의 시대라 불린 지질 시대는 ( )대이다.

5 대멸종은 생물의 ( )을 증가시키는 역할을 하였다.

정답 5 다양성
1 화석 2 중생대, 신생대 3 자외선 4 중생

지질 시대의 환경 변화

정답과 해설 29쪽

| 활동 목표 |
지질 시대 동안의 환경 변화가 생물의 변천 과정에 끼친 영향을 설명할 수 있다.

자료1

지구 대기의 산소 농도 변화

대기 중에 산소가 증가하여 오존층이 형성된 후 육지에도 생물이 진출하였다.

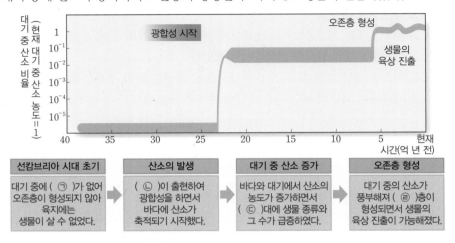

선캄브리아 시대 초기	산소의 발생	대기 중 산소 증가	오존층 형성
대기 중에 (㉠)가 없어 오존층이 형성되지 않아 육지에는 생물이 살 수 없었다.	(㉡)이 출현하여 광합성을 하면서 바다에 산소가 축적되기 시작했다.	바다와 대기에서 산소의 농도가 증가하면서 (㉢)대에 생물 종류와 그 수가 급증하였다.	대기 중의 산소가 풍부해져 (㉣)층이 형성되면서 생물의 육상 진출이 가능해졌다.

■ 중생대 수륙 분포의 변화
대륙이 분리되고 이동하면서 해안선의 길이가 증가하였다.

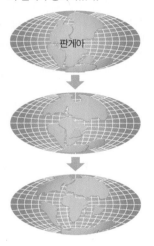

자료2

중생대의 수륙 분포와 생물의 번성

중생대 전반에 걸친 대륙의 이동과 온난한 기후는 생물의 번성에 기여하였다.

중생대에는 초대륙인 (㉤)가 갈라지고 대륙이 이동하면서 해안선이 길어지고, 얕은 바다에 해당하는 대륙붕의 면적이 증가하였다. ⇨ 대륙붕의 면적이 증가하면서 이곳에서 생활하는 생물의 다양성과 개체 수가 증가하였다.

대륙이 분리될 때 판 경계에서 화산 활동이 활발하게 일어나면서 대기 중으로 방출된 이산화 탄소는 지구의 (㉥) 효과를 증가시켰다. ⇨ 이러한 원인으로 지구 전체적으로 온난한 기후가 형성되면서 생물들이 번성할 수 있었다.

→ 중생대 생물의 번성

이해 Check

1 지질 시대 동안 대기 중 산소 농도 변화가 지구 환경에 끼친 영향에 대한 설명으로 옳은 것만을 |보기|에서 있는 대로 고르시오.

| 보기 |
ㄱ. 대기 중 산소의 농도 증가로 오존층이 만들어졌다.
ㄴ. 오존층이 형성되면서 육지에는 생물이 살 수 없게 되었다.
ㄷ. 선캄브리아 시대 초기에는 대기 중에 산소가 많이 포함되어 있어 육지에 생물이 출현할 수 있었다.
ㄹ. 해양에 출현한 남세균이 광합성을 하여 산소를 만들게 되면서 대기 중 산소 농도가 증가하였다.

2 그림은 중생대 전기와 후기의 수륙 분포를 나타낸 것이다.

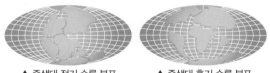

▲ 중생대 전기 수륙 분포   ▲ 중생대 후기 수륙 분포

이와 같은 수륙 분포의 변화는 해양 생물에게는 어떤 영향을 끼치게 되었는지를 서술하시오.

탐구 활동 — 생물 멸종의 원인

| 활동 목표 |
중생대말 대멸종의 원인과 그 의미를 설명할 수 있다.

과정

다음은 중생대 말 수많은 생물의 멸종 원인을 설명하는 가설과 발견된 증거이다.

1 생물 멸종을 설명하는 가설

소행성 충돌설	대규모 용암 분출설
지구에 거대한 소행성이 충돌하여 대규모의 지진 해일이 일어났고, 엄청난 먼지 구름이 전 지구를 뒤덮었다. 이로 인해 햇빛이 차단되어 기온이 하강했으며, 많은 식물이 광합성을 하지 못해 멸종했다. 급격한 환경 변화로 먹이 사슬이 무너지면서 공룡과 암모나이트를 비롯한 수많은 생물이 멸종했다.	수십만 년에 걸쳐 대규모로 용암이 분출하면서 엄청난 양의 화산재와 화산 가스가 방출되었다. 화산 가스에 포함된 유독 물질로 많은 동물들이 죽었으며, 화산재가 햇빛을 차단해 전 지구적으로 기온이 하강했다. 그 결과 많은 식물이 멸종했고, 식물 멸종으로 먹이가 사라지면서 수많은 동물도 함께 멸종했다.

2 생물 멸종을 설명하는 가설의 증거

운석 구덩이	이리듐 농도	용암 대지
멕시코의 유카탄 반도에서 지름이 약 180 km에 이르는 운석 구덩이가 발견되었다. 이 운석 구덩이는 중생대 말에 만들어진 것으로 밝혀졌다.	중생대와 신생대의 경계에 있는 지층에서 이리듐의 농도가 높다. 이리듐은 지각에는 그 함량이 매우 적지만 운석이나 소행성에 상대적으로 많이 존재한다.	인도 서부의 데칸 고원에는 50만 km^2에 이르는 용암 대지가 분포한다. 이 용암 대지는 중생대 말에서 신생대 초에 걸쳐 형성된 것으로 밝혀졌다.

◎탐구 Plus

유카탄 반도의 운석 구덩이
멕시코의 유카탄 반도에서 발견된 운석 구덩이는 지름이 약 180 km이고 깊이는 약 20 km이다. 이 운석 구덩이는 지름 10~15 km 정도 크기의 운석이나 혜성의 충돌로 형성된 것으로 알려져 있으며, 충돌 시기는 약 6천6백만 년 전으로 추정된다.

결과 및 정리

1 두 가설을 비교하면 공통점은 무엇인가?
- 두 가설 모두 전 지구적으로 영향을 주는 지구 (Ⓐ)가 장기간 지속될 때, 식물계가 먼저 영향을 받고 뒤이어 동물계가 영향을 받아 생물 (◎)으로 이어졌다.

2 중생대 말에 대멸종이 일어나지 않았다면 현재와 같이 인류가 번성할 수 있었을까?
- 중생대 말 대멸종이 일어나지 않았으면 (㉣)의 시대는 한동안 더 유지되었을 것이며, 생태적 지위가 낮았던 (㉤)는 번성하지 못했을 것이므로 인류의 출현 가능성도 낮았을 것이다.

이해 Check

3 중생대 말 대멸종을 설명하는 가설을 뒷받침하는 증거로 옳은 것만을 |보기|에서 있는 대로 고르시오.

| 보기 |
ㄱ. 유카탄 반도에서 운석 구덩이를 확인할 수 있다.
ㄴ. 초대륙인 판게아가 형성되면서 해양 생물의 서식지가 줄어들었다.
ㄷ. 데칸 고원에 나타나는 용암 대지를 형성할 정도의 대규모 화산 분출이 있었다.
ㄹ. 중생대와 신생대의 경계 지층에서 나타나는 이리듐의 농도가 다른 지층에서 발견되는 경우보다 상대적으로 높다.

4 지질 시대에 있었던 대멸종에 관한 설명으로 옳은 것만을 |보기|에서 있는 대로 고르시오.

| 보기 |
ㄱ. 지질 시대 동안 생물의 대멸종은 중생대에 단 한 번만 발생하였다.
ㄴ. 지질 시대에 일어난 생물의 대멸종은 주로 일부 한정된 지역에서 일어난 지구 환경 변화가 그 원인이다.
ㄷ. 생물의 대멸종은 대멸종에서 살아남은 개체가 새로운 종으로 진화하면서 생물 다양성이 증가하는 계기가 되었다.

개념 확인 문제

01 화석에 대한 설명으로 옳은 것은 ○표, 옳지 <u>않은</u> 것은 ×표를 하시오.

(1) 땅속에 묻힌 생물의 유해나 흔적은 모두 화석이 된다. ( )

(2) 과거에 살았던 나뭇잎이 지층 속에서 발견된 것은 화석이다. ( )

(3) 과거에 살았던 새의 발자국이 지층에 남아 있는 것은 화석이 아니다. ( )

(4) 생물이 화석으로 만들어지기 위해서는 개체의 수가 매우 적어야 한다. ( )

(5) 화석을 이용하면 과거에 살았던 생물의 모습이나 생활 환경, 지층의 생성 시기 등을 유추할 수 있다. ( )

02 과거 생물이 살았던 지질 시대를 확인하는 데 이용할 수 있는 화석만을 |보기|에서 있는 대로 고르시오.

┌─ 보기 ─────────────────────┐
ㄱ. 삼엽충   ㄴ. 고사리
ㄷ. 산호   ㄹ. 암모나이트
ㅁ. 공룡   ㅂ. 스트로마톨라이트
└────────────────────────────┘

03 그림은 지질 시대를 시계에 비유하여 상대적 길이로 나타낸 것이다.

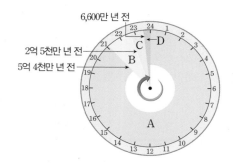

A~D에 해당하는 지질 시대를 각각 쓰시오.

(1) A: ( )   (2) B: ( )

(3) C: ( )   (4) D: ( )

04 지질 시대에 대해 설명한 내용이다. 빈칸에 들어갈 알맞은 말을 쓰시오.

┌──────────────────────────────────┐
약 46억 년 전 지구가 탄생한 후부터 현재까지의 시대를 (㉠) 시대라고 한다. (㉠) 시대를 구분하는 기준은 과거에 살았던 (㉡)의 종에 급격한 변화이다. 이를 기준으로 선캄브리아 시대, 고생대, 중생대, 신생대로 구분한다.
└──────────────────────────────────┘

05 다음 |보기|는 지질 시대별 특징을 설명한 것이다.

┌─ 보기 ─────────────────────┐
ㄱ. 바다에 삼엽충과 갑주어가 출현하고 어류가 번성하였다.

ㄴ. 대기 중에 오존층이 형성되면서 육지로 생물들이 진출하게 되었다.

ㄷ. 판게아가 분리되어 이동하기 시작하고 파충류와 암모나이트 등이 번성하였다.

ㄹ. 전반적으로 온난한 기후였으며 겉씨식물이 번성하고 작은 포유류가 출현하였다.

ㅁ. 대륙이 계속 이동하여 현재의 수륙 분포와 비슷하게 되었다.

ㅂ. 초기에는 대기 중에 산소가 없었고 여러 차례의 대규모 조산 운동이 있었다.

ㅅ. 최초로 생물이 출현하였으며, 남세균이 나타나 광합성을 시작하면서 대기 중으로 산소가 공급되었다.
└────────────────────────────┘

해당하는 지질 시대의 특징을 |보기|에서 골라 그 기호를 쓰시오.

(1) 선캄브리아 시대: ( )

(2) 고생대: ( )

(3) 중생대: ( )

(4) 신생대: ( )

06 그림은 지질 시대 동안 생물 종의 수 변화를 나타낸 것이다.

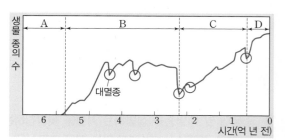

이에 관한 설명으로 옳은 것은 ○표, 옳지 <u>않은</u> 것은 ×표를 하시오.

(1) 과거 지질 시대 동안 대규모 생물의 멸종은 약 5번 있었다. ( )

(2) A 시기에는 생물이 존재하지 않았다. ( )

(3) B 시기에는 생물 종류의 급격한 증가가 있었다. ( )

(4) C 시기에는 기후가 온난하였다. ( )

(5) D 시기에는 공룡이 번성하였다. ( )

실력 쑥쑥 문제

01 화석에 대한 설명으로 옳지 <u>않는</u> 것은?

① 과거에 살던 생물의 흔적도 화석에 포함된다.
② 화석을 통해 과거 지구 환경을 유추할 수 있다.
③ 화석은 퇴적될 당시의 환경과 유사한 환경에서만 산출된다.
④ 화석을 통해 과거에 살던 생물의 모습을 유추해 볼 수 있다.
⑤ 화석은 과거에 살던 생물이 유해에 퇴적층이 쌓여 형성된다.

★ | 과학적 사고력 |
02 그림은 어느 지역의 각 지층에서 발견되는 화석의 분포를 나타낸 것이다.

지층 \ 화석	가	나	다	라	마
E		나		라	마
D					마
C					마
B	가		다	라	마
A				라	마

화석을 기준으로 지층이 만들어진 지질 시대를 구분할 때 가장 적절한 곳은 A~D 중 어디와 어디 사이인지를 쓰시오.

03 그림은 지질 시대를 시계에 비유하여 상대적 길이로 나타낸 것이다.

6,600만 년 전
2억 5천만 년 전
5억 4천만 년 전

A~D에 해당하는 지질 시대의 특징을 설명한 내용으로 옳은 것만을 |보기|에서 있는 대로 고른 것은?

┤ 보기 ├
ㄱ. A 지질 시대에는 생물이 존재하지 않았다.
ㄴ. B 지질 시대에 오존층이 형성되었다.
ㄷ. C 지질 시대에 판게아가 형성되기 시작하였다.
ㄹ. D 지질 시대에 인류가 출현하였다.

① ㄱ, ㄴ   ② ㄱ, ㄹ   ③ ㄴ, ㄷ
④ ㄴ, ㄹ   ⑤ ㄷ, ㄹ

04 지질 시대에 대한 설명으로 옳은 것은?

① 중생대는 전반적으로 한랭한 기후였다.
② 오존층이 처음으로 형성된 시대는 신생대이다.
③ 선캄브리아 시대 초기의 대기에는 산소가 풍부하였다.
④ 현재와 같은 대륙과 해양의 분포가 나타난 시대는 중생대이다.
⑤ 삼엽충과 갑주어가 나타나고 어류가 번성한 시대는 고생대이다.

05 우리나라 서해에 위치한 소청도에서는 스트로마톨라이트가 발견된다. 이에 대한 설명으로 옳은 것만을 |보기|에서 있는 대로 고른 것은?

┤ 보기 ├
ㄱ. 발견된 지역이 과거에는 바다 환경이었을 것이다.
ㄴ. 남세균에 의해 광합성이 일어났다는 것을 알려주는 증거이다.
ㄷ. 스트로마톨라이트가 처음 출현한 지질 시대는 다양한 무척추 동물이 출현하고 번성한 시대이다.

① ㄱ   ② ㄷ   ③ ㄱ, ㄴ
④ ㄴ, ㄷ   ⑤ ㄱ, ㄴ, ㄷ

06 그림은 어느 지역의 같은 지층에서 발견된 두 종류의 화석을 나타낸 것이다.

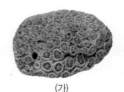
(가)

(나)

(가)와 (나) 화석에 대한 설명으로 옳은 것만을 |보기|에서 있는 대로 고른 것은?

┤ 보기 ├
ㄱ. (가) 화석이 발견된 지층은 중생대에 만들어진 것이라고 확인할 수 있다.
ㄴ. (나) 화석이 발견된 지층은 퇴적될 당시 바다 환경이었다.
ㄷ. 화석으로 발견된 두 생물은 같은 시대에 살았을 것으로 유추할 수 있다.

① ㄱ   ② ㄷ   ③ ㄱ, ㄴ
④ ㄴ, ㄷ   ⑤ ㄱ, ㄴ, ㄷ

07 그림은 지질 시대 동안 지구 대기에 포함된 산소의 농도 변화를 나타낸 것이다.

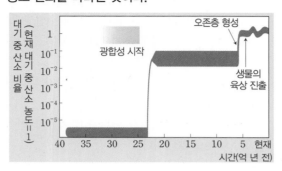

이에 대한 설명으로 옳은 것만을 |보기|에서 있는 대로 고른 것은?

| 보기 |

ㄱ. 오존층의 형성은 생물의 육상 진출 시기에 영향을 미쳤을 것이다.
ㄴ. 오존층이 형성된 것은 대기 중의 산소 농도가 증가했기 때문이다.
ㄷ. 대기 중에 산소가 증가한 것은 대기를 이루고 있는 다른 물질들이 화학 반응을 일으켰기 때문이다.

① ㄱ   ② ㄴ   ③ ㄱ, ㄴ
④ ㄱ, ㄷ   ⑤ ㄴ, ㄷ

08 그림 (가)와 (나)는 서로 다른 지질 시대의 모습을 복원한 것을 순서 없이 나타낸 것이다.

(가)   (나)

이에 대한 설명으로 옳지 않은 것은?

① (가) 시대에는 어류가 번성하였다.
② (가) 시대에 판게아가 형성되었다.
③ (나) 시대 초기에는 포유류가 번성하였다.
④ (나) 시대는 전반적으로 기후가 온난하였다.
⑤ (가)와 (나) 모두에서 갑작스러운 생물의 대멸종이 있었다.

09 그림은 중생대에 대륙이 분리되어 이동하는 과정을 시간 순서대로 나타낸 것이다.

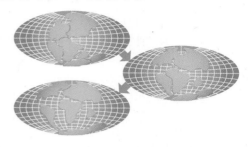

이에 대한 설명으로 옳은 것만을 |보기|에서 있는 대로 고른 것은?

| 보기 |

ㄱ. 대륙의 이동으로 생물권이 영향을 받았다.
ㄴ. 대륙의 분리로 대륙붕 면적이 감소하였다.
ㄷ. 대륙이 분리되는 경계에서의 활발한 지각 변동은 생물권에 영향을 주지 못했다.

① ㄱ   ② ㄴ   ③ ㄱ, ㄴ
④ ㄱ, ㄷ   ⑤ ㄴ, ㄷ

| 과학적 사고력 |

10 그림은 지질 시대 동안 생물 종의 수 변화를 나타낸 것이다.

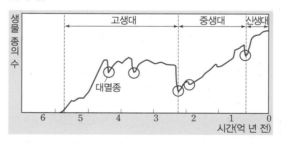

이에 대한 설명으로 옳은 것만을 |보기|에서 있는 대로 고르시오.

| 보기 |

ㄱ. 모든 지질 시대에 대멸종이 있었다.
ㄴ. 대멸종 후 생물 종의 수는 점점 감소하였다.
ㄷ. 소행성 충돌설과 관련이 있는 대멸종은 5번째 대멸종이다.

① ㄴ   ② ㄷ   ③ ㄱ, ㄴ
④ ㄱ, ㄷ   ⑤ ㄴ, ㄷ

11 생물 대멸종에 대한 설명으로 옳은 것만을 |보기|에서 있는 대로 고른 것은?

┌ 보기 ├

ㄱ. 바다에서 살았던 생물들도 대멸종을 겪었다.
ㄴ. 대멸종이 일어나도 생물의 종류는 변하지 않았다.
ㄷ. 대멸종의 원인으로 기온 변화, 소행성 충돌, 화산 폭발 등이 있다.

① ㄱ   ② ㄴ   ③ ㄱ, ㄴ
④ ㄱ, ㄷ   ⑤ ㄴ, ㄷ

서술형 문제

12 그림은 강원도 태백의 산간에 위치하는 구문소의 모습으로, 이곳에서 삼엽충 화석이 발견되었다.

(1) 삼엽충의 서식 환경을 고려할 때 구문소 지역은 과거 어떤 환경이었을지 서술하시오.

_____

_____

(2) 구문소가 위치하는 곳은 강원도 산간의 높은 지역이다. 이와 같은 산간 지방에서 바다에서 사는 삼엽충 화석이 어떻게 발견될 수 있는지 그 까닭을 서술하시오.

_____

_____

| 과학적 탐구능력 |

13 그림은 지질 시대 동안 지구 대기에서 산소 농도가 변화하는 정도를 나타낸 것이다.

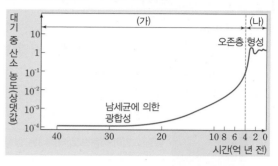

(1) 생물 변화가 지구 환경 변화에 영향을 준 경우는 어떤 것인지 그림을 참고하여 서술하시오.

_____

_____

(2) 지구 환경 변화가 생물에는 어떤 영향 주게 되는지 그림을 참고하여 서술하시오.

_____

_____

14 다음은 학생 A가 어느 지역에서 표면에 드러난 지층을 지질 답사하고 작성한 답사 보고서이다.

> **답사 보고서**
> • 조사 기간 : 2017년 9월
> • 관찰 내용
>   ① 주요 지층: 셰일
>   ② 산출되는 화석: 산호, 공룡, 삼엽충
> • 결과 정리
> 발견된 화석을 바탕으로 분석해보면 이 지역은 비교적 따뜻한 기후의 바다 환경에서 퇴적된 지층이다. 추가 자료를 조사한 결과 퇴적층이 형성되던 시기에 식물이 육상으로 진출하기 시작했다고 한다.

(1) 학생 A는 실수로 화석 하나를 잘못 기록하고 보고서를 제출하였다. 잘못 기록한 화석은 무엇인가?

(2) (1)과 같이 판단한 까닭은 무엇인지 서술하시오.

_____

_____

7-2 진화와 생물 다양성

교과서 232~247쪽

1 생물 진화의 원리

1. 진화와 변이

① **진화** 생물 집단이 여러 세대를 거치는 동안 변화하는 현상으로, 진화의 결과 새로운 생물종이 출현할 수 있다.

② **변이** 같은 종에 속하는 개체 사이에 나타나는 형질의 차이로, 크게 비유전적 변이와 유전적 변이로 나눌 수 있다.

비유전적 변이	환경 요인의 작용으로 나타나는 형질의 차이 ➡ 형질이 자손에게 유전되지 않는다. 예 운동으로 단련된 팔 근육과 단련되지 않은 팔 근육
유전적 변이❶	유전자의 변화로 나타나는 유전적 변이 ➡ 형질이 자손에게 유전되며, 진화의 원동력이 된다. 예 눈꺼풀의 모양(쌍꺼풀, 외꺼풀)

2. 생물 진화의 원리 자연 선택❷

① **다윈의 자연 선택설** 다윈이 주장한 생물 진화의 원리이며, 변이가 있는 생물 집단에서 환경에 잘 적응하여 살아남기 유리한 형질이 선택되어 자손에게 전달된다는 것이다. ➡ 환경에 의해 자손에게 형질을 전달할 개체가 선택된다.

② **자연 선택설에 의한 진화 과정**
└ 꽃의 색깔이나 씨의 모양 등과 같이 생물이 가지고 있는 고유한 특징

$$변이 ⇒ 생존 경쟁 ⇒ 자연 선택 ⇒ 생물 집단의 진화$$

③ **자연 선택설로 설명한 기린의 진화**

원래 기린의 목 길이는 다양하였다. / 생존에 불리한 목이 짧은 기린은 도태되었다. / 목이 긴 기린만 살아남았다.

2 변이에 의한 자연 선택과 생물의 진화

1. 변이와 자연 선택 주변 환경에 잘 적응할 수 있는 형질을 가진 개체가 살아남아 자손을 많이 남기고, 이러한 과정이 반복되어 생물이 진화한다.

① **항생제 내성을 가진 세균 출현**
- 처음에는 모든 세균이 항생제 내성이 없었다.
  ➡ 일부 개체에서 변이가 일어나 항생제에 내성을 가지게 되었다(변이).
  ➡ 항생제 내성 세균이 항생제를 사용하는 환경에서 살아남았다(자연 선택).
  ➡ 살아남은 세균은 증식하였고, 그 결과 항생제 내성 세균 집단이 형성되었다(진화).

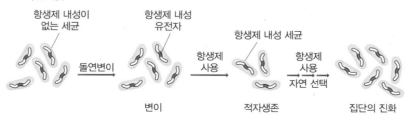

항생제 내성이 없는 세균 / 항생제 내성 유전자 / 항생제 내성 세균

돌연변이 → 항생제 사용 → 항생제 사용 / 자연 선택

변이 / 적자생존 / 집단의 진화

이 단원의 핵심 개념은~
- 다윈의 자연 선택설
- 변이와 자연 선택에 의한 생물의 진화
- 생물 다양성의 의미

❶ 유전자의 변화로 인해 나타나는 변이이므로 자손에게 유전된다. 유전적 변이는 자손이 어버이로부터 유전자를 물려받는 과정에서 발생하는 돌연변이에 의해 형성된다. 이러한 변이는 환경에 따른 자연 선택에 영향을 주며, 자연 선택된 개체의 변이는 자손에게 전달될 수 있다.

❷ 자연 선택에 의한 진화

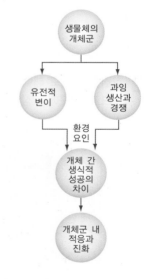

생물체의 개체군

유전적 변이 / 과잉 생산과 경쟁

환경 요인

개체 간 생식적 성공의 차이

개체군 내 적응과 진화

용어 🔍

항생제(抗生劑)
미생물이 생산하는 대사 산물로, 소량으로 다른 미생물의 발육을 억제하거나 사멸시키는 물질이다.

② 갈라파고스 제도에서 먹이의 종류에 따른 핀치의 진화

- 처음에는 부리 모양이 다양한 핀치가 살고 있었다(변이).
  ➡ 섬에는 크고 단단한 씨가 많았고, 이 씨를 잘 깨뜨려서 먹을 수 있는 크고 두꺼운 부리를 가진 핀치가 많이 살아남았다(자연 선택).
  ➡ 여러 세대에 걸쳐 자연 선택이 일어나면서 이 섬에는 크고 두꺼운 부리를 가진 핀치 집단이 형성되었다(진화).

갈라파고스 제도의 한 섬 / 변이 / 크고 단단한 씨 / 자연 선택 / 증식 / 다양한 모양의 부리를 가진 핀치 집단 / 크고 두꺼운 부리를 가진 핀치 집단으로 진화

2. 다양한 생물의 출현 생물이 서식하는 환경 변화는 변화된 환경에 적응할 수 있는 형질을 가진 개체의 생존률과 생식 성공률을 높였다. 이러한 과정이 여러 세대에 걸쳐 반복되면서 현재와 같이 생물종이 다양해졌다.

3 생물 다양성

1. 생물 다양성❸ 생태계 내에 존재하는 생물의 다양한 정도를 의미한다.

2. 생물 다양성을 구성하는 3가지 요소

> 삼림, 하천, 초원 등 다양한 생태계가 존재한다.

유전적 다양성 — 쥐들의 유전적 구성이 다양하다.   종 다양성 — 한 지역 내 다양한 종들이 서식한다.   생태계 다양성

유전적 다양성	같은 종 내에서 색, 크기, 모양, 무늬 등과 같은 형질이 각각 다르게 나타난 것을 의미한다.
종 다양성❹	생물 군집 내에 얼마나 많은 종이 균등하게 분포하고 있는지를 의미한다.
생태계 다양성	한 지역에 존재하는 생태계의 다양한 정도를 의미한다.

└ 생물이 주위 환경 및 생물과 서로 관계를 맺으며 조화를 이루고 있는 유기적인 체제

3. 생물 다양성의 가치

① 다양한 생물은 인간의 의식주에 필요한 각종 생물 자원❺을 공급한다.
   (예) 목화는 직물의 공급원, 쌀은 식량의 공급원, 나무는 주택 재료의 공급원이다.
② 다양한 생태계가 가진 생태적 · 문화적 가치는 인간에게 사회적 · 심미적 가치를 제공한다.
   (예) 인간의 휴식처를 제공하는 휴양림, 생태 체험 장소인 갯벌

4. 생물 다양성 감소의 원인 환경 오염, 외래종 도입, 서식지 파괴와 단편화, 야생 생물 불법 포획 및 남획 등

5. 생물 다양성 보전을 위한 노력

개인적 노력	환경을 보호하려는 의식을 갖고 자원과 에너지를 절약한다.
국가적 노력	생물 다양성 보전 가치가 높은 지역은 국립 공원으로 지정하여 관리한다.
국제적 노력	생물 다양성 보전을 위한 국제 협약을 체결한다.

❸ 생물 다양성이란 일정한 생태계 내에 존재하는 생물의 다양한 정도를 말한다. 생물 다양성이 높을수록 안정된 생태계이다.

❹ 종이란 생물 분류의 기본 단위이다. 자연 교배에 의해 생식 능력이 있는 자손을 낳을 수 있는 생물은 같은 종이다.

❺ 인류를 위해 실질적으로 혹은 잠재적으로 사용될 수 있거나 가치가 인정되는 자원으로, 생물체 자체 또는 생물체 일부가 될 수도 있다.

✔ 바로 체크

1 (   ) 변이는 환경 요인의 작용으로 나타나는 형질의 차이이다.

2 주변 환경에 잘 적응할 수 있는 형질을 가진 개체가 살아남아 자손을 많이 남기게 되는 과정이 반복되면 생물이 (   )하게 된다.

3 생물 다양성에는 유전적 다양성, (   ), 생태계 다양성이 있다.

4 서식지 파괴와 무분별한 외래종의 도입은 (   ) 감소의 주요 원인이다.

정답

1 비유전적 2 진화 3 종 다양성 4 생물 다양성

| 탐구 목표 |

내성 생명체 출현에 관한 모의실험을 통해 내성 세균의 출현 과정을 추론할 수 있다.

| 유의점 |

• 모형 항생제 배지는 그림과 같이 A3 용지에 가로 5 cm × 세로 5 cm 크기의 흰색, 검은색 사각형이 번갈아 교차하도록 출력하여 사용한다.

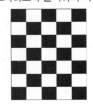

• 흰색 바둑알은 야생형 세균, 검은색 바둑알은 항생제 내성 세균으로 가정하고, 모형 항생제 배지의 검은 사각형이 항생제라고 가정한다.

♀탐구 Plus

변이

어떤 집단 내 일부 개체가 돌연변이 등에 의해 항생제 내성을 획득한다.

↓

자연 선택

항생제가 있는 환경에서 항생제 내성이 없는 세균은 도태되고, 항생제 내성 세균은 생존하여 번식한다.

↓

진화

항생제 내성 세균으로만 이루어진 집단을 형성한다.

과정

① 흰색 바둑알 25개, 검은색 바둑알 5개를 섞어 모형 항생제 배지 위에 뿌린다.

② 결과표의 '1세대'에서 '야생형 세균의 수'와 '항생제 내성 세균의 수'란에 각각 모형 항생제 배지 위에 있는 흰색 바둑알과 검은색 바둑알의 개수를 기록하고, '총 개체 수'란에 바둑알의 총 개수를 기록한다.

③ 눈을 감고 모형 항생제 배지 위의 바둑알을 잘 섞은 다음 모형 항생제 배지에서 항생제에 해당하는 검은 사각형에 닿은 바둑알을 제거한다. 이때 야생형 세균에 해당하는 흰색 바둑알은 검은색 사각형에 조금이라도 닿으면 제거하고, 항생제 내성 세균에 해당하는 검은색 바둑알은 흰색 사각형에 닿지 않고 검은색 사각형 안으로 완전히 들어간 경우에만 제거한다.

④ 남아 있는 흰색 바둑알과 검은색 바둑알의 개수만큼 모형 항생제 배지 위에 흰색 바둑알과 검은색 바둑알을 각각 추가한다.

⑤ 결과표의 '2세대'에서 '야생형 세균의 수'와 '항생제 내성 세균의 수'란에 각각 모형 항생제 배지 위에 있는 흰색 바둑알과 검은색 바둑알의 개수를 기록하고, '총 개체 수'란에 바둑알의 총 개수를 기록한다.

⑥ 과정 ③~④를 반복하면서 3세대~8세대의 결과를 결과표에 기록한다.

탐구 결과

구분	1세대	2세대	3세대	4세대	5세대	6세대	7세대	8세대
야생형 세균의 수	25	26	24	22	20	14	12	8
항생제 내성 세균의 수	5	6	10	16	26	40	60	100
총 개체 수	30	32	34	38	46	54	72	108

탐구 정리

1 (㉠)가 있는 환경에서는 항생제 내성을 가진 세균이 주로 살아남아 자손을 남길 것이다.

2 이러한 과정이 반복되면 세균 집단에는 항생제에 내성을 가진 세균들만 남게 된다.

🙂 이해 Check

1 다윈의 자연 선택설에 대한 설명으로 옳은 것만을 |보기|에서 있는 대로 고르시오.

┤ 보기 ├

ㄱ. 생물의 진화를 변이와 자연 선택으로 설명했다.

ㄴ. 부모의 형질이 자손에게 유전되는 원리를 정확하게 설명했다.

ㄷ. 환경에 대한 적응과 상관없이 수명이 긴 개체들이 경쟁에 살아남아 자손을 더 많이 남긴다.

2 같은 종에 속하는 개체 사이에 나타나는 형질의 차이를 무엇이라고 하는지 쓰시오.

| 탐구 목표 |
생물 다양성을 구성하는 요소를 구분할 수 있다.

| 유의점 |
생물 다양성의 의미를 이해한 후, 생물 다양성을 구성하는 3가지 요소인 유전적 다양성, 종 다양성, 생태계 다양성을 구분할 수 있어야 한다.

자료

다음은 생물 다양성을 구성하는 요소를 나타낸 것이다.

(가) 생태계 다양성: 어떤 지역을 구성하는 생태계의 다양한 정도 •

(나) 유전적 다양성: 한 개체군에 속하는 생물들이 지닌 다양한 유전적 변이 •

(다) 종 다양성: 한 지역에 서식하는 생물의 전체 종 수 •

• ㉠
• ㉡
• ㉢

탐구 정리

1 (가)~(다)와 ㉠~㉢을 관련있는 것끼리 연결해 보자.
  • (가)는 ㉢, (나)는 ㉠, (다)는 ㉡과 관련이 있다.

2 ㉠~㉢이 나타내고 있는 생물 다양성의 예를 조사해 보자.
  • ㉠(유전적 다양성)의 예로는 무당벌레의 무늬가 다양한 것과 달팽이의 껍질 무늬가 다양한 것 등이 있다.
  ㉡(종 다양성)의 예로는 숲에 다양한 종의 나무가 서식하는 것 등이 있다.
  ㉢(생태계 다양성)의 예로는 한 지역에 존재하는 숲 생태계, 바다 생태계, 지하 동굴 생태계 등이 있다.

3 ㉠~㉢의 생물 다양성이 각각 높을 때와 낮을 때 생태계에 어떤 영향을 미치는지 설명해 보자.
  • ㉠~㉢의 생물 다양성이 높을수록 생태계는 (　㉡　)으로 유지된다.

⚫ **이해 Check**

3 그림 (가)와 (나)가 나타내는 생물 다양성의 의미를 각각 쓰시오.

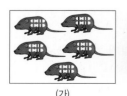
(가)

(나)

4 생물 다양성에 대한 설명으로 옳은 것은 ○표, 옳지 않은 것은 ×표를 하시오.
  (1) 유전적 다양성이 높은 집단은 환경이 급격하게 변할 때 살아남을 가능성이 높다. 　　(　)
  (2) 종 다양성은 동물에게만 해당한다. 　　(　)
  (3) 생태계 다양성은 특정 지역에 서식하는 종의 다양한 정도를 의미한다. 　　(　)

개념 확인 문제

01 변이에 대한 설명으로 옳은 것은 ○표, 옳지 <u>않은</u> 것은 ×표를 하시오.

(1) 같은 종에 속하는 개체 사이에 나타나는 형질의 차이를 변이라고 한다. ( )

(2) 환경 요인의 작용으로 나타나는 형질의 차이를 비유전적 변이라고 한다. ( )

(3) 유전적 변이에 의한 형질은 자손에게 유전되지 않는다. ( )

02 그림은 다윈의 자연 선택설로 설명한 기린의 진화 과정을 순서 없이 나타낸 것이다.

원래 기린의 목 길이는 다양하였다.	목이 긴 기린만 살아 남았다.	생존에 불리한 목이 짧은 기린은 도태되었다.
(가)	(나)	(다)

기린의 진화 과정에 맞게 순서대로 기호를 쓰시오.

03 다윈의 자연 선택설에 대한 설명으로 옳은 것만을 |보기|에서 있는 대로 고르시오.

┤ 보기 ├

ㄱ. 개체들 사이에는 먹이, 서식지 등을 두고 경쟁이 일어난다.

ㄴ. 같은 종의 개체들은 환경에 적응하는 능력이 모두 동일하다.

ㄷ. 변이가 없는 생물 집단에서 진화가 일어나는 과정을 설명한 것이다.

04 다음은 변이와 자연 선택에 대한 설명이다. 빈칸에 들어갈 알맞은 말을 쓰시오.

주변 환경에 잘 적응할 수 있는 형질을 가진 개체가 살아남아 자손을 많이 남기게 되고, 이러한 과정이 반복되어 생물이 ( )하게 된다.

05 다음은 자연 선택에 의한 항생제 내성 세균 집단의 형성 과정을 순서 없이 나타낸 것이다.

(가) 항생제를 사용하는 환경에서 항생제 내성 세균이 살아남았다.

(나) 살아남은 항생제 내성 세균이 증식하였고, 항생제 내성 세균 집단을 형성하였다.

(다) 변이에 의해 일부 항생제 내성 세균이 나타났다.

(라) 모든 세균이 항생제 내성이 없었다.

항생제 내성 세균 집단의 형성 과정에 맞게 순서대로 기호를 쓰시오.

06 변이와 자연 선택에 의한 생물의 진화 과정을 설명하기에 적절한 예를 |보기|에서 있는 대로 고르시오.

┤ 보기 ├

ㄱ. 먹이를 따라 이동하는 개미들의 움직임

ㄴ. 살충제를 처리한 후 살충제에 내성을 가진 모기의 증식

ㄷ. 갈라파고스 제도에서 먹이의 종류에 따른 핀치의 진화

07 그림은 어떤 무당벌레 겉날개의 다양한 무늬와 색을 나타낸 것이다. 이것은 생물 다양성을 구성하는 3가지 요소 중 어디에 해당하는지 쓰시오.

08 생물 다양성에 대한 설명으로 옳은 것만을 |보기|에서 있는 대로 고르시오.

┤ 보기 ├

ㄱ. 생물 다양성 감소의 원인으로 포획과 남획이 있다.

ㄴ. 생물 다양성은 생태계 내에 존재하는 생물의 다양한 정도이다.

ㄷ. 생물 다양성 보전 가치가 높은 지역을 국립 공원으로 지정하는 것은 생물 다양성 보전을 위한 노력 중 개인적 노력에 해당한다.

실력 쑥쑥 문제

| 과학적 의사소통 능력 |

01 다음은 진화와 변이에 대해 세 학생이 대화한 내용이다.

진화의 결과 새로운 종이 출현할 수 있어. — 학생 A

변이에 의한 형질 모두는 자손에게 유전돼. — 학생 B

비유전적 변이는 환경 요인에 의해 나타난 형질의 차이를 의미해. — 학생 C

진화와 변이에 대해 옳게 설명한 학생을 있는 대로 고른 것은?

① A   ② B   ③ A, B
④ A, C   ⑤ B, C

02 비유전적 변이에 대한 예로 옳은 것만을 |보기|에서 있는 대로 고른 것은?

┤ 보기 ├

ㄱ. 쌍꺼풀인 눈과 외꺼풀인 눈
ㄴ. 운동으로 단련된 팔 근육과 단련되지 않은 팔 근육
ㄷ. 카렌족 여인들이 목걸이에 의해 목이 길어지는 것

① ㄱ   ② ㄴ   ③ ㄱ, ㄴ
④ ㄱ, ㄷ   ⑤ ㄴ, ㄷ

03 유전적 변이가 나타날 수 있는 예로 적절한 것만을 |보기|에서 있는 대로 고른 것은?

┤ 보기 ├

ㄱ. 세균을 자외선에 노출시켰다.
ㄴ. 효모가 유성 생식을 통해 증식하였다.
ㄷ. 철수는 광합성 기능을 갖기 위해 식물을 많이 먹었다.

① ㄱ   ② ㄴ   ③ ㄱ, ㄴ
④ ㄱ, ㄷ   ⑤ ㄴ, ㄷ

| 과학적 사고력 |

04 그림은 기린이 어떻게 긴 목을 갖게 되었는지 다윈의 가설로 나타낸 것이다.

원래 기린의 목 길이는 다양하였다.

(가) 생존에 불리한 목이 짧은 기린은 죽게 되었다.

(나) 목이 긴 기린만 살아남았다.

이에 대한 설명으로 옳은 것만을 |보기|에서 있는 대로 고른 것은?

┤ 보기 ├

ㄱ. ㉠과 ㉡이 가진 형질은 서로 같다.
ㄴ. (가) 과정에서 기린 개체군들은 먹이를 두고 경쟁한다.
ㄷ. (나) 과정에서 긴 목을 가진 기린이 살아남는다.

① ㄱ   ② ㄴ   ③ ㄱ, ㄴ
④ ㄱ, ㄷ   ⑤ ㄴ, ㄷ

05 다윈의 자연 선택설에 대한 설명으로 옳은 것만을 |보기|에서 있는 대로 고른 것은?

┤ 보기 ├

ㄱ. '변이 → 생존 경쟁 → 자연 선택 → 진화'로 진행된다.
ㄴ. 같은 종으로 구성된 개체들 사이에 형태나 기능이 다른 변이가 존재한다.
ㄷ. 부모의 형질이 자손에게 유전되는 원리를 명확하게 설명하였다.

① ㄱ   ② ㄴ   ③ ㄷ
④ ㄱ, ㄴ   ⑤ ㄱ, ㄴ, ㄷ

06 다음은 자연 선택에 의해 어느 섬에서 핀치 집단이 진화된 과정을 나타낸 것이다.

> (가) 부리 모양이 다양한 핀치가 살았다.
> (나) 크고 단단한 씨에 대한 먹이 경쟁이 일어났다.
> (다) ⑦크고 두꺼운 부리를 가진 핀치가 살아남았다.
> (라) 자손에게 크고 두꺼운 부리 형질이 전달되었다.

이에 대한 설명으로 옳은 것만을 |보기|에서 있는 대로 고른 것은?

> **보기**
> ㄱ. ⑦은 크고 단단한 씨를 먹기에 적합한 부리를 가졌다.
> ㄴ. ⑦이 작고 부드러운 씨를 먹으면 부리의 모양이 변한다.
> ㄷ. 자연 선택이 일어나는 데 먹이의 종류가 원인으로 작용하였다.

① ㄱ   ② ㄴ   ③ ㄱ, ㄷ
④ ㄴ, ㄷ   ⑤ ㄱ, ㄴ, ㄷ

07 그림은 세균 집단에서 진화가 일어나는 과정을 나타낸 것이다. A와 B는 각각 항생제 내성이 있는 세균과 항생제 내성이 없는 세균 중 하나이다.

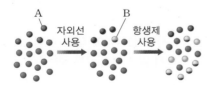

이에 대한 설명으로 옳은 것만을 |보기|에서 있는 대로 고른 것은?

> **보기**
> ㄱ. A는 항생제 내성이 있는 세균이다.
> ㄴ. B가 가진 형질은 자손에게 유전된다.
> ㄷ. B는 돌연변이에 의해 생성되었다.

① ㄱ   ② ㄴ   ③ ㄱ, ㄷ
④ ㄴ, ㄷ   ⑤ ㄱ, ㄴ, ㄷ

08 생물 다양성에 대한 설명으로 옳은 것만을 |보기|에서 있는 대로 고른 것은?

> **보기**
> ㄱ. 유전적 다양성이 높은 집단은 환경 변화에 멸종될 가능성이 낮다.
> ㄴ. 종 다양성은 전국의 모든 지역에서 동일하다.
> ㄷ. 달팽이 껍데기 무늬가 다양한 것은 생태계 다양성의 예에 해당한다.

① ㄱ   ② ㄴ   ③ ㄱ, ㄷ
④ ㄴ, ㄷ   ⑤ ㄱ, ㄴ, ㄷ

09 생물 다양성의 감소 원인에 해당하는 것만을 |보기|에서 있는 대로 고른 것은?

> **보기**
> ㄱ. 산을 국립 공원으로 지정하였다.
> ㄴ. 산을 허물어 고속도로를 건설하였다.
> ㄷ. 방사능이 유출되어 토양이 오염되었다.

① ㄱ   ② ㄴ   ③ ㄱ, ㄷ
④ ㄴ, ㄷ   ⑤ ㄱ, ㄴ, ㄷ

10 생물 다양성 보전을 위한 노력에 해당하는 것만을 |보기|에서 있는 대로 고른 것은?

> **보기**
> ㄱ. 쓰레기를 분리배출한다.
> ㄴ. 터널 위에 생태 통로를 설치한다.
> ㄷ. 가능한 많은 종류의 외래종을 도입한다.

① ㄱ   ② ㄷ   ③ ㄱ, ㄴ
④ ㄴ, ㄷ   ⑤ ㄱ, ㄴ, ㄷ

| 과학적 사고력 |

11 그림은 생물 다양성의 3가지 요소를 나타낸 것이다. A와 B는 각각 유전적 다양성과 생태계 다양성 중 하나이고, B는 환경과 생물의 다양함을 모두 포함한다.

이에 대한 설명으로 옳은 것만을 |보기|에서 있는 대로 고른 것은?

┤ 보기 ├
ㄱ. A가 높을수록 생태계가 안정적으로 유지된다.
ㄴ. A는 종 다양성에 영향을 미친다.
ㄷ. B는 생태계 다양성이다.

① ㄱ   ② ㄴ   ③ ㄱ, ㄷ
④ ㄴ, ㄷ   ⑤ ㄱ, ㄴ, ㄷ

12 생물 다양성의 가치에 대한 설명으로 옳은 것만을 |보기|에서 있는 대로 고르시오.

┤ 보기 ├
ㄱ. 목화는 직물의 공급원이다.
ㄴ. 주목의 열매는 항암제의 원료가 된다.
ㄷ. 울창한 나무로 구성된 휴양림은 사람들에게 휴식처를 제공한다.

서술형 문제

13 다음은 황색포도상구균에 대한 설명이다.

> 페니실린은 황색포도상구균을 죽일 수 있는 물질이다. 페니실린을 감염 환자 치료에 처음 이용하기 시작했을 때 황색포도상구균 중 페니실린 내성균은 10 % 미만이었다. 그러나 오랫동안 페니실린을 사용한 결과 현재는 황색포도상구균 중 90 % 이상이 페니실린 내성균이다.

(1) 황색포도상구균 집단에서 페니실린 내성을 지닌 개체가 증가한 까닭을 서술하시오.

(2) 위와 같이 여러 세대를 거치는 동안 환경에 따라 집단의 형질 발현 비율이 변화하는 현상을 무엇이라고 하는지 쓰시오.

14 그림은 면적이 같은 두 지역의 식물 군집을 나타낸 것이다.

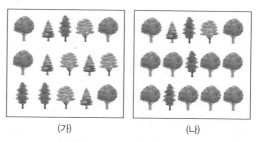

(가)   (나)

(1) (가)와 (나) 두 지역에서 서식하고 있는 식물 종의 수는 각각 어떠한지 서술하시오.

(2) (가)와 (나) 지역 중 종 다양성이 더 높은 지역의 기호를 쓰고, 그렇게 판단한 까닭을 서술하시오.

15 그림은 어느 산에서 해발 고도에 따른 생물종의 수를 나타낸 것이다. (단, 조사 지역의 크기는 동일하고 각 지역에서 생물종의 서식 분포는 고르다.)

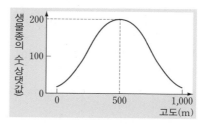

(1) 생태계가 가장 잘 유지될 수 있는 고도의 높이를 쓰시오.

(2) 위 (1)에서 그렇게 생각한 까닭을 서술하시오.

16 그림은 어느 지역에서 파리 집단의 3가지 형질 A~C에 따른 개체 수 비율이 시간에 따라 변화되는 과정을 나타낸 것이다. 과정 ㉠과 ㉡에서 각각 살충제 살포와 변이의 증가 중 하나가 일어났으며, 한 개체는 한 가지 형질만 갖는다.

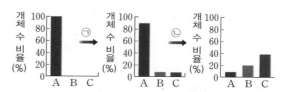

(1) ㉠과 ㉡ 중 살충제 살포가 있어났던 과정의 기호를 쓰시오.

(2) 동일한 살충제를 계속 살포할 경우 살아남을 가능성이 가장 높은 개체는 어떤 형질을 가지고 있을지 그렇게 판단한 까닭을 서술하시오.

7 – 1. 지질 시대 생물의 변천

01 화석을 이용하여 알아낼 수 있는 과학적 사실로 옳은 것만을 |보기|에서 있는 대로 고른 것은?

┤ 보기 ├
ㄱ. 생물이 살았던 지질 시대를 확인할 수 있다.
ㄴ. 과거에 살았던 생물의 모습을 확인할 수 있다.
ㄷ. 지층이 퇴적될 당시의 환경을 유추할 수 있다.
ㄹ. 과거에 살았던 생물의 행동 특성을 파악할 수 있다.
ㅁ. 과거에 살았던 생물의 개체 수를 구체적으로 확인할 수 있다.

① ㄱ, ㄴ, ㄷ   ② ㄱ, ㄷ, ㄹ
③ ㄴ, ㄷ, ㄹ   ④ ㄱ, ㄴ, ㄷ, ㄹ
⑤ ㄱ, ㄴ, ㄷ, ㅁ

02 그림은 지질 시대 동안 지구 대기에 포함된 산소의 농도 변화를 나타낸 것이다.

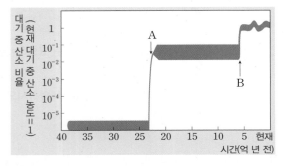

이에 대한 설명으로 옳은 것만을 |보기|에서 있는 대로 고른 것은?

┤ 보기 ├
ㄱ. A 시기 이전에는 생물이 존재하지 않았다.
ㄴ. B 시기 이후 생물의 다양성은 점차 감소하였다.
ㄷ. B 시기에 오존층이 형성되면서 육지로 생물이 진출하였다.
ㄹ. A와 같이 대기 중 산소의 농도가 증가한 것은 해양 생물의 광합성으로 산소를 생산하였기 때문이다.

① ㄱ   ② ㄴ   ③ ㄱ, ㄴ
④ ㄴ, ㄷ   ⑤ ㄷ, ㄹ

03 지질 시대에 관한 설명으로 옳은 것만을 |보기|에서 있는 대로 고른 것은?

┤ 보기 ├
ㄱ. 화석이 가장 많이 발견되는 시대는 고생대이다.
ㄴ. 지질 시대 중 가장 긴 기간을 차지하는 시대는 고생대이다.
ㄷ. 지질 시대를 구분하는 기준은 생물의 출현과 번성, 멸종이다.
ㄹ. 지질 시대는 선캄브리아 시대, 고생대, 중생대, 신생대로 구분한다.
ㅁ. 약 46억 년 전 지구가 탄생한 후부터 현재까지를 지질 시대라고 한다.

① ㄱ, ㄴ, ㄷ   ② ㄴ, ㄷ, ㄹ
③ ㄷ, ㄹ, ㅁ   ④ ㄱ, ㄷ, ㄹ, ㅁ
⑤ ㄱ, ㄴ, ㄷ, ㄹ, ㅁ

04 다음은 고생대의 환경과 생물 변화를 설명한 것이다.

(가) 바다에 살던 생물의 광합성으로 대기 중 산소의 농도가 증가하였다.
(나) 대기 중 산소 증가로 오존층이 형성되면서 생물의 육상 진출이 가능해졌다.
(다) 고생대 말 대륙이 하나로 뭉쳐지면서 만들어진 초대륙 판게아는 지구의 기후 변화에도 영향을 주었다.

이에 대한 설명으로 옳은 것만을 |보기|에서 있는 대로 고른 것은?

┤ 보기 ├
ㄱ. (가)와 같은 변화는 생물권, 수권, 기권의 상호 작용에 의한 것이다.
ㄴ. (나)와 같은 변화를 통해 지구에는 생물 다양성이 증가하게 되었다.
ㄷ. (다)와 같은 판게아의 형성은 생물권에는 전혀 영향을 주지 않았다.

① ㄱ   ② ㄴ   ③ ㄱ, ㄴ
④ ㄴ, ㄷ   ⑤ ㄱ, ㄴ, ㄷ

05 그림은 중생대의 수륙 분포를 시간 순서에 관계 없이 나타낸 것이다.

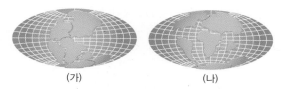

(가)   (나)

이에 대한 설명으로 옳은 것만을 |보기|에서 있는 대로 고른 것은?

| 보기 |

ㄱ. 수륙 분포를 확인해 보면 (가)가 (나)보다 순서가 먼저이다.
ㄴ. 해양 생물의 종류는 (나)보다 (가)에서 더 많았을 것으로 추측할 수 있다.
ㄷ. 이와 같은 수륙 분포의 변화는 해양 생물의 생태계에는 전혀 영향을 주지 않았을 것이다.

① ㄱ   ② ㄴ   ③ ㄱ, ㄴ
④ ㄴ, ㄷ   ⑤ ㄱ, ㄴ, ㄷ

06 그림은 지질 시대 동안 생물 종의 수 변화를 나타낸 것이다.

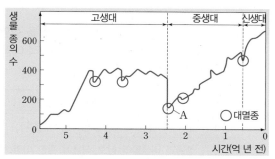

이에 대한 설명으로 옳은 것만을 |보기|에서 있는 대로 고른 것은?

| 보기 |

ㄱ. 과거 지질 시대 동안 생물의 대멸종은 5번 정도 일어났다.
ㄴ. 대멸종은 생물 종의 수를 지속적으로 감소시키는 역할을 한다.
ㄷ. 초대륙 판게아의 형성은 A를 일어나게 한 원인으로 작용하였다.
ㄹ. 대멸종은 지질 시대를 구분하는 기준으로 사용하기에는 적절하지 않다.

① ㄱ, ㄷ   ② ㄴ, ㄷ   ③ ㄴ, ㄹ
④ ㄱ, ㄴ, ㄷ   ⑤ ㄱ, ㄴ, ㄹ

서술형

07 고생대 말에 일어난 생물의 대멸종에서는 특히 해양 생물이 많이 사라졌는데, 이는 당시 판게아의 형성과 관련이 있다고 한다. 판게아의 형성이 어떻게 해양 생물의 멸종에 영향을 주게 되었는지를 서술하시오.

──────────────

7 - 2. 진화와 생물 다양성

08 표는 변이에 대한 특징을 설명한 것이다. (가)와 (나)는 각각 유전적 변이와 비유전적 변이 중 하나이다.

구분	특징
(가)	환경 요인의 작용으로 나타나는 형질의 차이이다.
(나)	유전자의 변화로 나타나는 형질의 차이이다.

이에 대한 설명으로 옳은 것만을 |보기|에서 있는 대로 고른 것은?

| 보기 |

ㄱ. (나)는 유전적 변이이다.
ㄴ. (가)에 의한 형질은 자손에게 유전된다.
ㄷ. 운동으로 단련된 다리 근육과 단련되지 않은 다리 근육은 (가)의 예에 해당한다.

① ㄱ   ② ㄴ   ③ ㄱ, ㄴ
④ ㄱ, ㄷ   ⑤ ㄴ, ㄷ

09 다음은 기린이 긴 목을 갖게 되는 과정을 설명한 2가지 가설이다.

(가) 처음에 기린의 목은 짧았는데, 높은 나뭇가지에 있는 먹이를 먹기 위해 계속 목을 늘이게 되었고, 결국 목이 긴 기린이 되었다.
(나) 목이 짧은 기린과 목이 긴 기린이 함께 살고 있었는데, 먹이를 두고 경쟁이 일어났고 목이 짧은 기린이 도태되었다. 결국 목이 긴 개체가 살아남았다.

이에 대한 설명으로 옳은 것만을 |보기|에서 있는 대로 고르시오.

| 보기 |

ㄱ. (가)의 가설은 다윈의 진화설을 따른다.
ㄴ. (가)의 가설에 의하면 후천적으로 획득한 형질도 유전된다.
ㄷ. (나)의 가설에서 환경에 적합한 형질을 갖는 개체가 생존에 유리하다.

10 그림은 항생제 내성 세균이 생성되는 과정을 나타낸 것이다.

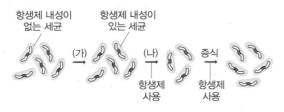

이에 대한 설명으로 옳은 것만을 |보기|에서 있는 대로 고른 것은?

| 보기 |
ㄱ. (가) 과정에서 변이가 일어났다.
ㄴ. (나) 과정에서 자연 선택이 일어났다.
ㄷ. 항생제 사용 환경에서는 항생제 내성이 있는 세균이 생존에 유리하다.

① ㄱ   ② ㄷ   ③ ㄱ, ㄴ
④ ㄴ, ㄷ   ⑤ ㄱ, ㄴ, ㄷ

11 그림은 갈라파고스 제도의 어느 섬에서 일어난 핀치 집단의 진화 과정을 나타낸 것이다.

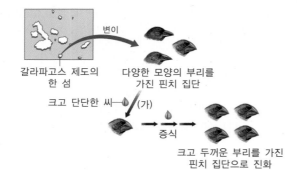

이에 대한 설명으로 옳은 것만을 |보기|에서 있는 대로 고른 것은?

| 보기 |
ㄱ. 변이를 일으키는 원인으로 체세포 분열이 있다.
ㄴ. (가) 과정에서 자연 선택이 일어났다.
ㄷ. 큰 부리를 가진 핀치는 크고 단단한 씨를 먹을 수 있다.

① ㄱ   ② ㄷ   ③ ㄱ, ㄴ
④ ㄴ, ㄷ   ⑤ ㄱ, ㄴ, ㄷ

12 그림은 다양한 모양을 가진 A종을, 표는 면적이 동일한 두 지역 ㉠과 ㉡에 서식하는 생물종 A~C의 개체 수 비율(%)을 나타낸 것이다.

생물종의 비율(%) \ 지역	㉠	㉡
A	35	80
B	30	20
C	35	0

이에 대한 설명으로 옳은 것만을 |보기|에서 있는 대로 고른 것은? (단, 생물종 A~C 외에 다른 생물은 고려하지 않는다.)

| 보기 |
ㄱ. 그림의 A종은 유전적 다양성을 나타낸다.
ㄴ. 지역 ㉠과 ㉡에서 종 다양성은 같다.
ㄷ. 생태계 안정성은 지역 ㉠이 ㉡보다 높다.

① ㄴ   ② ㄷ   ③ ㄱ, ㄴ
④ ㄱ, ㄷ   ⑤ ㄱ, ㄴ, ㄷ

13 표는 생물 다양성의 3가지 요소별 특징을 설명한 것이다. (가)~(다)는 각각 종 다양성, 유전적 다양성, 생태계 다양성 중 하나이다.

구분	특징
(가)	한 지역 내 종의 다양한 정도를 의미한다.
(나)	생물과 비생물의 상호 작용에 관한 다양성을 포함한다.
(다)	한 종의 개체군이 가지는 모든 유전자의 종류를 의미한다.

이에 대한 설명으로 옳은 것만을 |보기|에서 있는 대로 고른 것은?

| 보기 |
ㄱ. (가)는 종 다양성이다.
ㄴ. (나)는 사막, 초원, 삼림, 습지, 산, 호수, 강, 바다, 농경지 등 생태계의 다양함을 의미한다.
ㄷ. (다)가 높은 종은 환경 조건이 급격히 변했을 때 살아남을 가능성이 크다.

① ㄴ   ② ㄷ   ③ ㄱ, ㄴ
④ ㄱ, ㄷ   ⑤ ㄱ, ㄴ, ㄷ

01 그림은 지질 시대 동안 대륙 빙하의 분포 범위, 생물 종 수의 변화, 대륙과 해양의 분포 변화를 나타낸 것이다.

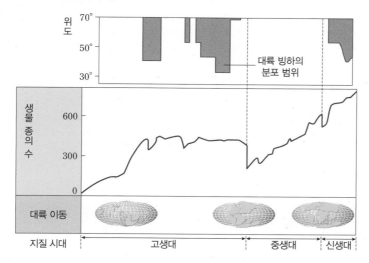

이에 대한 설명으로 옳은 것만을 |보기|에서 있는 대로 고른 것은?

| 보기 |
ㄱ. 대륙의 분리는 생물 종의 수를 감소시켰다.
ㄴ. 중생대 말 대멸종의 원인은 빙하기에 의한 것이다.
ㄷ. 신생대에는 얕은 바다를 통해 동물들이 대륙 사이에서 이동이 가능했을 것이다.

① ㄱ   ② ㄴ   ③ ㄷ
④ ㄱ, ㄴ   ⑤ ㄱ, ㄴ, ㄷ

출제 Point
지구 환경은 생물이 살아가는 데 가장 중요한 영향을 끼치므로, 지구에 나타나는 환경 변화는 번성하던 생물이 멸종하거나 새로운 생물이 번성하게 되는 요인으로 작용한다.

02 그림은 어느 지역에서 발견된 지층의 단면과 포함된 화석을 나타낸 것이다.

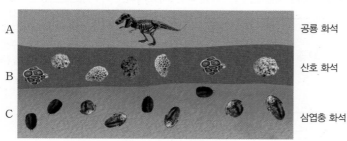

이에 대한 설명으로 옳은 것만을 |보기|에서 있는 대로 고른 것은?

| 보기 |
ㄱ. 이 지층이 생성된 순서는 A → B → C이다.
ㄴ. 이 지역은 과거에 열대 지역에 위치하고 있었다.
ㄷ. A 지층에서는 겉씨식물의 나뭇잎이 발견될 수도 있다.

① ㄱ   ② ㄴ   ③ ㄱ, ㄴ
④ ㄱ, ㄷ   ⑤ ㄴ, ㄷ

출제 Point
지층 속에서 발견되는 화석으로 퇴적 당시의 환경과 생물이 살았던 지질 시대를 알 수 있으며, 이를 통해 지층이 쌓인 순서를 결정할 수 있다.

03 그림은 어느 생물 군집 내에서 특정 형질의 발현 빈도가 변화되는 과정을 나타낸 것이다.

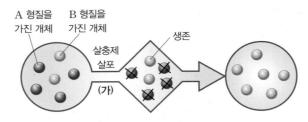

이에 대한 설명으로 옳은 것만을 |보기|에서 있는 대로 고른 것은?

┤ 보기 ├

ㄱ. (가) 과정에서 자연 선택이 일어났다.

ㄴ. 살충제 살포 이후에 종 다양성이 증가하였다.

ㄷ. 살충제 살포 환경에서 살아남을 수 있는 형질은 B 형질을 가진 개체이다.

① ㄱ   ② ㄴ   ③ ㄱ, ㄷ

④ ㄴ, ㄷ   ⑤ ㄱ, ㄴ, ㄷ

출제 Point

자연 선택설에 의한 집단의 진화 과정은 '변이 → 생존 경쟁 → 자연 선택 → 생물 집단의 진화' 단계를 거친다. 변이 단계와 자연 선택 단계에서 어떤 과정이 일어나는지 구분할 수 있어야 한다.

04 표는 면적이 동일한 (가)와 (나) 두 지역에서 조사한 식물 종 A~E에 대한 자료이다.

구분	개체 수					전체 개체 수	종 수
	A 종	B 종	C 종	D 종	E 종		
(가)	4	3	㉠	5	5	20	㉡
(나)	12	1	2	㉢	2	25	㉣

이에 대한 설명으로 옳은 것만을 |보기|에서 있는 대로 고른 것은? (단, 생물 A~E 종 외에 다른 생물은 고려하지 않는다.)

┤ 보기 ├

ㄱ. ㉠+㉡ > ㉢이다.

ㄴ. ㉣은 5이다.

ㄷ. 종 다양성은 지역 (가)가 (나)보다 더 높다.

① ㄱ   ② ㄴ   ③ ㄱ, ㄷ

④ ㄴ, ㄷ   ⑤ ㄱ, ㄴ, ㄷ

출제 Point

종 다양성은 특정 지역에 존재하는 종의 다양한 정도를 의미하며, 종의 균등도와 종의 수를 모두 고려한다. 종 다양성이 높을수록 안정된 생태계이다.

8

이 단원에서는

생태계와 환경이 어떤 관계가 있는지를 이해하고, 지속 가능한
과학 기술 개발 및 생태계 평형 유지와 기후 변화에 대처하기 위해서
인류는 어떤 노력을 하고 있는지 알아본다.

단원별 정답과 해설을
QR 코드로 확인할 수 있어요.

생태계와 환경

8-1 생태계의 구성과 생태계 평형

8-2 지구 환경 변화와 인간 생활

8-3 에너지의 효율적 활용

이 단원의 핵심 개념

생태계와 환경

생태계의 구성과 생태계 평형	지구 환경 변화와 인간 생활	에너지의 효율적 활용
생태계의 구성 요소, 생물과 환경의 관계, 생태 피라미드와 생태계 평형, 환경 변화와 생태계 평형	온실 효과, 지구 온난화, 대기 대순환, 해수의 순환, 엘니뇨, 사막화와 사막화의 영향	에너지 전환, 에너지 보존, 에너지 효율, 열기관, 열기관과 열효율, 에너지 문제, 에너지의 효율적 이용

1 생태계의 구성 요소

1. 생물적 요인

① **영양 단계에 따른 구분** 생산자, 소비자, 분해자로 구분한다.

생태계는 생물적 요인과 비생물적 요인이 서로 영향을 주고받는 하나의 생명 시스템이다.

빛에너지를 이용하여 무기물로부터 유기물을 합성하는 생물

생물은 살아가면서 생물적 요인과 비생물적 요인의 영향을 받는다.

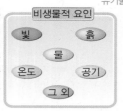

비생물적 요인
- 빛
- 흙
- 물
- 온도
- 공기
- 그 외

생물이 주는 영향 / 환경이 주는 영향

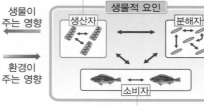

생물적 요인
- 생산자
- 분해자
- 소비자

생물의 사체나 배설물에 포함된 유기물을 무기물로 분해하여 에너지를 얻는 생물

다른 생물을 먹이로 섭취하여 유기물을 얻는 생물

② **구성 단계에 따른 구분** 개체❶, 개체군❷, 군집❸으로 구분한다.

③ **생태계 구성 요소 사이의 관계** 비생물적 요인이 생물적 요인에 주는 영향과 생물적 요인이 비생물적 요인에 주는 영향, 생물들 간에 서로 영향을 주고받는 상호작용으로 구분한다.

　　예 · 동물의 호흡에 의해 발생한 이산화 탄소를 식물이 이용한다.
　　　　· 스라소니가 토끼를 잡아먹는다.

2. 비생물적 요인

① 공기, 빛, 온도, 물, 토양과 같이 생물을 둘러싸고 있는 환경 요인이다.

② 비생물적 요인은 생물의 생활 범위를 결정하고 생존에 필요한 에너지와 물질을 공급한다.
　　　　　　　　└─생물의 서식지를 제공한다.

2 생물과 환경의 상호 관계

생태계에서 생물적 요인과 비생물적 요인을 구성하는 요소들은 서로 영향을 주고받는다.

구분	비생물적 요인이 생물적 요인에 주는 영향	생물적 요인이 비생물적 요인에 주는 영향
토양	• 빛이 없고 습한 땅속에 사는 지렁이는 피부가 얇고 축축함.	• 버섯에 의해 토양의 질소 영양분이 증가함. • 지렁이와 두더지가 토양의 통기성❹을 높임.
빛	• 소나무는 강한 빛에서 잘 자라고, 서어나무는 약한 빛에서 잘 자라게 적응함.	• 나무가 자라면 지표에 닿는 빛의 양이 감소함.
공기	• 고산 지대를 지나는 여행자는 산소 압력이 낮아 고산병에 걸릴 수 있지만, 고산 지역 사람들은 적혈구 수가 평지의 사람들보다 많게 적응함.	• 식물의 광합성에 의해 숲 속의 산소 농도가 증가함.
물	• 수분이 적은 사막에 사는 선인장은 잎이 가시로 변함. 저수 조직이 발달함. • 물속이나 수면 위에 사는 수생 식물은 공기가 지나가는 조직이 발달함.	• 수생 식물의 생리 작용 결과 수질이 좋아짐.
온도	• 사막여우는 북극여우보다 몸집이 작고 몸의 말단부가 큼.	• 도심지에서 숲 지역은 빌딩 지역보다 온도가 낮음.

이 단원의 핵심 개념은~

- ■ 생태계 구성 요소
- ■ 빛과 생물
- ■ 온도와 생물

■ **생태계**
생물이 다른 생물 및 환경과 밀접한 관계를 맺으며 영향을 주고받는 하나의 시스템이다.

❶ 세포들이 모인 독립된 하나의 생명체이다.

❷ 한 지역에서 사는 같은 종의 집단을 말한다.

❸ 한 지역 내 여러 개체군의 집합을 말한다.

■ **여우의 온도 적응**
북극여우는 사막여우보다 몸집이 크고, 말단 부위가 작아 피부를 통한 열 방출을 줄일 수 있다.

▲ 북극여우　　　▲ 사막여우

❹ 흙에서 발생하는 이산화 탄소와 공기 중의 산소가 교환되는 정도이다.

용어 🔍

고산병(高山病)
높은 산에 올라갔을 때 낮아진 기압 때문에 일어나는 병적 증세로, 높은 산에서는 공기 속의 산소 분압이 감소하므로 불쾌하거나 피로해 두통, 식욕 부진, 구토 등의 증세가 나타난다.

3 생태계 보전의 가치

사람은 생태계의 일원으로서 생물적 요인을 구성한다. 환경은 사람에게 서식지를 제공해주므로, 환경을 보전하고 생태계를 복원하는 것은 인류 자신의 생존을 위한 노력이다.

4 생태 피라미드와 생태계 평형의 회복

1. 종 다양성과 생태계 평형

▲ 생물종이 다양한 경우 ▲ 생물종이 적은 경우

① 높은 종 다양성 → 복잡한 먹이 그물❺ → 생태계 평형 유지에 유리하다.
② 생물 다양성은 생태계 평형을 위한 전제 조건이다.

2. 종 다양성이 풍부한 생태계

종 다양성이 풍부한 생태계는 생태 피라미드❻를 안정적으로 이루고 있으며, 외부 충격에 대해 개체 수와 물질의 양, 에너지양이 조절되어 평형 상태를 회복한다.

생태 피라미드의 하단에 생산자가 놓이며 위로 올라갈수록 고차 소비자가 위치한다. 일반적으로 생산자의 에너지양이 가장 많고, 상위 영양 단계로 갈수록 감소한다. 따라서 각 영양 단계를 쌓으면 피라미드 모양이 된다.

생태피라미드는 개체 수, 에너지, 생물량 등에 따라 쌓아올릴 수 있다.

5 환경 변화와 생태계 평형

1. 자연에 의한 환경 변화

홍수, 산사태, 산불, 화산 폭발, 빙하기와 지구 온난화 등과 같은 자연재해는 생물의 서식지를 파괴하고, 생태계의 먹이 그물에 변화를 일으킨다.

2. 사람에 의한 환경 변화

외래종❼의 도입, 환경 오염, 지역 개발, 생태계 복원 등 ─── 남획, 환경 오염 등 환경 변화는 종 다양성을 감소시켜 생태계 평형을 깨뜨린다.

3. 환경 변화의 영향

① 긍정적 변화 새로운 서식지가 생겨나 생물에게 제공되거나 다른 생물과의 경쟁에서 밀려난 생물이 서식할 수 있는 기회가 생길 수 있다.
② 부정적 변화 오염이나 도시 개발 등과 같은 인간의 활동은 서식지를 훼손해 자연 생태계가 지속되지 못하게 하고 있다.

■ 종 다양성과 생태계 평형
생물종이 적은 생태계는 어느 한 생물종이 사라지면 그 생물종과 먹고 먹히는 관계를 맺는 생물종이 직접 영향을 받아 생태계 평형이 쉽게 깨진다. 반면, 생물종이 다양한 생태계는 어느 한 종이 사라져도 대체할 수 있는 생물종이 있어 생태계 평형이 잘 깨지지 않는다.

❺ 생태계에서 여러 생물의 먹이 사슬이 얽혀서 그물처럼 복잡하게 이루어져 있는 것을 먹이 그물이라고 한다.

❻ 영양 단계에 따라 생산자에서 소비자의 각 단계의 개체 수, 에너지, 생물량 등을 쌓아 올린 것이다.

■ 생태계 평형
생태계를 이루는 생물의 종류와 수가 급격하게 변하지 않고 안정된 상태를 유지하는 것을 말한다.

❼ 고유종과 비교하여 귀화 식물과 같이 다른 지역에서 들어온 모든 종을 외래종이라고 한다.

✔ 바로 체크

1 생태계는 영양 단계에 따라 생산자, 소비자, (   )로 구분한다.
2 생물들 간에 서로 영향을 주고받는 것을 (   )이라고 한다.
3 생태계에서 여러 생물의 먹이 사슬이 얽혀서 그물처럼 복잡하게 이루어져 있는 것을 (   )이라고 한다.
4 사막여우가 북극여우보다 몸집이 작고 몸의 말단부가 큰 것은 (   )에 적응한 것이다.
5 (   )이 풍부한 생태계는 생태 피라미드를 안정적으로 이루고 있으며 외부 충격에 대해 개체 수와 물질의 양, 에너지양이 조절되어 평형 상태를 회복할 수 있다.

1 분해자 2 상호 작용 3 먹이 그물 4 더운 곳 5 종 다양성

정답

| 탐구 목표 |
생물과 환경 사이에 주고받는 영향을 설명할 수 있다.

■ 양엽과 음엽

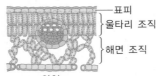

양엽
표피 / 울타리 조직 / 해면 조직

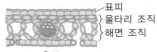

음엽
표피 / 울타리 조직 / 해면 조직

■ 수생 식물
물에 떠서 사는 식물, 물에 잠겨서 사는 식물, 잎이 물에 뜨는 식물, 잎이 물위로 뻗어서 사는 식물 등으로 구분한다.

■ 산성 토양 식물
쇠뜨기, 물이끼류와 같은 식물은 산성 토양에서 잘 자란다.

자료

빛과 생물

1 빛의 세기: 숲에서 강한 빛을 필요로 하는 식물은 햇빛이 잘 비치는 곳이나 숲의 위쪽에, 약한 빛에 적응한 식물은 그늘진 곳이나 숲의 아래쪽에 분포한다. 한 식물 개체에서도 강한 빛을 받는 위쪽 잎(양엽)에 비해 약한 빛을 받는 아래쪽 잎(음엽)이 두께가 얇고 면적이 넓다.

2 빛의 파장: 수심에 따라 도달하는 빛의 파장이 다르고 이를 이용하는 해조류의 분포도 달라진다.

3 일조 시간: 일조 시간에 따라 식물의 개화와 동물의 번식 시기가 달라져 계절의 영향을 받는다.

온도와 생물

1 동물의 온도 적응: 동물의 겨울잠, 철새의 이동, 여우와 곰의 온도 적응 등이 있다.
➡ 같은 속의 포유류는 추운 지역에 사는 종일수록 몸집이 크고 몸의 말단부가 작다. 이는 열의 방출량을 줄여 (㉠)을 유지하기 위한 것이다.

2 식물의 온도 적응: 온대 지방의 낙엽수는 기온이 낮아지면 단풍이 들고 낙엽이 진다. 툰드라 지역의 털송이풀의 잎과 꽃에 털이 난다. 상록수 잎의 두꺼운 큐티클층과 계절에 따라 변화하는 삼투압으로 온도를 유지한다.

물과 생물

1 동물과 물: 육상은 건조하므로 곤충의 몸 표면이 키틴질로 되어 있고, 조류의 알은 껍데기로 싸여 있다.

2 식물과 물: 물이 많은 곳에 사는 연, 수련 같은 수생 식물은 줄기에 (㉡)이 있다. 건조한 지역에 사는 식물은 선인장과 같이 수분을 저장하는 조직이 발달하고 잎이 가시로 변해 수분 손실을 막는다.

공기와 생물

1 공기는 식물의 광합성에 필요한 (㉢)와 생물의 호흡에 필요한 (㉣)를 공급한다.

2 대기 중 산소 압력이 낮은 고산 지대 사람들은 평지에 사는 사람보다 적혈구 수가 많다.

토양과 생물

1 토양의 산성에 따라 서식하는 식물이 달라진다.

2 지렁이는 토양에서 양분을 얻고 토양의 통기성을 높인다.

이해 Check

1 빛과 생물에 대한 설명으로 옳은 것은 ○표, 옳지 <u>않은</u> 것은 ×표를 하시오.

(1) 양엽은 음엽보다 잎의 두께가 더 두껍다. (　　　)

(2) 국화의 개화 시간은 일조 시간에 영향을 받는다.
(　　　)

(3) 약한 빛에 적응한 식물은 숲의 위쪽에 분포한다.
(　　　)

2 사막여우가 북극여우에 비해 몸집은 작지만 몸의 말단 부위가 큰 까닭을 동물의 온도 적응 관점에서 서술하시오.

▲ 사막여우   ▲ 북극여우

| 탐구 목표 |
멸치의 위를 해부하여 멸치가 해양 생태계에서 차지하는 위치를 파악하고, 멸치의 개체 수 변화가 생태계 평형에 미치는 영향을 설명할 수 있다.

| 유의점 |
멸치의 생태계에서의 위치를 먹이를 통해 추론하도록 한다.

탐구 Plus

플랑크톤
수중 생물 중 물에 떠다니며 생활하는 작은 생물을 통칭한다.

과정

① 멸치를 해부하여 위를 분리한다.
② 위 내용물을 꺼내 현미경 표본을 만든 다음, 현미경으로 관찰한다.

탐구 결과

멸치의 위에서는 식물 플랑크톤과 동물 플랑크톤이 발견된다.

탐구 정리

1 멸치는 주로 식물 플랑크톤인 규조류나 동물 플랑크톤인 요각류 등을 먹으므로 먹이의 종류에 따라 1차 소비자 또는 2차 소비자의 위치를 차지하고 있다.

2 멸치를 1차 소비자라고 하면 멸치는 생태 피라미드에서 그림과 같은 위치를 차지하고 있다.

3 멸치의 개체 수가 급격히 증가하면 (㉢)의 개체 수는 감소하고 멸치를 먹는 참다랑어, 상어, 오징어 등의 개체 수가 증가한다. 남획 등에 의해 멸치의 개체 수가 급격히 감소하면 생산자의 개체 수는 증가하고 멸치의 포식자의 개체 수는 감소한다. 따라서 생태계는 (㉣)을 회복한다.

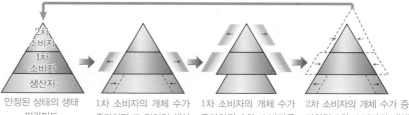

안정된 상태의 생태 피라미드 | 1차 소비자의 개체 수가 증가하면 그 먹이인 생산자의 개체 수는 감소한다. | 1차 소비자의 개체 수가 증가하면 1차 소비자를 먹이로 하는 2차 소비자의 개체 수도 증가한다. | 2차 소비자의 개체 수가 증가하면 1차 소비자의 개체 수가 감소하고, 이로 인해 생산자의 개체 수는 증가한다.

이해 Check

3 멸치의 해부 실험에 대한 설명으로 옳은 것만을 |보기|에서 있는 대로 고르시오.

| 보기 |
ㄱ. 멸치의 위를 해부하는 것은 먹이를 확인하기 위해서이다.
ㄴ. 플랑크톤은 광학 현미경으로 전혀 관찰되지 않는다.
ㄷ. 덮개 유리를 덮을 때는 공기 방울이 많이 만들어져야 한다.

4 멸치가 생태계에서 차지하는 위치에 대한 설명으로 옳은 것만을 |보기|에서 있는 대로 고르시오.

| 보기 |
ㄱ. 멸치는 플랑크톤을 먹는다.
ㄴ. 멸치의 포식자 중에는 참다랑어가 있다.
ㄷ. 멸치의 수가 급격히 증가하면 멸치를 먹는 생물의 수는 감소한다.
ㄹ. 멸치가 없어져도 해양 생태계에는 아무 영향도 없다.

개념 확인 문제

01 생태계 구성 요소에 대한 설명으로 옳은 것은 ○표, 옳지 <u>않은</u> 것은 ×표를 하시오.

(1) 생물적 요인은 생산자, 소비자, 개체군으로 구분한다. (　　)

(2) 비생물적 요인에는 공기, 토양, 빛, 온도, 물 등이 있다. (　　)

(3) 생물적 요인은 구성 단계에 따라 개체, 개체군, 군집으로 구분한다. (　　)

02 그림은 토양에서 살고 있는 여러 가지 생물종의 모습을 나타낸 것이다.

식물　토끼
지렁이
딱정벌레　미생물
두더지

지렁이와 두더지가 토양에 어떤 영향을 주는지 토양의 통기성을 예를 들어 설명하시오.

03 다음은 비생물적 요인이 생물적 요인에 영향을 준 사례이다. 각 사례에서 가장 많은 영향을 주는 비생물적 요인을 각각 쓰시오.

(1) 고산 지대를 지나는 여행자는 고산병에 걸리기 쉽다. (　　)

(2) 사막의 선인장은 잎이 가시로 변하였다. (　　)

(3) 사막여우는 북극여우보다 몸집이 작고 몸의 말단 부위가 크다. (　　)

(4) 소나무는 햇빛이 잘 비치는 곳에 산다. (　　)

04 생태계를 보전해야 하는 까닭으로 옳은 것을 |보기|에서 있는 대로 고르시오.

┌ 보기 ├
ㄱ. 사람은 생태계의 일원이다.
ㄴ. 생태계는 사람에게 서식지를 제공한다.
ㄷ. 생태계 복원은 인류의 생존과는 거리가 있다.

05 생태계와 생태 피라미드에 대한 설명으로 옳은 것은 ○표, 옳지 <u>않은</u> 것은 ×표를 하시오.

(1) 종 다양성이 높은 생태계의 생태 피라미드는 종 다양성이 낮은 생태계에 비해 안정적이다. (　　)

(2) 생태 피라미드에서 가장 위쪽 단계에 생산자가 놓인다. (　　)

(3) 생태계의 먹이 그물을 구성하는 생물의 개체 수를 영양 단계에 따라 쌓으면 개체 수 피라미드가 된다. (　　)

06 생태계에 영향을 미치는 환경 변화 중 사람에 의한 변화이면서 부정적인 변화에 해당하는 것은?

① 화산 폭발
② 빙하기 도래
③ 생태계 복원
④ 외래종의 도입
⑤ 번개에 의한 산불

실력 쑥쑥 문제

01 생태계에 대한 설명으로 옳은 것은?

① 분해자는 비생물적 요인 중 하나이다.
② 여러 군집이 모여 하나의 개체군을 형성한다.
③ 비생물적 요인은 생물에게 서식지를 제공한다.
④ 생물적 요인과 비생물적 요인은 서로 영향을 주지 않는다.
⑤ 생태계 특성을 조사할 때 생물적 요인들 사이의 영향은 고려하지 않는다.

02 생태계의 생물적 요인에 대한 설명으로 옳은 것은?
(답 2개)

① 사람은 분해자이다.
② 소나무는 생산자에 속한다.
③ 소비자에는 세균과 곰팡이가 있다.
④ 다른 생물을 섭취하여 양분을 얻는 생물을 소비자라고 한다.
⑤ 생물적 요인들 사이에서는 서로 영향을 주고받지 않는다.

03 생태계의 구성 요인을 생물적 요인과 비생물적 요인으로 구분한 것으로 옳지 <u>않은</u> 것은?

① 빛 – 비생물적 요인
② 물 – 비생물적 요인
③ 멸치 – 생물적 요인
④ 버섯 – 비생물적 요인
⑤ 식물 플랑크톤 – 생물적 요인

04 비생물적 요인과 각 비생물적 요인이 생물적 요인에게 영향을 준 예를 옳게 짝 지은 것은?

	비생물적 요인	영향을 준 예
①	토양	서어나무는 그늘진 곳에서도 잘 자란다.
②	빛	물속이나 수면에 사는 식물은 통기 조직이 발달한다.
③	공기	북극곰은 온대지방의 곰보다 몸집이 크다.
④	물	고산 지대 사람들은 저지대 사람들보다 적혈구 수가 많다.
⑤	온도	사막여우는 북극여우보다 몸의 말단부가 크다.

| 과학적 사고력 |

05 생물과 환경의 관계를 비생물적 요인이 생물적 요인에 영향을 준 경우와 생물적 요인이 비생물적 요인에 영향을 준 경우로 옳게 구분한 것은?

① 소나무는 강한 빛에 적응하였다. – 생물적 요인이 비생물적 요인에 영향을 준 경우
② 나무의 광합성에 의해 숲 속의 이산화 탄소 농도가 감소하였다. – 비생물적 요인이 생물적 요인에 영향을 준 경우
③ 녹조류가 급격히 증가하여 연못물 속에 녹아 있는 산소량이 감소하였다. – 생물적 요인이 비생물적 요인에 영향을 준 경우
④ 도심지의 숲 지역은 빌딩 지역보다 온도가 낮다. – 비생물적 요인이 생물적 요인에 영향을 준 경우
⑤ 버섯과 지렁이에 의해 토양의 질소 영양분이 증가한다. – 비생물적 요인이 생물적 요인에 영향을 준 경우

| 과학적 사고력 |

06 다음은 시화호에 대한 자료이다.

> 1994년 시화방조제가 완공되면서 방조제 안쪽을 담수로 채운 시화호가 만들어졌다. 시화방조제의 물막이 공사가 완료된 후에도 인근 공단의 폐수 등이 계속 유입되면서 시화호의 물이 오염되었다. 그로 인해 물고기와 조개 등이 폐사하였다. 하지만 2000년부터 해수를 다시 유통하자 호수는 생명력을 회복하기 시작하였고, 시화호에 숭어떼가 몰려들고 저어새가 찾아 왔다.

이에 대한 설명으로 옳은 것만을 |보기|에서 있는 대로 고른 것은?

┤ 보기 ├
ㄱ. 시화방조제 건설은 종 다양성을 감소시켰다.
ㄴ. 비생물적 요인인 물이 생물적 요인에 미친 영향에 대한 내용이다.
ㄷ. 사람에 의한 영향은 부정적인 영향만 소개되어 있다.

① ㄱ   ② ㄴ   ③ ㄷ
④ ㄱ, ㄴ   ⑤ ㄴ, ㄷ

07 종 다양성과 생태계 평형에 대한 설명으로 옳지 <u>않은</u> 것은?

① 외래종의 도입은 항상 생태계의 생물 다양성을 증가시킨다.
② 생물 다양성이 감소하면 생태계 평형이 깨질 가능성이 높아진다.
③ 종 다양성이 높은 생태계는 생물종의 개체 수나 에너지 흐름 등이 안정적으로 유지된다.
④ 먹이 그물이 복잡하면 한 생물종이 멸종할 경우 다른 생물종이 멸종한 생물종의 역할을 대신할 수 있다.
⑤ 안정적인 생태계는 외부 충격에 의해 생물종의 개체 수나 물질의 양 등이 변하더라도 평형을 회복하기 쉽다.

08 생태계를 안정적으로 유지하는 데 도움이 되는 요인으로 옳은 것은?

① 홍수   ② 하천 복원
③ 지역 개발   ④ 화산 폭발
⑤ 환경 오염

09 생태계 복원을 위한 노력에 해당하는 것은?

① 공원을 없애고 아파트를 건설한다.
② 산에 불을 내어 밭으로 개간한다.
③ 키우던 붉은귀거북을 하천에 놓아 준다.
④ 제초제를 이용해 잡풀을 제거한다.
⑤ 기름으로 오염된 땅에 기름 제거 식물을 심는다.

| 과학적 탐구 능력 |

10 다음은 생태계에서 멸치의 위치를 알아보기 위해 멸치, 오징어, 참치의 위를 해부한 결과이다.

> • 멸치의 위 속에 식물 플랑크톤이 있었다.
> • 오징어의 위 속에 멸치가 있었다.
> • 참치의 위 속에 오징어가 있었다.

이에 대한 설명으로 옳은 것만을 |보기|에서 있는 대로 고른 것은?(단, 주어진 생물만 고려한다.)

┤ 보기 ├
ㄱ. 멸치는 생산자에 해당한다.
ㄴ. 오징어가 사라지면 참치도 사라진다.
ㄷ. 멸치의 개체 수가 증가하면 일시적으로 오징어의 개체 수도 증가한다.

① ㄱ   ② ㄴ   ③ ㄷ
④ ㄱ, ㄴ   ⑤ ㄴ, ㄷ

서술형 문제

11 그림은 명수가 생태계 구성 요소를 이용하여 어떤 생태계를 나타낸 것이다.

비생물적 요인		
빛, 온도, 토양, 공기, 식물	비생물적 요인이 생물적 요인에 영향을 주는 경우 → ← 생물적 요인이 비생물적 요인에 영향을 주는 경우	생산자: 잔디 소비자: 메뚜기 분해자: 독수리

이 그림에서 옳지 않은 것을 찾아 옳지 않은 까닭을 쓰고, 이를 옳게 고쳐 쓰시오.

_____

_____

12 그림은 연꽃의 뿌리줄기인 연근의 단면을 나타낸 것이다.

연꽃의 줄기가 다른 육상 식물의 줄기와 다른 까닭을 비생물적 요인과 관련지어 서술하시오.

_____

_____

13 다음은 안정 상태의 생태계를 구성하는 생물적 요인을 모두 나열한 것이다.

> 잔디, 메뚜기, 두꺼비

(1) 이 생태계에서 가능한 먹이 사슬을 화살표를 이용하여 나타내시오.

_____

_____

(2) 생태계 평형이란 무엇인지 서술하시오.

_____

_____

(3) 사람이 인위적으로 1차 소비자를 제거하였다. 이때 생태계에 어떤 변화가 일어나는지 서술하시오.

_____

_____

(4) 외부 요인으로 인해 두꺼비가 사라진 후 이 생태계에서 잔디가 멸종하였다면, 잔디가 멸종한 까닭을 두꺼비가 사라진 것과 연관 지어 서술하시오.(단, 주어진 생물적 요인만을 이용하여 서술해야 한다.)

_____

_____

14 생태계에 영향을 미치는 환경 변화 중 사람의 의한 변화이면서 긍정적인 변화에는 어떤 것이 있는지 한 가지만 예를 들어 서술하시오.

_____

_____

8-2 지구 환경 변화와 인간 생활

교과서 268~279쪽

1 지구 온난화와 지구 환경 변화

1. 온실 효과 ─ 자연적인 온실 효과는 지구에서 생명이 존재할 수 있는 환경을 조성한다.

① **온실 효과** 대기 중에 있는 온실 기체가 지구에서 방출하는 복사 에너지를 흡수하여 지표로 재방출하면서 지구의 온도를 높이는 현상이다.

② **온실 기체** 온실 효과를 일으키는 기체로 이산화 탄소, 수증기, 메테인, 클로로플루오로탄소(CFC) 등이 있다.

2. 지구 온난화

① **지구 온난화** 인간 활동에 의해 대기 중에 온실 기체가 증가하면서 지구의 평균 기온이 높아지는 현상이다.

② **지구 온난화의 원인** 석유나 석탄과 같은 화석 연료의 사용 증가로 대기 중에 이산화 탄소와 메테인 등과 같은 온실 기체가 증가하면서 지구 온난화가 발생한다.

③ **온난화 진행 과정** 과도한 화석 연료의 사용, 지나친 토지 개발과 벌목 ⇨ 대기 중 온실 기체(이산화 탄소, 메테인 등)의 증가 ⇨ 온실 효과 강화: 지구 복사 에너지의 흡수량 증가 ⇨ 지구의 평균 기온 상승으로 지구 온난화 진행

④ **지구 온난화의 영향** 빙하 면적 감소, 해수면 상승, 식생 분포 변화, 기후 변화 등이 나타난다.

3. 지구 온난화가 우리 생활에 미치는 영향과 대책

① **영향** 평균 기온이 높아지면서 과일 재배 지역이 북상하고, 아열대 기후 지역이 증가한다. 또한 겨울철의 평균 기온이 높아지면서 봄과 가을의 길이가 짧아지고, 여름철 태풍과 집중 호우의 피해가 증가한다.

② **대책** 화석 연료 사용량을 줄여 대기 중으로 방출되는 온실 기체의 양을 줄인다.

2 엘리뇨와 사막화에 의한 지구 환경 변화

1. 대기 대순환

① 지구 전체 규모로 움직이는 대기의 순환이다.

② 위도별 에너지의 불균형을 해소하기 위해 저위도의 따뜻한 공기가 상승하여 고위도로 이동하고, 극지방의 차가운 공기가 하강하여 저위도로 이동하면서 발생한다.

③ 지구 자전의 영향으로 3개의 순환 세포를 형성하면서 공기의 순환이 일어난다.

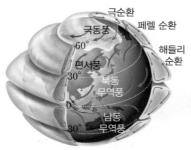

▲ 대기 대순환

2. 해수의 순환 ─ 육지로 막히지 않았다면 표층 해류는 전 지구를 한 바퀴 도는 순환으로 나타난다.

① **표층 해류** 대기 대순환으로 형성된 바람이 해수면 위로 불면서 해수가 이동하여 나타나는 해류를 표층 해류라고 한다.

② **해수의 순환** 위도에 따라 부는 바람의 방향이 서로 달라 지구 전체적으로 몇 개의 대순환을 일으킨다.

③ **해수의 순환 방향** 적도를 경계로 북반구에서는 시계 방향으로, 남반구에서는 시계 반대 방향으로 나타난다.

이 단원의 핵심 개념은~
- 온실 기체와 지구 온난화
- 대기와 해수의 순환

❶ 태양으로부터 지구에 입사되는 태양 복사 에너지는 주로 파장이 짧지만, 지구에서 우주 공간으로 방출되는 에너지인 지구 복사 에너지는 파장이 길다. 이 때문에 태양 복사 에너지를 통과시키는 온실 기체가 지구 복사 에너지는 흡수하면서 온실 효과가 일어난다.

▲ 온실 기체에 의한 온실 효과

■ **지구의 복사 평형**
지구에 들어오는 태양 복사 에너지의 양과 지구에서 방출하는 지구 복사 에너지의 양이 같아 지구는 복사 평형을 이루고 있으며, 이러한 복사 평형으로 지구의 평균 기온은 일정한 상태를 유지하고 있다.

■ **위도별 에너지의 불균형**
적도 부근에 남는 에너지가 대기와 해수의 순환에 의해 극지방으로 이동하면서 지구 전체적으로는 에너지의 균형이 이루어진다.

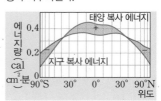

용어 🔍

클로로플루오로탄소(CFC)
프레온 가스라고도 한다. 무색무취의 가스로 냉매나 에어로졸의 분무제 등에 사용하였으나 오존을 파괴하는 것으로 알려지면서 사용이 금지되었다.

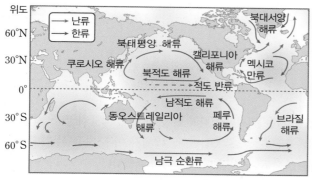

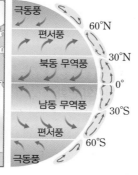

▲ 표층 해류와 대기 대순환

■ 바람과 해류

바람(원인)	해류(결과)
무역풍	북적도 해류, 남적도 해류
편서풍	북태평양 해류, 남극 순환류

3. 엘니뇨

① **엘니뇨** 적도 부근 동태평양 해역의 표층 수온이 평년에 비해 높아지는 이상 고온 현상이다.

② **표층 수온 분포와 기상 변화**

— 저기압의 위치가 동쪽으로 이동한다.

평상시	엘니뇨 시기❷
평상시 남반구 저위도 태평양 지역에는 대기 대순환으로 남동 무역풍이 불어 해류가 발생하고 표층의 따뜻한 바닷물이 서쪽으로 이동하여 서태평양 지역에 강수 지역이 위치한다.	남동 무역풍이 평상시보다 약해지면 따뜻한 해수가 분포하는 지역이 동쪽으로 이동하여 적도 부근 동태평양에 강수 지역이 위치한다.

4. 사막화와 사막화의 영향

① **사막화** 사막 주변의 초원지대가 과도한 방목, 경작과 삼림 벌채로 인한 생태계 파괴에 의해 사막으로 바뀌는 현상이다.

② **영향** 최근 지구 온난화로 인한 가뭄과 같은 기상 이변으로 사막화가 가속되고 있으며, 사막화 지역에서는 물 부족과 식량 부족과 같은 문제로 국제적인 분쟁이 발생하고 있다.

❷ 엘니뇨 시기에 남아메리카 서부 해안의 기온이 높아지고 강수량이 증가하는 반면, 호주와 동남아시아 지역은 강수량이 감소한다.

■ 라니냐
무역풍이 평상시보다 강해지면서 적도 부근 동태평양 지역 해수의 수온이 평상시보다 낮아지는 현상을 라니냐라고 한다.

■ 사막의 형성 지역
위도 30° 부근에는 대기 대순환의 하강 기류로 주로 고기압이 형성된다. 따라서 맑고 건조한 날씨가 계속 이어지면서 건조 기후가 나타나며 사막이 주로 분포한다.

■ 건조 기후 지역   ■ 사막화 지역

출제 자료 Focus

빙하 코어 분석

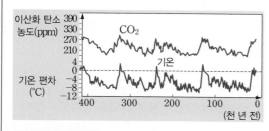

빙하에서 시추한 빙하 코어 속 공기 방울을 분석하여 각 시기의 대기 조성과 기온을 분석한다.

출제 자료 확인하기

① 기온과 이산화 탄소의 변화 경향성은 (일치)한다.

② 이산화 탄소의 농도 변화는 지구의 평균 (기온) 변화에 영향을 주었다.

③ 과거 400만 년 동안에 나타난 평균 기온은 현재의 기온보다 (낮)다.

☑ **바로 체크**

1 대표적인 온실 기체의 종류에는 수증기, ( ), 메테인, 클로로플루오로탄소 등이 있다.

2 지구의 평균 기온이 높아지는 현상을 ( )라고 한다.

3 대기 대순환의 순환 세포는 ( ) 개이다.

4 적도 부근 동태평양 해역의 표층 수온이 평년에 비해 높아지는 이상 고온 현상을 ( )라고 한다.

5 사막화는 ( )로 인한 가뭄으로 가속화 되고 있다.

1 이산화 탄소 2 지구 온난화 3 3 4 엘니뇨 5 지구 온난화

| 탐구 목표 |

평균 기온 상승에 따른 지구 온난화의 원인이 온실 기체에 의한 것임을 이해할 수 있다.

| 유의점 |

장기간에 걸친 관측 자료의 변화 경향을 분석할 때는 그래프에 장기적인 변동을 나타내는 직선이나 곡선을 그려 확인한다.

■ 우리나라 기온 변화

전 세계의 평균 기온 상승 폭보다 우리나라의 평균 기온 상승 폭이 높다는 것은 실제로 우리나라에서 지구 온난화로 인한 환경 변화가 크게 나타나고 있다는 것을 의미한다.

■ 지구 평균 기온 변화의 원인

이산화 탄소 농도 이외에 지구의 평균 기온 변화에 영향을 주는 요인 중 지구 외적 요인으로는 태양의 활동 변화에 따른 태양 복사 에너지의 변화 등이 있고, 내적 요인으로는 대규모 화산 활동으로 분출된 화산재로 인한 반사율 증가 등이 있다.

■ 이산화 탄소 평균 농도 연중 변화

이산화 탄소 평균 농도 곡선에서 연중 변화가 나타나는 까닭은 겨울과 여름의 차이인데 이는 겨울철에 난방을 위해 화석 연료를 소모하기 때문이다.

자료1

평균 기온의 변화

우리나라와 전 세계의 연평균 기온은 지난 100여 년 동안 계속 상승하였다. 지구의 평균 기온이 높아지는 현상을 지구 (㉠)라고 한다. 19세기 이후 지구 온난화는 계속 진행 중이며, 최근에는 기온 상승 폭이 점점 더 (㉡)지고 있다.

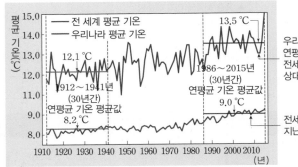

자료2

지구 온난화의 원인

1800년대부터 산업화가 진행되며 화석 연료의 사용이 증가하면서 대기 중 이산화 탄소와 메테인 등 (㉢)의 농도가 크게 증가하였다. 대기 중 온실 기체의 농도가 증가하면 대기에 의한 (㉣) 에너지의 흡수량이 증가한다. 그 결과 지구의 기온이 상승하고 지구 온난화로 이어진다.

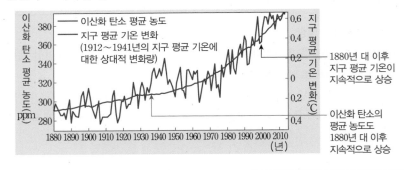

이해 Check

1 지구 온난화에 대한 설명으로 옳지 <u>않은</u> 것은?

① 대표적인 온실 기체에는 이산화 탄소가 있다.

② 최근 지구의 평균 기온 상승 폭은 감소하고 있다.

③ 지구 온난화의 원인은 대기 중 온실 기체 농도의 증가이다.

④ 지구 온난화는 지구의 연평균 기온이 지속적으로 높아지는 현상이다.

⑤ 대기 중 이산화 탄소의 평균 농도 변화와 지구의 평균 기온 변화 경향은 모두 증가하는 방향으로 나타나고 있다.

2 지구 온난화에 의한 환경 변화를 설명한 내용으로 옳은 것만을 |보기|에서 있는 대로 고르시오.

┤ 보기 ├

ㄱ. 북극곰이 멸종 위기에 처해있다.

ㄴ. 극지방의 빙하가 빠른 속도로 증가하고 있다.

ㄷ. 우리나라에서 봄꽃의 개화 시기가 점점 빨라지고 있다.

ㄹ. 남태평양의 섬나라인 투발루가 바닷물에 잠기고 있다.

지구 환경 변화에 영향을 주는 요인

정답과 해설 35쪽

| 탐구 목표 |

엘니뇨와 사막화의 원인을 이해하고 지구 환경에 미치는 영향을 설명할 수 있다.

■ 용승

수온이 낮은 심층의 해수가 위로 올라오는 현상이다.

■ 엘리뇨의 영향

엘니뇨 시기에는 저기압이 분포하는 지역이 평상시보다 동쪽으로 이동하면서 적도 부근 동태평양 지역에 강수 지역이 형성되어 남아메리카 연안에서는 강수량이 증가한다. 반면 서태평양의 호주와 동남아시아 지역은 강수량이 감소한다.

■ 건조 기후 지역과 사막

위도 30° 부근의 중위도 고압대의 건조 지역에 분포하는 사막은 아프리카의 사하라 사막이 대표적이며, 중위도의 내륙 지역에 분포하는 사막은 중앙아시아의 고비 사막이 대표적이다.

자료1

엘니뇨

적도 부근의 동태평양에서 태평양 중앙부에 이르는 넓은 범위에서 표층 수온이 평상시보다 높아지는 형상을 엘니뇨라고 한다. 엘니뇨는 이 지역에 부는 남동 (㉤)풍이 평상시보다 약해지면서 따뜻한 해수가 (㉥)쪽으로 이동하고 적도 부근 동태평양에서 용승 현상이 약해지면서 발생한다.

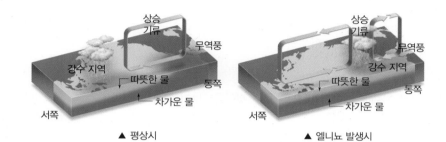

▲ 평상시　　　▲ 엘니뇨 발생시

자료2

사막화

사막화는 토양이 황폐해지면서 점차 사막으로 변하는 현상으로, 사막 인근 지역과 반건조 지역 사이에서 주로 나타난다. 사막화가 일어나는 자연적인 원인에는 대기 대순환의 변화에 의한 (㉦)의 감소가 있고, 인위적인 요인에는 과잉 경작이나 방목, 삼림 벌채 등이 있다.

이해 Check

3 엘니뇨에 대한 설명으로 옳은 것만을 |보기|에서 있는 대로 고르시오.

| 보기 |
ㄱ. 대기와 해수의 상호 작용으로 일어나는 현상이다.
ㄴ. 적도 부근에 부는 무역풍이 평상시보다 강해지면서 나타나는 현상이다.
ㄷ. 적도 부근 서태평양에서는 강수량이 감소하여 가뭄 피해가 발생하기도 한다.

4 사막화에 대한 설명으로 옳은 것만을 |보기|에서 있는 대로 고르시오.

| 보기 |
ㄱ. 사막이나 사막화가 진행되는 지역은 주로 위도 30°부근에 많이 분포한다.
ㄴ. 중국에서 일어나는 사막화의 영향으로 우리나라에는 황사에 의한 피해가 감소하고 있다.
ㄷ. 사막화가 일어나는 인위적인 요인에는 무분별한 산림 벌채와 과도한 방목 등이 있다.

개념 확인 문제

01 지구 온난화에 대한 설명으로 옳은 것은 ○표, 옳지 않은 것은 ×표를 하시오.

(1) 지구 온난화가 일어나면 해수면의 높이는 계속 낮아진다. ( )

(2) 화석 연료 사용량 증가로 지구 온난화는 계속 가속화하고 있다. ( )

(3) 이산화 탄소는 지구 온난화를 일으키는 온실 기체의 한 종류이다. ( )

(4) 지구 온난화가 일어나는 원인은 대기 중 온실 기체의 감소 때문이다. ( )

02 온실 기체에 대한 설명으로 옳은 것만을 |보기|에서 있는 대로 고르시오.

| 보기 |

ㄱ. 온실 기체에는 수증기와 메테인 등이 있다.

ㄴ. 온실 기체는 지구 온난화를 일으키는 기체이다.

ㄷ. 대기 중 온실 기체가 증가하면 지구의 평균 기온은 하강한다.

ㄹ. 온실 기체가 태양 복사 에너지를 흡수하여 지구 온난화가 일어난다.

03 그림은 1880년부터 현재까지의 지구 평균 기온 변화를 나타낸 것이다.

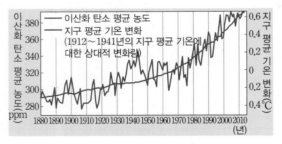

다음은 그림을 분석하여 설명한 내용이다. ( ) 안에 들어갈 알맞은 말에 ○표를 하시오.

1800년대부터 산업화가 진행되며 화석 연료의 사용이 (㉠ 증가/ 감소)하면서 대기 중에 이산화 탄소나 메테인 등과 같은 온실 기체의 농도가 크게 (㉡ 증가/ 감소)하였다. 대기 중 온실 기체의 농도가 (㉢ 증가/ 감소)하면 대기에 의한 지구 복사 에너지의 흡수량이 (㉣ 증가/ 감소)하고, 그 결과 지구의 기온이 (㉤ 상승/ 하강)하면서 지구 온난화로 이어진다.

04 지구의 대기 대순환과 해수의 표층 순환에 대해 설명한 것이다. 빈칸에 들어갈 알맞은 말을 쓰시오.

(1) 대기 대순환과 해양에서 일어나는 표층 순환을 일으키는 근원이 되는 에너지원은 ( )이다.

(2) 대기 대순환과 해수의 표층 순환은 (㉠)위도의 에너지를 (㉡)위도로 운반하면서 지구 전체의 에너지 평형을 유지하게 하는 역할을 한다.

05 그림은 평상시와 엘니뇨 발생시 적도 부근 태평양에서 나타나는 표층 수온 분포와 대기 순환을 나타낸 것이다.

다음은 그림은 분석하여 설명한 내용이다. 빈칸에 들어갈 알맞은 말을 쓰시오.

평상시 남반구 저위도 태평양 지역에서는 대기 대순환으로 남동 (㉠)풍이 불어 해류가 발생하고 표층의 따뜻한 바닷물이 (㉡)쪽으로 이동한다. 그 결과 서태평양 지역의 표층 수온이 더 (㉢)아 지면서 상승 기류가 형성되어 저기압이 분포한다. 그런데 수년에 한 번씩 12월 무렵에 남동 (㉣)풍이 약해지면 따뜻한 해수가 분포하는 지역이 (㉤)쪽으로 이동하고, 저기압의 위치도 (㉥)쪽으로 이동한다. 이러한 현상을 엘니뇨라고 한다.

06 사막화에 대한 설명으로 옳은 것은 ○표, 옳지 않은 것은 ×표를 하시오.

(1) 사막화는 과도한 방목, 경작과 삼림 벌채로 인해 생태계가 파괴되어 나타난다. ( )

(2) 최근에는 지구 온난화로 인한 가뭄과 같은 기상 이변이 더해지면서 사막화 현상이 일어나는 지역이 줄어들고 있다. ( )

(3) 사막화 지역에서는 물 부족과 농작물 생산량 감소에 난민까지 발생하는 등 인간 생활에도 큰 피해가 발생하고 있다. ( )

(4) 세계 여러 국가들은 사막화 방지 협약(UNCCD)과 같은 국가 간의 협력을 통해 사막화 방지를 위해 노력하고 있다. ( )

실력 쑥쑥 문제

01 그림은 우리나라 주요 과일의 재배지 변화를 나타낸 것이다.

이에 대한 설명으로 옳은 것만을 |보기|에서 있는 대로 고른 것은? (단, 흑백은 1980년대, 컬러는 1980년대 이후 새로 형성된 주산지이다.)

|보기|

ㄱ. 주요 과일의 재배 가능 지역이 북상하였다.

ㄴ. 이와 같은 현상은 우리나라의 연평균 기온이 하강하기 때문에 나타나는 것이다.

ㄷ. 이와 같은 추세로 기후가 변화하면 우리나라에서 열대 과일의 재배도 가능해질 것으로 예상할 수 있다.

① ㄱ   ② ㄴ   ③ ㄱ, ㄴ
④ ㄱ, ㄷ   ⑤ ㄴ, ㄷ

| 과학적 사고력 |

02 그림은 과거 우리나라 계절의 길이 변화를 측정한 자료와 앞으로의 길이 변화를 예측한 자료이다.

	봄	여름	가을	겨울
2001~2010	80(일)	113	67	105
	3.9 5.28	9.18	11.24	3.8
2011~2040	78	123	63	101
	3.9 5.26	9.26	11.28	3.8
2041~2070	77	135	62	91
	3.2 5.18	9.30	12.1	3.1

이에 대한 설명으로 옳은 것만을 |보기|에서 있는 대로 고른 것은?

|보기|

ㄱ. 여름철이 점점 길어지고 있다.

ㄴ. 겨울철의 평균 기온이 점점 높아질 것이다.

ㄷ. 이와 같은 계절 길이의 변화는 인간 생활에 영향을 주지 않는다.

ㄹ. 이와 같은 변화가 나타나는 까닭은 우리나라의 연평균 기온이 계속 낮아지기 때문이다.

① ㄱ, ㄴ   ② ㄴ, ㄷ   ③ ㄴ, ㄹ
④ ㄱ, ㄴ, ㄷ   ⑤ ㄱ, ㄴ, ㄷ, ㄹ

03 그림은 우리나라와 지구의 연평균 기온 변화를 나타낸 것이다.

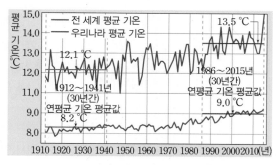

이에 대한 설명으로 옳은 것만을 |보기|에서 있는 대로 고른 것은?

|보기|

ㄱ. 우리나라보다 전 세계의 연평균 기온 상승 폭이 더 높다.

ㄴ. 우리나라와 전 세계의 연평균 기온은 모두 증가하고 있다.

ㄷ. 우리나라의 연평균 기온 변화는 항상 일정하게 증가하는 것으로 나타난다.

① ㄱ   ② ㄴ   ③ ㄱ, ㄴ
④ ㄱ, ㄷ   ⑤ ㄴ, ㄷ

04 그림은 대기 중 이산화 탄소의 평균 농도 변화와 지구의 평균 기온 변화를 나타낸 것이다.

이에 대한 설명으로 옳은 것만을 |보기|에서 있는 대로 고른 것은?

|보기|

ㄱ. 지구의 평균 기온은 상승하고 있다.

ㄴ. 이산화 탄소의 평균 농도는 계속 증가하였다.

ㄷ. 지구의 평균 기온 상승 폭은 시간이 지나면서 점점 낮아졌다.

ㄹ. 과거 100년 동안에 이루어진 대기 중 이산화 탄소 농도 증가는 주로 인간 활동에 의한 것이다.

① ㄱ, ㄴ   ② ㄴ, ㄷ   ③ ㄴ, ㄹ
④ ㄱ, ㄴ, ㄹ   ⑤ ㄴ, ㄷ, ㄹ

05 그림은 남극 대륙 빙하에서 시추한 빙하 코어로부터 지난 40만 년간의 지구 환경 자료를 분석한 것이다.

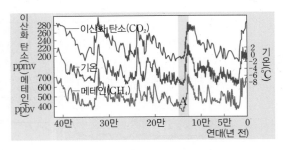

이에 대한 설명으로 옳은 것만을 |보기|에서 있는 대로 고른 것은?

┤ 보기 ├
ㄱ. A 기간 동안 평균 해수면은 하강하였을 것이다.
ㄴ. 빙하 코어에 포함된 과거 대기의 성분으로 알아낸 자료이다.
ㄷ. A 기간 동안 온대 지방에 있는 나무의 나이테는 간격이 넓어졌을 것이다.
ㄹ. 대기 중 이산화 탄소와 메테인의 농도 변화는 기온 변화와 서로 연관이 있다.

① ㄱ, ㄴ   ② ㄴ, ㄷ   ③ ㄴ, ㄹ
④ ㄱ, ㄴ, ㄷ   ⑤ ㄴ, ㄷ, ㄹ

06 그림은 북반구에서 나타나는 대기 대순환과 표층 해류의 순환 모습이다.

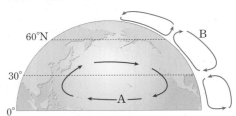

이에 대한 설명으로 옳은 것만을 |보기|에서 있는 대로 고른 것은?

┤ 보기 ├
ㄱ. 해류 A를 만드는 바람은 무역풍이다.
ㄴ. 표층 해류의 순환은 대륙의 영향을 받지 않는다.
ㄷ. 대기 대순환으로 나타나는 순환 세포 B는 지구 자전에 의한 영향을 받지 않는다.

① ㄱ   ② ㄴ   ③ ㄱ, ㄴ
④ ㄱ, ㄷ   ⑤ ㄴ, ㄷ

07 그림은 어느 시기에 적도 부근의 태평양에 형성된 대기의 흐름과 수온 분포를 나타낸 것이다.

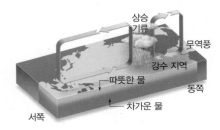

이에 대한 설명으로 옳지 않은 것은?

① 이 시기에 무역풍이 약화되었다.
② 엘니뇨가 발생했을 때의 모습이다.
③ 평소와 비교하면 강수 구역이 서쪽으로 이동하였다.
④ 동남아시아 지역에 기상 이변이 발생할 확률이 높아졌다.
⑤ 평소와 비교하면 따뜻한 물의 위치가 동쪽으로 이동하였다.

| 과학적 탐구 능력 |

08 그림 (가)는 위도별 복사 에너지량의 분포를, (나)는 북반구의 대기 대순환을 나타낸 것이다.

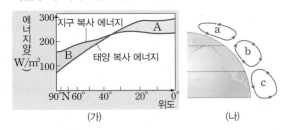

이에 대한 설명으로 옳은 것만을 |보기|에서 있는 대로 고른 것은?

┤ 보기 ├
ㄱ. A와 B 모두 에너지가 과잉인 지역이다.
ㄴ. 사막화 지역은 a와 b 사이에 위치한 지역에서 주로 나타난다.
ㄷ. 지상에 주로 고기압이 형성되는 지역은 b와 c의 경계 부분이다.

① ㄱ   ② ㄷ   ③ ㄱ, ㄴ
④ ㄱ, ㄷ   ⑤ ㄴ, ㄷ

09 그림은 우리나라 봄철에 주로 영향을 주는 황사의 이동 과정을 나타낸 것이다.

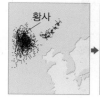

이에 대한 설명으로 옳은 것만을 |보기|에서 있는 대로 고른 것은?

| 보기 |

ㄱ. 중국의 사막화는 황사 현상에 영향을 주지 않는다.
ㄴ. 황사에 의해 우리나라는 경제적인 피해를 많이 받는다.
ㄷ. 중국에서 발생한 황사가 우리나라로 이동해 오는 것은 편서풍의 영향이다.
ㄹ. 황사에 의한 피해를 줄이기 위해서는 국가 간 협력을 통해 사막화 방지를 위한 노력이 필요하다.

① ㄱ, ㄴ   ② ㄴ, ㄷ   ③ ㄴ, ㄹ
④ ㄱ, ㄴ, ㄷ   ⑤ ㄴ, ㄷ, ㄹ

10 지구 온난화를 막기 위한 노력에 대한 설명으로 옳은 것만을 |보기|에서 있는 대로 고른 것은?

| 보기 |

ㄱ. 지구 온난화는 전 지구적인 문제이기 때문에 기후 변화에 대처하기 위해서는 국제적인 노력이 필요하다.
ㄴ. 지구 온난화에 대처하기 위해서는 탄소 사용량을 줄이기 위한 개인 차원의 노력과 의식 변화도 필요하다.
ㄷ. 지구 온난화에 대처하기 위해서는 풍력이나 태양열 발전의 비율을 높이고 삼림 면적을 늘리려는 노력이 필요하다.
ㄹ. 우리나라를 비롯하여 세계 여러 나라는 파리 협정과 같은 국제 조약에 동참하여 온실 기체 배출량을 감축하기 위한 노력을 하고 있다.

① ㄱ, ㄷ   ② ㄴ, ㄹ   ③ ㄱ, ㄴ, ㄷ
④ ㄴ, ㄷ, ㄹ   ⑤ ㄱ, ㄴ, ㄷ, ㄹ

서술형 문제

11 다음은 신문 기사의 일부이고, 그림은 대기 중 이산화 탄소의 평균 농도와 지구 평균 기온 변화를 나타낸 것이다.

> 2016년이 지구 역사상 가장 뜨거운 해
> 18일(현지 시간) 미 항공우주국(NASA)은 지구의 기온이 2014년부터 3년 연속 최고치를 갈아치우며 상승했다는 연구 결과를 발표했다. (중략) NASA의 연구에 따르면 지구의 기온은 2013년부터 지난해까지 3년 만에 10 ℃ 이상 올랐다. 이는 1880년 NASA가 지구의 기온 관측을 시작한 이래 가장 급격한 오름세다. (이하 생략)
> 2017년 1월 19일

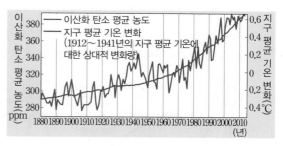

신문 기사와 같은 현상이 나타나는 까닭이 무엇인지 그림의 자료를 이용하여 서술하시오.

12 그림은 전 세계에 나타나는 사막 지역과 사막화가 나타나는 지역을 표시한 것이다.

사막이 주로 위도 30° 부근의 중위도 지역에서 나타나는 까닭을 대기 대순환과 연관지어 서술하시오.

8-3 에너지의 효율적 이용

교과서 280~291쪽

1 에너지의 전환과 보존

1. 에너지 전환

① **에너지** 일을 할 수 있는 능력, 물체가 한 일의 양

- **위치 에너지(중력 퍼텐셜 에너지)**: 높은 곳에 위치한 물체가 가지는 에너지, 높은 곳의 물이 떨어져 내리며 물레방아를 돌리는 일을 할 수 있다.
- **운동 에너지**: 운동하는 물체가 가지는 에너지, 움직이는 물체가 다른 물체에 충돌하여 다른 물체를 이동시키는 일을 할 수 있다.
- **전기 에너지**: 전자의 이동, 전류의 흐름을 통해 생성되는 에너지, 전기 에너지를 이용하여 전기 모터를 돌리는 등의 일을 할 수 있다.
- **열에너지**: 물체의 온도를 변화시키거나 상태를 변화시키는 에너지, 열에너지를 공급하여 기체 분자를 더 멀리까지 이동시키는 일을 할 수 있다.
- **화학 에너지❶**: 화학 결합에 의하여 물질 내에 보존되어 있는 에너지, 석유·석탄과 같은 물질에 보존되어 있는 에너지를 연소를 통해 방출하여 사용할 수 있다.
- **핵에너지**: 원자핵이 분열하거나 융합할 때 방출하는 에너지

② **에너지 전환** 한 형태의 에너지가 다른 형태의 에너지로 바뀌는 것

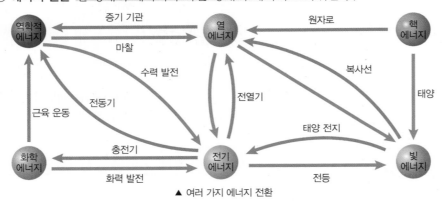

▲ 여러 가지 에너지 전환

2. 에너지 보존

① 에너지는 한 형태에서 다른 형태로 전환되는 과정에서 에너지의 총량은 변하지 않는다.

② **에너지 보존 법칙** 에너지는 한 형태에서 다른 형태로 전환될 뿐 새롭게 생성되거나 소멸되지 않으며, 에너지의 총량은 항상 일정하게 보존된다.

- 스마트폰의 배터리에서 공급된 전기 에너지는 스마트폰의 소리 에너지, 빛에너지, 진동에 의한 역학적 에너지, 발열에 의한 열에너지 등으로 전환된다.

- 공급된 전기 에너지의 총량과 전환된 소리 에너지, 빛에너지, 역학적 에너지, 열에너지의 총량의 합은 같다.

▲ 스마트폰에서의 에너지 전환

이 단원의 핵심 개념은~

- 에너지의 전환
- 열기관에서의 에너지 전환과 열효율
- 에너지의 효율적 이용

❶ 화석 연료인 석탄, 석유를 이루는 여러 원소들의 결합이 화학 에너지를 저장하고 있다.
화석 연료는 오래 전에 살았던 생명체가 오랜 기간 고온과 고압을 받아 만들어진 것으로, 태양의 빛에너지가 광합성 과정을 통해 생물체에 화학 에너지로 저장된 것이라고 할 수 있다.

❷ 난방기 등에서 생성되는 열에너지는 유용하게 사용되지만, 컴퓨터, 스마트폰, 선풍기, 전등 등의 대부분의 전자 제품에서 발생하는 열에너지는 유용하게 사용하지 못한다.

용어 🔍

하이브리드(hybrid)
사전적 의미로 두 가지 이상의 요소가 하나로 합쳐진 것을 뜻하지만, 최근에는 여러 가지 기술이나 기능이 융합하여 좋은 성능을 가진 제품을 말한다.

2 에너지 효율

1. 에너지 효율 공급한 에너지에 대해 유용하게 사용한 에너지의 비율이다.

2. 열기관 주로 화석 연료를 연소시켜 얻은 열에너지를 이용하여 일을 수행하는 장치이다.

   예 증기 기관, 자동차 가솔린 기관이나 디젤 기관 등

  ① **열기관과 에너지** 공급된 열에너지의 일부는 일을 하는 데 사용하고 나머지는 외부로 방출한다.

  ② **열효율** 열기관에 공급한 에너지에 대해 열기관이 한 일의 비율로 열기관의 에너지 효율을 나타낸다. 열효율이 높을수록 에너지 손실이 적음을 의미한다.

$$열효율(\%) = \frac{열기관이\ 한\ 일}{공급한\ 에너지} \times 100$$

  ③ **열기관과 열효율** 열기관을 사용할 때는 항상 마찰, 배기 가스 등으로 열에너지가 방출되므로 공급한 열은 모두 일로 전환할 수 없다. ➡ 열기관의 열효율은 100 % 가 될 수 없다.

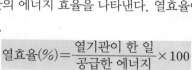

▲ 열기관

3 에너지 효율 개선의 사회적 의의

1. 에너지 생산의 어려움

  ① 국내 전력 생산의 60 % 이상을 화력 발전에 의존하고 있다.

  ② 화력 발전의 문제점으로는 화석 연료의 고갈 문제, 온실 기체로 인한 환경 오염 문제 등이 있다.

  ③ 화석 연료의 사용을 줄이기 위해 에너지 효율을 높여야 한다.

수력 1.5 %　기타 2.8 %
석유 4.7 %
LNG 22.0 %
석탄 39.0 %
원자력 30.0 %

▲ 국내 에너지별 전력 생산 비중

2. 에너지의 효율적 이용

  ① **에너지 소비 효율 등급❸의 이용** 에너지 소비 효율 등급이 1등급에 가까울수록 효율이 좋은 제품이며, 1등급 제품은 5등급 제품보다 약 30~40 %의 에너지를 절감할 수 있다. 따라서 등급이 높은 제품의 사용을 권장하고 있다.

  ② **하이브리드 자동차** 화석 연료를 사용하는 내연 기관과 전기 배터리 엔진을 병행하여 구동하는 자동차, 기존 자동차에 비해 유해 가스 배출량이 낮고 에너지 효율이 높다.

  ③ **에너지 제로 하우스** 대체 에너지 기술을 활용하고 화석 연료를 이용하지 않아 탄소 배출이 0에 가까운 건축물이다.

  • 능동형(액티브) 방식: 태양 전지, 풍력 발전 등의 신재생 에너지를 활용하여 건축물 자체적으로 전기 에너지를 생성하는 방법

  • 수동형(패시브) 방식: 단열 유리창, 단열 벽체 등 단열 기능을 강화하여 열출입을 막아 에너지 사용량을 최소화하는 방법

단열 진공 유리창
소형 풍력 발전기
태양 전지
고효율 발광 다이오드 조명
단열 벽체

▲ 에너지 제로 하우스

■ 에너지 손실

열에너지는 고온의 물체에서 저온의 물체로만 이동하며, 그 반대의 이동은 일어나지 않는다. 따라서 열기관에 공급된 열에너지 중 일부는 온도가 낮은 주변으로 흩어져 사용할 수 없게 된다.

❸ 에너지 소비 효율 등급 표시제

에너지 소비 효율에 따라 1~5등급으로 구분해 표시한 것, 1등급에 가까울수록 에너지 효율이 높아 에너지를 절약할 수 있는 제품이다.

✅ 바로 체크

1 화학 결합에 의해 물질 속에 저장되어 있는 에너지는 무슨 에너지인가?

2 에너지가 다른 형태로 바뀌는 것을 무엇이라고 하는가?

3 에너지 전환 과정에서 버려지는 에너지는 무엇인가?

4 에너지가 전환되기 전후 에너지의 양은 어떻게 될까?

5 열기관에 공급된 에너지에 대해 열기관이 한 일의 비율을 무엇이라고 하는가?

1 화학 에너지 2 에너지 전환 3 열에너지 4 보존된다. 5 열효율

정답

| 탐구 목표 |
화석 연료를 사용할 때 열에너지가 손실됨을 이해하고 열기관의 효율을 계산할 수 있다.

| 유의점 |
에너지 효율은 공급된 에너지에 대해 유용하게 사용된 에너지의 비율을 나타내는 값이다.

자료

다음은 화석 연료를 이용하여 에너지를 얻는 대표적인 장치인 화력 발전소와 자동차에서 화석 연료를 사용하는 모습을 나타낸 것이다.

(가) 화력 발전소의 에너지 효율   (나) 자동차의 에너지 효율

탐구 정리

1 화력 발전소와 자동차는 각각 어떤 에너지를 얻기 위한 장치인가?
   • 화력 발전소: (㉠)   • 자동차: (㉡)

2 화력 발전소와 자동차에 공급된 화석 연료의 에너지가 1,000,000 J이라면 유용하게 이용되는 에너지는 각각 몇 J인가?
   • 화력 발전소: (㉢)
   • 자동차: (㉣)

3 화력 발전소와 자동차의 에너지 효율은 각각 몇 %인가?
   • 화력 발전소: (㉤)   • 자동차: (㉥)

이해 Check

1 위의 자료에 대한 설명으로 옳은 것만을 |보기|에서 있는 대로 고르시오.

   ┤ 보기 ├
   ㄱ. 자동차의 에너지 효율은 75 %이다.
   ㄴ. 화력 발전소가 자동차보다 에너지 효율이 높다.
   ㄷ. 화석 연료를 사용하는 과정에서 에너지 손실이 일어난다.

2 에너지의 총량은 변하지 않는데, 에너지 효율을 높이는 것이 왜 중요한지 위의 자료를 해석한 결과를 토대로 서술하시오.

3 어떤 열기관에 100 J의 열을 공급하였더니, 30 J의 일을 하고 나머지 열은 외부로 방출하였다.

   (1) 이 열기관이 외부에 방출한 열은 몇 J인지 구하시오.

   (2) 이 열기관의 열효율은 몇 %인지 구하시오.

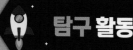

| 탐구 목표 |
에너지는 다양한 형태로 전환되며, 그 총량은 보존됨을 설명할 수 있다.

| 유의점 |
일반적인 경우 에너지 전환은 여러 가지의 형태로 일어난다.

자료

그림은 스마트폰에 전화가 와서 벨소리가 울리며 스마트폰이 진동하는 모습이다. 이 상황에서 에너지 전환이 어떻게 일어나는지 설명해 보자.

탐구 정리

1 위 사례에서의 에너지 전환 과정을 나타내 보자.
- 배터리에 저장된 (㉠) 에너지 ➡ 스마트폰 진동의 (㉢) 에너지, 음악 소리의 (㉣) 에너지, 화면 빛의 (㉤)에너지, 스마트폰의 온도가 높아지는 (㉥)에너지

2 전환하기 전 ㉠의 에너지의 총량과 에너지 전환 후 ㉢+㉣+㉤+㉥ 에너지의 총량을 비교해 보면, 전환하기 전의 에너지와 전환 후의 에너지의 총량은 같다.

3 우리 주변에 볼 수 있는 에너지 전환의 사례를 한 가지 들어보고 에너지 전환 전후의 에너지 총량을 비교해 보자.

에너지 전환 과정	전환 전후의 에너지 총량 비교
전등: 전기 에너지 ┌ 빛에너지 └ 열에너지	공급된 전기 에너지의 양과 전환된 빛에너지와 열에너지의 합은 같다.

이해 Check

4 수력 발전소에서 일어나는 에너지 전환으로 옳은 것만을 |보기|에서 있는 대로 고르시오.

| 보기 |
- ㄱ. 위치 에너지 → 운동 에너지
- ㄴ. 역학적 에너지 → 전기 에너지
- ㄷ. 화학 에너지 → 열에너지

5 다음은 에너지 전환을 이용한 예이다. 빈칸에 들어갈 알맞은 에너지 형태를 쓰시오.

(1) 전기 충전기: (   ) 에너지 → 화학 에너지

(2) 광합성: 빛에너지 → (   ) 에너지

(3) 근육 운동: 화학 에너지 → (   ) 에너지

(4) 전등: (   ) 에너지→ 빛에너지

6 진동과 소음이 심하고 무거운 재질로 만들어진 선풍기 (가)와 진동과 소음이 적고 가벼운 재질로 만들어진 선풍기 (나)가 있다. 선풍기에서 일어나는 에너지 전환에 대해 쓰고, 이를 바탕으로 두 선풍기 중 에너지 효율이 높은 선풍기는 무엇일지 서술하시오.

(가)   (나)

개념 확인 **문제**

01 에너지 전환에 대한 설명으로 옳은 것은 ○표, 옳지 않은 것은 ×표를 하시오.

(1) 에너지 전환 과정에서 전환되기 전 에너지의 총량은 전환된 후의 에너지의 총량보다 많다. ( )

(2) 열효율은 에너지 전환 과정에서 유용하게 사용되는 에너지의 비율을 나타낸다. ( )

(3) 열효율이 낮을수록 에너지 전환 과정에서 열에너지로 손실되는 양이 적다. ( )

02 다음은 여러 가지 에너지에 대한 설명이다. 설명에 해당하는 에너지를 |보기|에서 찾아 쓰시오.

> **보기**
> ㄱ. 운동 에너지   ㄴ. 전기 에너지
> ㄷ. 화학 에너지   ㄹ. 핵에너지

(1) 물질 내부의 화학 결합에 의해 보존되어 있는 에너지이다. ( )

(2) 원자핵이 분열하거나 융합할 때 발생하는 에너지이다. ( )

(3) 속력을 가진 물체가 가진 에너지이다. ( )

(4) 전하를 띤 입자의 움직임에 의해 발생하는 에너지이다. ( )

03 다음은 화력 발전소에서 화석 연료를 이용하여 전기에너지를 생산하는 모습을 모식적으로 나타낸 것이다. 각각의 과정에서 어떤 에너지 전환이 일어나는지 빈칸을 채우시오.

(가): 화학 에너지 → ( ) 에너지
(나): 열에너지 → ( ) 에너지
(다): ( ) 에너지 → 전기 에너지

04 어떤 열기관에 500 J의 에너지를 공급하여 작동시켰더니, 100 J의 에너지가 일로 전환되었다. 이 열기관의 열효율은 얼마인가?

① 20 %   ② 40 %   ③ 50 %
④ 60 %   ⑤ 80 %

05 우리나라에서 가장 많이 사용되는 세 가지 발전 방식은 수력 발전, 화력 발전, 핵발전이다. 그림은 각각의 발전 방식에서 전기 에너지를 생산하는 에너지 전환의 과정을 나타낸 것이다.

> **보기**
> ㄱ. 위치 에너지
> ㄴ. 핵에너지
> ㄷ. 화학 에너지

빈칸에 들어갈 에너지로 알맞은 것을 |보기|에서 찾아 쓰시오.

발전 방식	에너지 전환
수력 발전	(1) ( ) → 전기 에너지
화력 발전	(2) ( ) → 전기 에너지
핵발전	(3) ( ) → 전기 에너지

06 에너지 효율을 높이는 방법으로 옳은 것만을 |보기|에서 있는 대로 고르시오.

> **보기**
> ㄱ. 형광등보다는 LED 전구를 이용한다.
> ㄴ. 단열 효과가 좋은 창문을 설치한다.
> ㄷ. 에너지 소비 효율 등급이 낮은 제품을 사용한다.

실력 쑥쑥 문제

01 다음은 전기를 이용하는 다양한 장치들에서의 에너지 전환 과정이다. 장치의 목적에 맞지 <u>않는</u> 에너지 전환은?

① 선풍기: 전기 에너지 → 운동 에너지
② 전기 다리미: 전기 에너지 → 열에너지
③ 전기 밥솥: 전기 에너지 → 열에너지
④ 형광등: 전기 에너지 → 열에너지
⑤ 전기 히터: 전기 에너지 → 열에너지

02 식물은 햇빛을 이용하여 광합성을 한다. 광합성 과정에 해당하는 에너지 전환으로 가장 적절한 것은?

① 빛에너지 → 열에너지
② 빛에너지 → 역학적 에너지
③ 빛에너지 → 화학 에너지
④ 열에너지 → 전기 에너지
⑤ 화학 에너지 → 핵에너지

03 그림은 원자력 발전소에서 전기 에너지를 생산하는 과정을 모식적으로 나타낸 것이다.

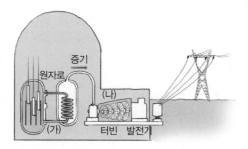

이에 대한 설명으로 옳은 것만을 |보기|에서 있는 대로 고른 것은?

┌ 보기 ┐
ㄱ. (가) 과정에서 전기 에너지가 핵에너지로 전환된다.
ㄴ. (나) 과정에서 증기가 터빈을 돌리는 운동 에너지가 모두 전기 에너지로 전환된다.
ㄷ. 연료가 가진 에너지량과 에너지 전환 과정에서 발생한 모든 에너지의 총량은 같다.
└────┘

① ㄱ   ② ㄴ   ③ ㄷ
④ ㄱ, ㄴ   ⑤ ㄴ, ㄷ

| 과학적 사고력 |

04 그림은 하이브리드 자동차의 구조를 나타낸 것이다.

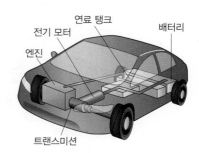

이에 대한 설명으로 옳은 것만을 |보기|에서 있는 대로 고른 것은?

┌ 보기 ┐
ㄱ. 하이브리드 자동차는 전기 배터리만을 이용하기 때문에 환경 오염 물질을 배출하지 않는다.
ㄴ. 배터리는 자동차가 주행하는 과정에서 충전된다.
ㄷ. 하이브리드 자동차는 가솔린 자동차에 비해 에너지 효율이 높다.
└────┘

① ㄱ   ② ㄴ   ③ ㄷ
④ ㄱ, ㄴ   ⑤ ㄴ, ㄷ

05 에너지에 대한 설명으로 옳은 것만을 |보기|에서 있는 대로 고른 것은?

┌ 보기 ┐
ㄱ. 에너지는 생성되거나 소멸되지 않는다.
ㄴ. 열에너지는 다른 형태의 에너지로 전환될 수 없다.
ㄷ. 에너지 전환 과정에서 전환 전 에너지의 총량과 전환 후 에너지의 총량은 같다.
└────┘

① ㄱ   ② ㄷ   ③ ㄱ, ㄴ
④ ㄱ, ㄷ   ⑤ ㄴ, ㄷ

06 그림은 어떤 가전 제품에 붙어 있는 에너지 소비 효율 등급 정보이다.

이에 대한 설명으로 옳은 것만을 |보기|에서 있는 대로 고른 것은?

| 보기 |

ㄱ. 등급값이 작을수록 에너지 효율이 높은 제품이다.
ㄴ. 이 가전 제품을 2시간 동안 사용하면 32 g의 이산화 탄소가 발생한다.
ㄷ. 에너지 소비가 많은 가전 제품에 이 정보를 부착하지 않고 판매하는 것은 불법이다.

① ㄱ   ② ㄴ   ③ ㄷ
④ ㄱ, ㄴ   ⑤ ㄱ, ㄴ, ㄷ

07 그림은 A지점에서 출발하여 곡면을 따라 움직이는 구슬의 모습이다. 곡면과 구슬 사이에는 마찰력이 작용한다.

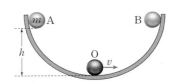

이에 대한 설명으로 옳은 것만을 |보기|에서 있는 대로 고른 것은?

| 보기 |

ㄱ. 구슬은 B지점까지 도달하지 못한다.
ㄴ. 구슬이 운동하는 동안 역학적 에너지의 총량은 보존된다.
ㄷ. 구슬이 운동하는 동안 에너지의 총량은 보존된다.

① ㄱ   ② ㄴ   ③ ㄷ
④ ㄱ, ㄴ   ⑤ ㄱ, ㄷ

08 그림은 세탁기를 작동하는 모습이다.

이 세탁기의 작동 과정에서 100 J의 에너지를 공급하면 세탁기의 드럼을 움직이는 데 25 J, 세탁기에서 발생하는 열에너지로 40 J, 세탁기의 소음으로 35 J의 에너지가 각각 사용된다고 한다. 이 세탁기의 에너지효율은?

① 25 %   ② 35 %   ③ 40 %
④ 50 %   ⑤ 100 %

| 과학적 사고력 |

09 다음은 화력 발전소에서 전기를 생산하여 가정으로 보내는 과정을 모식적으로 나타낸 것이다.

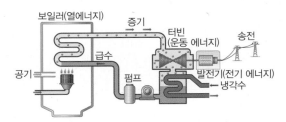

이에 대한 설명으로 옳은 것만을 |보기|에서 있는 대로 고른 것은?

| 보기 |

ㄱ. 화력 발전의 결과 이산화 탄소가 발생한다.
ㄴ. 발전기에서 생산된 전기 에너지의 양은 연료가 가지고 있던 화학 에너지의 양과 같다.
ㄷ. 발전기에서 생산된 전기 에너지의 양은 터빈에 공급되는 증기의 운동 에너지 양과 같다.

① ㄱ   ② ㄴ   ③ ㄷ
④ ㄱ, ㄴ   ⑤ ㄱ, ㄷ

서술형 문제

10 화력 발전 과정을 각각의 과정에서의 에너지 전환을 포함하여 간략하게 서술하시오.

_____

_____

11 연료 전지는 물의 전기 분해의 역반응을 이용하여 화학 에너지에서 바로 전기 에너지를 만드는 발전 방법이다. 이 발전 방법이 화력 발전 방법에 비해 갖는 이점을 에너지 효율의 측면에서 서술하시오.

_____

_____

13 표는 휘발유를 사용하는 일반 자동차와 하이브리드 자동차의 평균 에너지 효율을 비교한 것이다.

종류	평균 에너지 효율
일반 자동차	20 %
하이브리드 자동차	30 %

(1) 한 달 동안 자동차에 공급하는 휘발유의 에너지가 1,000,000 J이라고 할 때, 하이브리드 자동차를 사용할 경우가 일반 자동차를 사용할 경우에 비해 얼마만큼의 에너지 이익을 보는지 쓰시오.

_____

_____

(2) 하이브리드 자동차를 사용할 경우 얻게 되는 이점을 경제적, 환경적 측면에서 서술하시오.

_____

_____

| 과학적 의사소통 능력 |

12 그림 (가)는 우리나라의 생산 전력 중 각 전력원이 차지하는 비율을 나타낸 그래프이고, 그림 (나)는 열기관의 기본 원리를 나타낸 것이다.

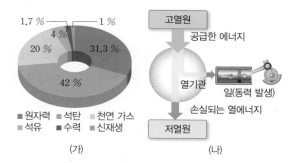

(가)와 (나)의 그림을 바탕으로 에너지를 효율적으로 사용해야 하는 까닭을 서술하시오.

_____

_____

14 그림은 열병합 발전기를 이용하여 발전 중에 발생한 열을 이용하여 난방과 온수를 공급하는 방식을 모식적으로 나타낸 것이다.

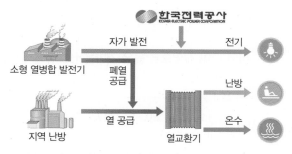

열병합 발전 방식의 이점을 에너지 효율의 측면에서 서술하시오.

_____

_____

8 - 1. 생태계의 구성과 생태계 평형

01 그림은 생태계에 대한 세 명의 학생 A~C의 의견이다.

생물의 활동은 환경 요인에 의해 제한돼.

비생물적 요인에는 빛과 물, 공기 등이 있어.

생물이 환경에 주는 영향은 생태계의 연구 분야가 아니야.

민호   은서   희준

제시한 의견이 옳은 학생만을 있는 대로 고른 것은?

① 민호
② 희준
③ 민호, 은서
④ 은서, 희준
⑤ 민호, 은서, 희준

02 다음은 어떤 지역에 대한 설명이다.

> 2016년 국립 공원 관리 공단에서는 남해 무인도의 ㉠염소들을 포획하기 위해 많은 노력을 기울였다. 섬의 외부에서 들여와 방목 중이던 20여 마리의 염소들이 ㉡늑대와 같은 천적이 없는 무인도에서 800여 마리로 증가하면서 섬에 사는 ㉢풀과 나무의 뿌리까지 먹고 있었기 때문이다.

이에 대한 설명으로 옳은 것만을 |보기|에서 있는 대로 고른 것은?

| 보기 |
ㄱ. ㉠과 ㉡ 중 하나는 생산자이다.
ㄴ. 이 섬의 생태계에서 염소는 외래종이다.
ㄷ. 이 섬에 늑대를 도입하면 일시적으로 ㉢의 수는 증가할 것이다.

① ㄱ
② ㄴ
③ ㄷ
④ ㄱ, ㄴ
⑤ ㄴ, ㄷ

03 그림은 육지에서 멀리 떨어져 있는 어느 무인도의 생태계에서 개체 수 피라미드를 나타낸 것이다.

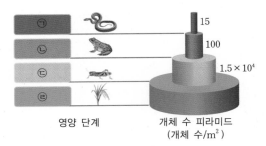

영양 단계   개체 수 피라미드
(개체 수/m²)

이에 대한 설명으로 옳은 것만을 |보기|에서 있는 대로 고른 것은?

| 보기 |
ㄱ. ㉣의 개체 수는 ㉠의 개체 수보다 많다.
ㄴ. 먹이 사슬에서 ㉣은 생산자, ㉠~㉢은 소비자이다.
ㄷ. 외부에서 ㉡만 다량 유입되면 ㉢과 ㉣의 수는 모두 감소할 것이다.

① ㄱ
② ㄷ
③ ㄱ, ㄴ
④ ㄴ, ㄷ
⑤ ㄱ, ㄴ, ㄷ

04 생태계 보전의 가치에 대한 설명으로 옳은 것은?

① 갯벌을 농경지로 전환하면 생물 다양성이 높아진다.
② 생물 다양성이 높은 산림은 관광 자원으로서의 가치가 높다.
③ 공원을 주택으로 개발하면 더 많은 생물이 살 수 있다.
④ 종 다양성이 높은 생태계는 경제적 가치가 낮다.
⑤ 초원의 멸종 위기 종은 모두 동물원으로 이동시켜 관광 자원으로 활용한다.

8 – 2. 지구 환경 변화와 인간 생활

05 그림은 화석 연료의 사용으로 일어나는 지구 환경 변화의 과정을 나타낸 것이다.

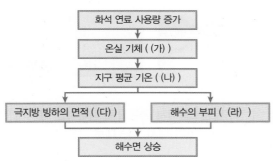

(가)~(라) 중 값이 증가하는 의미의 말이 들어가야 하는 것만을 있는 대로 고른 것은?

① (가), (나)　　　　② (나), (라)
③ (다), (라)　　　　④ (가), (나), (라)
⑤ (나), (다), (라)

06 그림은 온실 기체를 현재와 같은 수준으로 배출하는 것으로 가정했을 때 2100년까지의 지구 평균 해수면 상승 변화를 예측한 자료이다.

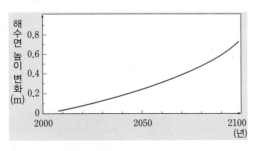

현재와 비교하여 2100년에 예상되는 지구 환경 변화에 대한 설명으로 옳은 것만을 |보기|에서 있는 대로 고른 것은?

┤ 보기 ├
ㄱ. 해양의 면적은 지금보다 증가할 것이다.
ㄴ. 지구 온난화에 의해 연평균 기온은 상승할 것이다.
ㄷ. 극지방에 있는 빙하의 전체 면적은 지금보다 증가할 것이다.
ㄹ. 해안가의 저지대는 침수로 인하여 주민들의 피해가 증가할 것이다.

① ㄱ　　　② ㄷ　　　③ ㄱ, ㄴ
④ ㄴ, ㄷ　　⑤ ㄱ, ㄴ, ㄹ

07 그림 (가)는 평상시 적도 부근 태평양의 대기 순환을, (나)는 적도 부근 동태평양 해역의 수온 편차를 나타낸 것이다.

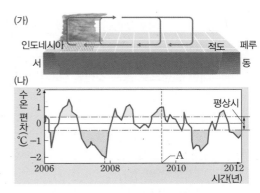

(나)의 A 시기에 일어나는 현상에 대한 설명으로 옳은 것만을 |보기|에서 있는 대로 고른 것은?

┤ 보기 ├
ㄱ. 태평양에서 엘니뇨가 발생했다.
ㄴ. 적도 지역에 부는 무역풍이 약화 되었다.
ㄷ. 인도네시아 연안의 강수량은 평상시보다 증가하였다.

① ㄱ　　　② ㄴ　　　③ ㄱ, ㄴ
④ ㄱ, ㄷ　　⑤ ㄴ, ㄷ

08 그림은 전 세계 사막의 분포 지역과 사막화가 진행되고 있는 지역의 모습을 나타낸 것이다.

이에 대한 설명으로 옳은 것만을 |보기|에서 있는 대로 고른 것은?

┤ 보기 ├
ㄱ. 사막화의 영향으로 국가 간 분쟁이 발생하기도 한다.
ㄴ. 지구 온난화에 의한 기상 이변은 사막화와는 관련이 없다.
ㄷ. 사막은 주로 대기 대순환에 의한 상승 기류가 위치하는 곳에 분포한다.

① ㄱ　　　② ㄷ　　　③ ㄱ, ㄴ
④ ㄴ, ㄷ　　⑤ ㄱ, ㄴ, ㄷ

8 - 3. 에너지의 효율적 이용

09 표는 백열 전구, 형광등, LED 전구에 각각 1000 J의 전기 에너지를 공급했을 때 백열 전구, 형광등, LED 전구에서 발생하는 열에너지를 측정한 것이다.

종류	백열 전구	형광등	LED 전구
열에너지	900 J	750 J	500 J

이에 대한 설명으로 옳은 것만을 |보기|에서 있는 대로 고른 것은?

| 보기 |

ㄱ. 형광등의 에너지 효율은 25 %이다.
ㄴ. LED 전구에서는 전기 에너지가 역학적 에너지로 전환된다.
ㄷ. 형광등보다는 백열 전구를 쓰는 것이 에너지 절약에 유리하다.

① ㄱ ② ㄷ ③ ㄱ, ㄴ
④ ㄴ, ㄷ ⑤ ㄱ, ㄴ, ㄷ

10 그림은 고열원으로부터 E_1의 열을 공급받아 W만큼의 일을 하고 저열원에 E_2의 열을 방출하는 열기관을 모식적으로 나타낸 것이다.

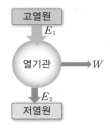

이에 대한 설명으로 옳은 것만을 |보기|에서 있는 대로 고른 것은?

| 보기 |

ㄱ. $E_1 = W$인 열기관을 만들 수 있다.
ㄴ. W가 크고 E_2가 작을수록 열효율이 높다.
ㄷ. $E_1 = W + E_2$이다.

① ㄱ ② ㄴ ③ ㄱ, ㄴ
④ ㄱ, ㄷ ⑤ ㄴ, ㄷ

11 그림 (가), (나), (다)는 수력 발전소, 화력 발전소, 원자력 발전소의 모습을 각각 나타낸 것이다.

(가) (나) (다)

이 발전소들에서 공통으로 나타나는 에너지 전환 과정만을 |보기|에서 있는 대로 고른 것은?

| 보기 |

ㄱ. 화학 에너지 → 열에너지
ㄴ. 열에너지 → 운동 에너지
ㄷ. 운동 에너지 → 전기 에너지

① ㄱ ② ㄴ ③ ㄷ
④ ㄱ, ㄷ ⑤ ㄱ, ㄴ, ㄷ

12 그림은 풍력 발전기가 전기 에너지를 생산하는 원리를 나타낸 것이다. 날개와 바람, 각 부품들 사이에는 마찰이 발생한다.

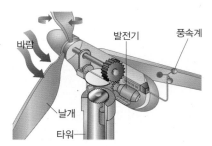

이에 대한 설명으로 옳은 것만을 |보기|에서 있는 대로 고른 것은?

| 보기 |

ㄱ. 바람의 운동 에너지가 전기 에너지로 전환된다.
ㄴ. 바람의 운동 에너지 중 일부는 마찰에 의해 열에너지로 손실된다.
ㄷ. 마찰에 의한 열에너지는 저절로 다시 흡수되어 전기 에너지로 전환된다.

① ㄱ ② ㄴ ③ ㄷ
④ ㄱ, ㄴ ⑤ ㄴ, ㄷ

01

그림 (가)는 1980년대 중반 말의 방목을 금지한 후 수목 생태계 교란 식물인 제주 조릿대의 서식 분포 변화를 나타낸 것이고, (나)는 지난 세기 동안 한반도의 온도 변화를 나타낸 것이다.

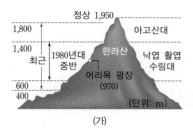

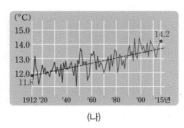

(가)   (나)

이에 대한 설명으로 옳은 것만을 |보기|에서 있는 대로 고른 것은?

| 보기 |

ㄱ. (나)는 비생물적 요인에 해당한다.

ㄴ. 말의 방목 금지가 제조 조릿대의 분포에 미친 영향은 상호 작용에 해당한다.

ㄷ. (나)의 변화는 (가)에서 고산 식물에 대한 긍정적 변화 요인이다.

① ㄱ　　　　　　② ㄴ　　　　　　③ ㄱ, ㄴ

④ ㄴ, ㄷ　　　　　⑤ ㄱ, ㄴ, ㄷ

출제 Point

빛, 온도, 물 등은 비생물적 요인이다. 말의 방목은 제주 조릿대의 서식 분포 범위 증가에 긍정적 영향을 주었다. 하지만 지구 온난화는 고산 식물들이 살 수 있는 환경을 좁혀 부정적 영향을 주고 있다.

02

그림은 동태평양 적도 부근 해역에서 관측한 수온 변화와 평년 수온의 변화를 비교하여 나타낸 것이다.

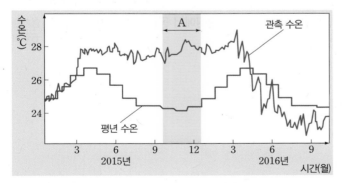

이에 대한 설명으로 옳은 것만을 |보기|에서 있는 대로 고른 것은?

| 보기 |

ㄱ. 이 시기에 무역풍의 세기가 평소보다 강해졌다.

ㄴ. A 시기에 동태평양 적도 부근 해역에 고기압이 형성된다.

ㄷ. 이 시기에 기상 이변이 발생하는 지역이 증가하였을 것이다.

① ㄴ　　　　　　② ㄷ　　　　　　③ ㄱ, ㄴ

④ ㄱ, ㄷ　　　　　⑤ ㄴ, ㄷ

출제 Point

적도 부근 해수면의 평균 수온이 평년보다 높아지면 저기압의 발생 지역이 평소와는 다르게 나타나면서 기후 변화가 일어난다.

03 그림 (가)는 태양열 발전의 과정을, 그림 (나)는 태양광 발전의 과정을 모식적으로 나타낸 것이다.

출제 Point
태양열 발전은 태양의 열에너지를 전기 에너지로 전환한다.

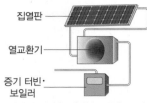

집열판

열교환기

증기 터빈·
보일러

태양열 발전은 태양열로 물을 끓여 증기를 발생시키고, 이를 이용해 터빈을 돌려 전기를 생산한다.

(가)

전극

N형
반도체

P형
반도체

전극

태양광 발전은 물질이 빛을 흡수하면 물질의 표면에서 전자가 생겨 전기가 발생하는 효과를 이용하여 직접적으로 전기를 생산한다.

(나)

이에 대한 설명으로 옳은 것만을 |보기|에서 있는 대로 고른 것은?

| 보기 |
ㄱ. 태양광 발전이 태양열 발전에 비해 에너지 효율이 높다.
ㄴ. 두 과정 모두 공통적으로 온실 기체의 발생이 없는 친환경 발전 방식이다.
ㄷ. 두 과정 모두 공통적으로 빛에너지가 전기 에너지로 전환되는 과정이 포함된다.

① ㄱ   ② ㄴ   ③ ㄱ, ㄴ
④ ㄱ, ㄷ   ⑤ ㄱ, ㄴ, ㄷ

04 그림은 어떤 열기관에서 일을 하는 과정을 나타낸 것이다. 온도가 높은 고열원에서 저열원으로 에너지가 이동하면서 W만큼의 일을 하고 있다. 고열원에서 공급된 에너지는 E_1이고, 저열원에서 받은 에너지는 E_2이다.

출제 Point
열효율 $=\dfrac{\text{열기관이 한 일}(W)}{\text{공급한 에너지}(E_1)} \times 100$

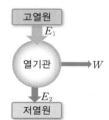

고열원

E_1

열기관   → W

E_2

저열원

이에 대한 설명으로 옳은 것만을 |보기|에서 있는 대로 고른 것은?

| 보기 |
ㄱ. E_2값이 클수록 열효율이 높은 열기관이다.
ㄴ. E_1의 값은 E_2와 W의 값을 합한 것과 같다.
ㄷ. 저열원으로 이동한 에너지는 고열원으로 다시 돌아가지 않는다.

① ㄱ   ② ㄴ   ③ ㄷ
④ ㄱ, ㄷ   ⑤ ㄴ, ㄷ

9

이 단원에서는

환경 문제가 인류를 비롯한 생태계에 위협을 주는 상황에서
생존을 위해 인류가 환경과 에너지 문제에 어떻게 대처하고 있는지
파악하고, 미래를 위한 대안으로 무엇이 있는지 알아본다.

단원별 정답과 해설을
QR 코드로 확인할 수 있어요.

발전과 신재생 에너지

9 발전과 신재생 에너지

이 단원의 핵심 개념

발전과 신재생 에너지

전기 에너지의 생산과 수송

전자기 유도, 발전기, 전력, 전력 수송, 전력 손실

신재생 에너지

태양 에너지, 화학 연료, 태양광 발전, 풍력 발전, 핵발전, 파력 발전, 조력 발전, 연료 전지

발전과 신재생 에너지

1 전기 에너지의 생산과 수송

1. 전기 에너지의 생산

① **전자기 유도** 코일 내부의 자기장이 변하면 코일에 전류가 유도되는 현상

② **발전기** 전자기 유도의 원리를 이용하여 전기 에너지를 만드는 장치, 코일과 자석의 상대적인 움직임을 통해 전자기 유도 현상을 일으킨다. 코일이나 자석의 운동 에너지를 전기 에너지로 전환한다.

▲ 발전기의 구조

③ **발전소에서의 전기 에너지 생산**

구분	발전 방법과 에너지 전환	
수력 발전	• 발전 방법: 높은 곳에서 떨어지는 물이 발전기의 터빈을 돌려 전기 에너지를 생산한다. • 에너지 전환: 위치 에너지(중력 퍼텐셜 에너지) → 운동 에너지 → 전기 에너지	
화력 발전	• 화석 연료로 물을 끓여 증기를 만들고 이 증기가 발전기의 터빈을 돌려 전기 에너지를 생산한다. • 에너지 전환: 화학 에너지 → 열에너지 → 운동 에너지 → 전기 에너지	
핵발전	• 핵반응을 통한 열에너지로 물을 끓여 증기를 만들고 이 증기가 발전기의 터빈을 돌려 전기 에너지를 생산한다. • 에너지 전환: 핵에너지 → 열에너지 → 운동 에너지 → 전기 에너지	

2. 전기 에너지의 수송

① **전력** 단위 시간당 생산 또는 소비한 전기 에너지의 양, 단위: J/s, W(와트)

$$전력 = 전압 \times 전류의 세기, \quad P = V \times I$$

② **전력 수송 과정** 발전소에서 생산한 전력은 전압을 높여서 수송하며, 소비지에 가까워질수록 전압을 단계적으로 낮추어 가정에 공급한다.

• 송전: 발전소에서 생산한 전력을 소비지까지 전달하는 것
• 변전: 송전 과정에서 전력의 전압을 높이거나 낮추는 것

▲ 전력 수송 과정

③ **손실 전력❶** 송전선의 저항에 의해 열이 발생하여 전력 수송 과정에서 열에너지로 손실되는 전력, 손실 전력 = (전류)² × 저항, $P_{손실} = I^2 R$

④ **고전압 송전** 손실 전력을 줄여 송전 효율을 높이기 위해 송전 전압을 초고압으로 높여 송전한다.

이 단원의 핵심 개념은~

■ 전기 에너지의 생산
■ 전기 에너지 수송
■ 태양 에너지
■ 신재생 에너지

■ **유도 전류의 세기**

자석의 세기가 셀수록, 자석을 빠르게 움직일수록, 코일의 감은 횟수가 많을수록 유도 전류의 세기가 세다.

■ **정지된 자석과 전자기 유도**
자석과 코일의 상대적인 운동에 의해서만 유도 전류가 흐른다. 자석이 정지해 있을 때, 즉 코일 내부를 통과하는 자기장이 변하지 않을 때는 유도 전류가 흐르지 않는다.

■ **유도 전류의 방향**
코일 내부 자기장 변화를 방해하려는 방향으로 유도 전류가 생긴다.

❶ **송전 전압과 손실 전력**
$P = V \times I$에서 같은 전력을 송전할 때 송전 전압을 높이면 송전 전류는 감소한다. 송전 전압이 n배가 되면, 송전선에 흐르는 전류의 세기는 $\frac{1}{n}$배가 되고, 손실 전력은 $\frac{1}{n^2}$배가 된다. 이는 초고압 변전소에서 전압을 높여 송전하는 이유이다.

② 신재생 에너지

1. 태양 에너지❷

① **태양 에너지 생성** 태양 중심에서 일어나는 수소 핵융합 반응❸에 의해 태양 에너지가 생성된다.

② **태양 에너지의 전환** 지표면에 도달한 태양 에너지는 직접 다른 에너지로 전환되기도 하고, 전환되어 축적된 후 다른 에너지로 전환된다.

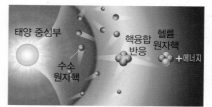
▲ 태양 에너지 생성

2. 화석 연료와 에너지 문제 해결을 위한 다양한 에너지 개발

① **화석 연료** 지질 시대에 땅속에 묻힌 동식물의 유해가 오랜 시간 동안 높은 열과 압력을 받아 생성된 에너지 자원으로 매장량이 한정되어 고갈될 염려가 있다. 또한 환경 오염 물질이나 온실 기체가 배출된다. 예 석유, 석탄, 천연 가스 등

② **에너지 문제 해결을 위한 다양한 에너지 개발**

발전 방식	발전 방법	장단점
태양광 발전	태양 전지에 태양 빛이 흡수되면 전자가 방출되는 현상을 이용하여 전기 에너지를 생산한다.	오염 물질의 방출이 없는 친환경 에너지원이지만 시설 비용이 많이 들고 계절과 날씨의 영향을 받는다.
풍력 발전	바람으로 발전기의 날개를 회전시켜 전기 에너지를 생산한다.	오염 물질의 방출과 에너지 고갈의 염려가 없다. 지속적으로 일정한 발전량을 생산하기 어렵고, 소음 문제가 있다.
핵발전	방사성 물질의 핵에너지를 이용하여 전기 에너지를 생산한다.	화력 발전에 비해 온실 기체 방출이 적다. 그러나 발전 결과 발생한 폐기물의 처리에 많은 비용과 시간이 필요하다.
파력 발전	파도의 운동 에너지를 이용하여 전기 에너지를 생산한다.	오염 물질의 발생이 없으며 지속 가능한 에너지원이다. 발전량이 일정하지 않고 설치 지역에 제한이 있다.
조력 발전	밀물과 썰물로 생긴 조류의 운동 에너지로 전기 에너지를 생산한다.	자원 고갈의 염려가 없고 친환경 에너지원이다. 설치 장소가 제한적이고 발전소 건설 비용이 많이 든다.

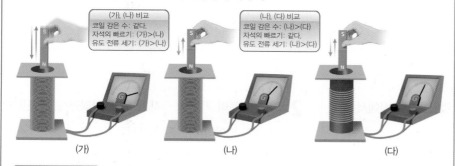
❷ 태양 에너지는 지구에서 사용하는 대부분의 에너지의 근원으로, 지구에서 자연 변화를 일으키고 생명체의 생명 활동을 유지할 수 있게 하며 친환경·재생 에너지이다.

❸ 수소 핵융합 반응은 수소 원자핵 4개가 융합하여 1개의 헬륨 원자핵이 만들어지면서 막대한 에너지가 방출되는 반응이다.

■ **핵융합 반응과 질량 결손**
핵융합이 일어날 때 핵반응 전의 질량의 합에 비해 반응 후 질량의 합이 작다. 이때 감소한 질량의 일부가 에너지로 전환된다.

■ **질량 에너지 등가 원리**
1905년 아인슈타인이 질량도 에너지의 한 형태이고 에너지로 전환될 수 있다고 발표한 이론
$$E = mc^2$$

■ **연료 전지**

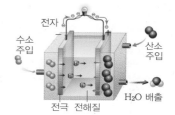

전자
수소 주입
산소 주입
H₂O 배출
전극 전해질

$$2H_2 + O_2 \longrightarrow 2H_2O + 에너지$$

수소와 산소의 화학 반응으로 발생한 화학 에너지를 전기 에너지로 전환한다. 오염 물질의 발생이 없으며 에너지 효율이 높으나 수소 생산에 많은 비용이 들고, 가연성이 크기 때문에 폭발 위험이 있다.

✔ 바로 체크

1 코일 주위에서 자석을 움직이면 전류가 흐르는 현상을 ( )라고 한다.

2 발전기에서는 (㉠) 에너지에서 (㉡) 에너지로 에너지 전환이 일어난다.

3 핵융합 반응이 일어날 때 핵반응 전 질량의 합에 비해 반응 후 질량의 합이 감소하는데, 감소한 질량을 ( )이라고 한다.

정답
1 전자기 유도 2 ㉠ 운동, ㉡ 전기 3 질량 결손

| 탐구 목표 |
전기 에너지 수송 과정을 설명할 수 있다.

자료

다음은 송전 과정을 요약해서 나타낸 것이다. 표시된 전압은 구간별 송전 전압을 의미한다.

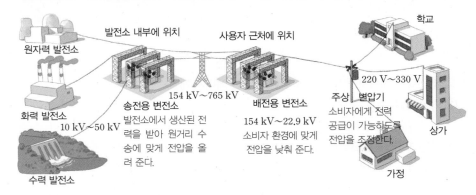

탐구 Plus

고전압 송전
손실 전력을 줄여 송전 효율을 높이기 위해 송전 전압을 초고압으로 높여 송전한다.

탐구 정리

1 송전용 변전소에서 전압을 올려 주는 까닭은 무엇인가?
- 송전 과정에서 송전선의 저항에 의해 열이 발생하여 전력이 일부 손실된다. 이렇게 손실되는 전력을 (㉠)이라고 한다.
- 송전 전압이 n배가 되면, (㉠)은 (㉡)배가 되기 때문에 이를 줄이기 위해 전압을 높여 송전한다.

2 송전용 변전소가 발전소와 가까운 곳에 위치하는 까닭은 무엇인가?
- 발전소에서 생산된 전력은 전압이 낮기 때문에 송전 과정에서 손실되는 전력이 ㉢ (작다 / 크다). 따라서 송전 거리를 짧게 하여 송전선의 저항을 ㉣(작게 한다 / 크게 한다).

이해 Check

1 송전 과정에 대한 설명으로 옳은 것만을 |보기|에서 있는 대로 고르시오.

┤ 보기 ├
ㄱ. 송전용 변전소에서는 송전 전압을 높여 손실 전력을 줄인다.
ㄴ. 배전용 변전소에서는 송전 전압을 낮춰 전력을 각 소비지로 송전한다.
ㄷ. 발전소에서 생산된 전력과 전력 소비지에서 송전 받은 전력의 크기는 같다.

2 손실 전력이 기존의 $\frac{1}{4}$배가 되게 하려면 송전 전압은 몇 배가 되어야 하는지 구하시오.

3 손실 전력을 줄이기 위해서는 송전선의 저항을 줄여야 한다. 송전선의 저항을 줄이는 방법을 한 가지 이상 서술하시오.

탐구 활동 | 수소로 전기 에너지 만들기

| 탐구 목표 |
- 물을 전기 분해하여 수소 기체와 산소 기체를 얻는다.
- 물의 전기 분해의 역반응으로 전기 에너지를 만든다.

| 유의점 |
건전지를 제거하고 백탄과 LED를 연결할 때, 건전지의 (+)극과 연결되었던 부분을 LED의 긴다리와 연결하고, 건전지의 (−)극과 연결되었던 부분을 LED의 짧은 다리와 연결해야 한다.

탐구 Plus

연료 전지의 원리
(−)극에서 이온화된 수소가 (+)극으로 이동하여 산소와 반응하며 전기 에너지를 만든다.

과정

1 끝부분을 알루미늄 포일로 감싼 백탄 2개를 황산 나트륨 수용액이 들어 있는 비커에 절반쯤 잠기도록 담근다.
2 백탄의 알루미늄 포일과 건전지를 연결하고 비커에서 일어나는 변화를 관찰한다.
3 5분 정도 지난 후 건전지를 제거하고 LED를 연결한 뒤 LED를 관찰한다.

탐구 결과

1 백탄과 건전지를 연결하면 황산 나트륨 수용액에 잠겨있는 백탄에서 기체가 발생한다.
2 백탄과 LED를 연결하면 LED에 불이 켜진다.

탐구 정리

1 백탄과 건전지를 연결할 때 어떤 변화가 일어나는가?
- 물의 전기 분해가 일어나 건전지의 (−)극과 연결된 부분에서는 (ㅁ) 기체가, (+)극과 연결된 부분에서는 (ㅂ) 기체가 발생한다.
2 백탄과 LED를 연결할 때 어떤 변화가 일어나는가?
- 물의 전기 분해의 역반응이 일어나 백탄 주변에 만들어진 수소와 산소가 결합하여 (ㅅ)가 발생한다.

이해 Check

4 이 실험에 대한 설명으로 옳은 것만을 |보기|에서 있는 대로 고르시오.

| 보기 |
ㄱ. 비커에 황산 나트륨 수용액이 아닌 증류수를 담아 실험해도 같은 결과를 얻을 수 있다.
ㄴ. 건전지의 (+)극과 연결된 백탄 근처에서 발생하는 기체는 수소 기체이다.
ㄷ. 백탄 근처에 만들어진 수소와 산소 기체가 전부 반응하고 나면 LED의 불이 꺼진다.

5 연료 전지의 반응 과정에서 반응하는 물질 두 가지와 생성되는 물질을 쓰고, 연료 전지가 화력 발전을 대신할 미래 에너지로 가지는 장점을 서술하시오.

ㄱ 반응물: (   ), (   )
ㄴ 생성물: (   )
ㄷ 장점:

개념 확인 문제

01 전자기 유도 현상에 대한 설명으로 옳은 것은 ○표, 옳지 않은 것은 ×표를 하시오.

(1) 전자기 유도 현상에 의해 코일에 유도된 전류를 유도 전류라고 한다. ( )
(2) 코일의 감은 수가 많을수록, 코일에 유도되는 전류의 세기가 작아진다. ( )
(3) 전자기 유도 현상에 의해 자석의 운동 에너지가 전기 에너지로 전환된다. ( )

02 그림과 같이 회로를 구성하고 자석을 코일 속으로 왕복 운동할 때, 검류계 바늘의 움직임에 대한 설명으로 옳은 것만을 |보기|에서 있는 대로 고르시오.

┤ 보기 ├
ㄱ. 항상 오른쪽을 가리킨다.
ㄴ. 자석의 세기가 셀수록 바늘이 크게 움직인다.
ㄷ. 자석을 빠르게 움직일수록 바늘이 크게 움직인다.

03 다음은 발전기의 원리에 대한 설명이다. 빈칸에 들어갈 알맞은 말을 쓰시오.

발전기는 (㉠) 현상을 이용하여 전기 에너지를 만드는 장치이다. 발전기는 자석을 회전시켜서 코일 내부의 (㉡)을 변화시킬 수 있도록 만들어졌다.

코일
자석

04 그림은 화력 발전소에서 전기 에너지를 만드는 과정에서 일어나는 에너지 전환을 나타낸 것이다. ㉠과 ㉡에 해당하는 에너지를 쓰시오.

화석 연료의 화학 에너지
㉡
전기 에너지

05 송전 과정에서 손실 전력을 줄이기 위해 변압하려고 한다. 빈칸에 들어갈 알맞은 말을 쓰시오.

송전 전압을 3배로 높이면 송전선에 흐르는 전류는 (㉠)배가 된다. 이로 인해 손실 전력은 (㉡)배가 되어 효율적으로 송전할 수 있다.

06 수소 원자핵이 헬륨 원자핵으로 융합하며 태양 에너지를 만드는 과정에서 융합 전과 후의 질량 변화를 쓰시오.

07 발전 방식 중에서 근본적으로 태양 에너지를 이용하는 발전 방식만을 |보기|에서 있는 대로 고르시오.

┤ 보기 ├
ㄱ. 수력 발전   ㄴ. 핵발전
ㄷ. 태양광 발전   ㄹ. 풍력 발전
ㅁ. 화력 발전   ㅂ. 연료 전지

08 발전 방식 중에서 온실 기체를 배출하지 <u>않는</u> 발전 방식만을 |보기|에서 있는 대로 고르시오.

┤ 보기 ├
ㄱ. 핵발전   ㄴ. 태양광 발전
ㄷ. 풍력 발전   ㄹ. 화력 발전

09 발전 방식 중에서 에너지 고갈 염려가 없이 지속 가능한 발전 방식만을 |보기|에서 있는 대로 고르시오.

┤ 보기 ├
ㄱ. 핵발전   ㄴ. 파력 발전
ㄷ. 조력 발전   ㄹ. 화력 발전

10 연료 전지는 화학 반응으로 전기 에너지를 생산하는 장치이다. 연료 전지의 반응물과 화학 반응 결과 생성되는 물질이 무엇인지 쓰시오.

실력 쑥쑥 문제

01 그림과 같이 코일과 검류계를 연결하고 막대 자석의 N극을 코일에 가까이 하면서 검류계 바늘의 움직임을 관찰하였다. 이에 대한 설명으로 옳은 것만을 |보기|에서 있는 대로 고른 것은?

| 보기 |
ㄱ. 검류계에 전류가 흐르는 것은 전자기 유도로 설명할 수 있다.
ㄴ. N극을 멀어지게 하면 검류계에 흐르는 전류의 방향이 바뀐다.
ㄷ. 막대 자석 2개를 겹쳐서 코일에 가까이 하면 검류계 바늘이 더 크게 움직인다.
ㄹ. 코일의 감은 수가 더 많은 것을 사용하면 검류계의 바늘이 작게 움직인다.

① ㄱ, ㄴ ② ㄴ, ㄷ ③ ㄷ, ㄹ
④ ㄱ, ㄴ, ㄷ ⑤ ㄴ, ㄷ, ㄹ

| 과학적 탐구 능력 |
02 다음은 간이 발전기를 제작하여 전구에 불을 밝히는 모습을 나타낸 것이다.

1. 페트병 주위에 코일을 여러 번 감아 전구와 연결한 후 코일 내부에서 자석을 회전시킨다.
2. 자석을 회전시키면 전구에 불이 들어온다.

전구의 불을 더 밝게 만들기 위한 방법으로 옳은 것만을 |보기|에서 있는 대로 고른 것은?

| 보기 |
ㄱ. 코일을 더 많이 감는다.
ㄴ. 자석을 더 빠르게 회전시킨다.
ㄷ. 자석을 반대 방향으로 회전시킨다.

① ㄱ ② ㄴ ③ ㄱ, ㄴ
④ ㄴ, ㄷ ⑤ ㄱ, ㄴ, ㄷ

03 핵발전과 화력 발전에 공통적으로 있는 과정만을 |보기|에서 있는 대로 고른 것은?

| 보기 |
ㄱ. 물을 끓여 증기를 만드는 과정
ㄴ. 석유나 석탄을 연소시키는 과정
ㄷ. 운동 에너지가 전기 에너지로 전환되는 과정

① ㄱ ② ㄴ ③ ㄱ, ㄴ
④ ㄱ, ㄷ ⑤ ㄴ, ㄷ

04 전기 에너지의 송전에 대한 설명으로 옳은 것만을 |보기|에서 있는 대로 고른 것은?

| 보기 |
ㄱ. 송전 거리를 줄이기 위해서 대부분의 발전소는 대도시 중심에 위치한다.
ㄴ. 변전소는 전기 에너지 수송 과정에서 전압을 높이거나 낮춰 주는 역할을 한다.
ㄷ. 송전 과정에서 전압을 높여 송전하는 이유는 생산하는 전력을 더 높이기 위해서이다.

① ㄱ ② ㄴ ③ ㄱ, ㄴ
④ ㄴ, ㄷ ⑤ ㄱ, ㄴ, ㄷ

05 그림은 발전소에서 생산된 전기 에너지를 수송하는 과정을 나타낸 것이다.

이에 관한 설명으로 옳은 것만을 |보기|에서 있는 대로 고른 것은?

| 보기 |
ㄱ. 송전 전압을 높이면 에너지 손실이 커진다.
ㄴ. 변전소는 송전 전압을 높이거나 낮추는 역할을 한다.
ㄷ. 우리나라의 주상 변압기에서는 가정으로 전력을 보낼 때 전압을 220 V로 낮춘다.

① ㄱ ② ㄴ ③ ㄱ, ㄴ
④ ㄴ, ㄷ ⑤ ㄱ, ㄴ, ㄷ

06 그림은 태양에서 일어나는 핵융합을 모식적으로 나타낸 것이다. 이에 대한 설명으로 옳은 것만을 |보기|에서 있는 대로 고른 것은?

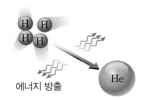

에너지 방출

He

| 보기 |

ㄱ. 반응 전후에 질량이 보존되지 않는다.
ㄴ. 헬륨 원자핵 하나의 질량은 수소 원자핵 하나의 질량의 4배이다.
ㄷ. 대부분의 원자력 발전소는 태양에서 일어나는 핵반응 원리를 이용하여 전기 에너지를 생산한다.

① ㄱ   ② ㄴ   ③ ㄷ
④ ㄱ, ㄴ   ⑤ ㄱ, ㄷ

07 다음 중 태양 에너지에 대한 설명으로 옳지 <u>않은</u> 것은?

① 지구에서 에너지 순환을 일으킨다.
② 여러 가지 기상 현상을 일으키는 근원이다.
③ 생명체의 생명 활동을 유지시키는 에너지이다.
④ 식물의 광합성을 통해 화학 에너지로 전환된다.
⑤ 지구에 도달한 태양 에너지가 전환되어 지진이 생긴다.

| 과학적 사고력 |

08 그림은 태양 전지를 이용하여 작은 선풍기를 작동시키는 모습이다.

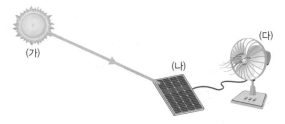

(가), (나), (다)에서의 에너지 전환이 바르게 짝 지어진 것은?

① (가), 핵에너지 → 전기 에너지
② (나), 빛에너지 → 전기 에너지
③ (나), 열에너지 → 전기 에너지
④ (다), 운동 에너지 → 전기 에너지
⑤ (다), 전기 에너지 → 빛에너지

09 태양광 발전, 풍력 발전, 핵발전의 특징에 대한 설명으로 옳은 것만을 |보기|에서 있는 대로 고른 것은?

| 보기 |

ㄱ. 태양광 발전, 풍력 발전, 핵발전 모두 이산화탄소를 배출한다.
ㄴ. 태양광 발전은 날씨의 영향을 받지 않는다.
ㄷ. 풍력 발전은 자원 고갈 염려가 없다.
ㄹ. 핵발전은 핵분열 과정에서 발생하는 에너지를 이용한다.

① ㄱ, ㄴ   ② ㄴ, ㄷ   ③ ㄷ, ㄹ
④ ㄱ, ㄴ, ㄷ   ⑤ ㄴ, ㄷ, ㄹ

10 그림 (가), (나)는 신재생 에너지를 이용한 발전 방식을 나타낸 것이다.

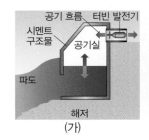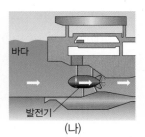

(가)   (나)

이에 대한 설명으로 옳은 것만을 |보기|에서 있는 대로 고른 것은?

| 보기 |

ㄱ. (가)는 조수 간만의 차를 이용한 발전 방법이다.
ㄴ. (나)는 운동 에너지를 전기 에너지로 전환하여 발전한다.
ㄷ. (가)와 (나)는 모두 바닷물을 이용하는 해양 에너지이다.

① ㄴ   ② ㄷ   ③ ㄱ, ㄴ
④ ㄱ, ㄷ   ⑤ ㄴ, ㄷ

11 연료 전지의 장점과 단점에 대해 바르게 설명한 것은?

① 발전 과정에서 많은 단계가 필요하여 효율이 낮다는 단점이 있다.
② 발전 과정에서 온실 기체를 생성한다는 단점이 있다.
③ 계절과 날씨의 영향을 많이 받는다는 단점이 있다.
④ 연료로 사용되는 수소의 폭발 위험이 있다.
⑤ 연료인 수소가 저렴하다는 장점이 있다.

서술형 문제

12 그림은 발전소에서 생산한 전력이 송전선을 따라 가정까지 전달되는 모습이다.

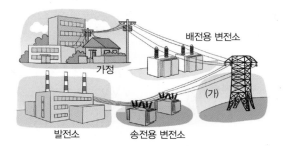

(1) 현재 송전선 (가)에서의 손실 전력은 P_R이다. (가)에서의 손실 전력을 25 %로 줄이기 위한 방법을 송전 전압의 측면에서 서술하시오.

_____

_____

(2) (가)에서의 손실 전력을 25 %로 줄이기 위한 방법을 송전선의 저항 측면에서 서술하시오.

_____

_____

| 과학적 의사소통 능력 |

13 그림은 태양에서 수소 핵융합 반응을 통해 태양 에너지가 만들어지는 과정이다.

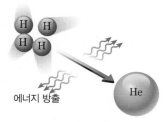

에너지 방출

He

그림을 바탕으로 수소 핵융합 반응의 반응 전후의 질량 차이를 정성적으로 비교하고, 이를 통해 태양 에너지가 만들어지는 과정을 설명하시오.

_____

_____

14 그림과 같이 화력 발전은 화석 연료를 이용하여 전기 에너지를 생산하는 발전 방법이다.

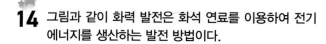
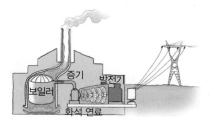

증기   발전기

보일러

화석 연료

(1) 화석 연료를 이용한 발전 방법의 문제점을 2가지 서술하시오.

_____

_____

(2) 위의 (1)에서 설명한 문제점을 해결할 수 있는 화력 발전의 대체 발전 방법을 2가지 이상 예를 들고 그 방법을 서술하시오.

_____

_____

15 그림은 연료 전지에서 일어나는 반응을 모식적으로 나타낸 것이다.

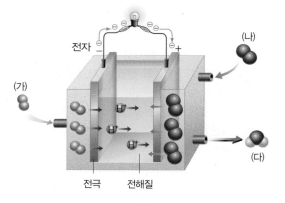

전자   (나)

(가)

전극   전해질   (다)

(1) (가), (나), (다)에 해당하는 물질은 각각 무엇인지 쓰시오.

_____

(2) 연료 전지의 장점과 단점에 대해 서술하시오.

_____

01 다음은 자석을 이용한 실험 과정이다.

[실험 과정]

(1) 전선을   이용하여 코일과 검류계를 연결한다.

(2) 자석의 N극을 코일에 가까이 하거나 멀리 하면서 검류계의 바늘을 관찰한다.

(3) 자석의 S극을 코일에 가까이 하거나 멀리 하면서 검류계의 바늘을 관찰한다.

이에 대한 설명으로 옳은 것만을 |보기|에서 있는 대로 고른 것은?

┤ 보기 ├

ㄱ. 자석을 코일에 가까이 하면 코일에 전자기 유도 현상이 일어난다.

ㄴ. 자석을 코일 속에 넣고 가만히 있으면 일정한 크기의 전류가 흐른다.

ㄷ. 자석 N극을 코일에 가까이 할 때와 자석의 S극을 코일에 가까이 할 때 검류계 바늘의 움직임은 반대 방향이다.

① ㄱ　　　　② ㄱ, ㄴ　　　　③ ㄱ, ㄷ

④ ㄴ, ㄷ　　　⑤ ㄱ, ㄴ, ㄷ

02 국가마다 가정용 전기로 110 V의 전압을 사용하는 곳도 있고, 220 V의 전압을 사용하는 곳도 있다. 발전소에서 보내는 전력이 같다고 할 때 이 두 경우를 비교한 것으로 옳은 것만을 |보기|에서 있는 대로 고른 것은?

┤ 보기 ├

ㄱ. 110 V의 전압을 사용할 경우 220 V 전압을 사용할 때에 비해 손실 전력이 적다.

ㄴ. 220 V의 전압을 사용할 경우 110 V 전압을 사용할 때에 비해 에너지 전달에서 효율이 높다.

ㄷ. 220 V의 전압을 사용할 경우 110 V 전압을 사용할 때에 비해 안전에 주의를 더 기울여야 한다.

① ㄱ　　　　② ㄴ　　　　③ ㄷ

④ ㄱ, ㄴ　　　⑤ ㄴ, ㄷ

03 그림은 변전소 (가)에서 변전소 (나)까지 전기 에너지를 송전하는 모습을 모식적으로 나타낸 것이다. 변전소 (가)에서는 P_0의 전력을 V의 송전 전압으로 보내고 있다. (가)와 (나) 사이에는 저항 R의 송전선이 연결되어 있으며 이 송전선에서는 손실 전력 P_R가 발생한다.

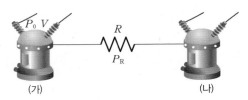

변전소 (가)에서 송전 전력은 그대로 두고, 송전 전압을 2배로 높일 때 일어나는 일에 대한 설명으로 옳은 것만을 |보기|에서 있는 대로 고른 것은?

┤ 보기 ├

ㄱ. 송전선의 손실 전력이 $\frac{1}{4}$배로 줄어든다.

ㄴ. 변전소 (나)에서 받는 전력이 4배 더 많아진다.

ㄷ. 송전선에 흐르는 전류의 세기가 절반으로 줄어든다.

① ㄱ　　　　② ㄱ, ㄴ　　　　③ ㄱ, ㄷ

④ ㄴ, ㄷ　　　⑤ ㄱ, ㄴ, ㄷ

04 다음은 철수, 영희, 선희가 다양한 발전 방식과 태양 에너지와의 관계에 대해 나눈 이야기이다.

철수: 수력 발전을 위해서는 물의 증발과 강수가 일어나야 하므로 수력 발전도 근본적으로는 태양 에너지를 이용한다고 할 수 있어.

영희: 핵발전은 방사성 물질을 연료로 이용하는데 방사성 물질은 태양 에너지를 받아 만들어지니까 핵발전 역시 근본적으로는 태양 에너지를 이용하는 발전 방식이야.

선희: 화력 발전은 화석 연료를 이용하는 발전 방식이야. 화석 연료는 원래 태양 에너지를 이용하여 살아가는 생명체였기 때문에 화력 발전도 근본적으로는 태양 에너지를 이용하는 발전 방식이야.

옳은 의견을 말한 학생만을 있는 대로 고른 것은?

① 철수　　　② 선희　　　③ 철수, 영희

④ 철수, 선희　　　⑤ 영희, 선희

05 그림 (가)는 화력 발전소, 그림 (나)는 원자력 발전소에서 전기 에너지를 생산하는 과정을 나타낸 것이다.

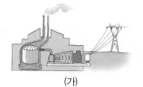 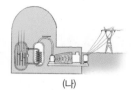

(가)　　　　　　(나)

두 발전 방식을 비교한 것으로 옳은 것만을 |보기|에서 있는 대로 고른 것은?

| 보기 |
ㄱ. 두 발전 방식 모두 에너지 자원 고갈의 염려가 없는 발전 방식이다.
ㄴ. 두 발전 방식 모두 운동 에너지를 전기 에너지로 전환하는 과정이 있다.
ㄷ. 핵발전 방식은 화력 발전에 비해 계절이나 일조량의 영향을 크게 받는다.

① ㄱ　　　　② ㄴ　　　　③ ㄷ
④ ㄱ, ㄴ　　　⑤ ㄴ, ㄷ

06 그림은 풍력 발전기의 구조이다.

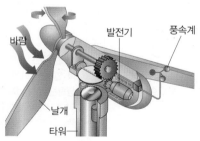

풍력 발전에 대한 설명으로 옳은 것만을 |보기|에서 있는 대로 고른 것은?

| 보기 |
ㄱ. 전자기 유도를 이용한 발전 방식이다.
ㄴ. 열에너지가 전기 에너지로 전환되는 과정이 있다.
ㄷ. 날개가 빠르게 회전할수록 전기 에너지가 많이 생산된다.

① ㄱ　　　　② ㄱ, ㄴ　　　③ ㄱ, ㄷ
④ ㄴ, ㄷ　　　⑤ ㄱ, ㄴ, ㄷ

07 그림은 연료 전지에서 일어나는 반응을 모식적으로 나타낸 것이다.

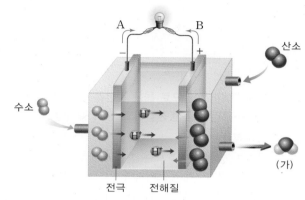

이에 대한 설명으로 옳은 것만을 |보기|에서 있는 대로 고른 것은?

| 보기 |
ㄱ. 전류는 A방향으로 흐른다.
ㄴ. 반응 결과 생성된 물질 (가)는 온실 기체이다.
ㄷ. 수소 기체는 (−)극에서 수소 이온으로 이온화된다.

① ㄱ　　　　② ㄴ　　　　③ ㄷ
④ ㄱ, ㄴ　　　⑤ ㄴ, ㄷ

서술형 문제

08 원자력 발전소에서는 핵분열 과정에서 발생한 에너지로 전기 에너지를 생산하고 송전선을 통해 전기 에너지를 송전한다. 핵분열 과정에서 에너지는 어떻게 발생하며, 송전선에서 손실 전력을 줄이는 방법을 1가지만 서술하시오.

_____

_____

09 화력 발전에 사용하는 에너지원은 태양 에너지가 그 근원이다. 그 까닭을 서술하시오.

_____

_____

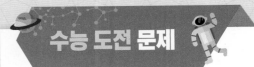
01 그림은 발전소에서 생산된 일정량의 전력을 변전소를 거쳐 소비지까지 송전하는 과정을 요약해서 나타낸 것이다.

이에 대한 설명으로 옳은 것만을 |보기|에서 있는 대로 고른 것은? (단, 표시된 전압은 구간별 송전 전압이고, 단위 길이당 송전선의 저항은 같다.)

┤ 보기 ├
ㄱ. 송전선에 흐르는 전류의 세기는 송전선 A가 가장 작다.
ㄴ. 발전소에서 소비지까지 송전선의 길이가 짧아질수록 전력 손실은 줄어든다.
ㄷ. 저항이 더 큰 물질로 만든 송전선으로 교체하면 전력 손실을 더 줄일 수 있다.

① ㄱ 　　　　　② ㄴ 　　　　　③ ㄱ, ㄴ
④ ㄱ, ㄷ 　　　　　⑤ ㄴ, ㄷ

출제 Point

송전 과정에서 열로 손실되는 전기 에너지를 손실 전력이라고 한다. 손실 전력을 줄이는 방법에는 송전선의 저항을 작게 하거나, 송전선에 흐르는 전류의 세기를 작게 하는 방법 등이 있다.

02 표는 발전 방식을 3가지 기준에 따라 분류한 것이다.

분류 기준	예	아니요
화학 에너지가 열에너지로 전환되는 과정이 있다.	B	A, C
발전 과정에서 환경 오염이 거의 발생하지 않는다.	A, C	B
전자기 유도 현상을 이용하여 전기 에너지를 생산한다.	B, C	A

이에 대한 설명으로 옳은 것만을 |보기|에서 있는 대로 고른 것은?

┤ 보기 ├
ㄱ. 조력 발전은 A와 같이 분류된다.
ㄴ. 수력 발전은 B와 같이 분류된다.
ㄷ. 풍력 발전은 C와 같이 분류된다.

① ㄱ 　　　　　② ㄴ 　　　　　③ ㄷ
④ ㄱ, ㄷ 　　　　　⑤ ㄱ, ㄴ, ㄷ

출제 Point

화력 발전은 화석 연료가 연소될 때 발생하는 열에너지를 이용하여 물을 끓이고, 이때 발생한 고온·고압의 수증기로 발전기에 연결된 터빈을 돌려 전기를 생산한다.
발전기는 전자기 유도 현상을 이용하여 전기를 생산하는 장치이다.

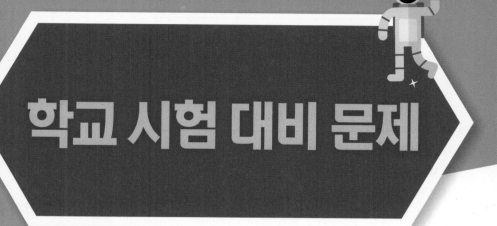

학교 시험 대비 문제

단원별 정답과 해설을
QR 코드로 확인할 수 있어요.

대단원 정리 물질의 규칙성과 결합

1 물질의 기원

1. 스펙트럼과 우주의 구성 원소

(1) 스펙트럼

❶ 스펙트럼		모든 파장의 빛이 연속적으로 나타남.
선 스펙트럼	흡수 스펙트럼	고온의 빛에서 나온 에너지를 흡수한 후 다시 방출하면서 선으로 나타남.
	❷ 스펙트럼	저온의 기체를 통과하면서 특정 파장의 빛이 흡수되어 나타남.

(2) 우주의 구성 원소 가장 많은 원소는 ❸   와 헬륨

2. 빅뱅과 우주 초기 원소의 생성

(1) 빅뱅 초고온, 초고밀도의 한점이었던 우주가 갑자기 폭발하고 팽창하여 현재의 우주를 이루었다.

(2) 물질을 구성하는 입자

기본 입자 < 원자 핵 < ❹   < 물질

3. 지구와 생명체를 구성하는 원소

(1) 지구와 생명체의 구성 원소

생명체	산소, ❺ - 물과 영양분 등
지구	산소, 규소 - 규산염 광물
우주	수소, 헬륨 - 우주 탄생 초기 원소

(2) 별과 원소 별 내부에서 핵융합 반응으로 원소 생성

태양 정도 질량의 별	수소 → 헬륨 → 탄소 원자핵 생성
태양보다 무거운 별	산소, 네온, 규소, 철까지의 원소 생성
초신성 폭발	❻ 보다 무거운 원소 생성

2 원소의 주기성

1. 현대의 주기율표

(1) 현대의 주기율표 원소를 원자 번호 순으로 배열하여 성질이 비슷한 원소가 주기적으로 나타나도록 한 표

(2) 족과 주기

① **족** 주기율표의 ❼   줄로 같은 족 원소는 화학적 성질이 비슷하며, 1~18족이 있다.

② **주기** 주기율표의 ❽   줄로 주기가 바뀔 때 원소의 성질이 반복되며, 1~7주기가 있다.

2. 원소의 주기성

(1) 알칼리 금속 주기율표의 ❾   족에 해당하는 금속 원소 예 리튬(Li), 나트륨(Na), 칼륨(K) 등

① **성질**
- 무르고 밀도가 작은 금속
- 물과 반응하여 ❿   기체를 발생시키고, 수용액은 염기성을 띤다.

② **이용** 리튬 전지, 소금(염화 나트륨)의 주요 성분 등

(2) 할로젠 주기율표의 ⑪   족에 해당하는 비금속 원소 예 플루오린(F), 염소(Cl), 브로민(Br) 등

① **성질**
- 2개의 원자가 결합한 ⑫   상태로 존재
- 반응성이 커서 수소 및 여러 금속들과 반응한다.

② **이용** 치약(플루오린), 수돗물의 소독(염소) 등

3 화학 결합과 물질의 형성

1. 원자의 구조
원자는 원자핵과 전자로, 원자핵은 양성자와 중성자로 이루어져 있다.

원자 번호=양성자 수=전자 수(중성 원자)

2. 원자의 전자 배치

(1) 원자의 전자 배치 가장 안쪽의 전자 껍질에는 전자가 최대 ⑬   개까지, 2번째 전자 껍질에는 전자가 최대 ⑭   개까지 존재한다.

(2) ⑮   가장 바깥 전자 껍질에 채워진 전자로, 화학 반응에 참여하는 전자

(3) 옥텟 규칙 가장 바깥 전자 껍질에 8개의 전자를 채워 ⑯   족 비활성 기체와 같은 전자 배치를 이뤄 안정해지려는 경향

3. 화학 결합

구분	이온 결합 물질	공유 결합 물질
특징	금속 원소의 양이온과 비금속 원소의 음이온 사이의 ⑰ 인력에 의한 결합	⑱ 원소의 원자가 각각 전자를 내놓고 전자쌍을 공유하면서 형성되는 결합
모형	염화 나트륨	물 분자
녹는점, 끓는점	이온 사이의 인력이 강해 매우 높음.	분자 사이의 인력이 약해 대부분 낮음.
전기 전도성	고체 상태에서는 없고, 액체 상태에서는 있음.	고체와 액체 상태에서 모두 없음. (흑연은 예외)
예	염화 나트륨, 염화 칼슘, 수산화 나트륨 등	물, 에탄올, 설탕 등

대단원 정리 ② 자연의 구성 물질

1 지각과 생명체를 구성하는 물질의 규칙성

1. 지각과 생명체의 구성 물질
(1) **지각** 암석으로 이루어진다. ➡ 주로 **❶[　　　]** 광물
(2) **생명체** 단백질, 탄수화물, 지질 등으로 이루어진다.
➡ **❷[　　　]** 화합물

2. 규산염 광물
(1) **규산염 광물** 지각을 구성하는 암석 대부분이 산소와 규소를 포함하는 규산염 광물로 이루어진다.
(2) **구성** 하나의 **❸[　　　]** 원자와 4개의 산소 원자로 구성한다.

▲ Si-O 사면체 구조

(3) **결합 구조** Si-O 사면체가 하나 혹은 그 이상이 서로 연결되어 지각을 구성하는 다양한 규산염 광물을 형성한다.

3. 생명체를 구성하는 탄소 화합물
(1) **탄소** 탄소 원자 하나가 4개의 **❹[　　　]** 결합을 하면서 다양한 종류의 탄소 화합물을 생성한다.
(2) **탄소 결합** 탄소 원자가 서로 결합할 때는 단일 결합, 2중 결합, 3중 결합을 하여 다양한 골격을 이룬다.
(3) **탄소 화합물 ❺[　　　]** 를 중심으로 수소, 산소, 질소 등이 결합하여 만들어진다.
(4) **생명체 구성 탄소 화합물** 생명체 내에서 단백질, 지방, 탄수화물 등은 몸의 구성 성분이면서 에너지원으로 이용되며, 핵산은 유전 정보 저장 등의 기능을 한다.

4. 생명체를 이루는 탄소 화합물의 특징

구분	탄수화물	지질	단백질	핵산
단위체	포도당	글리세롤, 지방산	❼[　　　]	❽[　　　]
결합	단위체가 다양한 수와 형태로 결합	글리세롤에 지방산이 2~3개 결합	❾[　　　] 결합을 통해 폴리펩타이드를 형성	염기 간 상보결합 A－T, G－C
예	•동물－❻[　　　] •식물－녹말, 셀룰로스	인지질, 중성지방	항체, 효소 등	❿[　　　], RNA
기능	에너지 저장, 세포벽 구성 등	에너지 저장, 세포막 구성 등	물질대사, 에너지 저장 등	유전 정보 저장 등

2 신소재의 개발과 활용

1. 초전도체 초전도 현상이 나타나는 물질
(1) **초전도 현상** 특정 온도 이하의 온도에서 **⓫[　　　]** 이 0이 되는 현상, 이러한 현상이 나타나기 시작한 온도를 **⓬[　　　]** 라고 한다.

(2) **⓭[　　　]** 초전도체가 외부의 자기장을 밀어내는 현상 ➡ 임계 온도 이하의 초전도체 위에 자석을 올려 놓으면 자석이 초전도체 위에 떠 있다.
(3) **초전도체의 이용** 전력 손실이 없는 송전선, 핵융합 장치, 자기 공명 영상(MRI) 장치, 자기 부상 열차 등
(4) **한계점** 낮은 온도를 유지하는 데 많은 비용이 들기 때문에 널리 상용화되지 못하고 있다.

2. ⓮[　　　] 흑연의 한 층만 떼어 낸 평면 구조 물질

특성	열과 전기를 잘 전도하며 투명하고 유연성이 있음.
활용	휘어지는 투명 디스플레이, 고효율 태양 전지, 초경량 고강도 소재, 방열 소재

3. 반도체 전기 전도성이 ⓯[　　　] 와 절연체(부도체)의 중간인 물질

특성	저온에서 전기 저항이 크지만 빛 또는 열에너지를 가하거나 미량의 원소를 첨가하면 저항이 작아져 전기 전도성 증가 ➡ 전기적 성질 이용
활용	• 집적 회로: 중앙처리장치(CPU)와 같은 집적 회로를 만드는 기본 소재가 된다. • 발광 다이오드: 전기 에너지를 빛에너지로 전환한다. • 태양 전지: 빛에너지를 전기 에너지로 전환한다. • 다이오드 : 교류를 직류로 전환한다.

4. 자연을 모방한 신소재

종류	모방한 생물체의 특성
게코 테이프	도마뱀의 발바닥에 미세 섬모가 있어 접착력이 생기는 성질 이용
전신 수영복	물의 저항을 최소화할 수 있는 ⓰[　　　]의 특이한 비늘의 성질 이용
소형 로봇	파리의 날갯짓과 그에 따른 공기의 움직임 이용
지혈 주삿바늘	⓱[　　　]의 족사에 있는 강한 접착력 이용
광원 없는 디스플레이	공작 깃털의 구조에 의해 나타나는 색 이용

대단원 정리 **3** 중력과 역학적 시스템

1 중력과 역학적 시스템

1. 중력

정의	지구와 물체가 서로 당기는 힘
크기	물체의 질량이 클수록, 지구에 가까울수록 크다.
방향	**①** _____ (연직 방향)
특징	• 물체가 서로 떨어져 있어도 작용한다. • 서로 당기는 힘만 있다.

2. 중력에 의한 물체의 운동

(1) **자유 낙하 운동** 공기의 저항을 무시할 때, 물체가 중력만을 받으며 낙하하는 운동

운동 방향	힘	속도	운동
② _____	중력	일정하게 증가(매초 약 9.8 m/s씩 증가)	등가속도 운동

(2) **수평 방향으로 던진 물체 운동** 수평 방향의 **③** _____ 과 연직 방향의 **④** _____ 이 합쳐진 운동

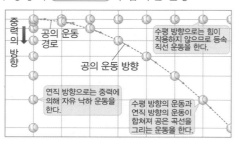

구분	힘	속도	운동
수평 방향	0	일정	등속 직선 운동
연직 방향	중력	일정하게 증가(매초 약 9.8 m/s씩 증가)	등가속도 운동

3. 중력과 자연 현상

중력의 작용에 의한 지구 시스템	중력의 작용에 의한 생명 시스템
• 수소, 헬륨에 비해 무겁고 느린 산소·질소와 같은 기체는 지구 중력에 붙잡혀 대기를 구성한다. • 달과 지구 사이에 작용하는 중력은 밀물과 썰물 현상을 일으킨다. • 물질의 밀도 차이에 따라 상대적으로 중력 차이가 발생하므로 공기와 바닷물의 대류가 일어난다.	• 척추동물은 귓속의 전정 기관이 중력을 감지하여 몸의 평형을 유지한다. • 과거에 바다에 살던 생물이 육상으로 진출하는 과정에서 중력을 견디기 위한 몸의 구조와 형태를 갖추게 되었다. • 식물은 중력 방향으로 뿌리를 내리고, 중력 반대 방향으로 줄기를 뻗는다.

2 운동량과 충격량

1. 관성 물체가 현재의 상태를 유지하려는 성질

(1) **관성 크기** 물체의 질량이 클수록 관성이 **⑤** _____ .

(2) **관성 법칙(뉴턴 제1법칙)** 물체에 힘이 작용하지 않으면 정지해 있던 물체는 계속 정지해 있고, 움직이던 물체는 등속 직선 운동을 한다.

2. 운동량과 충격량

물리량	운동량	충격량
의미	물체가 운동할 때 운동 상태의 정도를 나타내는 물리량, 크기와 방향을 가진다.	물체가 받는 충격의 정도를 나타내는 양, 크기와 방향을 가진다.
크기	물체의 질량과 속도의 곱과 같다. 운동량=**⑥** _____ , $p=mv$ [단위: kg·m/s]	힘의 크기와 힘이 작용하는 **⑦** _____ 의 곱과 같다. 충격량=힘×시간, $I=F·\Delta t$ [단위: N·s]
방향	속도의 방향과 같다.	물체에 작용하는 힘의 방향과 같다.

3 충격 흡수 원리와 안전장치

1. 충격력 물체가 충돌할 때 받는 힘의 크기

(1) **충격력의 크기** 같은 충격량을 받는 경우 물체가 충돌할 때 **⑧** _____ 을 길게 하면 충격력(F)을 줄일 수 있다.

$$힘(F) = \frac{충격량(I)}{시간(\Delta t)}$$

(2) **충격력과 충돌 시간의 관계** 충격량이 같을 때 충돌 시간이 짧을수록 충격력은 커지고, 충돌 시간이 길수록 충격력은 작아진다.

(3) **물체가 받는 충격 줄이기** 충격량이 같더라도 **⑨** _____ 을 길게 하면 충돌 시 받는 힘이 감소하여 피해가 줄어든다.

2. 안전장치의 원리

(1) **물체에 작용하는 힘(충격력)을 줄이는 방법** 충격량이 일정할 때 충돌 시간을 길게 하면 물체에 작용하는 충격력의 크기를 줄이는 원리를 이용한다. **예** 모서리 보호대, 선박에 매다는 타이어, 포장재 뽁뽁이, 에어백, 야구 포수 글러브, 자동차 범퍼 등

(2) **관성에 의한 피해를 줄이는 방법** 자동차가 갑자기 정지할 때 자동차 안에 있는 사람은 관성에 의해 계속 앞으로 움직이려 하므로 몸이 앞쪽으로 쏠린다. 자동차의 안전띠나 유아용 안전 좌석은 이러한 관성으로 인한 피해를 줄여 주는 장치이다.

대단원 정리 **4** 지구 시스템

1 지구 시스템과 상호 작용

1. 지구 시스템

(1) **시스템** 어떤 일을 하기 위해 여러 구성 요소들이 서로 작용하는 것

　　예 태양계, 소화계, 순환계 등

(2) **❶**〔　　　　〕 지구를 구성하는 여러 요소들이 서로 함께 작용하면서 존재하는 것

(3) **지구 시스템의 구성 요소**

구분	특징	구성
❷〔　　　〕	암석과 흙으로 이루어진 지표와 지구 내부를 포함하는 공간	지각, 맨틀, 외핵, 내핵으로 구성
수권	지구에 분포하고 있는 모든 종류의 물	대부분 **❸**〔　　〕가 차지
❹〔　　　〕	지구에 있는 모든 생물과 생물이 존재하는 모든 공간	지권, 수권, 기권 모두에 존재
기권	지구를 둘러싸고 있는 대기가 분포하는 공간	지상에서 약 1,000 km까지
외권	**❺**〔　　　〕권의 바깥쪽인 지상 약 1,000 km 이상의 우주 공간	태양, 유성, 혜성 등 포함

2. 지구 시스템과 상호 작용

(1) **지구 시스템의 상호 작용** 물질과 **❻**〔　　〕는 각 권을 순환하면서 여러 가지 현상을 일으킨다.

(2) **물의 순환** 지구 시스템에서 수증기, 물, 얼음으로 상태가 변하며 순환하면서 물질과 에너지가 고르게 분포할 수 있게 한다.

▲ 물의 순환 과정

(3) **탄소의 순환** 탄소는 지구 시스템에서 그 형태를 달리하면서 순환한다.

영역	지권	수권	기권	생물권
존재 형태	석회암, 화석 연료	탄산 이온	이산화 탄소	탄소 화합물

2 지권의 변화와 그 영향

1. 판의 경계

(1) **판** 지각과 상부 맨틀을 포함한 암석층

(2) **판 경계의 종류**

구분	특징	지형
❼〔　　　〕형 경계	두 판이 서로 멀어지는 경계로 새로운 판이 생성	해령, 열곡대
수렴형 경계	두 판이 충돌하는 경계로 판이 소멸	해구, 호상 열도, **❽**〔　　〕산맥
❾〔　　　〕형 경계	판이 생성되거나 소멸하지 않는 경계	변환 단층

2. 지진대와 화산대

(1) **❿**〔　　　〕 지진이 활발하게 일어나는 지역이 띠 모양으로 분포한다.

(2) **⓫**〔　　　〕 화산 활동이 활발하게 일어나는 지역이 띠 모양으로 분포한다.

(3) **화산대와 지진대의 분포** 화산대와 지진대는 대부분 비슷한 지역으로 서로 겹쳐서 분포 ⇨ **⓬**〔　　　〕의 경계와 대부분 일치한다.

▲ 지진대와 화산대와 판의 경계

3. 지구 환경 변화와 인간 생활

(1) **화산 활동의 영향**

부정적인 영향	긍정적인 영향
용암류, 화산 쇄설류, 화산재, 화산 가스, 산성비 등에 의한 피해	온천의 발달, 유용한 광물 자원 활용, 화산재에 의한 토양 형성

(2) **지진의 영향과 인간 생활 변화**

부정적인 영향	긍정적인 영향
지반의 균열, 지진 해일, 산사태 등과 같은 자연 피해와 건물과 도로의 파괴에 따른 생활 재해 발생	지진이 발생하면 진동으로 나타나는 **⓭**〔　　〕 이용하여 지구 내부를 구조 파악

대단원 정리 **5** 생명 시스템

1 생명 시스템

1. 생명 시스템

(1) 생명 시스템은 기본 단위인 ❶[　　　　]로 이루어져 있으며, '세포 → ❷[　　　　] → 기관 → 개체' 순으로 이루어져 있다.

(2) 세포는 크게 핵, 세포막, 세포질로 이루어져 있다.

(3) **세포 소기관** 핵, 세포막, 미토콘드리아, 리보솜, 엽록체, 액포, 세포벽 등이 있다.

2. 세포막을 경계로 한 물질 출입

(1) **세포막의 구조** ❸[　　　　]에 막단백질이 곳곳에 박혀 있는 구조이다.

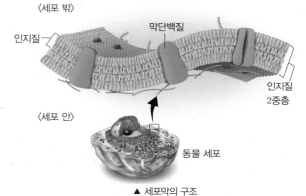

▲ 세포막의 구조

(2) **세포막에서 확산을 통한 물질 이동**

인지질 2중층을 통한 확산	❹[　　　]을 통한 확산	삼투
크기가 매우 작은 기체 분자, 지용성 물질, 지질 입자	크기가 크고 수용성인 물질, 전하를 띤 이온(물질)	세포막을 통과할 수 없는 용질이 들어 있는 수용액 중 물 분자

(3) **세포막의** ❺[　　　] 세포막을 경계로 한 물질 출입은 물질의 종류에 따라 인지질 2중층이나 막단백질을 통해 선택적으로 일어난다.

3. 물질대사와 효소

(1) **물질대사**
- 생명 시스템 내에서 일어나는 모든 화학 반응을 말한다.
- 동화 작용과 ❻[　　　]이 있다.

(2) **활성화 에너지와 촉매**
- ❼[　　　] 화학 반응이 진행되기 위해 필요한 최소한의 에너지이다.
- ❽[　　　] 화학 반응의 활성화 에너지를 변화시켜 화학 반응의 속도를 조절하는 물질로, 반응 전후에 변하지 않는다.

(3) **효소** 물질대사의 ❾[　　　]를 낮추어 물질대사가 빠르게 일어나도록 하는 생체 촉매이다.

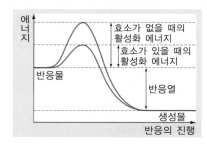

2 세포 내 정보의 흐름

1. 유전자와 단백질

(1) ❿[　　　] DNA 염기 서열 중 단백질이나 RNA에 대한 정보를 저장하고 있는 특정 부위이다.

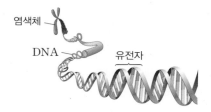

(2) 생명 시스템은 유전자의 정보에 따라 단백질을 합성하고, 단백질에 의해 여러 유전 형질이 나타난다.

2. 생명 중심 원리

(1) DNA에 있는 유전자 정보가 RNA를 거쳐 단백질로 전달되는 과정을 의미한다.

(2) ⓫[　　　] DNA에 있는 유전자를 원본으로 하여 RNA를 합성하는 과정이다.

(3) ⓬[　　　] 전사된 RNA로부터 단백질이 합성되는 과정이다.

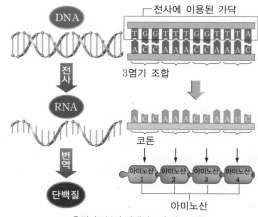

▲ 유전자로부터 단백질로의 정보 흐름

3. 유전자 변이와 물질대사 이상
- 유전자 변이는 ⓭[　　　]의 구조와 기능에 영향을 주어 물질대사 이상 질환과 같은 다양한 질병을 유발할 수 있다.

대단원 정리 **6** 화학 변화

1 산화 환원

1. 산화 환원의 정의

구분	산화	환원
산소 이동	산소와 결합하는 반응	산소를 잃는 반응
	$2CuO + C \longrightarrow 2Cu + CO_2$ 산화 구리(Ⅱ) 탄소 구리 이산화 탄소 (산화 / 환원)	
전자 이동	전자를 ❶ [____] 반응	전자를 ❷ [____] 반응
	$2Mg + O_2 \longrightarrow 2MgO$ 마그네슘 산소 산화 마그네슘 (산화 / 환원)	

2. 산화 환원의 동시성
하나의 화학 반응에서 산화와 환원은 동시에 일어난다.

3. 일상생활과 산화 환원

(1) 산화 반응의 예

연소	물질이 산소와 빠르게 결합하여 빛과 열을 냄.	$CH_4 + 2O_2 \longrightarrow 2H_2O + CO_2$ 메테인 산소 물 이산화 탄소 (산화)
부식	금속이 산소와 서서히 결합함.	$4Fe + 3O_2 \longrightarrow 2Fe_2O_3$ 철 산소 산화 철(Ⅲ) (산화)

(2) 환원 반응의 예

철의 제련	철광석과 코크스를 가열해 철을 생성함.	$Fe_2O_3 + 3CO \longrightarrow 2Fe + 3CO_2$ 산화 철(Ⅲ) 일산화 탄소 철 이산화 탄소 (환원)
광합성	이산화 탄소와 물로부터 포도당을 생성함.	$6CO_2 + 6H_2O \longrightarrow C_6H_{12}O_6 + 6O_2$ 이산화 탄소 물 포도당 산소 (환원)

2 산과 염기

1. 산

정의	수용액에서 수소 이온(H^+)을 내놓는 물질 산 $\longrightarrow$ H^+ + 음이온
예	염산(HCl), 황산(H_2SO_4), 아세트산(CH_3COOH) 등
특징	• 신맛이 남. • 수용액에서 전류가 흐름. • 푸른색 리트머스 종이를 ❸ [____] 변화시킴. • 금속과 반응해서 ❹ [____] 기체, 탄산 칼슘과 반응해 이산화 탄소 기체 발생
주변 예	과일, 식초, 김치, 유산균, 탄산음료 등

2. 염기

정의	수용액에서 수산화 이온(OH^-)을 내놓는 물질 염기 $\longrightarrow$ 양이온 + OH^-
예	수산화 나트륨(NaOH), 수산화 칼륨(KOH), 수산화 칼슘($Ca(OH)_2$) 등
특징	• 쓴맛이 남. • 수용액에서 전류가 흐름. • 붉은색 리트머스 종이를 ❺ [____] 변화시킴. • 단백질을 녹이는 성질이 있어 피부에 묻으면 미끈미끈거림.
주변 예	비누, 제산제, 치약, 하수구 세정제 등

3. 지시약
용액의 액성을 구별하기 위해 사용하는 물질로 액성에 따라 색이 변한다.

지시약	산성	중성	염기성
BTB	노란색	❻ [____]	푸른색
페놀프탈레인	무색	무색	❼ [____]
메틸 오렌지	붉은색	노란색	노란색

4. 이산화 탄소가 지구 환경에 미치는 영향
호흡이나 화석 연료의 연소 과정에서 발생한 이산화 탄소가 바닷물에 녹아 ❽ [____]의 농도를 높여 해양 생태계에 영향을 준다.

3 중화 반응

1. 중화 반응과 중화점

(1) **중화 반응** 수용액에서 산과 염기가 반응하여 ❾ [____] 과 염을 생성하는 반응이다.

$$\text{산 + 염기} \longrightarrow \text{❾ [\_\_\_\_]} + \text{염}$$

(2) ❿ [____] 산의 수소 이온(H^+)과 염기의 수산화 이온(OH^-)이 모두 반응하여 완전히 중화되는 지점이다.

2. 중화 반응의 확인

(1) **지시약 색깔** 지시약 변색을 통해 중화점을 확인한다.

(2) **혼합 용액 온도** ⓫ [____]이 최고가 되는 순간을 확인한다.

3. 중화 반응의 이용

• 제산제를 이용해 위산을 중화한다.
• 석회 가루를 뿌려 산성화된 토양을 중화한다.
• 레몬즙을 이용해 생선 비린내의 원인인 염기를 중화한다.
• 염기성 약을 발라 벌레 물려 산성을 띠는 부위를 중화한다.

대단원 정리 **7** 생물 다양성 유지

1 지질 시대와 생물의 변천

1. 지질 시대와 환경

(1) 화석

❶	과거에 살았던 생물의 유해나 흔적이 퇴적층에 남아 있는 것
이용	과거 생물의 모습과 생활 환경, 지층의 생성 시기와 생물이 살던 시대, 대륙과 해양의 분포, 지형 변화와 대륙의 이동 등을 유추

(2) ❷ 약 46억 년 전 지구가 탄생한 후부터 현재까지의 시대

(3) 지질 시대의 구분 과거에 살았던 생물 종에 급격한 변화가 나타난 시기를 기준으로 구분한다.

지질 시대	생물의 변화
선캄브리아 시대	• 최초의 생명체 출현 • 남세균의 출현으로 광합성을 시작하면서 대기 중으로 산소 공급 • 대표 화석: ❸
❹	• 삼엽충과 갑주어가 출현하고 어류가 번성 • 육지에 식물이 먼저 진출하고 이후 동물도 진출 • 양치식물과 양서류가 번성 • 대표 화석: 삼엽충, 갑주어
❺	• 파충류가 번성한 공룡의 시대 • 겉씨식물과 암모나이트가 번성하고, 포유류 출현 • 대표 화석: 공룡, 암모나이트
신생대	• 속씨식물과 포유류가 번성 • 말기에 인류의 조상 출현 • 대표 화석: 매머드, 화폐석

(4) 대륙의 이동 고생대 말 형성된 ❻ 가 분리되어 이동하면서 현재와 같은 대륙 분포를 이루었다.

▲ 대륙의 분리와 이동

2. 생물의 대멸종

(1) ❼ 대부분의 생물이 사라지고 남은 생물도 개체수가 급격히 감소한 것

(2) 대멸종의 원인 빙하기의 도래와 같은 급격한 기후 변화, 대륙의 이동에 따른 서식 환경 변화, 소행성 충돌에 의한 급격한 환경 변화 등이 있다.

(3) 대멸종과 생물 다양성 대멸종 과정에서 살아남은 생물이 진화하는 과정에서 새로운 생물 종이 출현하면서 생물의 다양성이 증가하였다.

2 진화와 생물 다양성

1. 진화와 변이

(1) ❽ 생물 집단이 여러 세대를 거치는 동안 변화되어 가는 현상이다.

(2) ❾ 같은 종에 속하는 개체 사이에 나타나는 형질의 차이이다.

비유전적 변이	환경 요인의 작용으로 나타나는 형질의 차이
유전적 변이	유전자의 변화로 나타나는 유전적 변이

(3) 다윈의 ❿ 변이가 있는 생물 집단에서 환경에 잘 적응하여 살아남기 유리한 형질이 자손에게 전달되도록 선택된다는 것이다.

2. 변이에 의한 자연 선택과 생물의 진화

(1) 변이와 자연 선택 주변 환경에 잘 적응할 수 있는 형질을 가진 개체가 살아남아 자손을 많이 남기게 되고, 이러한 과정이 반복되어 생물이 ⓫ 하게 된다.

(2) 항생제 내성을 가진 세균의 출현 과정

• 처음에는 모든 세균이 항생제 내성이 없었다.

➡ 일부 개체에서 ⓬ 가 일어나 항생제에 내성을 가지게 되었다.

➡ 항생제 내성 세균이 항생제를 사용하는 환경에서 ⓭ 되어 살아남았다.

➡ 살아남은 세균은 증식하였고, 그 결과 집단 내 항생제 내성 세균의 비율이 증가하였다.

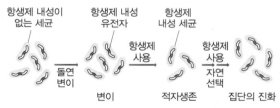

▲ 항생제 내성을 가진 세균의 출현 과정

3. 생물 다양성

(1) 생물 다양성 생태계에 내에 존재하는 생물의 다양한 정도를 의미한다.

(2) 생물 다양성을 구성하는 3가지 요소

⓮ 다양성	같은 종 내에서 색, 크기, 모양, 무늬 등과 같은 형질이 각각 다르게 나타난 것을 의미한다.
⓯ 다양성	생물 군집 내에 얼마나 많은 종이 균등하게 분포하고 있는지를 의미한다.
생태계 다양성	한 지역에 존재하는 생태계의 다양한 정도를 의미한다.

대단원 정리 8 생태계와 환경

1 생태계의 구성과 생태계 평형

1. 생물적 요인과 비생물적 요인

(1) **생물적 요인** 생물적 요인은 영양 단계에 따라 생산자, 소비자, ❶⃝ 로 구분하고, 구성 단계에 따라 개체, 개체군, ❷⃝ 으로 구분한다.

(2) **비생물적 요인** 생물을 둘러싸고 있는 모든 환경 요인으로 ❸⃝ , 온도, 물, 토양, ❹⃝ 등이 있다.

2. 생물과 환경의 상호 관계

토양, 빛, 공기, 물, 온도 등은 생물의 생활 범위를 결정하고, 생물의 활동은 비생물적 요인에 영향을 준다. → 인류의 생존을 위해 환경을 ❺⃝ 해야 한다.

3. 생태 피라미드와 생태계 평형계

(1) 높은 종 다양성 → 복잡한 ❻⃝ → 생태계 평형 유지에 유리하다.

(2) 생태 피라미드는 종 ❼⃝ 이 높을수록 안정적이다.

4. 환경 변화와 생태계 평형

(1) 환경 변화는 자연에 의한 변화와 사람에 의한 변화, 긍정적 변화와 부정적 변화로 구분한다.

(2) 환경 변화는 생태계와 밀접하게 연관되어 있으므로 생태계 평형에 영향을 준다.

2 지구 환경 변화와 인간 생활

1. 지구 온난화와 지구 환경 변화

(1) **온실 효과**

❽⃝	• 대기 중에 있는 온실 기체가 지구에서 방출하는 복사 에너지를 흡수하여 지표로 재방출하면서 지구의 기온을 높이는 현상 • 자연적인 온실 효과는 지구의 기온을 일정하게 유지시켜 생물이 살아갈 수 있는 환경을 만든다.
온실 기체	❾⃝ , 수증기, 메테인, 클로로플루오로탄소(CFC) 등

(2) **지구 온난화**

원인	화석 연료의 사용 증가로 이산화 탄소와 메테인 등과 같은 ❿⃝ 의 대기 중 농도가 증가하면서 지구 온난화가 발생
과정	과도한 화석 연료의 사용, 지나친 토지 개발과 벌목 ⇨ 대기 중 온실 기체(이산화 탄소, 메테인 등)의 증가 ⇨ 온실 효과 강화: 지구 복사 에너지의 흡수량 증가 ⇨ 지구 평균 기온 상승으로 지구 온난화 진행

2. 엘니뇨와 사막화에 의한 지구 환경 변화

(1) **대기 대순환과 해수의 순환** ⓫⃝ 위도의 남는 에너지를 ⓬⃝ 위도로 이동시켜 지구 전체의 에너지 균형을 이룬다.

(2) **엘니뇨**

엘니뇨	적도 부근 동태평양 해역의 표층 수온이 평년에 비해 높아지는 이상 고온 현상
발생 과정	남동 ⓭⃝ 풍이 평상시보다 약해지면 따뜻한 해류가 동쪽으로 이동하면서 적도 부근의 동태평양에서는 용승 현상이 약해지면서 발생

(3) ⓮⃝ 사막 주변의 초원 지대가 과도한 방목이나 경작과 삼림 벌채 등으로 인한 생태계 파괴로 사막으로 바뀌는 현상이다.

3 에너지의 전환과 보존

1. 에너지의 전환과 보존

(1) **에너지** 일을 할 수 있는 능력

(2) **에너지 전환** 한 형태의 에너지가 다른 형태의 에너지로 바뀌는 것
  • 선풍기: ⓯⃝ → 역학적 에너지
  • 전열 기구: 전기 에너지 → ⓰⃝
  • 형광등: 전기 에너지 → 빛에너지

(3) **에너지 보존** 에너지 전환 과정에서 에너지는 새롭게 생성되거나 소멸되지 않으며, 에너지의 총량은 전환되기 전과 후에 변하지 않고 일정하다.

2. 에너지 효율

(1) **에너지 효율** 공급한 에너지에 대해 유용하게 사용한 에너지의 비율

(2) 열에너지는 온도가 ⓱⃝ 물체에서 온도가 ⓲⃝ 물체로 이동하며 그 반대로는 저절로 이동하지 않는다.

(3) **열효율** 열기관에 공급한 에너지에 대해 열기관이 한 일의 비율

$$\text{열효율}(\%) = \frac{\text{열기관이 한 일}}{\text{공급한 에너지}} \times 100$$

3. 에너지 효율 개선의 사회적 의의

(1) 에너지는 에너지 전환 과정을 거쳐 최종적으로 ⓳⃝ 에너지의 형태로 변환된다.

(2) **에너지 생산의 어려움** 국내 전력 생산의 60 %를 화력 발전에 의존하고 있지만, 화력 발전은 자원 고갈과 환경 오염 문제가 있다.

대단원 정리 **9** 발전과 신재생 에너지

1 전기 에너지의 생산과 수송

1. 전기 에너지의 생산

(1) **❶**（　　　） 코일 내부의 자기장이 변하면 코일에 전류가 유도되는 현상

(2) **유도 전류의 세기** 자석의 세기가 셀수록, 자석을 빠르게 움직일수록, 코일의 감은 횟수가 **❷**（　　　） 유도 전류의 세기가 세다.

(3) **정지된 자석과 유도 전류** 자석과 코일의 상대적인 운동에 의해서만 유도 전류가 흐른다. 자석이 정지해 있을 때, 즉 코일 내부를 통과하는 **❸**（　　　）이 변하지 않을 때는 유도 전류가 흐르지 않는다.

(4) **유도 전류의 방향** 코일 내부 자기장 변화를 방해하려는 방향으로 유도 전류가 생긴다.

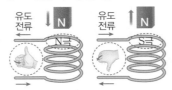

(5) **발전기 ❹**（　　　）를 이용하여 전기 에너지를 만드는 장치

2. 전기 에너지의 수송

(1) **여러 가지 발전 방식**

발전 방식	에너지 전환
수력 발전	위치 에너지 → **❺**（　　　） → 전기 에너지
화력 발전	화학 에너지 → **❻**（　　　） → 운동 에너지 → 전기 에너지
핵발전	핵에너지 → 열에너지 → **❼**（　　　） → 전기 에너지

(2) **송전 과정**

• **전력** 단위 시간당 생산 또는 소비한 전기 에너지의 양
전력＝전압×전류의 세기, $P = V \times I$

(3) **손실 전력** 송전선의 저항의 열작용으로 인해 전력 수송 과정에서 열에너지로 손실되는 전력
손실 전력＝(전류)²×(저항), $P_{손실} = I^2 \times R$

• 송전 전압이 n배가 되면, 송전선에 흐르는 전류의 세기는 $\frac{1}{n}$배가 되고, 손실 전력은 **❽**（　　　）배가 된다.

(4) **고전압 송전 ❾**（　　　）을 줄여 송전 효율을 높이기 위해 송전 전압을 초고압으로 높여 송전한다.

2 신재생 에너지

1. **태양 에너지 ❿**（　　　） 반응을 통해 에너지 방출

2. **수소 핵융합 반응** 수소 원자핵 4개가 융합하여 1개의 헬륨 원자핵이 만들어지면서 막대한 에너지가 방출되는 반응

3. **핵융합 반응과 질량 결손** 핵융합 반응이 일어날 때 핵반응 전의 질량의 합에 비해 반응 후 질량의 합이 작다. 이때 감소한 질량을 **⓫**（　　　）이라고 한다.

4. **화석 연료의 문제** 지구 온난화 문제와 화석 연료의 고갈 문제

5. **에너지 문제 해결을 위한 다양한 신재생 에너지**

발전 방식	발전 방법	장단점
태양광 발전	태양 전지에 태양 빛이 흡수되면 전자가 방출되는 현상을 이용하여 전기 에너지를 생산한다.	오염 물질의 방출이 없는 친환경 에너지원이지만 시설 비용이 많이 들고 계절과 날씨의 영향을 받는다.
⓬（　　　）	바람으로 발전기의 날개를 회전시켜 전기 에너지를 생산한다.	오염 물질의 방출과 에너지 고갈의 염려가 없다. 소음 문제와 지속적으로 일정한 발전량을 생산하기 어렵다.
핵발전	방사성 물질의 핵에너지를 이용하여 전기 에너지를 생산한다.	화력 발전에 비해 온실 기체 방출이 적다. 그러나 발전 결과 발생한 폐기물의 처리에 많은 비용과 시간이 든다.
⓭（　　　）	파도의 운동 에너지를 이용하여 전기 에너지를 생산한다.	오염 물질의 발생이 없으며 지속 가능한 에너지원이다. 발전량이 일정하지 않다.
조력 발전	밀물과 썰물로 생긴 조류의 운동 에너지로 전기 에너지를 생산한다.	고갈의 염려가 없고 친환경 에너지원이다. 설치 장소가 제한적이라는 단점이 있다.
연료 전지	수소와 산소의 화학 반응으로 발생한 화학 에너지를 전기 에너지로 전환한다.	오염 물질의 발생이 없으며 에너지 효율이 높으나 수소 생산에 많은 비용이 든다는 단점이 있다.

단원별 정답과 해설을
QR 코드로 확인할 수 있어요.

실전 모의 고사

01 그림은 다양한 종류의 스펙트럼을 나타낸 것이다.

(가)

(나)

(다)

이에 대한 설명으로 옳지 <u>않은</u> 것은?

① 스펙트럼은 파장에 따라 다른 색으로 나타난다.

② (가)는 고온의 광원에서 나온 빛이 분광기를 통과하면서 나타나는 연속 스펙트럼이다.

③ 한 원소에서 얻은 방출에 의한 선 스펙트럼과 흡수에 의한 선 스펙트럼은 서로 다른 파장에서 나타난다.

④ 선 스펙트럼의 종류는 (나)와 같은 흡수에 의한 선 스펙트럼과 (다)와 같이 방출에 의한 선 스펙트럼으로 구분할 수 있다.

⑤ 태양의 빛에서 얻은 흡수 스펙트럼을 통하여 태양의 대기를 구성하는 물질에 관한 정보를 얻을 수 있다.

02 빅뱅과 이후 원소의 생성 과정에 대한 설명으로 옳지 <u>않은</u> 것은?

① 빅뱅 우주론에 따르면 모든 물질과 에너지가 모여 있던 매우 작은 한 점에서 대폭발, 즉 빅뱅이 일어나 우주의 시간과 공간이 시작되었다.

② 빅뱅 직후 우주가 팽창하면서 밀도와 온도가 증가하였고, 이때 전자를 포함한 기본적인 입자들이 만들어졌다.

③ 우주에 기본 입자가 만들어진 후 시간이 지나면서 수소와 헬륨의 원자핵이 차례로 만들어졌다.

④ 수소와 헬륨의 원자핵이 만들어진 후 우주의 온도가 더 낮아지면서 수소 원자와 헬륨 원자가 만들어졌다.

⑤ 초기 우주에서 만들어진 수소와 헬륨이 우주 공간에서 뭉쳐지면서 수많은 은하와 별이 만들어지기 시작되었다.

03 그림은 사람, 지구, 우주를 구성하는 원소의 분포 비율을 순서 없이 나열한 것이다.

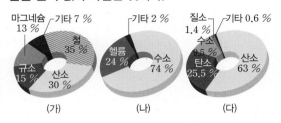

(가) (나) (다)

이에 대한 설명으로 옳은 것만을 |보기|에서 있는 대로 고른 것은?

┤ 보기 ├

ㄱ. (가)는 지구를 구성하는 원소의 분포 비율을 나타낸 것이다.

ㄴ. (나)를 구성하는 원소인 수소와 헬륨은 우주 생성 초기에 만들어진 것이다.

ㄷ. (다)에서 산소와 탄소가 많이 포함된 것은 규산염 광물이 많이 포함되어 있기 때문이다.

① ㄱ　　　　② ㄴ　　　　③ ㄱ, ㄴ

④ ㄴ, ㄷ　　　⑤ ㄱ, ㄴ, ㄷ

04 그림은 별의 중심에서 일어나는 핵융합 반응을 나타낸 것이다.

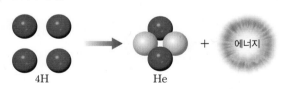

4H　　　　　He　　+　　에너지

이에 대한 설명으로 옳은 것만을 |보기|에서 있는 대로 고른 것은?

┤ 보기 ├

ㄱ. 주로 태양 정도의 질량을 가진 별의 내부에서 일어나는 핵융합 반응이다.

ㄴ. 반응이 일어나기 전 수소 전체의 질량과 반응 후 만들어진 헬륨의 질량은 서로 같다.

ㄷ. 시간이 지나 헬륨이 핵융합 반응을 일으키면 반응 후 별 내부에는 탄소가 만들어진다.

① ㄱ　　　　② ㄴ　　　　③ ㄱ, ㄴ

④ ㄱ, ㄷ　　　⑤ ㄱ, ㄴ, ㄷ

05 그림 (가)와 (나)는 태양 정도 질량을 가진 별과 태양보다 질량이 매우 큰 별의 내부 구조를 순서 없이 나타낸 것이다.

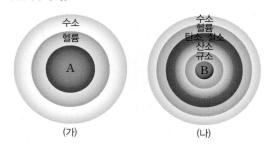

(가)   (나)

이에 대한 설명으로 옳은 것만을 |보기|에서 있는 대로 고른 것은?

| 보기 |

ㄱ. (가)의 내부에 있는 원소 A는 탄소이다.
ㄴ. (가)는 태양보다 질량이 매우 큰 별의 내부를 나타낸다.
ㄷ. (나)와 같은 별의 내부에서 가장 나중에 만들어지는 원소 B는 헬륨이다.
ㄹ. (가)와 (나) 모두 별 내부에서 철보다 무거운 원소를 만들지는 못한다.

① ㄱ, ㄷ   ② ㄱ, ㄹ   ③ ㄴ, ㄹ
④ ㄷ, ㄹ   ⑤ ㄴ, ㄷ, ㄹ

06 다음은 알칼리 금속에 대한 학생들의 대화이다.

• 영희: 알칼리 금속은 모두 (㉠)족에 속하는 금속 원소야.
• 민수: 물과의 반응성이 커서 물에 넣었을 때 (㉡) 기체가 발생하고, 수용액은 (㉢)으로 변해.

㉠~㉢에 들어갈 말로 가장 적절한 것은?

	㉠	㉡	㉢
①	1	수소	염기성
②	1	수소	산성
③	1	산소	염기성
④	17	수소	염기성
⑤	17	산소	산성

07 다음은 어떤 원소에 대한 설명이다.

• 수돗물의 소독에 이용된다.
• 자연 상태에서 노란색의 기체로 존재한다.
• 바닷물의 염류를 구성하는 원소 중 가장 많은 양을 차지한다.

이 원소와 같은 족에 속한 원소들의 공통점으로 옳은 것만을 |보기|에서 있는 대로 고른 것은?

| 보기 |

ㄱ. 원자가 전자 수는 7이다.
ㄴ. 자연 상태에서 대체로 이원자 분자로 존재한다.
ㄷ. 반응성이 작아 거의 화합물을 형성하지 않는다.

① ㄱ   ② ㄴ   ③ ㄱ, ㄴ
④ ㄴ, ㄷ   ⑤ ㄱ, ㄴ, ㄷ

08 그림은 원소 주기율표의 일부이다.

족\주기	1	2	13	14	15	16	17	18
1	A							B
2	C			D		E		

원소 A~E에 대한 설명으로 옳은 것만을 |보기|에서 있는 대로 고른 것은? (단, A~E는 임의의 원소 기호이다.)

| 보기 |

ㄱ. DA_4에서 D는 옥텟 규칙을 만족한다.
ㄴ. A~E 중 원자가 전자 수가 가장 큰 것은 B이다.
ㄷ. C와 E로 이루어진 화합물에서 모든 입자는 가장 바깥 전자 껍질에 8개의 전자를 모두 채운다.

① ㄱ   ② ㄴ   ③ ㄱ, ㄷ
④ ㄴ, ㄷ   ⑤ ㄱ, ㄴ, ㄷ

09 그림은 원소의 주기율표이다.

족 주기	1	2	3~12	13	14	15	16	17	18
1	H								He
2	Li	Be		B	C	N	O	F	Ne
3	Na	Mg		Al	Si	P	S	Cl	Ar
4	K	Ca		Ga	Ge	As	Se	Br	Kr
5	Rb	Sr		In	Sn	Sb	Te	I	Xe
6	Cs	Ba		Tl	Pb	Bi	Po	At	Rn
7	Fr	Ra							

이에 대한 설명으로 옳지 **않은** 것은?

① 원소를 원자 번호 순으로 나열하였다.

② 반응성이 가장 큰 원소는 18족 원소이다.

③ 성질이 비슷한 원소는 같은 세로줄에 있다.

④ 같은 가로줄에 있는 원소들은 전자 껍질의 수가 같다.

⑤ 주기율표의 오른쪽에는 대체로 비금속 원소가 존재한다.

[11~12] 그림은 원자 A~C의 전자 배치 모형이다. (단, A~C는 임의의 원소 기호이다.)

A

B

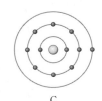
C

11 이에 대한 설명으로 옳은 것은?

① A와 B는 족이 같다.

② 금속 원소는 2가지이다.

③ 원자가 전자 수는 C가 가장 크다.

④ C는 화합물을 형성할 때 전자를 얻어 옥텟 규칙을 만족한다.

⑤ A_2, B_2 화합물을 형성할 때 공유 전자쌍 수는 A_2가 B_2의 2배이다.

10 표는 화합 결합 물질 (가)~(다)의 고체 상태와 액체 상태에서의 전기 전도성을 측정한 결과이다.

물질	(가)	(나)	(다)
고체	×	×	×
액체	×	○	○

이에 대한 설명으로 옳은 것만을 |보기|에서 있는 대로 고른 것은? (단, ○는 전기 전도성이 있음을, ×는 전기 전도성이 없음을 나타낸다.)

| 보기 |

ㄱ. 이온 결합 물질은 2가지이다.

ㄴ. 비금속 원소를 포함한 물질은 3가지이다.

ㄷ. (나)의 고체 상태에서는 전하를 띤 입자가 없다.

① ㄱ   ② ㄴ   ③ ㄱ, ㄴ

④ ㄴ, ㄷ   ⑤ ㄱ, ㄴ, ㄷ

12 표는 A~C로 이루어진 화합물 (가)~(다)의 구성 원소를 나타낸 것이다.

화합물	(가)	(나)	(다)
구성 원소	A, B	A, C	B, C

(가)~(다)에 대한 설명으로 옳은 것만을 |보기|에서 있는 대로 고른 것은?

| 보기 |

ㄱ. 액체 상태에서 전기 전도성이 있는 것은 2가지이다.

ㄴ. (가)에서 공유 결합을 형성하는 전자쌍의 수는 총 2개이다.

ㄷ. (나)와 (다)에서 C 이온 1개와 결합한 이온 수비는 A 이온 : B 이온 = 1 : 2이다.

① ㄱ   ② ㄴ   ③ ㄱ, ㄷ

④ ㄴ, ㄷ   ⑤ ㄱ, ㄴ, ㄷ

13 그림은 원소 주기율표의 일부이다.

족\주기	1	2	13	14	15	16	17	18
2	A			B			C	
3		D						

원소 A~D에 대한 설명으로 옳은 것만을 |보기|에서 있는 대로 고른 것은? (단, A~D는 임의의 원소 기호이다.)

|보기|
ㄱ. 화합물 AC에서 음이온은 옥텟 규칙을 만족한다.
ㄴ. C와 D로 이루어진 화합물의 화학식은 D_2C이다.
ㄷ. A~D 중 화합물을 형성할 때 전자쌍을 가장 많이 공유할 수 있는 원소는 B이다.

① ㄱ　　② ㄷ　　③ ㄱ, ㄷ
④ ㄴ, ㄷ　　⑤ ㄱ, ㄴ, ㄷ

14 그림은 화합물 AB와 C_2의 결합을 전자 배치 모형으로 나타낸 것이다.

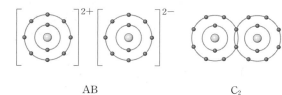

AB　　　　　　C_2

이에 대한 설명으로 옳은 것만을 |보기|에서 있는 대로 고른 것은? (단, A~C는 임의의 원소 기호이다.)

|보기|
ㄱ. AB에서 양이온은 옥텟 규칙을 만족한다.
ㄴ. A와 C로 이루어진 화합물의 화학식은 AC_2이다.
ㄷ. B_2의 공유 전자쌍의 수는 C_2의 2배이다.

① ㄱ　　② ㄴ　　③ ㄱ, ㄷ
④ ㄴ, ㄷ　　⑤ ㄱ, ㄴ, ㄷ

15 그림은 화합물 ABC의 전자 배치 모형이다.

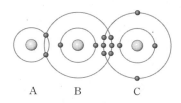

A　　B　　C

이에 대한 설명으로 옳은 것만을 |보기|에서 있는 대로 고른 것은? (단, A~C는 임의의 원소 기호이다.)

|보기|
ㄱ. A는 수소이다.
ㄴ. B와 C는 주기가 같다.
ㄷ. 원자가 전자 수는 C가 B보다 크다.

① ㄱ　　② ㄴ　　③ ㄱ, ㄷ
④ ㄴ, ㄷ　　⑤ ㄱ, ㄴ, ㄷ

서술형 문제

16 그림은 빅뱅 이후 물질이 생성되는 과정을 나타낸 것으로, 초기 우주에는 없었던 물질이 시간이 지나면서 원자까지 생성되었다.

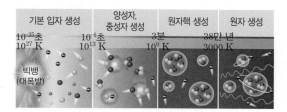

빅뱅 이후 나타난 우주의 온도 변화를 기준으로 우주에 원자가 생성되기까지의 과정을 그림을 참고하여 서술하시오.

17 다음은 원소 A, B에 대한 자료이다.

• A: 원자 번호가 가장 작은 원소이다.
• B: 2주기 원소로 가장 많은 수의 A 원자와 공유 결합을 형성할 수 있다.

A와 B로 이루어진 물질 중 가장 간단한 화합물을 전자 배치 모형으로 나타내시오. (단, A, B는 임의의 원소 기호이고, 화합물에서 B 원자는 1개이며, 옥텟 규칙을 만족해야 한다.)

01 지각과 생명체를 구성하는 물질에 대한 설명으로 옳은 것만을 |보기|에서 있는 대로 고른 것은?

|보기|

ㄱ. 지각에 가장 많은 원소는 규소이다.
ㄴ. 생명체의 많은 부분은 탄소 화합물로 이루어져 있다.
ㄷ. 지각을 이루는 물질은 주로 규소와 탄소의 화합물이다.
ㄹ. 지각과 생명체를 구성하는 물질은 모두 우주에서 만들어진 물질이다.

① ㄱ, ㄴ   ② ㄴ, ㄷ   ③ ㄴ, ㄹ
④ ㄱ, ㄷ, ㄹ   ⑤ ㄴ, ㄷ, ㄹ

02 그림은 어떤 종류의 광물을 이루는 물질의 기본 구조이다. 이에 대한 설명으로 옳은 것만을 |보기|에서 있는 대로 고른 것은?

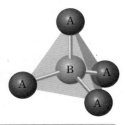

|보기|

ㄱ. A는 산소, B는 규소를 나타낸다.
ㄴ. A와 B는 공유 결합으로 이루어져 있다.
ㄷ. 규산염 광물의 기본 구조를 나타낸 것이다.
ㄹ. 이와 같은 구조로 만들어진 광물에는 석영, 장석, 흑운모 등이 있다.

① ㄱ, ㄷ   ② ㄴ, ㄹ   ③ ㄱ, ㄴ, ㄷ
④ ㄴ, ㄷ, ㄹ   ⑤ ㄱ, ㄴ, ㄷ, ㄹ

03 탄소와 탄소 화합물에 대한 설명으로 옳지 <u>않은</u> 것은?

① 탄소는 화합물의 형태로 생명체에 존재한다.
② 생명체를 이루는 단백질이나 지방, 탄수화물 등은 탄소 화합물로 이루어져 있다.
③ 탄소 화합물은 우리 몸에서 에너지원으로만 이용되며 몸을 구성하는 물질은 아니다.
④ 탄소는 공유 결합을 통하여 사슬이나 가지, 고리 모양 등의 다양한 기본 골격을 이룰 수 있다.
⑤ 탄소를 중심으로 수소, 산소, 질소 등의 원소가 공유 결합하여 만들어진 것을 탄소 화합물이라고 한다.

04 그림은 탄소 화합물의 기본 골격을 나타낸 것이다.

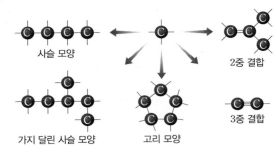

사슬 모양 / 2중 결합 / 가지 달린 사슬 모양 / 고리 모양 / 3중 결합

이에 대한 설명으로 옳은 것만을 |보기|에서 있는 대로 고른 것은?

|보기|

ㄱ. 탄소와 탄소 원자 사이에는 최대 4중 공유 결합도 가능하다.
ㄴ. 그림과 같은 탄소 기본 골격에 다른 원소들이 결합하면서 다양한 종류의 탄소 화합물이 형성된다.
ㄷ. 탄소 화합물이 다양한 기본 골격을 나타낼 수 있는 것은 탄소가 다른 물질과 공유 결합이 가능하기 때문이다.

① ㄱ   ② ㄴ   ③ ㄱ, ㄷ
④ ㄴ, ㄷ   ⑤ ㄱ, ㄴ, ㄷ

05 그림은 생물체를 구성하는 물질 (가)~(다)의 특징을 벤다이어그램으로 나타낸 것이다. 이에 대한 설명으로 옳은 것만을 |보기|에서 있는 대로 고른 것은? (단, (가)~(다)는 글리코젠, 단백질, DNA 중 하나이다.)

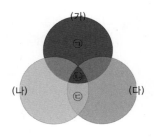

(가) / (나) / (다) / ㉠ / ㉡ / ㉢

|보기|

ㄱ. ㉠에는 '체내 에너지원으로 이용된다.'가 해당된다.
ㄴ. ㉡에는 '단위체는 탄소가 결합하여 이루어져 있다'가 해당된다.
ㄷ. ㉢에는 '단위체의 배열 순서가 입체 구조를 결정한다.'가 해당된다.

① ㄱ   ② ㄴ   ③ ㄷ
④ ㄴ, ㄷ   ⑤ ㄱ, ㄴ, ㄷ

06 그림 (가)와 (나)는 체내에서 관찰되는 서로 다른 물질을 나타낸 것이다. (나)는 항체와 효소의 주성분이 된다.

(가)　　　　(나)

이에 대한 설명으로 옳은 것만을 |보기|에서 있는 대로 고른 것은?

┤ 보기 ├
ㄱ. (가)와 (나)는 모두 포도당이 단위체이다.
ㄴ. (나)의 구성 성분에는 인산과 염기가 포함되어 있다.
ㄷ. (나)는 (가)에 비해 다양한 입체 구조로 존재한다.

① ㄱ　　　　② ㄴ　　　　③ ㄷ
④ ㄴ, ㄷ　　　⑤ ㄱ, ㄴ, ㄷ

07 그림은 DNA 2중 나선 구조를 나타낸 것이다.

이에 대한 설명으로 옳은 것만을 |보기|에서 있는 대로 고른 것은?

┤ 보기 ├
ㄱ. ㉠ 부분은 인을 포함하고 있다.
ㄴ. ㉡은 염기가 상보결합을 이루고 있다.
ㄷ. 염기 배열 순서에 따라 A의 크기가 서로 다르다.

① ㄱ　　　　② ㄴ　　　　③ ㄷ
④ ㄱ, ㄴ　　　⑤ ㄴ, ㄷ

08 다음은 물질의 성질에 대한 설명이다.

물질의 성질에는 전기적 · 자기적 성질 등이 있다. ㉠전기적 성질을 이용하는 물질은 전기 · 전자 제품에 많이 사용되며, ㉡자기적 성질은 인력과 척력을 이용하여 교통수단이나 ㉢전동기 등에 사용되고 있다.

이에 관한 설명으로 옳은 것만을 |보기|에서 있는 대로 고른 것은?

┤ 보기 ├
ㄱ. 휴대 전화 화면은 ㉠에 해당한다.
ㄴ. 하드 디스크나 카드의 자기 띠와 같이 정보를 저장할 때는 ㉡의 성질을 이용한다.
ㄷ. ㉢에 사용되는 신소재는 네오디뮴 자석이다.

① ㄱ　　　　② ㄷ　　　　③ ㄱ, ㄴ
④ ㄴ, ㄷ　　　⑤ ㄱ, ㄴ, ㄷ

09 그림 (가)는 상온의 용기 속 초전도체 위에 영구 자석을 올려놓은 것을 나타낸 것이고, 그림 (나)는 (가)의 용기에 액체 질소를 부었을 때 초전도체 위에 영구 자석이 공중에 떠 있는 것을 나타낸 것이다.

(가)　　　　(나)

이에 대한 설명으로 옳은 것만을 |보기|에서 있는 대로 고른 것은?

┤ 보기 ├
ㄱ. (나)는 마이스너 효과에 의한 현상이다.
ㄴ. (나)의 초전도체는 자기 부상 열차, 강한 전자석, MRI 연구에 응용된다.
ㄷ. 초전도체의 저항은 (가)에서가 (나)에서보다 크다.

① ㄱ　　　　② ㄷ　　　　③ ㄱ, ㄴ
④ ㄴ, ㄷ　　　⑤ ㄱ, ㄴ, ㄷ

10 그림은 물질 A의 온도에 따른 전기 저항을 나타낸 것이다. 이에 관한 설명으로 옳은 것만을 |보기|에서 있는 대로 고른 것은?

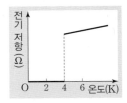

| 보기 |

ㄱ. A의 임계 온도는 4 K이다.

ㄴ. A는 2 K에서 전기 저항이 0이다.

ㄷ. A의 임계 온도가 낮을수록 실생활에서 이용하기 편리하다.

ㄹ. A의 온도가 3 K일 때 송전선에서 에너지 손실 없이 전기 에너지를 보낼 수 있다.

① ㄱ, ㄴ   ② ㄱ, ㄷ   ③ ㄴ, ㄷ
④ ㄴ, ㄹ   ⑤ ㄱ, ㄴ, ㄹ

11 다음 (가)~(다)는 최근 주목받고 있는 신소재들의 특성 및 용도에 대해 설명한 것이다.

(가): 특정 온도 이하에서 나타나는 성질을 이용하여 자기 부상 열차, 자기 공명 영상(MRI) 장치 등을 만든다.

(나): 약한 전류만으로도 빛을 방출하는 성질을 이용하여 발광 다이오드를 만든다.

(다): 흑연에서 매우 얇게 분리한 것으로, 전기 전도성과 열전도성이 좋다.

초전도체와 그래핀에 관한 설명으로 옳게 짝 지은 것은?

	초전도체	그래핀		초전도체	그래핀
①	(가)	(나)	②	(가)	(다)
③	(나)	(가)	④	(나)	(다)
⑤	(다)	(가)			

12 그림은 하드 디스크의 헤드를 움직이는 장치에 사용되는 신소재에 대해서 철수, 영희, 민수가 대화하는 모습을 나타낸 것이다.

제시한 의견이 옳은 사람만을 있는 대로 고른 것은?

① 철수   ② 영희   ③ 민수
④ 철수, 영희   ⑤ 철수, 영희, 민수

13 그림은 어떤 신소재가 공통으로 사용되는 장치들을 나열한 것이다.

핵융합로   자기 부상 열차   자기 공명 영상 장치

이 장치들에 공통으로 사용되는 신소재와 주요 기능을 옳게 짝 지은 것은?

	신소재	주요 기능
①	초전도체	전류에 의한 자기 작용
②	초전도체	전류에 의한 열작용
③	반도체	온도 변화에 따른 저항 변화
④	그래핀	우수한 강도와 휘어지는 성질
⑤	탄소 나노 튜브	빠른 전자 이동 속도

14 다음 중 반도체를 이용한 예가 아닌 것은?

① 전력 손실이 없는 송전선
② 햇빛을 비추면 전류가 흐르는 전지
③ 약한 신호를 강한 신호로 증폭시키는 소자
④ 각종 회로 소자들을 초소형으로 집적한 회로
⑤ 약한 전류만으로도 빛을 방출할 수 있는 소자

15 그림 (가)는 그래핀의 원자 구조를, (나)는 휘어지는 디스 플레이를 나타낸 것이다.

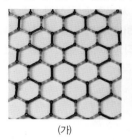

(가)   (나)

이에 관한 설명으로 옳은 것만을 |보기|에서 있는 대로 고른 것은?

| 보기 |

ㄱ. 그래핀은 전자의 이동 속도가 반도체보다 빠르다.
ㄴ. 그래핀은 얇아서 강도가 약하다.
ㄷ. (나)와 같이 휘어지면 그래핀의 성질이 변한다.

① ㄱ
② ㄷ
③ ㄱ, ㄴ
④ ㄴ, ㄷ
⑤ ㄱ, ㄴ, ㄷ

17 다음은 DNA 2중 나선 구조 모형 만들기 탐구에서 민희가 정리한 내용이다.

> ㉠내가 만든 DNA 2중 나선 구조 모형은 한쪽 가닥이 ATGCAATTGCC이며 완전한 입체를 이루고 있다. ㉡정수가 만든 DNA 2중 나선 구조 모형은 한쪽 염기 서열이 GGTGGTCATAA 이므로, 이 모형은 내가 만든 것과는 다른 DNA 라고 할 수 있다.

(1) 민희가 만든 DNA 2중 나선 구조 모형의 다른 쪽 가닥에 해당하는 염기 서열을 쓰고, 그렇게 판단한 까닭을 서술하시오.

_____

_____

(2) ㉠과 ㉡의 입체 구조를 비교하고, 민희가 ㉠과 ㉡을 서로 다른 DNA라고 주장한 까닭을 서술하시오.

_____

_____

서술형 문제

16 그림은 지각과 생명체를 구성하는 원소의 구성 비율을 나타낸 것이다.

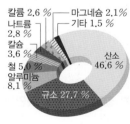

칼륨 2.6 % ─ 마그네슘 2.1 %
나트륨 2.8 % ─ 기타 1.5 %
칼슘 3.6 %
철 5.0 %
알루미늄 8.1 %
산소 46.6 %
규소 27.7 %
▲ 지각의 구성 원소 비율

칼슘 1.5 % ─ 인 1.0 %
질소 3.0 %
수소 10.0 %
탄소 18.0 %
산소 65.5 %
▲ 생명체의 구성 원소 비율

지각과 생명체를 구성하는 원소 중 가장 많은 원소는 산소이지만, 두 번째로 많은 원소는 규소와 탄소이다. 지각과 생명체를 구성하는 원소에서 규소와 탄소가 두 번째로 많은 비율을 차지하는 까닭을 각각 서술하시오.

_____

_____

18 그림 (가)는 초전도 케이블을, (나)는 초전도 케이블에 사용되는 물질의 전기 저항을 온도에 따라 나타낸 것이다.

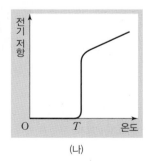

(가)   (나)

(가)의 초전도 케이블을 이용하면 손실 전력이 발생하지 <u>않는</u> 까닭을 (나)의 그래프를 이용하여 서술하시오.

_____

_____

01 지구에서 작용하는 중력과 중력에 의한 물체의 운동에 대한 설명으로 옳은 것만을 |보기|에서 있는 대로 고른 것은? (단, 공기의 저항은 무시한다.)

┤ 보기 ├
ㄱ. 물체가 서로 떨어져 있으면 중력이 작용하지 않는다.
ㄴ. 중력은 물체의 질량이 클수록 크다.
ㄷ. 공을 던지면 중력에 의해 공의 운동 상태가 변한다.
ㄹ. 낙하 하는 공의 속력과 운동 방향은 일정하다.

① ㄱ ② ㄱ, ㄴ ③ ㄴ, ㄷ
④ ㄷ, ㄹ ⑤ ㄱ, ㄷ, ㄹ

02 그림은 영희가 달이 지구 주위를 도는 까닭에 대해 설명한 것이다.

ⓐ지구가 달을 당기지 않는다면 달은 지구에서 멀어질 것입니다. 하지만 ⓑ지구가 달을 당기는 힘이 있기 때문에 달은 지구 주위를 공전합니다.

이에 대한 설명으로 옳은 것만을 |보기|에서 있는 대로 고른 것은? (단, 지구 이외의 다른 천체의 영향은 무시한다.)

┤ 보기 ├
ㄱ. ⓐ의 경우 달은 등속 직선 운동을 한다.
ㄴ. ⓑ는 달이 지구를 당기는 힘보다 크다.
ㄷ. ⓑ로 밀물과 썰물이 생기는 현상을 설명할 수 있다.

① ㄴ ② ㄷ ③ ㄱ, ㄴ
④ ㄱ, ㄷ ⑤ ㄴ, ㄷ

03 그림과 같이 영희가 사과와 낙하산에 매달린 인형을 같은 높이에서 가만히 놓았더니, t 초 후에 사과가 먼저 지면에 도달하였다. 사과의 질량이 낙하산과 인형의 질량의 합보다 크다.

이에 대한 설명으로 옳은 것만을 |보기|에서 있는 대로 고른 것은? (단, 공기 저항은 무시한다.)

┤ 보기 ├
ㄱ. 사과와 인형을 동시에 놓았다.
ㄴ. 1초 동안 속도의 변화량의 크기는 사과와 인형이 같다.
ㄷ. 인형에 작용하는 힘의 크기는 점점 작아진다.

① ㄱ ② ㄴ ③ ㄱ, ㄷ
④ ㄴ, ㄷ ⑤ ㄱ, ㄴ, ㄷ

04 그림 (가)는 질량이 각각 m, $2m$인 물체 A, B를 동일한 높이 h에서 동시에 자유 낙하시키는 것을, (나)는 A의 시간에 따른 속력의 변화를 나타낸 것이다. 물체 A는 4초일 때 지면에 도달한다.

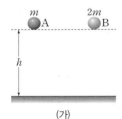
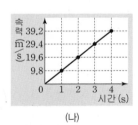

(가) (나)

두 물체의 운동에 대한 설명으로 옳은 것만을 |보기|에서 있는 대로 고른 것은?

┤ 보기 ├
ㄱ. A의 속력은 1초당 9.8 m/s씩 빨라진다.
ㄴ. B는 2초일 때 지면에 도달한다.
ㄷ. 물체 B가 지면에 도달할 때의 속력은 39.2 m/s이다.

① ㄱ ② ㄴ ③ ㄱ, ㄷ
④ ㄴ, ㄷ ⑤ ㄱ, ㄴ, ㄷ

05 그림과 같이 지면으로부터 높이가 $2h$인 곳에 쇠구슬 발사 장치를 고정한 다음, 쇠구슬 A는 자유 낙하 하고 동시에 쇠구슬 B는 수평 방향으로 운동하도록 하였다. 표는 A와 B가 지면으로부터 높이 h인 지점을 통과할 때까지 걸린 시간을 나타낸 것이다.

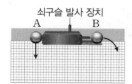

물체	걸린 시간
A	t_A
B	t_B

이에 대한 설명으로 옳은 것만을 |보기|에서 있는 대로 고른 것은? (단, 공기 저항은 무시한다.)

| 보기 |

ㄱ. $t_A=t_B$이다.
ㄴ. A의 질량을 크게 하면 높이가 h인 지점을 통과할 때까지 걸린 시간은 t_A보다 작다.
ㄷ. B의 수평 방향의 속력을 크게 하면 높이 h인 지점을 통과할 때까지 걸린 시간은 t_B보다 크다.

① ㄱ　　　　② ㄴ　　　　③ ㄱ, ㄴ
④ ㄱ, ㄷ　　　⑤ ㄴ, ㄷ

06 그림 (가)는 질량이 m인 물체를 수평 방향으로 던졌을 때 물체의 위치를 일정한 시간 간격으로 나타낸 것이다. 그림 (나), (다)는 물체의 시간에 따른 수평 방향의 속력과 연직 방향의 속력을 순서 없이 나타낸 것이다.

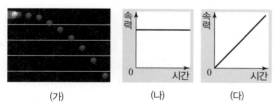

(가)　　　　(나)　　　　(다)

이에 대한 설명으로 옳은 것만을 |보기|에서 있는 대로 고른 것은? (단, 공기 저항은 무시한다.)

| 보기 |

ㄱ. (가)에서 수평 방향으로 속력을 나타내는 그래프는 (나)이다.
ㄴ. (가)에서 수평 방향으로 던지는 속력을 크게 하면 그래프 (다)의 기울기는 커진다.
ㄷ. (가)에서 질량을 $2m$으로 하면 그래프 (다)의 기울기는 커진다.

① ㄱ　　　　② ㄷ　　　　③ ㄱ, ㄴ
④ ㄴ, ㄷ　　　⑤ ㄱ, ㄴ, ㄷ

07 그림은 수평 방향으로 던진 물체의 위치를 일정한 시간 간격으로 나타낸 것이다. A점과 B점은 운동 경로 상의 점이다.

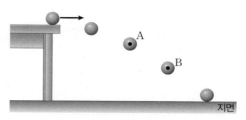

B점에서가 A점에서보다 큰 물리량만을 |보기|에서 있는 대로 고른 것은? (단, 공기의 저항은 무시한다.)

| 보기 |

ㄱ. 수평 방향의 속력
ㄴ. 연직 방향의 속력
ㄷ. 공에 작용하는 힘의 크기

① ㄱ　　　　② ㄴ　　　　③ ㄱ, ㄷ
④ ㄴ, ㄷ　　　⑤ ㄱ, ㄴ, ㄷ

08 그림과 같이 높이가 각각 $36h$인 건물에서 두 물체 A와 B를 각각 5 m/s, 10 m/s의 속력으로 수평 방향으로 동시에 던졌더니 P점에서 충돌하였다. A와 B는 30 m 떨어져 있다. 표는 A를 자유 낙하시켰을 때 운동 시간에 따른 낙하 거리를 나타낸 것이다.

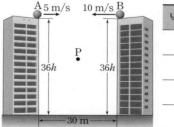

낙하 시간	낙하 거리
1초	h
2초	$4h$
3초	$9h$
4초	$16h$

충돌한 P점의 높이는? (단, 공기의 저항은 무시한다.)

① $20h$　　　② $27h$　　　③ $32h$
④ $33h$　　　⑤ $35h$

09 그림은 수평한 바닥에서 철수가 휴지통을 수레에 올려놓고 영희 쪽으로 수레를 밀어 보내는 모습을 나타낸 것이다.

휴지통이 넘어진다면 영희 쪽으로 넘어질 수 있는 경우만을 |보기|에서 있는 대로 고른 것은?

| 보기 |

ㄱ. 철수가 수레를 미는 순간
ㄴ. 영희가 수레를 잡는 순간
ㄷ. 수레가 철수의 손을 떠나 굴러가는 순간

① ㄱ　　　　② ㄴ　　　　③ ㄷ
④ ㄱ, ㄴ　　　⑤ ㄴ, ㄷ

10 그림은 마찰이 없는 수평면 위에 정지해 있던 두 물체 A, B에 수평 방향으로 작용하는 힘의 크기를 시간에 따라 나타낸 것이다.

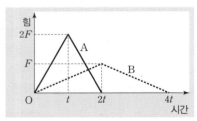

물체 A와 B가 받는 충격량의 크기를 I_A, I_B, A와 B에 작용하는 충격력(평균 힘)의 크기를 각각 F_A, F_B,라고 할 때 $I_A : I_B$, $F_A : F_B$는?

	$I_A : I_B$	$F_A : F_B$
①	1 : 1	1 : 2
②	1 : 1	2 : 1
③	1 : 2	2 : 1
④	2 : 1	1 : 1
⑤	2 : 1	1 : 2

11 그림과 같이 두 물체 A, B를 마찰이 없는 수평면 위의 기준선에 놓고 각각 수평 방향으로 동일한 힘 F로 동시에 밀어 주었다. 힘 F를 계속 작용하였더니 B는 A보다 매순간 앞서 가고 있다.

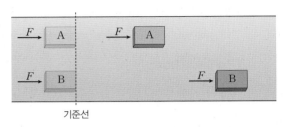

같은 시간 동안 A와 B가 받은 충격량의 크기를 각각 I_A, I_B, 같은 거리를 운동하는 동안 운동량의 변화량 크기를 각각 Δp_A, Δp_B라 할 때, I_A, I_B와 Δp_A, Δp_B의 크기를 옳게 비교한 것은?

	충격량 크기	운동량의 변화량의 크기
①	$I_A > I_B$	$\Delta p_A > \Delta p_B$
②	$I_A > I_B$	$\Delta p_A < \Delta p_B$
③	$I_A < I_B$	$\Delta p_A > \Delta p_B$
④	$I_A < I_B$	$\Delta p_A < \Delta p_B$
⑤	$I_A = I_B$	$\Delta p_A > \Delta p_B$

12 그림 (가)는 마찰이 없는 수평면에서 질량이 $2\,kg$인 물체 A가 정지해 있는 질량이 $1\,kg$인 물체 B를 향해 운동하는 모습을 나타낸 것이다. 그림 (나)는 두 물체가 충돌하기 전부터 충돌한 후까지 A의 운동량을 시간에 따라 나타낸 것이다. 두 물체의 충돌 시간은 0.01초이며, 충돌 전후 동일 직선 상에서 운동한다.

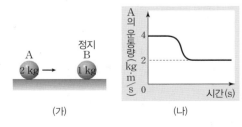

(가)　　　　　　　　(나)

충돌 후 B의 속력은?

① 1 m/s　　② 2 m/s　　③ 3 m/s
④ 4 m/s　　⑤ 5 m/s

13 충격량을 이용한 예에 대한 설명이다.

A	자동차의 에어백과 범퍼는 자동차가 충돌하여 정지할 때까지의 시간을 길게 하여 사람이 받는 힘의 크기를 최소화시킨다.
B	야구 방망이를 끝까지 휘두르면 공과 방망이의 접촉 시간이 길어져 야구공이 더 멀리 날아간다.

이에 대한 설명으로 옳은 것만을 |보기|에서 있는 대로 고른 것은?

> **보기**
> ㄱ. A는 충격량을 감소시키는 방법이다.
> ㄴ. B는 충격량을 크게 하는 방법이다.
> ㄷ. B의 원리로 번지 점프에서 잘 늘어나는 줄을 사용하는 이유를 설명할 수 있다.

① ㄱ ② ㄴ ③ ㄱ, ㄷ
④ ㄴ, ㄷ ⑤ ㄱ, ㄴ, ㄷ

14 그림 (가), (나)는 마찰이 없는 수평면에 놓인 질량이 m인 물체 A와 질량이 $2m$인 B에 수평 방향으로 힘을 가하여 직선 운동을 하는 A가 받는 힘과 B의 운동량을 시간에 따라 나타낸 것이다.

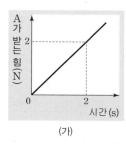
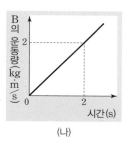

이에 대한 설명으로 옳은 것만을 |보기|에서 있는 대로 고른 것은?

> **보기**
> ㄱ. 2초일 때 속력은 A가 B의 2배이다.
> ㄴ. 0~2초 동안 A와 B가 받는 충격력의 크기는 같다.
> ㄷ. 0~2초 동안 A와 B가 받은 충격량의 크기는 같다.

① ㄱ ② ㄷ ③ ㄱ, ㄴ
④ ㄴ, ㄷ ⑤ ㄱ, ㄴ, ㄷ

15 그림 (가)는 바다에서 육지로 해풍이 부는 것을, (나)는 육지에서 바다로 육풍이 부는 것을 모식적으로 나타낸 것이다.

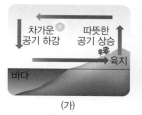
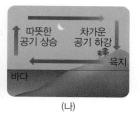

(가), (나)에서 해풍과 육풍이 부는 까닭을 중력을 이용하여 서술하시오.

16 그림과 같이 같은 높이에서 질량이 $2m$인 물체 A를 가만히 놓고 질량이 m인 물체 B를 던졌을 때 A는 2초 만에 지면에 도달하였고, B는 수평 방향으로 10 m 떨어진 지면에 도달하였다.

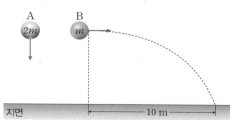

지면에 도달하는 순간 B의 수평 방향의 속력과 연직 방향의 속력을 풀이 과정과 함께 서술하시오. (단, 중력 가속도는 9.8 m/s^2이고, 공기 저항은 무시한다.)

17 그림 (가)는 단단한 재질로 만들어진 포수 마스크의 앞을, (나)는 폭신한 재질로 만들어진 포수 마스크의 뒤를 나타낸 것이다.

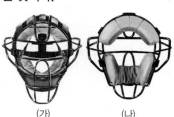

(가), (나)가 충돌 시 부상의 위험을 줄여 줄 수 있는 까닭을 서술하시오.

01 그림은 지구 시스템 각 권역과 그 사이에서 일어나는 상호 작용을 나타낸 것이다.

A~E 상호 작용에 대한 설명으로 옳지 <u>않은</u> 것은?

① 태양 복사 에너지가 지구로 입사되는 것은 A에 해당한다.

② 구름이 만들어지고 비가 내리는 것은 B에 해당한다.

③ 식물의 광합성과 동물의 호흡 등은 C에 해당한다.

④ 지하수에 의해 석회 동굴이 만들어지는 것은 D에 해당한다.

⑤ 화산 활동으로 분출한 용암으로 주변 지형이 달라지는 것은 E에 해당한다.

02 그림은 수권을 구성하는 물의 종류를 특성에 따라 분류한 것이다.

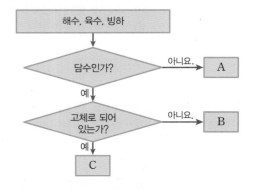

이에 대한 설명으로 옳은 것만을 |보기|에서 있는 대로 고른 것은?

┌ 보기 ┐
ㄱ. A에는 많은 종류의 생물체가 살고 있다.
ㄴ. 구성하는 물의 밀도는 B가 C보다 크다.
ㄷ. 거의 대부분의 담수는 C로 이루어져 있다.

① ㄱ   ② ㄴ   ③ ㄱ, ㄷ
④ ㄴ, ㄷ   ⑤ ㄱ, ㄴ, ㄷ

03 다음은 지진파에 관한 설명과 지권의 구조를 나타낸 것이다.

P파와 S파는 지진파의 일종이다. 각각의 특징을 알아보면 P파는 종파로 고체, 액체, 기체를 모두 통과한다. 반면 S파는 횡파로 고체만 통과하고 액체나 기체를 통과하지 못한다.

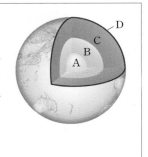

지각에서 지진이 발생하여 A층까지 지진파가 도달했다고 한다. 이때 A층에 도달한 지진파의 종류와 그 까닭을 옳게 짝 지은 것은?

	지진파	까닭
①	P파	A가 액체이기 때문이다.
②	P파	B가 액체이기 때문이다.
③	S파	C가 고체이기 때문이다.
④	S파	C가 고체이기 때문이다.
⑤	S파	D가 액체이기 때문이다.

04 그림 (가)는 높이에 따른 오존의 농도를, (나)는 높이에 따른 기온 변화를 나타낸 것이다.

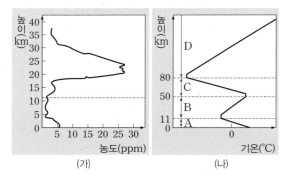

(가)   (나)

이에 대한 설명으로 옳은 것만을 |보기|에서 있는 대로 고른 것은?

┌ 보기 ┐
ㄱ. 성층권에는 오존의 농도가 높다.
ㄴ. 지권과 상호 작용이 가장 활발한 층은 A이다.
ㄷ. 오존의 농도가 가장 높은 곳에서 기온이 가장 낮다.

① ㄱ   ② ㄷ   ③ ㄱ, ㄴ
④ ㄴ, ㄷ   ⑤ ㄱ, ㄴ, ㄷ

05 다음 빈칸에 들어갈 지구계의 권역으로 옳은 것은?

> 천문학에서는 생명체 거주 가능 영역(habitable zone, HZ)이라는 개념이 있다. 이는 행성에 물이 액체 상태로 존재하는 것이 생명체가 존재하기에 중요한 조건 중 하나라고 설명한다. 이렇듯 태양계 행성들 중 지구에만 ( )이 형성된 것은 다른 행성과 달리 지구가 여러 종류의 생명체가 살기에 적합한 환경이라는 것을 말해 준다.

① 지권   ② 수권   ③ 기권
④ 외권   ⑤ 생물권

06 지구 시스템의 상호 작용으로 나타나는 다양한 자연 현상에 대한 설명으로 옳은 것은?

① 극지방에 나타나는 오로라는 외권과 생물권의 상호 작용이다.
② 지진이 일어날 때 발생하는 지진 해일은 기권과 수권의 상호 작용이다.
③ 파도가 치며 해안가의 암석이 침식되는 것은 수권과 기권의 상호 작용이다.
④ 열대 해상에서 태양 복사 에너지를 받아 증발한 수증기로 만들어지는 태풍은 수권과 지권의 상호 작용이다.
⑤ 구름이 만들어지는 것은 외권에서 받은 태양 복사 에너지의 영향으로 수권과 기권에서 일어나는 상호 작용의 결과이다.

07 지구 시스템에서 일어나는 물의 순환에 대한 설명으로 옳지 않은 것만을 |보기|에서 있는 대로 고른 것은?

| 보기 |

ㄱ. 물의 순환은 주로 태양 복사 에너지로 일어난다.
ㄴ. 물이 상태 변화하면서 지구계 각 권을 이동하는 것을 물의 순환이라고 한다.
ㄷ. 물의 순환이 일어나는 동안 에너지는 각 권을 이동하지만 물질은 이동하지 않는다.

① ㄱ   ② ㄷ   ③ ㄱ, ㄴ
④ ㄴ, ㄷ   ⑤ ㄱ, ㄴ, ㄷ

08 그림은 지구계에서 일어나는 탄소의 순환 과정을 간략하게 나타낸 것이다.

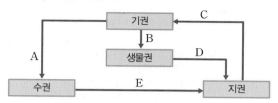

A~E 과정에 대한 설명으로 옳은 것만을 |보기|에서 있는 대로 고른 것은?

| 보기 |

ㄱ. A는 해수에 이산화 탄소가 녹아 탄산 이온이 되는 과정이다.
ㄴ. B는 생물의 호흡으로 이산화 탄소가 발생하는 과정이다.
ㄷ. C는 화석 연료의 사용으로 이산화 탄소가 발생하는 과정이다.
ㄹ. D는 생물의 유해가 땅속에 묻혀 화석 연료로 변하는 과정이다.
ㅁ. E는 석회암이 물에 녹아 탄산 이온으로 만들어지는 과정이다.

① ㄱ, ㄷ, ㄹ   ② ㄱ, ㄷ, ㅁ   ③ ㄴ, ㄷ, ㄹ
④ ㄷ, ㄹ, ㅁ   ⑤ ㄱ, ㄴ, ㄷ, ㅁ

09 그림은 화산대와 지진대, 그리고 판의 경계를 나타낸 것이다.

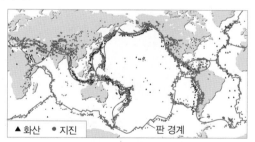

이에 대한 설명으로 옳은 것만을 |보기|에서 있는 대로 고른 것은?

| 보기 |

ㄱ. 지진과 화산 활동은 주로 판의 경계에서 일어난다.
ㄴ. 판 경계는 대륙의 주변에만 나타나고 해양의 중심에는 나타나지 않는다.
ㄷ. 태평양을 중심으로 주변 대륙과의 경계에서는 지진과 화산 활동이 활발하다.

① ㄱ   ② ㄷ   ③ ㄱ, ㄷ
④ ㄴ, ㄷ   ⑤ ㄱ, ㄴ, ㄷ

10 그림은 판의 구조를 나타낸 것이다.

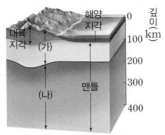

이에 대한 설명으로 옳은 것만을 |보기|에서 있는 대로 고른 것은?

┌ 보기 ├
ㄱ. (가)와 (나)를 모두 포함하여 판이라고 한다.
ㄴ. (가)는 지각과 맨틀의 일부로 이루어진 암석권이다.
ㄷ. (나)는 유동성이 있어 판을 이동시키는 역할을 한다.

① ㄱ   ② ㄷ   ③ ㄱ, ㄴ
④ ㄴ, ㄷ   ⑤ ㄱ, ㄴ, ㄷ

11 그림은 판의 경계를 나타낸 것이다.

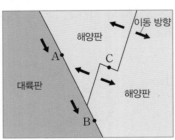

이에 대한 설명으로 옳은 것만을 |보기|에서 있는 대로 고른 것은? (단, B 위치에서 해양판과 대륙판의 상대 속도는 같다.)

┌ 보기 ├
ㄱ. A와 B는 판과 판이 서로 어긋나는 경계이다.
ㄴ. 그림에서 확인할 수 있는 판 경계는 두 가지 이상이다.
ㄷ. C는 해양판의 경계로 변환 단층이 나타나는 곳이다.
ㄹ. A, B, C 모두 지진이나 화산 활동이 일어나지 않는 지역이다.

① ㄱ, ㄷ   ② ㄴ, ㄷ   ③ ㄱ, ㄴ, ㄹ
④ ㄴ, ㄷ, ㄹ   ⑤ ㄱ, ㄴ, ㄷ, ㄹ

12 그림은 대륙에서 확인할 수 있는 열곡대를 나타낸 것이다.

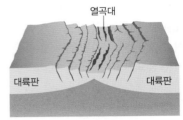

이에 대한 설명으로 옳은 것만을 |보기|에서 있는 대로 고른 것은?

┌ 보기 ├
ㄱ. 맨틀 대류가 상승하는 곳이다.
ㄴ. 열곡대를 중심으로 지진이 자주 발생한다.
ㄷ. 열곡대를 중심으로 판과 판은 서로 멀어진다.

① ㄱ   ② ㄴ   ③ ㄱ, ㄷ
④ ㄴ, ㄷ   ⑤ ㄱ, ㄴ, ㄷ

13 그림은 지구에 있는 판의 경계와 판의 이동 방향을 나타낸 것이다.

이에 대한 설명으로 옳은 것만을 |보기|에서 있는 대로 고른 것은?

┌ 보기 ├
ㄱ. 시간이 지나면 남아메리카와 아프리카는 더욱 가까워질 것이다.
ㄴ. 태평양판 주위에는 수렴형 경계와 보존형 경계가 모두 존재한다.
ㄷ. 히말라야산맥은 인도 – 오스트레일리아판과 유라시아판이 만나서 형성되었다.

① ㄱ   ② ㄴ   ③ ㄱ, ㄷ
④ ㄴ, ㄷ   ⑤ ㄱ, ㄴ, ㄷ

14 화산 활동이 지구 시스템과 인간 생활에 미치는 영향에 대한 설명으로 옳은 것만을 |보기|에서 있는 대로 고른 것은?

| 보기 |

ㄱ. 화산 근처에서 온천을 개발하여 관광 자원으로 활용한다.
ㄴ. 화산 활동으로 분출되는 용암은 주변 지역에 화재를 일으켜 피해를 준다.
ㄷ. 화산 활동으로 분출하는 화산재와 같은 물질들은 기권에만 영향을 주며, 지권이나 생물권, 수권 등에는 영향을 주지 않는다.

① ㄱ   ② ㄱ, ㄴ   ③ ㄱ, ㄷ
④ ㄴ, ㄷ   ⑤ ㄱ, ㄴ, ㄷ

15 지진이 지구와 인간 생활에 미치는 영향에 대한 설명으로 옳은 것만을 |보기|에서 있는 대로 고른 것은?

| 보기 |

ㄱ. 지진은 지구 내부 에너지로 발생한다.
ㄴ. 지진이 우리 생활에 도움을 주는 경우는 전혀 없다.
ㄷ. 지진이 발생하면 가스 누출이나 전기 누전으로 인한 화재가 발생할 수 있다.

① ㄱ   ② ㄴ   ③ ㄱ, ㄷ
④ ㄴ, ㄷ   ⑤ ㄱ, ㄴ, ㄷ

서술형 문제

16 그림은 지구 시스템에서 탄소가 순환하는 과정 일부를 나타낸 것이다.

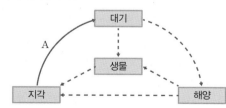

A 과정에서 일어나는 탄소의 순환에는 인간 활동에 의한 영향이 크게 작용한다. 이렇게 큰 영향을 끼치는 인간 활동은 무엇인지 서술하시오.

_____

_____

17 그림은 깊이에 따른 해수의 수온 분포를 나타낸 것이다. 그림과 같이 혼합층이 수심이 깊어져도 수온이 일정하게 유지되는 까닭이 무엇인지를 서술하시오.

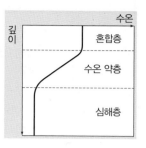

_____

_____

18 그림은 전 세계에 있는 주요 판의 경계를 나타낸 것이다.

A~E 중 판이 새롭게 생성되는 곳을 고르고, 판이 어떻게 생성되는지를 서술하시오.

_____

_____

19 그림은 판 경계의 한 종류를 나타낸 것이다.

그림과 같은 판 경계가 나타나는 까닭은 무엇이며, 이곳에서 지진과 화산 활동은 어떻게 일어나고 있는지를 서술하시오.

_____

_____

01 세포에 대한 설명으로 옳은 것만을 |보기|에서 있는 대로 고른 것은?

┤ 보기 ├
ㄱ. 생명 시스템의 기본 단위이다.
ㄴ. 미토콘드리아는 물, 양분, 노폐물 등을 저장하는 역할을 한다.
ㄷ. 세포벽은 생명 활동 유지를 위해 세포 안팎으로의 물질 출입을 조절한다.

① ㄱ   ② ㄴ   ③ ㄷ
④ ㄱ, ㄴ   ⑤ ㄴ, ㄷ

02 그림은 동물 세포의 구조를 나타낸 것이고, 표는 A~D 중 3가지 세포 소기관의 특징을 순서 없이 나열한 것이다. A~D는 각각 핵, 미토콘드리아, 세포막, 리보솜 중 하나이다.

(가)	세포의 생명 활동을 조절하며 유전 물질인 (ⓐ)가 있음.
(나)	세포의 형태를 유지하고 세포 안팎으로의 물질 출입을 조절함.
(다)	DNA의 유전 정보에 따라 (ⓑ)이 합성되는 장소임.

이에 대한 설명으로 옳지 <u>않은</u> 것은?
① A는 세포막이며 특징은 (나)이다.
② (가)는 C의 특징이다.
③ (가)에서 ⓐ는 DNA이다.
④ (다)는 D이며 ⓑ는 단백질이다.
⑤ B는 리보솜이며 동물 세포와 식물 세포에 모두 존재한다.

03 그림은 생명 시스템의 구성 단계를 나타낸 것이다.

이에 대한 설명으로 옳은 것만을 |보기|에서 있는 대로 고른 것은?

┤ 보기 ├
ㄱ. ⓐ는 핵, 세포질, 세포막의 구성 요소로 이루어져 있다.
ㄴ. 동물의 경우 ⓑ의 예에는 신경 조직, 상피 조직, 근육 조직이 있다.
ㄷ. 기관은 여러 조직이 모여 고유한 형태와 기능을 나타내는 단계이다.

① ㄱ   ② ㄱ, ㄴ   ③ ㄱ, ㄷ
④ ㄴ, ㄷ   ⑤ ㄱ, ㄴ, ㄷ

04 그림은 폐포와 모세 혈관 사이에서 일어나는 기체 교환을 나타낸 것이다. A와 B는 각각 산소와 이산화 탄소 중 하나이다.

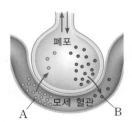

이에 대한 설명으로 옳은 것만을 |보기|에서 있는 대로 고른 것은?

┤ 보기 ├
ㄱ. A는 이산화 탄소이다.
ㄴ. A는 세포막의 특정 막단백질을 통한 확산을 통해 이동한다.
ㄷ. B는 인지질 2중층을 통한 확산을 통해 이동한다.

① ㄱ   ② ㄱ, ㄴ   ③ ㄱ, ㄷ
④ ㄴ, ㄷ   ⑤ ㄱ, ㄴ, ㄷ

05 표는 세포막을 통한 물질 이동에서 물질 A~C의 특징 ㉠, ㉡의 가능 여부를 정리한 것이고, 내용은 특징 ㉠과 ㉡을 순서 없이 설명한 것이다. A~C는 각각 포도당, 이산화 탄소, 나트륨 이온 중 하나이다.

구분	㉠	㉡
A	불가능	가능
B	가능	ⓐ
C	ⓑ	가능

〈특징 ㉠, ㉡〉
• 인지질 2중층을 통해 이동한다.
• 특정 막단백질을 통해 이동한다.

이에 대한 설명으로 옳은 것만을 |보기|에서 있는 대로 고른 것은?

| 보기 |
ㄱ. ㉠은 '인지질 2중층을 통해 이동한다.'이다.
ㄴ. B는 나트륨 이온이다.
ㄷ. ⓐ, ⓑ는 모두 '불가능'이다.

① ㄱ ② ㄷ ③ ㄱ, ㄴ
④ ㄱ, ㄷ ⑤ ㄴ, ㄷ

06 그림은 양파의 표피 세포를 30 % 설탕 용액에 넣고 20분이 지난 후 현미경으로 관찰한 모습이다.

세포벽 세포막

이에 대한 설명으로 옳은 것만을 |보기|에서 있는 대로 고른 것은?

| 보기 |
ㄱ. 삼투에 의해 물이 세포 밖으로 이동하였다.
ㄴ. 세포 안은 설탕 용액에 비해 농도가 높다.
ㄷ. 물의 이동은 막단백질을 통해 일어났다.

① ㄱ ② ㄷ ③ ㄱ, ㄴ
④ ㄱ, ㄷ ⑤ ㄴ, ㄷ

07 동화 작용에 대한 설명으로 옳은 것만을 |보기|에서 있는 대로 고른 것은?

| 보기 |
ㄱ. 에너지를 방출하는 발열 반응이다.
ㄴ. 생명 시스템 유지에 필요한 물질을 합성한다.
ㄷ. 광합성을 통해 포도당을 합성하거나 전사 과정에서 RNA 합성이 대표적인 예이다.

① ㄱ ② ㄴ ③ ㄱ, ㄴ
④ ㄱ, ㄷ ⑤ ㄴ, ㄷ

08 다음은 감자즙과 과산화 수소수의 반응을 알아보는 실험이다.

〈과정〉
(가) 2개의 눈금실린더 A, B에 각각 같은 양의 35 % 과산화 수소수를 넣는다.
(나) 눈금실린더 A에는 감자즙, 눈금실린더 B에는 증류수를 각각 같은 양을 넣고 변화를 관찰한다.
(다) 눈금실린더 A, B에 향 불씨를 넣어 보고 불씨의 상태를 관찰한다.

〈결과〉
감자즙을 넣은 눈금실린더 A에서만 흰 거품이 다량 발생하였으며 향 불씨를 넣었을 때에도 눈금실린더 A에서만 향 불씨에 불이 붙었다. 눈금실린더 B에서는 아무런 변화도 없었다.

이에 대한 설명으로 옳은 것만을 |보기|에서 있는 대로 고른 것은?

| 보기 |
ㄱ. A에서는 감자즙 속의 카탈레이스에 의해 과산화 수소가 분해되는 이화 작용이 일어났다.
ㄴ. (나)는 산소가 발생했는지 여부를 알아보는 과정이다.
ㄷ. 감자즙 속의 카탈레이스는 과산화 수소 분해 반응의 활성화 에너지를 높여 주었다.

① ㄱ ② ㄷ ③ ㄱ, ㄴ
④ ㄱ, ㄷ ⑤ ㄴ, ㄷ

09 그림은 어떤 물질대사 반응에서 효소 X가 있을 때와 없을 때의 에너지 변화를 나타낸 것이다.

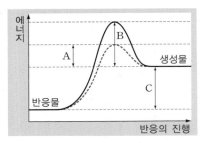

이에 대한 설명으로 옳은 것만을 |보기|에서 있는 대로 고른 것은?

| 보기 |
ㄱ. X는 흡열 반응을 촉매한다.
ㄴ. X가 있을 때의 활성화 에너지는 B이다.
ㄷ. X는 C를 변화시키지 않는다.

① ㄱ   ② ㄷ   ③ ㄱ, ㄴ
④ ㄱ, ㄷ   ⑤ ㄴ, ㄷ

10 그림은 단백질 A와 단백질 B로부터 각각 혀 말기 여부, 눈꺼풀 모양 형질이 발현되는 과정을 나타낸 것이다.

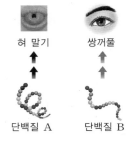

혀 말기   쌍꺼풀

단백질 A   단백질 B

이에 대한 설명으로 옳은 것만을 |보기|에서 있는 대로 고른 것은?

| 보기 |
ㄱ. 단백질 A와 단백질 B의 유전 정보는 같은 유전자에 저장되어 있다.
ㄴ. 단백질 A와 단백질 B의 아미노산 서열은 서로 다르다.
ㄷ. 단백질 A와 단백질 B의 유전 정보는 같은 DNA 염기 서열을 갖는다.

① ㄱ   ② ㄴ   ③ ㄱ, ㄴ
④ ㄱ, ㄷ   ⑤ ㄴ, ㄷ

11 그림은 생명 중심 원리를 나타낸 것이다.

DNA → ㉠ → (가) → ㉡ → 단백질

이에 대한 설명으로 옳은 것만을 |보기|에서 있는 대로 고른 것은?

| 보기 |
ㄱ. ㉠은 세포질의 소포체에서 일어난다.
ㄴ. (가)는 DNA의 유전자의 염기 서열에 대해 상보적인 염기 서열을 갖는다.
ㄷ. ㉡은 (가)의 각 코돈이 지정하는 아미노산들이 세포질의 리보솜에서 연결되어 단백질이 합성되는 과정이다.

① ㄱ   ② ㄱ, ㄴ   ③ ㄱ, ㄷ
④ ㄴ, ㄷ   ⑤ ㄱ, ㄴ, ㄷ

12 그림은 어떤 DNA의 염기 서열과 이로부터 전사되어 만들어진 RNA의 염기 서열을 나타낸 것이다.

이에 대한 설명으로 옳은 것만을 |보기|에서 있는 대로 고른 것은? (단, 주어진 염기 서열만을 고려한다.)

| 보기 |
ㄱ. 전사에 이용된 가닥은 DNA 가닥 Ⅰ이다.
ㄴ. 전사되어 만들어지는 RNA의 코돈은 총 1개이다.
ㄷ. RNA 합성 과정은 핵 속에서 효소의 촉매 작용을 통해 일어난다.

① ㄱ   ② ㄷ   ③ ㄱ, ㄴ
④ ㄱ, ㄷ   ⑤ ㄴ, ㄷ

13 그림은 유전자로부터 전사된 RNA 가닥의 염기 서열과 이로부터 합성된 단백질의 아미노산 서열의 일부를 나타낸 것이다.

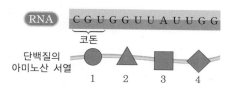

이에 대한 설명으로 옳은 것만을 |보기|에서 있는 대로 고른 것은?

| 보기 |

ㄱ. 코돈 GGU는 아미노산 2를 지정한다.
ㄴ. RNA로부터 단백질이 합성되는 과정은 세포질의 리보솜에서 일어난다.
ㄷ. 유전자의 염기 서열이 바뀌면 결과적으로 합성되는 단백질의 아미노산 서열이 바뀔 수 있다.

① ㄱ   ② ㄱ, ㄴ   ③ ㄱ, ㄷ
④ ㄴ, ㄷ   ⑤ ㄱ, ㄴ, ㄷ

14 다음은 페닐케톤뇨증과 낫 모양 적혈구 빈혈증에 대한 설명이다.

(가) 페닐케톤뇨증은 아미노산인 페닐알라닌을 타이로신으로 분해시켜 주는 ⓐ페닐알라닌 수산화 효소 유전자의 염기 서열에 문제가 있어서 페닐알라닌 수산화 효소가 제 기능을 하지 못해 발생한다.
(나) 낫 모양 적혈구 빈혈증은 헤모글로빈 유전자의 ⓑDNA 염기 서열 중 1개의 염기가 다른 염기로 바뀌어서 ⓒ정보 전달 과정 결과 비정상적인 헤모글로빈이 만들어져서 발생한다.

이에 대한 설명으로 옳은 것만을 |보기|에서 있는 대로 고른 것은?

| 보기 |

ㄱ. ⓐ는 페닐알라닌 수산화 효소에 대한 정보를 저장하고 있다.
ㄴ. ⓑ는 A, G, C, U로 이루어져 있다.
ㄷ. ⓒ는 세포질, 핵 순서로 일어난다.

① ㄱ   ② ㄴ   ③ ㄱ, ㄴ
④ ㄱ, ㄷ   ⑤ ㄴ, ㄷ

서술형 문제

15 다음은 발효를 이용한 우리 고유의 전통 음식인 김치와 막걸리이다.

▲ 김치   ▲ 막걸리

김치와 막걸리는 각각 어떤 생물의 효소를 이용한 것인지 쓰고, 각 음식에 이용된 효소들이 어떤 물질대사 과정을 촉매하는지 서술하시오.

16 그림은 일반적인 호랑이와 백호의 모습이다. 일반적인 호랑이의 담황색 털은 붉은색 색소와 노란색 색소에 의해 나타난다.

▲ 일반적인 호랑이   ▲ 백호

백호는 일반적인 호랑이와 달리 붉은색 색소와 노란색 색소를 합성하는 데 필요한 효소 유전자의 염기 서열에 이상이 있다고 한다. 백호가 보통의 담황색 털이 아닌 흰색 털을 갖게 된 까닭을 생명 중심 원리와 관련하여 서술하시오.

01 다음은 산화 환원 반응에 대한 학생들의 대화이다.

> • 영희: 산화 환원은 산소의 이동으로 생각할 수 있어. 산소를 잃으면 (㉠)된 거지.
> • 민수: 산소 외에 전자의 이동으로도 정의할 수 있어. 전자를 (㉡) 것은 산화된 거야.
> • 민희: 그러면 금속이 양이온이 될 때는 (㉢) 되는 거겠구나.

㉠~㉢에 들어갈 말로 가장 적절한 것은?

	㉠	㉡	㉢
①	산화	잃는	산화
②	산화	얻는	환원
③	환원	잃는	산화
④	환원	얻는	환원
⑤	환원	잃는	환원

02 다음은 몇 가지 화학 반응식을 나타낸 것이다.

> (가) $CH_4 + 2O_2 \longrightarrow CO_2 + 2H_2O$
> (나) $HNO_3 + NaOH \longrightarrow NaNO_3 + H_2O$
> (다) $2AgNO_3 + Cu \longrightarrow 2Ag + Cu(NO_3)_2$

(가)~(다) 중 산화 환원 반응만을 옳게 고른 것은?

① (나)　　② (다)　　③ (가), (나)
④ (가), (다)　⑤ (가), (나), (다)

03 일상생활 속에서 산화 환원 반응을 이용하는 예에 대한 설명으로 옳지 <u>않은</u> 것은?

① 호흡과 광합성 과정에서 산화 환원 반응이 일어난다.
② 연료가 빠르게 산소와 결합해 산화할 때 열에너지가 발생한다.
③ 휴대 전화에 사용되는 리튬 이온 전지에서 산화 환원 반응이 일어난다.
④ 사과를 설탕물에 담그면 공기 중 산소와의 접촉을 막아 갈변을 늦춘다.
⑤ 알루미늄이 창틀로 사용될 수 있는 것은 알루미늄이 쉽게 산화되지 않기 때문이다.

04 다음은 두 가지 화학 반응에 대한 설명이다.

> (가) 마그네슘이 산소와 반응하면 밝은 빛을 내며 연소한다.
> (나) 검은색 산화 구리(Ⅱ)에 수소 기체를 넣어 가열하면 붉은색으로 변한다.

이에 대한 설명으로 옳은 것만을 |보기|에서 있는 대로 고른 것은?

> ┤ 보기 ├
> ㄱ. (가)에서 생성된 물질은 이온 결합 물질이다.
> ㄴ. (나)에서 수소는 산화된다.
> ㄷ. (가)와 (나)에서 환원되는 물질은 모두 금속 이온이다.

① ㄱ　　　② ㄴ　　　③ ㄱ, ㄴ
④ ㄱ, ㄷ　　⑤ ㄱ, ㄴ, ㄷ

05 다음은 레몬즙과 비눗물의 성질을 알아보는 실험의 결과이다.

> (가) 손에 용액을 묻혔더니 미끈거렸다.
> (나) 수용액에 전기 전도성 측정기를 대었더니 전류가 흘렀다.
> (다) 메틸 오렌지 용액을 떨어뜨렸더니 붉게 변하였다.

각 용액에 대한 실험 결과를 옳게 연결한 것은?

	레몬즙	비눗물
①	(가)	(나), (다)
②	(나)	(가), (다)
③	(다)	(가), (나)
④	(가), (나)	(나), (다)
⑤	(나), (다)	(가), (나)

[06~07] 다음은 미지 물질의 수용액을 이용한 실험 결과이다.

- 신맛이 났다.
- 마그네슘과 반응하여 수소 기체가 발생하였다.
- 달걀 껍데기와 반응하여 (㉠) 기체가 발생하였다.
- BTB 용액을 떨어뜨렸을 때 (㉡)으로 변하였다.

06 ㉠과 ㉡에 들어갈 말을 옳게 짝 지은 것은?

	㉠	㉡
①	수소	붉은색
②	수소	노란색
③	산소	붉은색
④	산소	노란색
⑤	이산화 탄소	노란색

07 이 물질에 대한 설명으로 옳은 것만을 |보기|에서 있는 대로 고른 것은?

┤ 보기 ├

ㄱ. 수용액에는 H^+이 들어 있다.
ㄴ. 전기 전도성 측정기를 수용액에 대면 전류가 흐른다.
ㄷ. 수용액에 페놀프탈레인 용액을 떨어뜨리면 푸른색으로 변한다.

① ㄱ　　　② ㄴ　　　③ ㄱ, ㄴ
④ ㄴ, ㄷ　　　⑤ ㄱ, ㄴ, ㄷ

08 다음은 지구 환경과 생태계에 영향을 미치는 물질에 대한 설명이다.

- 화석 연료 연소나 동식물의 호흡 과정에서 생성된다.
- 바닷물에 녹아 수소 이온 농도를 증가시켜 산호초가 하얗게 변하거나 조개껍데기의 두께가 얇아지고, 해양 생물의 개체수를 감소시킨다.

이 물질의 화학식을 옳게 나타낸 것은?

① H_2　　　② O_2　　　③ CO_2
④ NH_3　　　⑤ H_2O

[09~10] 수산화 칼슘의 성질을 알아보기 위해 다음과 같은 실험을 하였다.

(가) 유리판에 질산 칼륨 수용액을 적신 붉은색 리트머스 종이를 올려놓는다.
(나) 수산화 칼슘 수용액을 적신 실을 붉은색 리트머스 종이의 중앙에 올려놓고 집게로 고정한다.
(다) 집게 양 끝에 전원 장치를 연결해 전류를 흘려 준 후 리트머스 종이의 색 변화를 관찰한다.

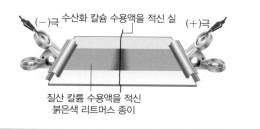

(−)극　수산화 칼슘 수용액을 적신 실　(+)극
질산 칼륨 수용액을 적신
붉은색 리트머스 종이

09 붉은색 리트머스 종이의 색이 어떻게 변하는지와 어느 극 방향으로 변하는지를 옳게 짝 지은 것은?

	색 변화	색이 변하는 방향
①	초록색	(+)극
②	초록색	(−)극
③	푸른색	(+)극
④	푸른색	(−)극
⑤	변화 없음.	변화 없음.

10 수산화 칼슘 대신 사용했을 때 위 실험과 같은 결과를 얻을 수 있는 물질만을 |보기|에서 있는 대로 고른 것은?

┤ 보기 ├

ㄱ. 염산　　ㄴ. 아세트산　　ㄷ. 수산화 칼륨
ㄹ. 질산　　ㅁ. 암모니아　　ㅂ. 수산화 나트륨

① ㄱ, ㄷ, ㄹ　　② ㄱ, ㅁ, ㅂ　　③ ㄴ, ㄷ, ㅁ
④ ㄷ, ㄹ, ㅁ　　⑤ ㄷ, ㅁ, ㅂ

[11~12] 같은 온도와 농도의 묽은 염산과 수산화 나트륨 수용액을 표와 같이 부피를 달리하여 혼합하였다.

실험	A	B	C	D	E
묽은 염산(mL)	5	10	15	20	25
수산화 나트륨 수용액(mL)	25	20	15	10	5

11 온도가 가장 높을 것으로 예상되는 실험과 용액의 액성을 옳게 짝 지은 것은?

① A − 염기성
② B − 중성
③ C − 중성
④ D − 중성
⑤ E − 산성

12 위 실험에 대한 설명으로 옳지 <u>않은</u> 것은?

① A와 E의 액성은 같다.
② B와 D의 온도는 비슷할 것이다.
③ C에서 가장 많은 물이 생성되었을 것이다.
④ A와 E에 존재하는 총 이온의 개수는 같다.
⑤ A에 페놀프탈레인 용액을 떨어뜨리면 붉은색으로 변한다.

13 일상생활에서 다음과 같은 반응이 일어나는 예로 가장 적절한 것은?

$$H^+ + OH^- \longrightarrow H_2O$$

① 비누로 기름때를 제거한다.
② 산성비에 대리석 조각이 손상된다.
③ 철 구조물이 녹이 슬지 않도록 페인트 칠을 한다.
④ 바닷물에 대기 중 이산화 탄소가 약간씩 녹는다.
⑤ 비누로 머리를 감은 후 식초 몇 방울을 떨어뜨린 물로 헹군다.

14 다음은 농도가 같은 수산화 나트륨 수용액과 묽은 염산의 중화 반응 실험을 나타낸 것이다.

(가) 그림과 같이 비커에 수산화 나트륨 수용액 10 mL를 넣고 지시약을 1~2방울 떨어뜨린다.

묽은 염산

수산화 나트륨 수용액＋지시약

(나) 묽은 염산을 조금씩 넣어 주면서 용액의 색깔이 붉은색에서 무색으로 되는 순간 실험을 멈춘다.

이에 대한 설명으로 옳은 것만을 |보기|에서 있는 대로 고른 것은?

| 보기 |
ㄱ. 가해 준 묽은 염산의 총 양은 10 mL이다.
ㄴ. 이 실험에서 사용한 지시약은 BTB 용액이다.
ㄷ. 묽은 염산을 넣을수록 수산화 이온의 수는 점점 증가한다.

① ㄱ
② ㄴ
③ ㄷ
④ ㄱ, ㄴ
⑤ ㄱ, ㄴ, ㄷ

15 그림은 수산화 나트륨 수용액 20 mL에 같은 온도와 농도의 염산을 조금씩 넣을 때 혼합 용액 속 입자 모형을 나타낸 것이다.

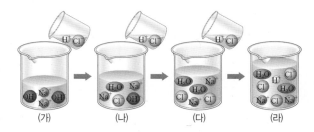

이에 대한 설명으로 옳은 것만을 |보기|에서 있는 대로 고른 것은?

| 보기 |
ㄱ. (가)~(라) 중 용액의 온도는 (다)가 가장 높다.
ㄴ. (다) 지점까지 가해 준 염산의 양은 20 mL이다.
ㄷ. (라)에 메틸 오렌지 용액을 떨어뜨리면 용액의 색은 붉은색을 띤다.

① ㄱ
② ㄴ
③ ㄷ
④ ㄱ, ㄴ
⑤ ㄱ, ㄴ, ㄷ

16 그래프는 묽은 염산 20 mL에 수산화 나트륨 수용액을 조금씩 가했을 때의 이온 수의 변화를 나타낸 것이다.

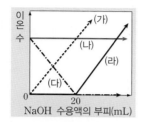

이에 대한 설명으로 옳지 않은 것은? (단, 수용액에서 염산과 수산화 나트륨은 완전히 이온화된다.)

① (가)는 수산화 나트륨 수용액의 부피에 비례한다.
② (나)는 나트륨 이온의 개수를 나타낸다.
③ (다)와 (라)의 이온이 반응하면 물이 생성된다.
④ 사용한 염산과 수산화 나트륨 수용액의 농도는 같다.
⑤ 가해 준 수산화 나트륨 수용액의 부피가 20 mL 가 될 때까지 이온의 총 수는 변함이 없다.

17 그래프는 같은 농도의 묽은 염산과 수산화 나트륨 수용액의 부피비를 달리하여 반응시켰을 때, 혼합 용액의 최고 온도를 측정한 결과를 나타낸 것이다.

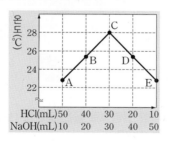

이에 대한 설명으로 옳은 것만을 |보기|에서 있는 대로 고른 것은?

┤ 보기 ├
ㄱ. A가 B보다 총 이온의 수가 더 많다.
ㄴ. 생성된 물의 양이 가장 많은 것은 C이다.
ㄷ. B와 D 상태의 용액을 섞으면 중성이 된다.

① ㄱ   ② ㄴ   ③ ㄷ
④ ㄴ, ㄷ   ⑤ ㄱ, ㄴ, ㄷ

서술형 문제

18 묽은 염산에 아연 조각을 넣었더니 그림과 같이 기체가 발생하였다.

아연 조각

이때 일어나는 변화를 화학 반응식으로 나타내고, 산화된 물질과 환원된 물질을 각각 쓰시오.

(1) 화학 반응식:

(2) 산화된 물질:

(3) 환원된 물질:

19 그림은 모직으로 만들어진 의류 제품에서 흔히 볼 수 있는 세탁 방법 안내이다.

손세탁 30℃ 중성

모직 의류에는 흔히 사용하는 비누가 아닌 중성 세제를 사용해야 하는데, 그 까닭을 비누의 특성과 관련지어 서술하시오.

_____

_____

20 생선에 레몬즙을 뿌리면 생선 비린내를 상당 부분 제거할 수 있다.

레몬즙을 이용해 생선의 비린내를 제거할 수 있는 까닭을 쓰고, 유사한 일상생활의 예를 한 가지만 서술하시오.

_____

_____

01 그림은 지질 시대의 상대적인 길이를 비교하여 나타낸 것이다.

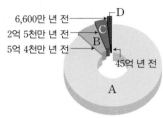

6,600만 년 전 — D
2억 5천만 년 전 — C
5억 4천만 년 전 — B
45억 년 전
A

A~D에 해당하는 지질 시대에 대한 설명으로 옳은 것만을 |보기|에서 있는 대로 고른 것은?

| 보기 |
ㄱ. A 지질 시대에는 생물이 광합성을 시작하여 대기 중에 산소가 증가하였다.
ㄴ. B 지질 시대에는 기후가 온화하여 파충류가 번성하면서 공룡의 시대가 되었다.
ㄷ. C 지질 시대에는 초대륙이었던 판게아가 분리되고 이동하면서 수륙 분포가 변화했다.
ㄹ. D 지질 시대에는 생물이 최초로 육지로 진출하였으며, 인류의 조상이 출현하였다.

① ㄱ, ㄴ   ② ㄱ, ㄷ   ③ ㄴ, ㄷ
④ ㄱ, ㄷ, ㄹ   ⑤ ㄱ, ㄴ, ㄷ, ㄹ

02 그림은 A~C 지질 시대 동안에 일어난 생물 종의 수 변화를 나타낸 것이다.

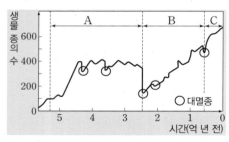

이에 대한 설명으로 옳은 것만을 |보기|에서 있는 대로 고른 것은?

| 보기 |
ㄱ. 생물 종의 수 변화는 지질 시대를 구분하는 기준으로 이용된다.
ㄴ. A 지질 시대에는 육상에 사는 생물이 해양에 사는 생물보다 더 번성하였다
ㄷ. B 지질 시대와 C 지질 시대 중 현재의 생태계와 유사한 지질 시대는 B 지질 시대이다.

① ㄱ   ② ㄴ   ③ ㄱ, ㄷ
④ ㄴ, ㄷ   ⑤ ㄱ, ㄴ, ㄷ

03 그림은 일정한 기준에 따라 지질 시대의 일부를 구분하는 과정을 나타낸 것이다.

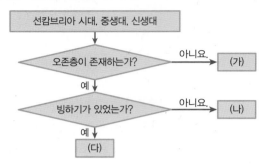

선캄브리아 시대, 중생대, 신생대
↓
오존층이 존재하는가? →아니요.→ (가)
↓ 예
빙하기가 있었는가? →아니요.→ (나)
↓ 예
(다)

(가)~(다)에 대한 설명으로 옳은 것만을 |보기|에서 있는 대로 고른 것은?

| 보기 |
ㄱ. (가) 지질 시대에서 남세균에 의한 광합성이 시작되었다.
ㄴ. (나) 지질 시대에서 파충류가 물러가고 포유류가 번성하였다.
ㄷ. (다) 지질 시대에서 판게아가 분리되기 시작하고, 분리된 대륙이 이동하기 시작하였다.

① ㄱ   ② ㄴ   ③ ㄱ, ㄴ
④ ㄴ, ㄷ   ⑤ ㄱ, ㄴ, ㄷ

04 그림은 어느 지역의 지질 단면도와 지층에서 발견된 화석을 나타낸 것이다.

B — 공룡
A — 삼엽충

이에 대한 설명으로 옳은 것만을 |보기|에서 있는 대로 고른 것은?

| 보기 |
ㄱ. A 지층이 B 지층보다 먼저 퇴적되었다.
ㄴ. B 지층이 생성되던 지질 시대에 육상 생물이 처음으로 출현하였다.
ㄷ. 이 지역은 과거에는 바다 환경이었던 지역이 현재는 육지 환경으로 바뀐 지역이다.

① ㄱ   ② ㄴ   ③ ㄱ, ㄷ
④ ㄴ, ㄷ   ⑤ ㄱ, ㄴ, ㄷ

05 그림은 어느 지역에서 산출된 화석이다.

(가) 공룡알 화석   (나) 삼엽충 화석

이에 대한 설명으로 옳은 것만을 |보기|에서 있는 대로 고른 것은?

┌ 보기 ├─
ㄱ. (가)는 육지 환경에서 퇴적되어 만들어진 화석이다.
ㄴ. (나)가 발견된 지역은 과거에 지각 변동을 겪었다.
ㄷ. (나)가 발견된 지층에서는 속씨식물의 화석이 같이 발견될 수도 있다.

① ㄱ   ② ㄴ   ③ ㄷ
④ ㄱ, ㄷ   ⑤ ㄴ, ㄷ

06 다음은 철수가 대멸종의 원인을 설명하는 가설 중 하나인 소행성 충돌설을 조사한 내용이다.

- 소행성 충돌설: 지구에 거대한 소행성이 충돌하여 대규모의 지진 해일이 일어났고, ㉠엄청난 먼지 구름이 전 지구를 뒤덮었다. 이로 인한 급격한 환경 변화로 수많은 생물이 멸종했다. 충돌한 소행성에는 많은 양의 이리듐을 포함하고 있었다.
- 가설을 뒷받침하는 증거: 유카탄 반도에서 발견한 운석 구덩이, 중생대와 신생대 지층 사이에서 발견된 지층에서 이리듐의 농도가 높게 나타난다.

이에 대한 설명으로 옳은 것만을 |보기|에서 있는 대로 고른 것은?

┌ 보기 ├─
ㄱ. 고생대 말의 대멸종을 설명하는 가설이다.
ㄴ. ㉠으로 인해 지구의 평균 기온이 낮아졌을 것이다.
ㄷ. 발견된 지층에서 이리듐의 농도가 높다는 것은 과거 소행성 충돌이 있었다는 것을 의미한다.

① ㄱ   ② ㄱ, ㄴ   ③ ㄱ, ㄷ
④ ㄴ, ㄷ   ⑤ ㄱ, ㄴ, ㄷ

07 그림은 신생대에 일어난 포유류 종의 변화를 나타낸 것이다.

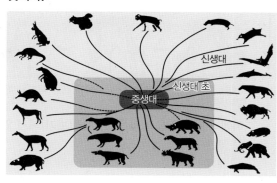

이에 대한 설명으로 옳은 것만을 |보기|에서 있는 대로 고른 것은?

┌ 보기 ├─
ㄱ. 포유류는 신생대 초에 처음 출현하였다.
ㄴ. 포유류의 종류는 중생대보다 신생대에서 더 많다.
ㄷ. 중생대 말 대멸종이 신생대의 포유류 변화를 가능하게 했다.

① ㄱ   ② ㄴ   ③ ㄱ, ㄴ
④ ㄱ, ㄷ   ⑤ ㄴ, ㄷ

08 그림 (가)는 대륙이 나누어져 있을 때의 수륙 분포와 해류의 흐름을, 그림 (나)는 대륙이 하나일 때의 수륙 분포와 해류의 흐름을 가상으로 표현한 것이다.

 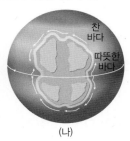

(가)   (나)

이에 대한 설명으로 옳은 것만을 |보기|에서 있는 대로 고른 것은?

┌ 보기 ├─
ㄱ. 수심이 얕은 바다인 대륙붕의 면적은 (나)보다 (가)에서 더 넓다.
ㄴ. 저위도의 따뜻한 해류가 고위도까지 더 잘 이동한 경우는 (나)이다.
ㄷ. 해양 생물의 다양성이 더 크게 나타날 것으로 예상되는 경우는 (나)이다.

① ㄱ   ② ㄱ, ㄴ   ③ ㄱ, ㄷ
④ ㄴ, ㄷ   ⑤ ㄱ, ㄴ, ㄷ

09 그림은 기린 집단이 진화한 과정을 다윈의 진화설에 따라 나타낸 것이다.

초기의 기린은 목 길이가 다양하였다. | 목이 짧은 기린이 도태되었다. | 목이 긴 기린만 살아남았다.

이에 대한 설명으로 옳은 것만을 |보기|에서 있는 대로 고른 것은?

> **보기**
> ㄱ. 자연 선택에 의한 진화 과정이다.
> ㄴ. 과정 A에서 먹이에 대한 경쟁이 일어났다.
> ㄷ. 목이 짧은 기린이 목이 긴 기린보다 더 많은 자손을 남겼다.

① ㄴ ② ㄷ ③ ㄱ, ㄴ
④ ㄱ, ㄷ ⑤ ㄱ, ㄴ, ㄷ

10 다음은 진화와 변이에 대해 세 학생이 대화한 내용이다.

비유전적 변이로 인한 형질은 자손에게 유전돼. | 생물 집단이 여러 세대를 거쳐 변화되어 가는 것을 진화라고 해. | 진화의 원리는 자연 선택으로 설명할 수 있어.

유진 / 다빈 / 희준

진화와 변이에 대해 옳게 설명한 학생만을 있는 대로 고른 것은?

① 다빈 ② 희준
③ 유진, 다빈 ④ 다빈, 희준
⑤ 유진, 다빈, 희준

11 그림은 항생제 A 내성 세균의 형성 과정을 나타낸 것이다.

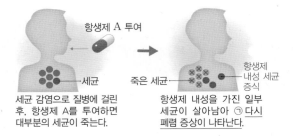

항생제 A 투여

세균 감염으로 질병에 걸린 후, 항생제 A를 투여하면 대부분의 세균이 죽는다. | 죽은 세균 / 항생제 내성 세균 일부 / 항생제 내성을 가진 일부 세균이 살아남아 ㉠ 다시 폐렴 증상이 나타난다.

이에 대한 설명으로 옳은 것만을 |보기|에서 있는 대로 고른 것은?

> **보기**
> ㄱ. 이 과정에서 자연 선택이 일어났다.
> ㄴ. 항생제 내성 세균을 제거하기 위해 항생제 A를 가능한 많이 투여해야 한다.
> ㄷ. ㉠ 이후 항생제 A를 다시 투여하면 병의 증세가 나아진다.

① ㄱ ② ㄷ ③ ㄱ, ㄴ
④ ㄴ, ㄷ ⑤ ㄱ, ㄴ, ㄷ

12 그림은 생물 다양성을 구성하는 3가지 요소에 대한 설명이다.

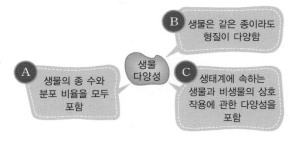

B 생물은 같은 종이라도 형질이 다양함
A 생물의 종 수와 분포 비율을 모두 포함
생물 다양성
C 생태계에 속하는 생물과 비생물의 상호 작용에 관한 다양성을 포함

이에 대한 설명으로 옳은 것만을 |보기|에서 있는 대로 고른 것은?

> **보기**
> ㄱ. A를 높이기 위해 가능한 외래종을 많이 도입해야 한다.
> ㄴ. B는 유전적 다양성이다.
> ㄷ. C는 생태계의 다양함을 의미한다.

① ㄱ ② ㄷ ③ ㄱ, ㄴ
④ ㄴ, ㄷ ⑤ ㄱ, ㄴ, ㄷ

13 생물 다양성에 대한 설명으로 옳은 것만을 |보기|에서 있는 대로 고른 것은?

┤ 보기 ├
ㄱ. 종 다양성은 식물에게만 해당한다.
ㄴ. 생물 다양성이 높을수록 생태계가 안정적으로 유지된다.
ㄷ. 같은 종이라도 색, 크기, 모양 등이 다르게 나타나는 것은 유전적 다양성에 해당한다.

① ㄱ   ② ㄷ   ③ ㄱ, ㄴ
④ ㄴ, ㄷ   ⑤ ㄱ, ㄴ, ㄷ

14 다음은 4종류의 식물 종 A~D로만 구성된 어떤 식물 군집에 대한 자료이다.

• 도로 건설로 인해 서식지 면적이 절반으로 감소하였다.
• 표는 도로 건설 전후에 식물 종 A~D의 개체 수를 나타낸 것이다.

구분	A	B	C	D
건설 전	60	60	60	50
건설 후	20	50	30	10

• 특정 종의 밀도는 $\dfrac{개체\ 수}{서식지\ 면적}$ 이다.

도로 건설 후 나타난 현상으로 옳은 것만을 |보기|에서 있는 대로 고른 것은? (단, 식물 종 A~D 외에 다른 식물 종은 고려하지 않는다.)

┤ 보기 ├
ㄱ. 서식하는 식물 종의 수는 변함없다.
ㄴ. 종 다양성이 감소하였다.
ㄷ. 식물 종 C의 밀도는 도로 건설 전보다 증가하였다.

① ㄱ   ② ㄴ   ③ ㄱ, ㄴ
④ ㄱ, ㄷ   ⑤ ㄴ, ㄷ

서술형 문제

15 다음은 어느 지질 시대의 복원도를 보고 학생이 자료를 조사하여 작성한 보고서의 내용이다.

이 시대는 전반적으로 한랭한 기후를 유지하였으며, 파충류가 번성하며 공룡의 시대로 불렸다. 바다에는 암모나이트가 번성하였으나, 말기에는 급격한 지구 환경 변화로 공룡이 멸종했다.

보고서의 내용 중 옳지 않은 부분을 찾아 옳게 수정하고, 그렇게 판단한 까닭을 서술하시오.

16 그림은 사슴 집단이 진화한 과정을 나타낸 것이다.

형질 A를 가진 개체   형질 B를 가진 개체

(1) 과정 (가)와 (나) 중 자연 선택이 일어난 단계의 기호를 쓰시오.

(2) 형질 A를 가진 집단에서 형질 B를 가진 개체가 나타난 원인을 서술하시오.

17 표는 면적이 동일한 4개의 지역 A~D에 서식하는 곤충의 종 수와 개체 수를 나타낸 것이다.

지역	총 종 수	종별 평균 개체 수
A	15	200
B	15	10
C	5	10
D	1	5

급격한 환경 변화에도 생태계가 가장 안정적으로 유지될 가능성이 높은 지역의 기호를 쓰고, 그렇게 판단한 까닭을 서술시오.

01

그림은 생태계 구성 요소 간의 관계를 나타낸 것이다. ㉠~㉢은 각각 작용, 반작용, 상호 작용 중 하나이다.

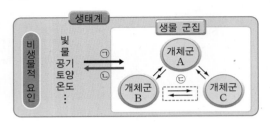

이에 대한 설명으로 옳은 것만을 |보기|에서 있는 대로 고른 것은?

| 보기 |

ㄱ. ㉠은 반작용이다.
ㄴ. 이끼에 의해 바위가 풍화되는 것은 ㉡에 해당한다.
ㄷ. 멸치의 섭식에 의해 플랑크톤의 수가 감소하는 것은 ㉢에 해당한다.

① ㄱ   ② ㄴ   ③ ㄷ
④ ㄱ, ㄴ   ⑤ ㄴ, ㄷ

02

그림 (가)와 (나)는 각각 어떤 한 식물에서 서로 다른 위치에 있는 잎의 단면을 나타낸 것이다. (가)와 (나)는 각각 음엽과 양엽 중 하나이다.

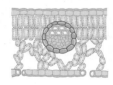 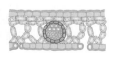

(가)   (나)

이에 대한 설명으로 옳은 것은?

① (가)는 음엽이다.
② (가)는 (나)보다 낮은 위치에서 발달한다.
③ (가)와 (나)의 두께 차이는 물 때문이다.
④ (가)는 (나)보다 강한 빛에 적응한 결과이다.
⑤ (나)는 (가)보다 햇빛이 잘 드는 곳에서 발달하는 잎이다.

03

그림은 기온이 서로 다른 환경에서 서식하는 여우의 모습이다. (나)는 (가)보다 몸집이 크다.

(가)   (나)

이에 대한 설명으로 옳은 것만을 |보기|에서 있는 대로 고른 것은?

| 보기 |

ㄱ. (가)는 분해자이다.
ㄴ. 서식지의 기온은 (가)가 (나)보다 낮다.
ㄷ. (나)의 귀는 (가)의 귀보다 체내의 열을 보존하는 데 유리하다.

① ㄱ   ② ㄴ   ③ ㄷ
④ ㄱ, ㄴ   ⑤ ㄴ, ㄷ

04

그림은 동일한 생태계의 개체 수 피라미드 (가)와 에너지 피라미드 (나)를 나타낸 것이다.

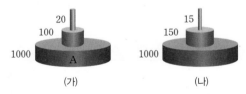

(가)   (나)

이에 대한 설명으로 옳은 것만을 |보기|에서 있는 대로 고른 것은? (단, 단위는 상대값이다.)

| 보기 |

ㄱ. A는 빛에너지를 이용해 무기물에서 유기물을 합성한다.
ㄴ. (가)의 1차 소비자는 (나)의 1차 소비자보다 몸집이 크다.
ㄷ. 이 생태계의 2차 소비자는 1차 소비자보다 개체당 에너지를 더 많이 가진다.

① ㄱ   ② ㄴ   ③ ㄷ
④ ㄱ, ㄴ   ⑤ ㄴ, ㄷ

05 그림은 생태계 보전에 대한 학생들의 의견이다.

제시한 의견이 옳은 학생만을 있는 대로 고른 것은?

① 우석
② 민수
③ 우석, 경미
④ 경미, 민수
⑤ 우석, 경미, 민수

06 그림은 고립된 생태계 (가)와 (나)의 먹이 사슬을 나타낸 것이다. 각 생태계는 안정된 상태이며, 제시된 종만 서식한다고 가정한다.

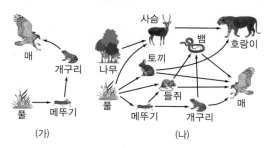

이에 대한 설명으로 옳은 것만을 |보기|에서 있는 대로 고른 것은?

| 보기 |
ㄱ. (가)와 (나)에서 개구리는 모두 2차 소비자이다.
ㄴ. (가)는 (나)보다 종 다양성이 높다.
ㄷ. (가)는 (나)보다 외부 환경 변화에 대해 생태계 평형을 유지하기 쉽다.

① ㄱ
② ㄴ
③ ㄷ
④ ㄱ, ㄴ
⑤ ㄴ, ㄷ

07 그림은 전 세계 빙하의 총 부피 변화량을 나타낸 것이다.

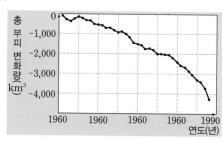

이에 대한 설명으로 옳은 것만을 |보기|에서 있는 대로 고른 것은?

| 보기 |
ㄱ. 이 기간 동안 지구의 평균 해수면은 상승하였을 것이다.
ㄴ. 이 기간 동안 지구의 평균 기온은 하강하였을 것이다.
ㄷ. 이 기간 동안 대기 중 이산화 탄소 농도는 증가하였을 것이다.

① ㄱ
② ㄴ
③ ㄱ, ㄴ
④ ㄱ, ㄷ
⑤ ㄱ, ㄴ, ㄷ

08 그림은 현재부터 2100년까지 온실 기체 배출량의 변화 정도에 따라 나타나는 지구 평균 해수면의 상승 변화를 예측한 자료이다.

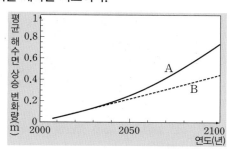

이에 대한 설명으로 옳은 것만을 |보기|에서 있는 대로 고른 것은?

| 보기 |
ㄱ. 온실 기체 배출량은 B가 A보다 많을 것이다.
ㄴ. 지구 평균 기온은 B가 A보다 높을 것이다.
ㄷ. A와 B 모두 해안가의 저지대가 침수되면서 주민들의 피해가 증가할 것이다.

① ㄱ
② ㄷ
③ ㄱ, ㄴ
④ ㄱ, ㄷ
⑤ ㄴ, ㄷ

09 그림은 동태평양 적도 주변 바다의 수온 편차를 나타낸 것이다.

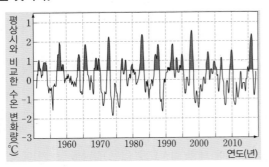

회색으로 표시된 영역의 시기에 대한 설명으로 옳은 것만을 |보기|에서 있는 대로 고른 것은?

| 보기 |

ㄱ. 이 시기에 무역풍의 세기가 약화되었다.
ㄴ. 이 시기에 동태평양 지역에 강수량이 증가한다.
ㄷ. 이 시기에 호주 동부 지역에 홍수 피해가 자주 발생한다.

① ㄱ   ② ㄴ   ③ ㄱ, ㄴ
④ ㄱ, ㄷ   ⑤ ㄱ, ㄴ, ㄷ

10 그림은 과거의 기후를 추정할 수 있는 자료들이다.

(가)   (나)   (다)

이에 대한 설명으로 옳은 것만을 |보기|에서 있는 대로 고른 것은?

| 보기 |

ㄱ. (가)가 산출되는 지역은 따뜻한 기후였다는 것을 알 수 있다.
ㄴ. (나)는 모든 지역에서 자라는 나무를 활용하여 분석할 수 있다.
ㄷ. 과거 대기의 성분에 대한 분석이 가능한 것은 (다)이다.

① ㄱ   ② ㄴ   ③ ㄱ, ㄴ
④ ㄱ, ㄷ   ⑤ ㄱ, ㄴ, ㄷ

11 그림은 아프리카 사하라 사막 남부에 위치한 사헬 지대의 사막화 정도를 나타낸 것이다.

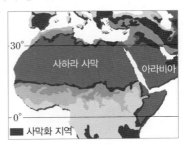

이 지역에 대한 설명으로 옳은 것만을 |보기|에서 있는 대로 고른 것은?

| 보기 |

ㄱ. 지구 온난화에 의한 가뭄은 사막화를 가속시킬 것이다.
ㄴ. 사막화로 인해 물과 식량의 부족 현상이 나타날 것이다.
ㄷ. 사막화의 급속한 진행은 이 지역 국가 간의 분쟁을 일으킬 것이다.

① ㄱ   ② ㄱ, ㄴ   ③ ㄱ, ㄷ
④ ㄴ, ㄷ   ⑤ ㄱ, ㄴ, ㄷ

12 다음은 국가 간 협약에 의해 2015년에 채택된 파리 협정에 관한 설명이다.

> 2015년에 프랑스 파리에서 열린 제 21차 유엔 기후 변화 협약 당사국 총회(COP21)에서 2020년 이후의 기후 변화 대응 체제를 위해 채택한 최종 합의문이다. 모든 국가가 이산화 탄소 배출량을 감축하는 데 자발적으로 참여할 것을 촉진하는 내용이다.

이에 대한 설명으로 옳은 것만을 |보기|에서 있는 대로 고른 것은?

| 보기 |

ㄱ. 기후 변화에 대처하기 위한 프랑스의 발표문이다.
ㄴ. 합의문을 이행하기 위해서는 국가적 노력이 필요하다.
ㄷ. 합의문을 이행하는 데 개인의 노력은 도움이 되지 않는다.

① ㄱ   ② ㄴ   ③ ㄷ
④ ㄱ, ㄷ   ⑤ ㄴ, ㄷ

13 그림은 페트병의 외부에 전선을 감아 전구와 연결하고 페트병의 내부에는 자석을 넣은 간이 발전기이다. 페트병 내부에서 자석이 회전하게 하면 전구에 불이 들어온다. 오랫동안 자석을 회전시키면 전선과 전구에 열이 발생한다.

이에 대한 설명으로 옳은 것만을 |보기|에서 있는 대로 고른 것은?

> **보기**
> ㄱ. 자석의 역학적 에너지가 전구의 빛에너지로 전환된다.
> ㄴ. 전구에서 발생한 빛에너지는 자석의 역학적 에너지보다 크다.
> ㄷ. 전선에서 발생한 열은 자석의 역학적 에너지가 전환된 것이다.

① ㄱ   ② ㄴ   ③ ㄱ, ㄴ
④ ㄱ, ㄷ   ⑤ ㄴ, ㄷ

14 에너지에 대한 설명으로 옳지 않은 것은?

① 에너지는 전환 과정에서 새로 생성되거나 소멸되지 않는다.
② 에너지 효율이 100 %인 열기관을 제작하는 것은 불가능하다.
③ 식물의 광합성 과정에서는 빛에너지가 화학 에너지로 전환된다.
④ 에너지 효율 값이 큰 장치일수록 손실되는 에너지가 적은 장치이다.
⑤ 온도가 낮은 물체에서 온도가 높은 물체로 에너지의 이동이 저절로 일어난다.

15 그림은 롤러코스터가 레일을 따라 움직이는 모습을 나타낸다.

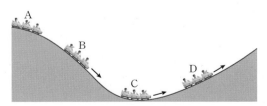

레일과 롤러코스터 사이의 (가) 마찰이 작용할 때와 (나) 작용하지 않을 때 각 지점의 역학적 에너지의 크기 비교가 바르게 짝지은 것은?

	(가)	(나)
①	A>B>C>D	A>B>C>D
②	A>B>C>D	A=B=C=D
③	A>B>D>C	A>B>C>D
④	C>D>B>A	A=B=C=D
⑤	A=B=C=D	A>B>D>C

16 그림은 한 가정의 생활 모습이다.

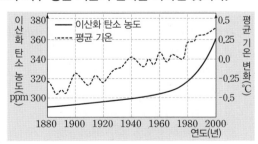

에너지를 절약하기 위한 방안으로 옳은 것만을 |보기|에서 있는 대로 고른 것은?

> **보기**
> ㄱ. 형광등 조명을 LED 조명으로 교체한다.
> ㄴ. 창문을 단열 효과가 높은 창문으로 교체한다.
> ㄷ. 전기 제품을 에너지 효율 등급 값이 큰 것으로 바꾼다.

① ㄱ   ② ㄴ   ③ ㄱ, ㄴ
④ ㄱ, ㄷ   ⑤ ㄴ, ㄷ

서술형 문제

17 그림은 지난 100여 년 간 대기 중의 이산화 탄소 농도와 지구 평균 기온의 변화를 나타낸 것이다.

그림과 같이 대기 중 이산화 탄소의 농도가 증가하는 동안 지구의 평균 기온도 계속 증가한 까닭을 서술하시오.

01 그림 (가)는 어떤 발전기의 외부 모습을, (나)는 내부 구조를 나타낸 것이다.

(가) (나)

이 발전기에 대한 설명으로 옳은 것만을 |보기|에서 있는 대로 고른 것은?

┤ 보기 ├
ㄱ. 전자기 유도 현상을 이용한 장치이다.
ㄴ. 자석의 회전 속도가 빠를수록 전기 에너지의 생산량이 많아진다.
ㄷ. 자석이 회전할 때의 역학적 에너지가 전부 전기 에너지로 전환된다.

① ㄱ   ② ㄴ   ③ ㄱ, ㄴ
④ ㄱ, ㄷ   ⑤ ㄴ, ㄷ

02 그림과 같이 빗면을 따라 내려온 자석이 솔레노이드를 통과하여 지나간다.

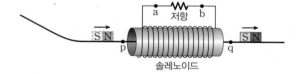

솔레노이드

이에 대한 설명으로 옳은 것만을 |보기|에서 있는 대로 고른 것은?

┤ 보기 ├
ㄱ. 자석이 p점을 지날 때 전류는 a → 저항 → b의 방향으로 흐른다.
ㄴ. 자석이 p점을 지날 때와 q점을 지날 때 전류의 방향은 반대이다.
ㄷ. 자석이 q점을 지날 때의 속도는 p점을 지날 때의 속도보다 느리다.

① ㄱ   ② ㄷ   ③ ㄱ, ㄷ
④ ㄴ, ㄷ   ⑤ ㄱ, ㄴ, ㄷ

[03~04] 그림은 송전 과정을 요약해서 나타낸 것이다. 변전소 B는 전압을 감압하는 곳이다. 송전선 a와 b의 저항값은 같다.

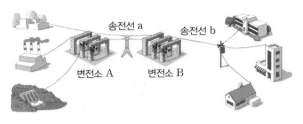

송전선 a   송전선 b

변전소 A   변전소 B

03 이에 대한 설명으로 옳은 것만을 〈보기〉에서 있는 대로 고른 것은?

ㄱ. 변전소 A에서는 전압을 승압한다.
ㄴ. 송전선에 흐르는 전류는 송전선 a가 송전선 b보다 크다.
ㄷ. 손실 전력의 크기는 송전선 a에서가 송전선 b에서보다 크다.

① ㄱ   ② ㄴ   ③ ㄱ, ㄴ
④ ㄱ, ㄷ   ⑤ ㄴ, ㄷ

04 변전소 A에서 송전선 a로 보내는 송전 전압이, 변전소 B에서 송전선 b로 보내는 송전 전압의 2배라고 하면, 같은 길이의 송전선 a에서 열에너지로 전환되는 양 E_a와 송전선 b에서 열에너지로 전환되는 양 E_b의 비는?

① 1:1   ② 1:2   ③ 1:4
④ 2:1   ⑤ 4:1

05 송전선에서 손실 전력을 줄이는 방법에 관한 설명으로 옳은 것만을 |보기|에서 있는 대로 고른 것은?

┤ 보기 ├
ㄱ. 송전 전압을 높인다.
ㄴ. 송전선을 더 가늘게 만든다.
ㄷ. 송전선에 흐르는 전류의 세기를 줄인다.

① ㄱ   ② ㄴ   ③ ㄷ
④ ㄱ, ㄴ   ⑤ ㄱ, ㄷ

06 그림은 여러 가지 발전 방식을 통해 얻은 전기 에너지를 소비지로 보내는 과정을 모식적으로 나타낸 것이다.

이에 대한 설명으로 옳은 것만을 |보기|에서 있는 대로 고른 것은?

┤ 보기 ├

ㄱ. 태양광은 위 그림의 에너지원으로 적합하다.
ㄴ. 발전기에서는 전자기 유도 현상을 이용하여 전기 에너지를 생산한다.
ㄷ. 송전선에서 열로 인한 에너지 손실을 줄이기 위해서는 송전 전압을 높여야 한다.

① ㄱ   ② ㄱ, ㄴ   ③ ㄱ, ㄷ
④ ㄴ, ㄷ   ⑤ ㄱ, ㄴ, ㄷ

07 그림은 화력 발전을 통해 얻은 전기 에너지로 선풍기를 작동시키는 모습이다.

이에 대한 설명으로 옳은 것만을 |보기|에서 있는 대로 고른 것은?

┤ 보기 ├

ㄱ. 선풍기에서는 전기 에너지가 운동 에너지로 전환된다.
ㄴ. 화력 발전소에서는 화학 에너지가 열에너지로 전환된다.
ㄷ. 화력 발전에 사용되는 석탄이나 석유는 태양 에너지가 화학 에너지로 전환된 것이다.

① ㄱ   ② ㄱ, ㄴ   ③ ㄱ, ㄷ
④ ㄴ, ㄷ   ⑤ ㄱ, ㄴ, ㄷ

08 다음은 중수소와 삼중수소의 핵융합 반응을 모식적으로 나타낸 것이다.

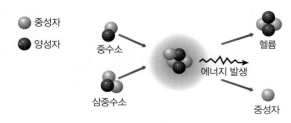

이에 대한 설명으로 옳은 것만을 |보기|에서 있는 대로 고른 것은?

┤ 보기 ├

ㄱ. 중수소와 삼중수소의 질량을 더한 값은 헬륨과 중성자의 질량을 더한 값보다 크다.
ㄴ. 원자력 발전소에서 사용하는 핵에너지는 이러한 반응으로부터 핵에너지를 얻는다.
ㄷ. 반응 후에 양성자의 개수가 줄어든다.

① ㄱ   ② ㄱ, ㄴ   ③ ㄱ, ㄷ
④ ㄴ, ㄷ   ⑤ ㄱ, ㄴ, ㄷ

09 그림은 조력 발전의 원리를 나타낸 것이다.

이에 대한 설명으로 옳은 것만을 |보기|에서 있는 대로 고른 것은?

┤ 보기 ├

ㄱ. 자원 고갈의 문제가 있다.
ㄴ. 발전 과정에서 환경 오염이 많이 발생한다.
ㄷ. 조수 간만의 차가 큰 곳일수록 더 많은 전기 에너지를 생산한다.

① ㄱ   ② ㄴ   ③ ㄷ
④ ㄴ, ㄷ   ⑤ ㄱ, ㄴ, ㄷ

10 그림 (가), (나), (다)는 각각 원자력 발전, 태양광 발전, 풍력 발전의 모습이다.

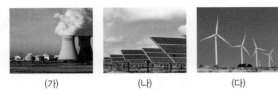

(가)　　　　　(나)　　　　　(다)

세 가지 발전 방식의 공통점만을 |보기|에서 있는 대로 고른 것은?

┤ 보기 ├
ㄱ. 온실 기체의 방출이 적다.
ㄴ. 터빈을 사용하는 발전 방식이다.
ㄷ. 폐기물 처리의 문제가 까다롭다.

① ㄱ　　　　② ㄷ　　　　③ ㄱ, ㄴ
④ ㄱ, ㄷ　　　⑤ ㄴ, ㄷ

11 그림은 연료 전지의 구조를 모식적으로 나타낸 것이다.

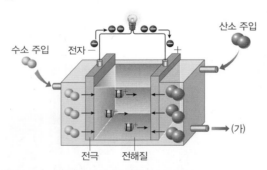

이에 대한 설명으로 옳은 것만을 |보기|에서 있는 대로 고른 것은?

┤ 보기 ├
ㄱ. 반응 결과 생산되는 물질 (가)는 이산화 탄소이다.
ㄴ. 수소 극에서 분리된 전자는 전해질을 타고 산소 극으로 이동한다.
ㄷ. 화학 에너지가 전기 에너지로 직접 전환되므로 에너지 효율이 높다.

① ㄱ　　　　② ㄴ　　　　③ ㄷ
④ ㄱ, ㄷ　　　⑤ ㄴ, ㄷ

서술형 문제

12 그림은 수소를 연료로 하는 자동차이다.

수소 연료의 문제점을 두 가지만 쓰시오.

_____

_____

13 그림은 물의 순환 과정을 나타낸 것이다.

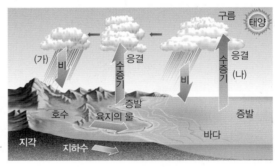

(1) 물을 순환시키는 근본 에너지원은 무엇인지 쓰시오.

_____

(2) (가) 과정에서의 에너지 전환 과정을 쓰시오.

_____

(3) (나) 과정에서의 에너지 전환 과정을 쓰시오.

_____

14 수력 발전과 화력 발전의 공통점과 차이점에 대해 서술하시오.

_____

_____

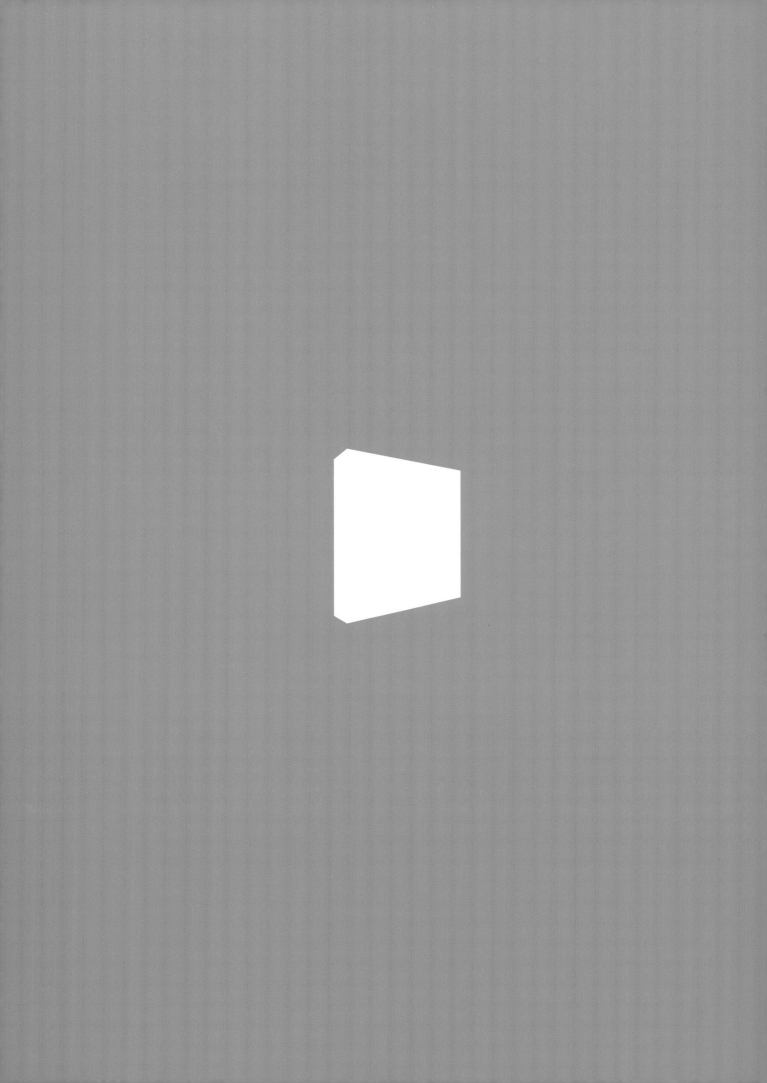

■ 2015 개정 교육과정

금성출판사

고등학교 **통합과학**

평가문제집

정답과 해설

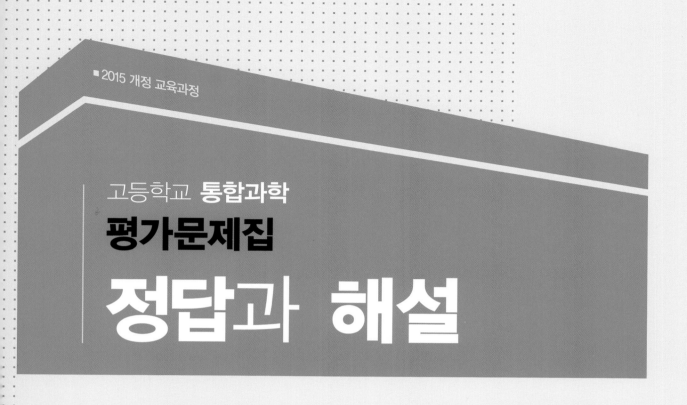

금성출판사

정답과 해설

1 물질의 규칙성과 결합

1-1 물질의 기원

010~011쪽

탐구 활동

㉠ 연속 ㉡ 선 ㉢ 수소 ㉣ 산소 ㉤ 산소 ㉥ 탄소 ㉦ 핵융합
㉧ 4 ㉨ 1

● 이해 Check

1 (1) × (2) ○ (3) × (4) ○ (5) ○   **2** 해설 참조   **3** ㄱ, ㄴ,
ㄷ   **4** 해설 참조   **5** 해설 참조

2 원소의 종류에 따라 서로 다른 종류의 선 스펙트럼이 관찰
된다.
[예시 답안] 태양을 구성하는 원소의 종류에 따라 서로 다른
종류의 선 스펙트럼이 나타나기 때문이다.

4 가벼운 원소의 원자핵이 결합하여 무거운 원소의 원자핵
을 생성하는 핵융합 반응으로 발생하는 에너지로 별은
빛을 방출한다.
[예시 답안] 핵융합 반응이 일어나기 위해서는 높은 온도와
압력이 필요하다. 이러한 조건이 갖추어진 곳이 별의 내부
이므로 핵융합 반응은 주로 별의 내부에서 일어난다.

5 핵융합 반응에서 감소한 질량은 에너지로 방출된다.
[예시 답안] 헬륨 원자핵에서 탄소 원자핵이 생성될 때 질량
이 감소하고, 감소한 질량이 에너지로 변환되면서 에너지가
방출되기 때문에 헬륨 원자핵 3개 질량의 합이 탄소 원자핵
1개의 질량보다 더 무겁다.

개념 확인 문제

012쪽

01 ㉠ 연속 스펙트럼 ㉡ 방출 스펙트럼 ㉢ 흡수 스펙트럼
02 (1) ○ (2) ○ (3) ×   **03** (다)-(가)-(나)   **04** (1) 원자
(2) 원자핵 (3) 중성자   **05** ㄴ, ㄹ, ㅁ   **06** ㉠ 핵융합 ㉡ 헬
륨 **07** (1) ㄱ, ㅂ (2) ㅁ (3) ㄹ

02 천체에서 오는 빛의 스펙트럼을 태양에서 관측한 스펙트
럼과 비교하여 천체를 구성하는 물질이 무엇인지를 유추
한다. 여러 천체에서 오는 빛을 스펙트럼으로 분석한 결과
우주에 있는 수소와 헬륨의 질량비가 약 3:1이라는 것이
알려지게 되었다.

03 허블의 외부 은하 관측으로 우주 팽창이 알려지면서 빅뱅
우주론과 정상 우주론이 서로 대립하였으며, 이후 우주 배
경 복사가 관측되면서 빅뱅 우주론이 인정받게 되었다.

04 물질은 원자로 이루어지며 원자는 원자핵과 전자로 이루
어진다. 원자핵은 양성자와 중성자로 이루어지며, 양성자
와 중성자는 쿼크와 같은 기본 입자로 이루어진다.

05 우주에서 가장 먼저 생성된 원자는 수소이며, 수소 원자핵
은 양성자 1개로만 이루어져 있다.

07 태양 정도의 질량을 가진 별은 수소 핵융합 반응을 거친
후 헬륨 핵융합 반응을 마무리하면 별의 내부에 탄소가 생
성된다. 철은 가장 안정된 원소이므로 철이 생성된 이후
별 내부에서는 핵융합 반응이 일어나지 않으며, 따라서 철
보다 무거운 원소는 별의 내부에서 발견할 수 없다. 철보
다 무거운 원소는 초신성 폭발로 생성된다.

실력 쑥쑥 문제

013~015쪽

01 ⑤   **02** ②   **03** 수소, 칼슘   **04** ③   **05** ③   **06** ④
07 ①   **08** ②   **09** ③   **10** ②   **11** ㄱ, ㄴ   **12** ㄱ-ㄹ-
ㄷ-ㄴ   **13** ④   **14~16** 해설 참조

01 한 원소에서 방출에 의한 선 스펙트럼과 흡수에 의한 선
스펙트럼이 나타나는 파장은 서로 같다.

02 A는 분광기를 통해 나타나는 색의 띠가 연속적으로 나타
나므로 연속 스펙트럼, B는 검은색 바탕에 색의 선이 나
타나므로 방출 스펙트럼, C는 검은선이 나타나므로 흡수
스펙트럼이다.

03 별 A에서 나타나는 선 스펙트럼을 각 원소의 스펙트럼과
비교하여 선이 일치하는 원소가 별 A의 대기에 포함되어
있는 것으로 예상할 수 있다.

04 빅뱅 우주론에 의하면 우주가 탄생한 후 우주 전체에 포함
되어 있는 물질과 에너지의 양에는 변화가 없다. 따라서
우주가 탄생한 이후 우주의 온도와 밀도는 계속 낮아지고
있다.

05 (나)는 양성자와 중성자가 결합하여 만들어진 원자핵이다.
원자는 원자핵과 전자가 결합하여 만들어진다.

06 수소 원자핵은 양성자 1개로 이루어져 있으며, 전자 1개와
결합하여 수소 원자를 만든다. 헬륨 원자핵은 양성자 2개
와 중성자 2개로 이루어져 있으며, 헬륨 원자핵에 전자 2
개가 결합하여 헬륨 원자가 만들어진다.

07 우주가 탄생한 후 우주 전체에 있는 물질의 양에는 변화가
없이 우주는 계속 팽창하고 있으므로 온도와 밀도는 계속
낮아지고 있다. (다)는 우주가 탄생한 후 약 3분 정도가 지
난 때로, 이때는 양성자와 중성자가 결합하여 원자핵을 생
성하였다.

08 (가)는 사람을 구성하는 원소의 분포 비율을 나타낸 것으
로, 사람을 이루는 물질 중에 물이 많은 부분을 차지하고
영양 성분이 포함되어 있어 구성 원소에서 산소와 탄소의
비율이 높다. (다)는 지구를 구성하는 원소의 분포 비율을

나타낸 것으로, 지각을 이루는 암석에 규산염 성분이 포함되고 핵이 주로 철 성분으로 이루어져 있으므로 구성 원소에서 철과 산소가 차지하는 비율이 높다.

09 그림은 태양 정도의 질량을 가진 별의 내부에서 일어나는 수소 핵융합 반응을 나타낸 것이다. 수소 핵융합 반응은 4개의 수소 원자가 결합하여 1개의 헬륨 원자를 생성하고, 이 과정에서 감소한 수소의 질량이 에너지로 변하는 현상이다. 수소 핵융합 반응이 끝나면 헬륨이 다시 핵융합 반응을 일으키고, 그 결과로 탄소를 생성한다.

10 성운 중 밀도가 높은 지역에서 물질이 모이게 되면 중력 수축이 일어나고, 이 과정을 통해 모인 물질이 회전하면서 수축하여 원시별을 형성한다. 이후 계속 물질이 모이면서 원시별 내부의 온도가 올라가면 수소 핵융합 반응이 일어나면서 빛을 내는 별이 된다.

11 별 내부에 철까지 만들어지므로 태양보다 질량이 매우 큰 별이다. 별의 내부에서 일어나는 핵융합 반응은 가장 안정한 원소인 철이 만들어지면 반응이 끝난다. 따라서 별 내부에서는 철보다 무거운 원소가 만들어지지 않으며, 철보다 무거운 원소는 초신성 폭발 등으로 만들어진다.

12 성운이 중력 수축을 하면서 회전하면 그 중심에는 태양이 만들어지고, 그 주변에서는 작은 천체들이 만들어진다. 시간이 지나면 이러한 작은 천체들이 서로 충돌하면서 합쳐져 원시 행성으로 만들어지면서 태양계가 형성된다.

13 게성운은 초신성 폭발로 만들어진 천체로, 초신성이 폭발하는 과정에서 방출된 에너지가 현재의 게성운을 보여준다. 초신성 폭발은 별의 내부에서 철까지의 핵융합 반응이 끝나고 마지막에 일어나는 현상이다. 이와 같은 초신성 폭발을 통해 우주에는 철보다 무거운 원소가 만들어진다.

14 원소에 따라 관찰되는 스펙트럼의 종류는 서로 다르다.
[예시 답안] 원소에 따라 다르게 나타나는 스펙트럼 자료를 태양에서 관측한 스펙트럼 자료와 서로 비교하여 같은 스펙트럼을 찾으면 태양에 포함된 원소의 종류를 확인할 수 있다.

15 핵융합 반응이 일어나기 위해서는 높은 온도와 압력의 환경이 필요하다.
[예시 답안] 수소 원자핵이 합쳐져 헬륨 원자핵을 만들기 위해서는 고온 고압의 환경이 필요하다. 빅뱅 이후 약 3분 정도까지는 이러한 환경이 유지 되었으나, 시간이 지남에 따라 우주가 팽창하면서 온도와 압력이 떨어져 핵융합 반응이 일어나기에 충분한 환경이 되지 못하면서 더 이상 헬륨 원자핵이 만들어지지 못하게 되었다.

16 철보다 무거운 원소는 초신성 폭발 등으로 생성된다.

[예시 답안] 철이나 철보다 가벼운 원소는 별 내부에서 일어나는 핵융합 반응의 결과로 생성되었고, 철보다 무거운 원소는 초신성 폭발 등을 통해 생성되었다.

1-2 원소의 주기성

탐구 활동

018~019쪽

㉠ 원자 번호 ㉡ 화학적 ㉢ 크다 ㉣ 수소 ㉤ 염기성

이해 Check
1 (1) ○ (2) ○ (3) ×   **2** 해설 참조 **3** ㄱ, ㄷ
4 해설 참조

1 [자료 2]에서와 같이 할로젠은 자연 상태에서 대부분 원자 2개가 결합한 이원자 분자 상태로 존재한다.

2 **[예시 답안]** 플루오린, 염소, 브로민, 아이오딘은 모두 주기율표의 17족 원소이며, 주기율표에서 같은 세로 줄에 위치하는 원소는 화학적 성질이 비슷하다.

3 리튬, 나트륨은 아연보다 무르고, 물보다 밀도가 작고, 물과 격렬하게 반응한다.

4 **[예시 답안]** 알칼리 금속은 다른 금속에 비해 반응성이 커서 산소 및 물과 쉽게 반응하므로, 공기, 수분과의 접촉을 피하기 위해 석유나 벤젠 등에 넣어서 보관한다.

개념 확인 문제

020쪽

01 ㉠ 세 ㉡ 원자량 **02** ㉠ 원자 번호 ㉡ 수소(H) **03** (1) ㉡ (2) ㉠ (3) ㉢ (4) ㉣ **04** ㉠ Cl ㉡ K **05** (1) × (2) × (3) ○ **06** ㄴ **07** (1) 작다 (2) 산소 (3) 붉은 **08** ⑤

01 되베라이너는 염소, 브로민, 아이오딘 등의 세 원소의 원자량의 관계에서 규칙성을 발견하고, 세 쌍 원소설을 주장하였다.

해설 Plus 되베라이너의 세 쌍 원소 예

세 쌍 원소와 원자량			처음과 끝 원소의 원자량 평균
Li	Na	K	$\dfrac{7+39}{2}=23$
7	23	39	
Ca	Sr	Ba	$\dfrac{40+137}{2}=88.5$
40	88	137	

02 현대 주기율표는 원자 번호 순서로 원소를 배열하고 있다.

04 3주기 할로젠 원소인 ㉠은 염소, 4주기 알칼리 금속인 ㉡

은 칼륨이다.

05 황과 염소는 3주기로 주기는 같지만 족이 다르며, 1족인 알칼리 금속에는 리튬, 나트륨, 칼륨, 루비듐 등이 있으며, 알루미늄은 13족 원소이다.

06 주기율표의 세로줄을 족, 가로줄을 주기라고 한다. 주기율 표에서 금속 원소는 대체로 왼쪽에, 비금속 원소는 오른쪽 에 위치한다.

07 리튬과 나트륨은 물보다 밀도가 작아 물에 떠서 반응한다. 알칼리 금속은 공기 중의 산소와 반응해 금속 광택을 잃으 며, 알칼리 금속의 수용액은 염기성을 나타내므로 페놀프 탈레인 용액을 붉게 변화시킨다.

08 할로젠은 17족 원소로 비금속에 해당하며, 수소와 반응하 여 화합물을 형성하며, 자연 상태에서 기체, 액체, 고체로 존재 형태가 다양하다.

실력 쑥쑥 문제
021~023쪽

01 ③ **02** ⑤ **03** ④ **04** ⑤ **05** ④ **06** ③ **07** ⑤
08 ② **09** ⑤ **10** ① **11~14** 해설 참조

01 멘델레예프는 당시까지 발견된 63종의 원소를 원자량 순 으로 배열하였을 때 비슷한 성질의 원소가 주기적으로 나 타나는 것을 발견하였다. 단, 이때 몇몇 원소의 성질이 주 기성을 벗어나는 문제가 있었다.
현대의 주기율표는 지금까지 알려진 110여 종의 원소를 원자 번호(양성자 수) 순으로 배열한 것이다.

02 1족 원소에는 수소가 포함되어 있으므로 모두 금속 원소 인 것은 아니다.

03 ㉠은 O, ㉡은 Cl이다. 따라서 ㉠과 ㉡에 해당하는 원소의 원자 2개로 이루어진 물질은 각각 O_2와 Cl_2로 실온에서 모 두 기체 상태이므로 끓는점은 실온인 25℃보다 낮다.

04 광택이 있고, 전기 전도성이 있는 원소는 금속 원소이다. 금속 원소는 주기율표의 왼쪽에 위치하며, Li, Na, K, Be, Mg, Al, Ca 등이 있다.

05 문제의 원소는 질소(N)로 2주기, 15족 원소이다.

06 빗금 친 자리에 들어가는 원소는 Li, Na, K, 즉 알칼리 금속으로 칼로 쉽게 자를 수 있을 만큼 무르며, 물과 반응 해 수소 기체를 발생하고, 공기 중에서 산소와 반응해 금 속 광택을 잃는다.

07 칼로 쉽게 잘라지고, 물에 떠서 물과 잘 반응하는 A, B는 1족인 알칼리 금속이다. 알칼리 금속은 물과 반응하여 수

소 기체를 발생하며, 그 수용액은 염기성을 띤다.

08 실험 결과로부터 단단한 정도와 물과의 반응성을 기준으 로 금속을 A, B와 C, D로 분류할 수 있다.

09 X는 플루오린(F), Y는 브로민(Br)으로 둘다 17족의 할 로젠이다.

10 소금의 주요 성분은 염화 나트륨이고, 리튬은 휴대 전화 전지의 원료로 사용하고 있고, 칼륨은 몸속 신경 전달과 수분 유지에 관여한다.

11 [예시 답안] 멘델레예프의 주기율표 (가)는 원자량의 순서 대로 배열하였고, 현대의 주기율표인 (나)는 원자 번호의 순서대로 배열하였다.

12 [예시 답안] 멘델레예프의 주기율표와 현대 주기율표에서 화학적 성질이 비슷한 원소가 같은 세로줄에 위치한다.

13 반응성이 거의 없어 화합물을 형성하지 않는 것은 비활성 기체인 18족 원소이며, 이 중 원자량이 가장 작은 것은 헬 륨(He)이다.
반응성이 매우 커서 벤젠, 석유에 보관해야 하는 것은 1족 인 알칼리 금속이며, 이 중 원자량이 가장 작은 것은 리튬 (Li)이다.
[예시 답안] 헬륨(X)은 풍선, 열기구 등의 충전 기체로 사 용하며, 리튬(Y)은 휴대 전화 전지의 원료로 사용한다.

14 나트륨은 알칼리 금속으로 무르고, 반응성이 크다.
(1) [예시 답안] (가) 칼로 잘 잘라진다.
(나) 물에 떠서 격렬하게 반응한 후 사라진다.
(다) 용액이 붉은색으로 변한다.
(2) [예시 답안] 물과 격렬하게 반응하므로 물이 닿지 않게 보관한다.

1-3 화학 결합과 물질의 형성

탐구 활동
026~027쪽

㉠ 원자가 전자 수 ㉡ 전자 껍질 ㉢ 비활성 기체(18족 원소)
㉣ 없음. ㉤ 없음. ㉥ 흐르지 않고 ㉦ 고체 ㉧ 수용액

이해 Check
1 (1) ○ (2) ○ (3) × **2** 해설 참조 **3** ㄱ, ㄴ
4 해설 참조

1 1족 원소의 원자가 전자 수는 모두 1이고, 가장 안쪽 전자 껍질에 들어갈 수 있는 전자 수는 최대 2개이다.

2 [예시 답안] 헬륨, 네온, 아르곤은 가장 바깥 전자 껍질에 전 자가 최대로 채워져 있으므로 안정하여 반응성이 거의 없다.

3 이온 결합 물질은 고체 상태에서는 전기 전도성이 없고, 액체나 수용액 상태에서는 전기 전도성이 있다.

비금속 원소들 사이의 결합으로 이루어진 것은 공유 결합 물질이다.

4 액체 상태에서 전기 전도성이 없는 것은 비금속 원소로 이루어진 공유 결합 물질이다.

[예시 답안] 포도당, 전하를 띤 입자가 없으므로 액체 상태에서 전기 전도성이 없다.

개념 확인 문제

01 (1) ○ (2) ○ (3) ○ (4) × **02** (1) 2 (2) 8, 옥텟 (3) 공유, 이온 (4) 1, Ne(네온) **03** ② **04** ② **05** ⊙ $Na^+(Cl^-)$ ⓒ $Cl^-(Na^+)$ **06** H_2O, CH_4, CO_2 **07** ① **08** H_2

01 네온의 가장 바깥 전자 껍질 전자는 8개이므로 옥텟 규칙을 만족한다. 염화 나트륨은 염화 이온과 나트륨 이온 사이의 이온 결합으로 형성된다.

02 원자핵에 가장 가까운 전자 껍질에는 전자가 2개까지 채워진다.

03 2족 원소인 Mg은 전자 2개를 잃어 옥텟 규칙을 만족하고, 17족 원소인 F은 전자 1개를 얻어 옥텟 규칙을 만족한다. K은 전자 1개를, Al은 전자 3개를 잃어 옥텟 규칙을 만족한다.

04 산소는 원자가 전자 수가 6이므로 산소 분자는 전자쌍 2개를 공유하여 옥텟 규칙을 만족한다.

05 전자가 나트륨에서 염소로 이동하면 나트륨은 나트륨 이온(Na^+)이 되고, 염소는 염화 이온(Cl^-)이 된다.

06 주로 비금속 원소로 이루어진 화합물은 전자를 공유하여 공유 결합을 형성한다. Mg, Fe은 금속 원소이다.

07 이온 결합 물질은 양이온과 음이온으로 이루어져 있으므로 고체 상태에서도 전하를 띤 입자가 있으나 고체 상태에서는 이온이 움직이지 못하므로 전기 전도성이 없다.

08 전자가 1개인 수소 원자 2개가 공유 결합하였으므로 수소 분자이다.

실력 쑥쑥 문제

01 ⑤ **02** ⑤ **03** ⑤ **04** ④ **05** ③ **06** ③ **07** ① **08** ⑤ **09** ① **10** ③ **11~13** 해설 참조 **14** (1) 해설 참조 (2) A_2B

01 ㄱ. 전자 껍질 수는 수소(H)가 1, 인(P)이 3이다.
ㄴ. 베릴륨(Be)과 마그네슘(Mg)은 2족 원소로 원자가 전자 수가 같다.
ㄷ. 원자가 전자 수는 산소가 6, 플루오린이 7이므로 옥텟 규칙을 만족하기 위해 얻어야 하는 전자 수는 산소가 2, 플루오린이 1이다.

02 모형의 전자 배치는 2주기 18족 원소인 Ne과 같다. 4주기 1족인 칼륨의 이온 K^+의 전자 배치는 3주기 18족 원소인 Ar의 전자 배치와 같다.

03 모형에서 X 원자 2개가 Y 원자 1개와 전자쌍 1개씩을 공유하였으므로, 전자를 공유하기 전 X의 원자가 전자 수는 1이고, Y의 원자가 전자 수는 6이다.
X는 1주기 1족인 수소, Y는 2주기 16족인 산소이다.

04 전자를 얻거나 잃기 전 원자 상태에서 A, B, C의 원자가 전자 수는 각각 6, 7, 1이다.

05 ① A, B는 비금속 원소이고, C는 금속 원소이다.
② A~C는 모두 전자 껍질 수가 2개인 2주기 원소이다.
③ 공유하는 전자쌍의 수는 A_2는 2개, B_2는 1개이다.
④ CB는 금속 원소와 비금속 원소의 결합이므로 이온 결합 물질이다.
⑤ A는 옥텟 규칙을 만족하기 위해 전자 2개를 얻어야 하므로 A와 C가 화합물을 형성할 때 1:2의 개수비로 결합한다.

06 수소 원자는 공유 결합을 형성할 때 가장 바깥 전자 껍질에 2개의 전자를 채운다.
공유 결합 물질은 전자를 공유하여 분자를 이루며, 이온 결합이 형성될 때 전자는 금속 원소의 원자에서 비금속 원소의 원자로 이동한다.

07 X^{2+}과 Y^-의 전자 배치가 Ar과 같으므로 X는 4주기 2족 원소이다.
Y는 3주기 17족 원소이다.

08 X^{2+}과 Y^-은 정전기적 인력에 의해 이온 결합이 형성되었으며, 액체 상태에서는 이온이 자유롭게 움직일 수 있으므로 전기 전도성이 있다.

09 ① C와 D는 주기가 같으므로 전자 껍질 수가 같다.
② D_2에서 D는 전자쌍 1개를 공유하여 옥텟 규칙을 만족한다.
③ A는 1족이지만 수소이므로 비금속인 A와 B 사이에는 공유 결합이 형성된다.
④ 금속 C와 비금속 D 사이에는 이온 결합이 형성된다.
⑤ C와 D가 결합을 형성할 때 전자는 금속 C에서 비금속 D로 이동한다.

정답과 해설 ◀ 05

정답과 해설

10 ㄱ. 전자 수가 1인 A는 가장 바깥 전자 껍질에 2개의 전자를 채울 수 있다.

ㄴ, ㄷ. B는 원자가 전자 수가 5로 3개의 전자를 얻어 옥텟 규칙을 만족하므로 B_2와 BD_3 분자는 원자 사이에 3개의 전자쌍을 공유한다.

ㄹ. CD는 이온 결합 물질로 공유 전자쌍이 없다.

11 광합성 반응에 필요한 물질은 이산화 탄소와 물이고, 화석 연료의 과다 사용에 의해 지구 온난화를 초래하는 물질은 이산화 탄소(CO_2)이다.

[예시 답안] 공유하는 전자쌍의 총 수는 4개이다.

12 모든 이온이 옥텟 규칙을 만족하는 화합물의 화학식은 ZY이다. X는 전자를 잃으면 가장 바깥 전자 껍질의 전자가 2개인 He과 같은 전자 배치를 한다.

[예시 답안] ZY,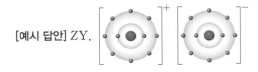

13 [예시 답안] 탄소, 수소, 산소는 모두 비금속 원소이므로 (가)는 공유 결합 물질이고, 알루미늄과 산소가 결합한 (나)는 이온 결합 물질이다.

고체 상태일 때는 입자가 움직일 수 없으므로 (가)와 (나) 모두 전기 전도성이 없고, 액체 상태일 때는 이온을 가진 (나)만이 전기 전도성이 있다.

14 A^+은 전자 1개를 잃고, B^{2-}은 전자 2개를 얻어 Ne과 같은 전자 배치를 하였다.

(1) [예시 답안]

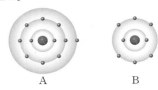

A   B

(2) A^+ 2개와 B^{2-} 1개가 결합하여 A_2B가 형성된다.

대단원 평가   032~034쪽

01 ① **02** ④ **03** ⑤ **04** ② **05** ③ **06** ⑤ **07** ④
08 ② **09** ⑤ **10** ② **11** ③ **12** ③ **13** ④

01 그림은 선 스펙트럼으로, 고원에서 나온 에너지를 기체가 흡수한 후 다시 방출하면서 나오는 스펙트럼이다.

ㄴ. 스펙트럼은 가시 광선 영역의 빛을 이용한다.

02 빅뱅 이후 약 3분 후에 수소 원자핵이 만들어지고, 이후

헬륨 원자핵이 만들어졌다. 수소 원자는 수소 원자핵이 전자와 결합하면서 만들어진 것으로 빅뱅 이후 약 38만 년 후의 일이다.

03 태양 정도 질량의 별의 내부에서는 수소 핵융합 반응이 끝나면 만들어진 헬륨이 핵융합 반응을 일으켜 마지막에는 탄소를 생성한다.

04 (나)는 태양보다 매우 큰 질량을 가진 별의 내부 구조로, 핵융합 반응으로 별 내부에 가장 안정된 원소인 철까지 만들어지면 더 이상 핵융합 반응이 일어나지 않는다.

ㄴ. (가)는 태양 정도의 질량을 가진 별의 내부 구조로 수소 핵융합 반응으로 헬륨이 만들어지고, 이렇게 만들어진 헬륨이 다시 핵융합 반응을 하면 별 내부에는 탄소가 만들어진다.

ㄹ. 철보다 무거운 원소는 초신성 폭발 등으로 만들어진다.

05 사람을 구성하는 원소와 우주를 구성하는 원소에 차이가 나는 것은 사람을 이루는 물질이 우주 초기의 물질이 아니라 별이 만들어지고 사라지는 과정에서 만들어진 물질로 이루어졌기 때문이다.

ㄴ. 사람에는 물이 많이 포함되어 있으므로 구성 원소에 산소가 높은 비율을 차지하고 있다. 사람 안에 있는 탄소는 탄수화물이나 지방 및 기타 영양 물질과 인체를 구성하는 물질로 존재한다.

06 알칼리 금속은 전자를 잃기 쉽고, 물과 반응하면 수소 기체를 발생한다.

$$2A + 2H_2O \longrightarrow 2AOH + H_2\uparrow$$

또한, 페놀프탈레인 용액이 붉게 변하였으므로 물과 반응한 용액은 염기성이라는 것을 알 수 있다.

해설 Plus 알칼리 금속

주기율표의 1족에 해당하는 금속 원소로, 리튬(Li), 나트륨(Na), 칼륨(K), 루비듐(Rb) 등이 있으며, 다음과 같은 특징을 가진다.
- 다른 금속과 비교해 밀도가 작다.
- 칼로 쉽게 자를 수 있을 만큼 무른 금속이다.
- 공기 중에서 산소와 반응해 금속 광택을 잃는다.
- 물과 반응해 수소 기체를 발생하며, 수용액은 염기성을 띤다.

---

07 ㄱ. 17족 원소는 전자 1개를 얻기 쉬워 반응성이 크다.

ㄴ. C는 생명체, Si는 광물의 주요 구성 원소이다.

ㄷ. 같은 족 원소는 원자가 전자의 수가 같고, 같은 주기 원소는 전자 껍질의 수가 같다.

08 (가)는 2주기 14족, (나)는 1주기 1족, (다)는 3주기 2족 원소이다.

09 X는 원자가 전자가 5개이므로 15족 원소이다. XY_3의 공유 결합에 참여하는 전자쌍의 총 수는 3개이고, 공유 결합

을 통해 X는 Ne의, Y는 He의 전자 배치를 가진다.

10 (가)는 염화 나트륨, (나)는 산소, (다)는 염화 칼슘, (라)는 질소이다.

11 X와 Y가 옥텟 규칙을 만족하는 화합물을 형성할 때 X와 Y는 1:1의 원자 수비로 결합한다.

12 화학 결합을 통해 구성 원소 모두 가장 바깥 전자 껍질에 8개의 전자가 채워지는 것은 (가)의 보기 중 O_2와 NaCl 이고, 이를 만족하지 않는 물질 중 액체 상태에서 전기 전도성이 있는 것은 LiF, 전기 전도성이 없는 것은 H_2O 이다.

13 (가)의 음이온과 (나)의 한 원소는 원자의 전자 배치가 같으므로 같은 종류의 원소이다. (가)의 양이온과 (나)의 수소는 모두 1족 원소이고, 고체 상태에서는 (가)와 (나) 모두 전기 전도성이 없다.

수능 도전 문제
035~036쪽

01 ④ **02** ⑤ **03** ③ **04** ①

01 (가)는 백열등에서 나오는 빛을 분광기에 통과시켰을 때 관측되는 연속 스펙트럼이며, (나)는 햇빛을 관측하여 나타낸 방출 스펙트럼이다.
백열등에서 나오는 빛은 가시광선의 영역이므로 가시광선을 관측할 때 나타나는 스펙트럼과 비슷하다. 태양에서 관측되는 방출 스펙트럼을 원소에서 관측되는 방출 스펙트럼과 서로 비교하면 태양을 구성하는 원소에 관한 정보를 얻을 수 있다.

02 A는 원자가 전자 수가 1, B는 7, C는 6이므로, A는 금속, B, C는 비금속 원소에 해당한다.
ㄱ. (가)는 금속 원소와 비금속 원소가 결합하므로 이온 결합 물질로, A^+과 B^-은 모두 옥텟 규칙을 만족한다.
ㄴ. 액체 상태에서 전기 전도성이 있는 것은 이온 결합 화합물인 (가)이다.
ㄷ. 비금속 원소끼리 결합하는 (나)에서 B와 C는 총 2개의 전자쌍을 공유한다.

03 원자가 전자 수 같은 원소는 족이 같은 A와 C이다.

04 ㄱ. B는 원자가 전자가 7개로 플루오린 원소이며, 자연 상태에서 이원자 분자로 존재한다.
ㄴ. B는 비금속 원소이고, A와 C는 금속 원소이다. 따라서 A와 B의 결합으로 이루어진 화합물은 이온 결합 물질로 액체 상태에서 전기를 통한다.
ㄷ. B와 C로 이루어진 화합물의 화학식은 CB_2이다.

2 자연의 구성 물질

2-1 지각과 생명체를 구성하는 물질의 규칙성

탐구 활동
040~041쪽

㉠ Si-O 사면체 ㉡ Si-O 사면체 ㉢ 이온 ㉣ 공유 ㉤ 탄소 화합물 ㉥ 2중 나선 ⓐ T ⓒ C ㉽ 염기 배열 순서

이해 Check

1 ㄱ, ㄴ, ㄹ **2** ㄱ, ㄷ **3** ㄴ, ㄹ **4** 해설 참조

1 지각의 대부분은 산소와 규소로 이루어진 규산염 광물로 이루어져 있으므로 지각을 구성하는 원소의 많은 부분을 산소와 규소가 차지한다.

2 탄소 화합물은 생명체의 단백질, 지방, 탄수화물, 지질, 핵산 등을 구성한다. 또한 생명체 내에서 몸을 구성하거나 에너지원으로 이용되며, 유전 정보 저장 등의 기능을 한다.

3 ㄱ. A은 T과, G은 C과 상보결합하고 있다.
ㄴ. 한 뉴클레오타이드의 당은 다른 뉴클레오타이드의 인산과 연결되어 있어 당과 인산이 뼈대를 형성한다.
ㄷ. 폴리뉴클레오타이드 2개가 상보결합하여 2중 나선 구조를 이룬다.
ㄹ. 입체 구조 안쪽에서는 4가지 종류의 염기에 의해 정보를 저장한다.

4 [예시 답안] 염기 배열에 관계 없이 2중 나선 구조를 하고 있다.

개념 확인 문제
042쪽

01 (1) ○ (2) ○ (3) ○ **02** ㄱ, ㄷ, ㄹ **03** 탄소 **04** ㉠ 공유 ㉡ 탄소 화합물 ㉢ 단백질 **05** (1) × (2) × (3) ○ **06** (가) 펩타이드 결합, (나) 폴리펩타이드 **07** 아데닌(A), 타이민(T), 구아닌(G), 사이토신(C)

01 규산염 광물을 이루는 주된 구성 원소는 산소와 규소이다.

02 그림 (나)에서 C는 산소, D는 규소이다.

05 탄소 화합물은 탄소를 중심으로 단위체가 형성된다. 생명체를 구성하는 주요 탄소 화합물에는 탄수화물, 단백질, 핵산, 지질이 대표적이며 무기염류는 탄소 화합물이 아니다. 포도당은 탄수화물의 단위체이다.

06 다양한 아미노산이 펩타이드 결합으로 연결되어 폴리펩타이드를 형성한다.

07 DNA를 구성하는 염기는 아데닌(A), 타이민(T), 구아닌(G), 사이토신(C)으로 4가지 종류가 있다.

정답과 해설

실력 쑥쑥 문제

01 ⑤ **02** ③ **03** ② **04** ③ **05** ② **06** ④ **07** ③
08 ① **09** ③ **10** 120개 **11** GTAA **12~15** 해설 참조

01 규산염 광물을 이루는 기본 구조는 Si-O 사면체이다. 지각을 이루는 대부분의 암석이 규산염 광물이므로 지각을 구성하는 원소에는 산소와 규소가 많은 부분을 차지한다.

02 규산염 광물의 결합 구조는 Si-O 사면체가 기본 단위이므로, 산소와 규소가 가장 많이 포함되는 원소이다.

03 Si-O 사면체 구조는 규산염 광물을 구성하는 기본 단위로, 산소 원자 4개와 규소 원자 1개로 이루어져 있다. 그림에서 A는 하나이므로 규소이다. 규산염 광물은 Si-O 사면체 구조가 하나로 존재하기도 하지만, 여러 개가 연결되어 다양한 규산염 광물을 만든다.

04 그림은 Si-O 사면체가 평면으로 넓게 이어진 구조를 하는 규산염 광물의 결합 구조를 나타낸 것이다. 이러한 결합 구조를 나타내는 광물에는 흑운모가 있다.

05 ㄱ. 지구를 구성하는 원소 중 가장 많은 것은 산소이다.
ㄹ. 탄소 원자로 이루어진 다양한 기본 골격에 수소나 산소 등 여러 원소가 결합하면서 다양한 종류의 탄소 화합물이 만들어진다.

06 산소는 지각과 인체를 구성하는 원소 중 가장 많은 부피를 차지한다.

해설 Plus 지각과 생명체를 구성하는 원소

지각의 구성 원소 비율
칼륨 2.6 % / 마그네슘 2.1 % / 기타 1.5 % / 나트륨 2.8 % / 칼슘 3.6 % / 철 5.0 % / 알루미늄 8.1 % / 산소 46.6 % / 규소 27.7 %

인체의 구성 원소 비율
칼슘 1.5 % / 인 1.0 % / 질소 3.0 % / 수소 10.0 % / 산소 65.5 % / 탄소 18.0 %

지각을 구성하는 암석은 주로 규산염 광물이다. 규산염 광물은 Si-O 사면체 구조를 기본으로 하며, 이를 구성하는 원소는 산소와 규소이다. 한편 생물체를 이루는 물질의 많은 부분은 물로 이루어져 있으며, 단백질과 탄수화물 등은 탄소 화합물로 이루어져 있다.

07 ① 글리세롤과 지방산은 지질의 구성 물질이다.
② 세포벽의 주성분은 포도당이다.
③ 포도당은 주요 탄수화물의 단위체이다.
④ 글리코젠은 동물의 에너지 저장 물질이며, 식물의 에너지 저장 물질은 녹말이다.
⑤ 펩타이드 결합으로 연결되어 있는 것은 아미노산이다.

08 ① ㉠과 ㉡은 모두 포도당이다.
② (가)는 녹말이며, 다당류이다.
③ 단위체의 곁사슬이 서로 다른 것은 아미노산이다.
④ (나)는 글리코젠으로 동물 세포의 에너지 저장 물질이다.
⑤ (가)는 식물 세포에서, (나)는 동물 세포에서 관찰된다.

해설 Plus 녹말과 글리코젠의 구조

 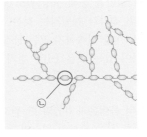

(가)　　　　　(나)

(가)와 (나)의 단위체는 포도당으로 동일하다. 포도당은 육각형 모양을 가지고 있다. (가)는 직선으로 연결되어 (나)에 비해 가지가 적다. 따라서 (가)는 녹말, (나)는 글리코젠이다.

09 ① 아미노산은 다양한 곁사슬을 가진다.
② 생물이 사용하는 아미노산은 20가지이다.
③ 하나의 폴리펩타이드를 펼치면 긴 사슬 형태가 된다.
④ 유전 정보를 리보솜에게 전달하는 역할을 하는 것은 RNA이다.
⑤ 서로 다른 단백질은 아미노산 배열이 달라 입체 구조가 서로 다르다.

10 아미노산을 각 1회씩만 이용할 수 있으므로 $5 \times 4 \times 3 \times 2 \times 1 = 120$개의 서로 다른 폴리펩타이드를 만들 수 있다.

11 C에 G을, A에 T을, T에 A을 상보결합하면 GTAA가 된다.

12 지각을 구성하는 광물의 분포 비율을 확인해 보면 규산염 광물이 대부분을 차지한다.
[예시 답안] 지각을 이루는 광물의 대부분을 차지하는 규산염 광물은 주요 구성 원소가 산소와 규소이다. 따라서 지각을 구성하는 원소의 분포 비율에서 산소와 규소가 차지하는 비율이 가장 많은 것이다.

13 하나의 탄소는 4개의 공유 결합을 할 수 있다.
[예시 답안] 영수, 탄소는 원자가 전자가 4개이므로 하나의 탄소가 4개의 공유 결합을 할 수 있어.

14 [예시 답안] 입체 구조가 조금씩 다른 아미노산이 서로 다른 서열로 결합하여 다양한 입체 구조를 가진 단백질이 된다.

15 [예시 답안] DNA 2가닥이 서로 결합된 부분에서 A은 T과, G은 C과 결합하고 있는데, 이를 상보결합이라고 한다.

2-2 신소재 개발과 활용

탐구 활동

048~049쪽

㉠ 플라스틱(고무) ㉡ 네오디뮴 ㉢ 초전도 현상 ㉣ 전기
㉤ 저항 ㉥ 접착력 ㉦ 디스플레이

이해 Check

1 (1) ㉡ (2) ㉠ (3) ㉢ **2** 그래핀, 반도체, 초전도체 **3** 초전
도체, 네오디뮴 자석 **4** ㄴ, ㄷ **5** (1) ㉣ (2) ㉢ (3) ㉡ (4) ㉠

1 도체는 철, 구리, 알루미늄과 같이 전기 저항이 작아 전류가
잘 흐르는 물질이다. 부도체는 고무, 유리, 플라스틱과 같
이 전기 저항이 매우 커서 전기가 거의 흐르지 않은 물질이
다. 반도체는 극저온에서는 전기 저항이 매우 크지만 실온
에서는 온도가 높아질수록 전기 저항이 작아지는 물질이다.
그 예로는 규소, 저마늄 등이 있다.

2 물질의 전기적 성질을 이용한 신소재에는 반도체, 액정, 그
래핀, 초전도체 등이 있다.

3 물질의 자기적 성질을 이용한 신소재에는 초전도체, 네오디
뮴 자석 등이 있다.

4 초전도체는 특정 온도 이하에서 전기 저항이 0이 되는 현상
을 나타내는 물질로 특정 온도 이하에서 외부 자기장을 밀
어 내는 성질이 있다.
초전도체는 전력 손실이 없는 송전선, 자기 부상 열차, 인공
핵융합 장치, 자기 공명 영상 장치, 입자 가속기 등에 주로
이용된다.

5 상어의 특이한 비늘을 모방하여 전신 수영복을 개발하였다.
파리의 빠른 비행을 모방하여 소형 로봇, 홍합의 질긴 족사
를 활용하여 지혈 주삿바늘, 공작의 화려한 깃털를 이용하
여 광원이 필요 없는 디스플레이가 가능하게 되었다.

개념 확인 문제

050쪽

01 신소재 **02** (1) ○ (2) × (3) ○ **03** (1) ○ (2) × (3) ○
(4) ○ **04** 네오디뮴 자석 **05** 전기 저항 **06** ㉠ 빛
㉡ 전류 **07** (1) ㉣ (2) ㉠ (3) ㉢ (4) ㉡ **08** 의료용 생체
접착제

01 신소재는 물질의 성질을 이용하거나 물질의 결합 규칙을
변형하여 기존의 소재보다 더 뛰어난 성질을 가지거나 기
존의 소재에는 없는 새로운 성질을 가진 소재이다.

02 초전도체는 전기 저항이 0이므로 임계 온도 이하에서 전
류가 흐를 때 발생하는 열이 없기 때문에 강한 자기장을
만들 수 있다.
초전도체는 전력 손실이 없는 송전선, 자기 부상 열차, 인

공 핵융합 장치, 자기 공명 영상(MRI) 장치, 입자 가속기
등에 이용된다.

03 그래핀은 강도가 높으면서도 휘거나 구부릴 수 있다.

05 압력·가스·방사능 감지기는 온도나 압력 등의 조건에
따라 반도체의 전기 저항이 변하는 성질을 이용한 예이다.

06 발광 다이오드는 전류가 흐르면 빛을 방출하는 성질을 이
용하고, 태양 전지는 빛을 비출 때 전류가 흐르는 성질을
이용한다.

07 그래핀은 휘어지는 디스플레이, 의복형 컴퓨터, 차세대 반
도체 소자에 이용된다.
초전도체는 전력 손실이 없는 송전선, 인공 핵융합 장치,
자기 공명 영상(MRI) 장치, 입자 가속기, 자기 부상 열차
등에 이용된다.
또한 반도체는 집적 회로를 만드는 기본 소재, 발광 다이
오드(LED), 태양 전지, 압력 감지기 등에 이용된다.
네오디뮴 자석은 하드 디스크의 헤드를 움직이는 장치, 고
출력 소형 스티커, 강력 모터 등에 이용된다.

08 전신 수영복－상어의 비늘, 게코 테이프－게코 도마뱀의
발, 유리 코팅제－연잎의 구조, 의료용 생체 접착제 － 홍
합의 분비물(족사)

실력 쑥쑥 문제

051~053쪽

01 ③ **02** ④ **03** ② **04** ③ **05** ⑤ **06** ③ **07** ①
08 ① **09** ③ **10** (1) 전기적 성질·자기적 성질 (2) 전기
적 성질 **11** (1) 초전도체 (2) 해설 참조 **12~13** 해설 참조
14 (가) 초전도체 (나) 그래핀 **15** 해설 참조

01 ㉢은 네오디뮴 자석으로, 강한 자기력이 있으며 가공하기
쉽고 가격이 저렴하다. 그러나 녹이 잘 슬고 열에 약한 단
점이 있다.

02 초전도체는 임계 온도 이하에서 초전도 현상이 나타난다.
A의 임계 온도는 50 K이므로 90 K에서 초전도 현상이
일어나지 않는다.
또한 B가 초전도 현상이 나타나는 임계 온도 90 K이므
로, B로 만든 코일의 온도가 70 K이면 전기 저항이 0이
된다. 이때 코일에 전류가 흘러도 열이 발생하지 않는다.

03 초전도체가 자석을 밀어내어 자석이 초전도체 위에 떠 있
는 현상을 마이스너 효과라고 한다. 이는 초전도체가 임계
온도 이하에서 외부 자기장을 밀어내기 때문에 나타나는
현상이다. 임계 온도 이하에서 전기 저항이 0이 되므로 전
류가 흘러도 열이 발생하지 않는다. 이 성질을 전력 손실
이 없는 송전선(초전도 전력 케이블)에 활용할 수 있다.

04 ⊙은 그래핀이므로 자기적 성질을 이용한 신소재가 아니라 전기적 성질을 이용한 신소재이다.

05 그림은 그래핀의 구조를 나타낸 것이다. 그래핀은 탄소 원자가 육각형으로 배열된 평면들이 쌓인 흑연의 한 층에 해당하는 신소재이다. 강도가 높으면서도 휘거나 구부릴 수 있고, 전기 전도성과 열전도성이 뛰어나고, 아주 얇기 때문에 빛을 투과시킬 수 있다.

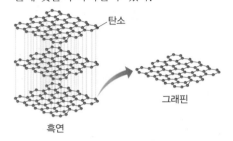

06 발광 다이오드(LED)와 태양광 발전에 사용된 신소재는 반도체이다. 순수한 규소에는 전류가 잘 흐르지 않지만, 소량의 특정 원소(인, 붕소, 비소 등)를 첨가하면 전기 전도성이 크게 증가한다.
강철보다 단단하고 구리보다 100배 이상 전기 전도성이 높은 물질은 그래핀이다.

07 태양 전지에 사용되는 신소재는 반도체이다.

08 A는 전기적 성질을 이용한 액정으로, A에 전압을 걸면 빛이 통과할 수 없다. 액정은 주로 전자 계산기, 온도계, 자동차의 길 안내기 등과 같은 정보 표시 장치, 휴대 전화나 고화질 텔레비전의 영상 화면 등에 이용된다.

09 (나)는 생물체의 성분을 모방하였다.

10 초전도체는 전기 저항이 0이 되는 전기적 성질과 외부 자기장을 밀어내는 자기적 성질을 이용한다. 그래핀은 전기적 성질을 이용한다.

해설 Plus 초전도체의 이용

구분	전기 저항이 0이 된다.		
특징	전류가 흘러도 열을 발생하지 않으므로 전력 손실이 없다.	센 전류를 흘릴 수 있으므로 강한 자기장을 만들 수 있다.	자석 위에 떠 있을 수 있다. (마이스너 효과)
이용	전력 손실이 없는 송전선	자기 공명 영상(MRI) 장치	자기 부상 열차

11 초전도체는 임계 온도보다 낮은 온도에서 초전도 현상을 나타낸다. 초전도 현상이 일어날 때 전기 저항이 0이 되므로, 이때 전류가 흐르면 열이 발생하지 않는다.
[예시 답안] (2) 임계 온도 이하에서 전기 저항이 0이 되므로 전류가 흘러도 열이 발생하지 않기 때문이다.

12 초전도 현상이 일어날 때 전기 저항이 0이 되는 것뿐만 아니라 외부 자기장을 밀어내는 효과를 나타낸다. 이에 따라 초전도체 위에 둔 자석은 공중에 떠 있게 된다. 이것을 마이스너 효과라고 한다.
[예시 답안] 자기 부상 열차, 자기 공명 영상(MRI) 장치, 전력 손실이 없는 송전선 등

13 **[예시 답안]** (1) 전기 전도성이 뛰어나다. 열전도성이 뛰어나다. 빛을 투과시킬 수 있다. 강도가 높지만 휘거나 구부릴 수 있다.
(2) 대량 생산이 어렵다. 생산 비용이 많이 든다. 반도체에 비해 전기적 성질을 변화시키기가 어렵다.

14 (가)의 자기 공명 영상(MRI) 장치에 초전도체가 이용된다. (나)의 구부릴 수 있는 영상 장치에는 그래핀이 이용된다.

15 상어는 물의 저항이 강한 코 정면에 거친 돌기가 있고, 코 아래에 부드러운 돌기가 있어 물과의 저항력을 줄인다.
[예시 답안] 물의 저항을 줄여 주는 특성을 모방하였다.

대단원 평가 054~056쪽

01 ③ **02** ③ **03** ③ **04** ③ **05** ① **06** ④ **07** ③
08 ④ **09** ④ **10** ⑤ **11** ⑤ **12** ④ **13~14** 해설 참조

01 지각과 생명체를 구성하는 원소 중 가장 많은 비율을 차지하는 것은 산소이다. 지각은 규산염 광물로 이루어져 있어 산소와 규소의 비율이 높으며, 생명체는 물과 탄소 화합물로 이루어져 있어 구성 원소 중 산소와 탄소가 차지하는 비율이 높다.

02 탄소는 원자가 전자가 4개이므로 하나의 탄소가 4개의 공유 결합을 할 수 있다. 또한, 탄소가 다른 탄소 원자와 결합할 때는 단일 결합, 2중 결합, 또는 3중 결합을 할 수 있으며 사슬 모양, 고리 모양 등의 다양한 기본 골격을 이룰 수 있다. 이러한 기본 골격에 수소, 산소 등의 여러 원소가 결합하여 무수히 많은 종류의 탄소 화합물이 만들어진다.

03 물은 산소와 수소로 이루어진다. 생명체 내에서 탄소는 단백질이나 지방 등을 구성하여 몸을 이루며, 일부는 에너지원으로 사용된다.

04 (가)는 DNA, (나)는 녹말, (다)는 단백질이다.
ㄱ. DNA의 단위체인 뉴클레오타이드의 종류는 4가지이

고 단백질의 단위체인 아미노산의 종류는 20가지이다. 따라서 DNA보다 단백질이 단위체의 종류가 5배 더 많다.

ㄴ. 단위체의 배열 순서에 따라 기능이 달라지는 것은 단백질인 (다)이다. 녹말은 단위체가 포도당으로 모두 동일하므로 배열 순서에 의미가 없다.

ㄷ. DNA에는 단백질의 단위체인 아미노산의 배열 순서가 저장되어 있다.

해설 Plus 생명체의 구성 물질

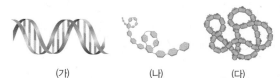

(가)   (나)   (다)

(가)는 2중 나선 형태를 하고 있으므로 DNA이다. (나)는 단위체가 육각형이면서 동일한 단위체로 연결되어 있으므로 녹말이다. (다)는 다양한 곁사슬을 가진 단위체가 연결되어 있으므로 단백질이다.

05 (가)는 포도당, (나)는 뉴클레오타이드이다. ㉠은 뉴클레오타이드를 이루는 당이고, ㉡은 염기이다.

ㄱ. 포도당과 뉴클레오타이드의 당은 모두 탄수화물이다.

ㄴ. DNA의 2중 나선에서 ㉡은 다른 염기와 상보결합으로 연결된다.

ㄷ. 펩타이드 결합으로 연결되어 큰 분자를 형성하는 것은 단백질이다.

06 ㄱ. ㉠과 ㉢은 상보결합으로 연결된 염기이므로 ㉠이 A이면 ㉢은 T이다.

ㄴ. ㉡은 인산, 당, 염기로 이루어진 단위체인 뉴클레오타이드이다.

ㄷ. 제시된 그림에서 단위체는 모두 6개가 있다.

07 전기적 성질은 임계 온도 이하에서 초전도체의 전기 저항이 0이 되는 성질을 이용하고, 자기적 성질은 초전도체가 주변 자기장을 밀어내는 성질을 이용한다. 따라서 C는 자기적 성질을 이용한 것이다.

08 자기 부상 열차는 자석이 초전도체 위에 뜨는 성질을, 초전도 케이블은 전류가 흐를 때 열이 발생하지 않는 성질을, 핵융합 장치는 센 전류가 흐를 때 강한 자기장이 발생하는 성질을 이용하므로 A, B, C는 각각 (나), (다), (가)에 해당한다.

09 흑연에서 한 층을 분리해 낸 신소재는 그래핀이다. 그래핀은 전기 전도성과 열전도성이 뛰어나고, 아주 얇기 때문에 빛을 투과시킬 수 있으며, 강도가 높으면서도 휘거나 구부릴 수 있는 특징이 있다.
전류가 흐르면 빛을 방출하는 특성이 있는 신소재는 반도체이다.

10 그래핀은 휘어지는 디스플레이, 의복형 컴퓨터, 차세대 반도체 소재, 바닷물을 담수로 바꾸는 필터, 태양 전지의 성능 개선 등에 이용된다.
자기 부상 열차, 자기 공명 영상(MRI) 장치, 전력 손실이 없는 송전선에는 초전도체가 이용된다.
발광 다이오드에는 반도체가 이용된다.

11 초전도체는 특정 온도(임계 온도) 이하에서 전기 저항이 0이 되는 성질이 있다. 또한 외부 자기장을 밀어 내는 성질이 있다. 초전도체는 전력 손실이 없는 송전선, 자기 부상 열차, 자기 공명 영상(MRI) 장치 등에 이용할 수 있다. 흑연의 한 층에 해당된 신소재는 그래핀이다.

12 수중 접착제는 바닷물 속에서 바위에 달라붙는 홍합 족사(분비물)의 성질을 모방한 것이다.

13 [예시 답안] 전기 저항이 0이므로 저항에 의해 열이 발생하지 않아 에너지 손실 없이 전류가 흐를 수 있다.

14 [예시 답안] • 초전도체: 초전도 현상이 나타나는 임계 온도 이하의 온도를 유지하는 데 많은 비용이 든다.
• 그래핀: 대량 생산이 어렵고, 생산 비용이 많이 들며, 반도체에 비해 전기적 성질을 변화시키기 어렵다.

수능 도전 문제   057~058쪽

01 ⑤   **02** ③   **03** ⑤   **04** ③

01 규산염 광물을 이루는 기본 물질은 규소 1개와 산소 4개가 공유 결합하여 만들어진 사면체이기에 Si-O 사면체로 불린다. 사면체의 꼭짓점에는 산소가 위치하며 이 산소를 이웃한 다른 사면체와 공유하면서 하나일 때보다 복잡한 기본 구조를 형성할 수 있다.

02 단위체에 당을 포함하고 있지 않은 것은 단백질이고 정보를 저장하는 물질은 DNA이다. 글리코젠은 에너지 저장 물질이다.

ㄱ. (가)에는 DNA가 해당한다.

ㄴ. (나)는 글리코젠이므로 단위체는 포도당이다.

ㄷ. (다)는 단백질이며 체내에서 에너지원으로도 사용된다.

03 초전도체는 임계 온도 이하에서 외부 자기장을 밀어내는 성질을 이용하여 자석 위에 떠 있을 수 있다. 이러한 마이스너 효과를 이용하여 자기 부상 열차를 만들 수 있다.

04 그림은 그래핀의 구조를 나타낸 것이다. 그래핀은 탄소 원자로 이루어져 있으며, 강도가 높으면서도 잘 휘거나 구부러지고 빛이 투과할 수 있어 투명한 디스플레이를 만들 수 있다.
특정 온도에서 강한 자기장을 만들 수 있는 것은 초전도체의 특성이다.

3 역학적 시스템

3-1 중력과 역학적 시스템

탐구 활동
062~063쪽

㉠ 동시 ㉡ 증가 ㉢ 증가 ㉣ 일정 ㉤ 등가속도 ㉥ 등속 직선
㉦ 중력 ㉧ 중력 ㉨ 중력 방향

이해 Check

1 (1) × (2) × (3) × (4) ○ 2 ㄹ 3 (1) 중력 (2) 크다. (3) 연직
4 (1) 중력 (2) ㉠ 같은 ㉡ 반대 ㉢ 판막

2 자 끝을 세게 치면 B의 수평 방향의 속력이 빨라지므로 B
가 수평 방향으로 운동하는 거리가 증가한다. 하지만 연직
방향으로 작용하는 힘의 크기는 일정하므로 가속도와 낙하
시간은 같다.

개념 확인 문제
064쪽

01 ㉠ 중력 ㉡ 역학적 시스템 **02** (1) ○ (2) ○ (3) ○ (4) ×
03 ㄱ, ㄴ, ㄷ **04** (1) 등속 (2) 자유 낙하 (3) 연직 아래
(4) 같다. **05** (1) 2 m/s, 19.6 m/s (2) 19.6 N, 9.8 m/s²
(3) 8 m

01 자연에 존재하는 여러 가지 힘들이 물체들 사이에 상호 작
용을 하면서 전체적으로 일정한 운동 체계를 유지하는 시
스템을 역학적 시스템이라고 한다. 중력은 역학적 시스템
에서 매우 중요한 역할을 한다.

02 중력은 질량이 있는 모든 물체 사이에 상호 작용 하는 서
로 끌어당기는 힘이다. 중력의 방향은 지구 중심 방향이며
물체에 작용하는 중력의 크기는 물체의 무게와 같다.

03 중력을 받으며 자유 낙하 하는 물체는 질량이 달라도 가속
도는 9.8 m/s²으로 같다. 따라서 2 kg, 3 kg인 물체를 같은
높이에서 동시에 자유 낙하시키면 지면에 동시에 떨어진다.

04 수평 방향으로 던진 물체는 수평 방향으로는 작용하는 힘
이 없으므로 등속 직선 운동을, 연직 방향으로는 중력이
작용하므로 자유 낙하 운동을 한다. 수평 방향의 속력이
달라도 높이만 같다면 지면에 도달하는 데 걸리는 시간은
같다. 따라서 A가 지면에 도달한 시간은 B가 지면에 도
달한 시간과 같다.

05 수평 방향으로는 2 m/s의 등속 직선 운동을, 연직 방향으
로는 자유 낙하 운동을 한다.
(1) 연직 방향 속도 $v=0+9.8 \, \text{m/s}^2 \times 2\text{s}=19.6 \, \text{m/s}$
이다.
(2) 연직 방향으로 중력이 작용하는 자유 낙하 하는 물체의
가속도는 9.8 m/s²으로 일정하다.

(3) 수평 방향으로 이동한 거리는
$$s=2 \, \text{m/s} \times 4\text{s}$$
$$=8 \, \text{m}$$
이다.

실력 쑥쑥 문제
065~067쪽

01 ③ **02** ③ **03** ④ **04** ② **05** ① **06** ③ **07** ③
08 ② **09** ④ **10~13** 해설 참조

01 질량은 물체의 고유한 양으로 장소에 관계 없이 같다. 따
라서 지구와 달에서 물체의 무게는 달라도 질량은 같으므
로 ㉢은 지구에서와 같다.

02 달에 지구에 의한 중력이 작용하므로 달이 지구 주위를 원
운동할 수 있다.

03 물체에 작용하는 중력의 크기는 질량과 가속도의 곱이므
로 중력의 크기는 B가 A보다 크다. B, C의 중력 가속도
가 다르므로 B와 C가 서로 다른 지표면에 있다. 중력의
방향은 연직 방향, 즉 지구 중심 방향이므로 B와 C의 가
속도의 방향은 다르다.

04 야구공에 작용하는 중력의 방향은 같고, 높이가 같다면 수
평 방향의 속력에 관계없이 바닥에 떨어지는 데 걸리는 시
간은 같다.

05 연직 방향의 속력은 A와 B가 같고 B는 수평 방향의 속력
이 있으므로 바닥에 닿는 순간의 속력은 B가 A보다 크다.
A와 B의 높이가 같기 때문에 A와 B는 바닥에 동시에 떨
어진다.

해설 Plus 같은 높이에서 속력이 서로 다른 수평 방향으로 던진
물체의 운동

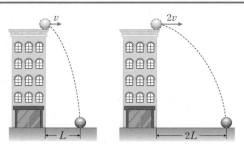

같은 높이에서 속력만 다른 경우에는 지면에 도달하는 데 걸리
시간은 같다. 수평으로 던지는 속력을 2배로 하면 시간이 같기 때
문에 수평으로 운동한 거리는 2배가 된다.

---

06 공기의 저항을 무시할 때 수평으로 던진 물체의 경우 수평
방향으로는 힘이 작용하지 않으므로 등속 직선 운동을 하
고, 연직 방향으로는 지구에 의한 중력만 작용하므로 자유
낙하 하는 물체와 같이 등가속도 운동을 한다.

07 가속도는 질량에 관계없이 항상 중력 가속도이다. 따라서 A와 B의 가속도는 같다. 높이가 같다면 수평면에 도달하는 데 걸리는 시간은 같으므로 A와 B를 동시에 던졌다. 지면에 도달하는 순간 연직 방향의 속력은 같지만 수평 방향의 속력이 B가 A보다 크므로 수평면에 도달할 때 속력은 B가 A보다 크다.

08 수평면에 도달하는 데 걸리는 시간은 A가 B보다 크다. 따라서 A를 B보다 먼저 던졌다. 수평 방향으로 이동한 거리가 같기 때문에 시간이 작게 걸리는 B의 속력이 A의 속력보다 크다. 따라서 $v_A < v_B$이다. 중력 가속도는 질량에 관계 없이 같다.

09 추위를 느끼면 열손실을 줄이기 위해 근육이 수축하여 피부에 소름이 돋고 털이 곤두선다. 따라서 이와 같은 생명 시스템 유지에는 중력의 역할이 거의 없다.
공기나 바닷물의 대류 현상이나 고도가 낮은 곳이 높은 곳보다 산소가 상대적으로 많은 것은 중력이 작용하기 때문이다.

10 질소와 산소는 비교적 무겁기 때문에 지구 중력에 이끌려 대기를 구성한다. 높이 올라갈수록 중력의 크기가 작아지므로 대기는 희박해진다.
[예시 답안] (1) 중력 (2) 질소와 산소는 비교적 무겁기 때문에 지구 중력에 이끌려 대기를 구성한다. (3) 높이 올라갈수록 중력의 크기가 작아지기 때문이다.

11 쇠구슬과 깃털이 동시에 떨어지는 경우는 중력만 작용할 때이다. 따라서 ㉠은 진공이며, 진공에서는 중력 가속도가 같기 때문에 동시에 떨어진다.
[예시 답안] (1) 진공 (2) 중력 가속도가 같기 때문이다.

12 A와 B는 가속도의 크기가 9.8 m/s²인 등가속도 직선 운동을 하므로 2초 후의 A의 속력은
$v = 0 + 9.8\,\text{m/s}^2 \times 2\text{s} = 19.6\,\text{m/s}$
이고, 2초 후의 B의 가속도의 크기가 9.8 m/s²이다.
[예시 답안] (1) 19.6 m/s (2) 9.8 m/s²

13 B에서 A를 보면 연직 방향으로는 속력이 같기 때문에 정지해 있는 것으로 보이고 수평 방향으로만 일정한 속력으로 움직이는 것으로 보인다.
[예시 답안] (1) 수평 방향: 속력 일정, 연직 방향: 속력이 일정하게 증가
(2) 수평 방향으로 등속 운동

3-2 충돌과 안전장치

070~071쪽

탐구 활동

㉠ 깨지지 않는다. ㉡ 길다. ㉢ 크다. ㉣ 작아진다. ㉤ 충돌 시간 ㉥ 길게

이해 Check

1 ㄴ　**2** ㄱ, ㄴ　**3** ④　**4** ㉠길게 ㉡ 충격력(평균 힘)
5 ㄴ, ㄷ, ㄹ, ㅁ

1 시멘트 바닥과 방석에 떨어지는 유리컵이 받는 충격량은 같다. 방석 위에 떨어지는 유리컵은 힘이 작용하는 시간이 길기 때문에 유리컵에 작용하는 충격력(평균 힘)의 크기가 작아서 유리컵이 깨지지 않는다.

2 ㄱ, ㄴ은 충격량이 같을 때, 힘이 작용하는 시간이 길기 때문에 물체가 받는 충격력(평균 힘)의 크기가 작은 경우이다. ㄷ, ㄹ은 작용하는 힘이 일정한 경우 시간을 길게 하면 물체가 받는 충격량이 커지는 경우이다.

3 충격량은 같지만 충격 시간을 길게 하여 충격력(평균 힘)을 줄이는 장치들이다.

4 충격량이 같을 때 더 두툼한 재질의 글러브는 충돌 시간을 길게 하여 손에 전달되는 충격력의 크기를 줄여 준다.

5 자동차의 안전띠는 관성으로 인한 피해를 줄여 주는 안전 장치이다.

개념 확인 문제

072쪽

01 ㄱ, ㄴ, ㅁ　**02** (1) ○ (2) × (3) ○ (4) ○ (5) ×　**03** ①
04 (1) 10 (2) 20 (3) 10 (4) 20　**05** ㉠ 시간 ㉡ 힘(충격력)　**06** ㄱ, ㄴ

01 물리량 A는 관성이며, ㄱ, ㄴ, ㅁ은 물체가 가지고 있는 관성 때문에 일어나는 현상이다.

02 충격량은 물체에 작용하는 힘과 힘이 작용하는 시간의 곱으로 나타낸다. 따라서 충격량이 같으면 힘을 받는 시간이 길수록 물체에 작용하는 힘의 크기는 작아진다.

03 물체 A, B, C의 각각 운동량의 크기는 15 kg·m/s, 12 kg·m/s, 10 kg·m/s이므로 A>B>C이다.

04 힘과 시간의 그래프에서 아랫 부분의 넓이는 충격량이며, 충격량은 운동량의 변화량과 같다.

05 범퍼는 자동차가 충돌하여 정지할 때까지 시간을 길게 하여 탑승자가 받는 힘의 크기를 줄여 준다.

정답과 해설

06 ㄷ, ㄹ은 작용하는 힘이 일정한 경우 시간을 길게 하면 물체가 받는 충격량이 커지는 경우이다.

실력 쑥쑥 문제

073~075쪽

01 ③ **02** ④ **03** ⑤ **04** ④ **05** ① **06** ④ **07** ①
08 ⑤ **09** ④ **10** ④ **11** (1) A (2) 해설 참조 **12** (1) A
(2) 해설 참조 **13** (1) 같다. (2) 해설 참조 **14** 해설 참조

01 ㉠은 관성이다. 정지해 있는 물체가 계속해서 정지해 있으려는 성질도 관성이다.

02 자동차의 안전띠는 충돌 시 사람이 관성에 의해 튕겨 나가는 것을 방지한다. 노를 저으면 반작용에 의해 배가 앞으로 나아간다.

03 버스가 갑자기 정지할 때 몸이 앞으로 쏠리는 현상은 관성 때문이다. ㄴ, ㄷ, ㄹ은 관성에 의한 것이고, 로켓이 가스를 내뿜으며 위로 올라가는 것은 작용 반작용에 의한 것이다.

04 '운동량=질량×속도'이므로 각각의 운동량을 구하면 다음과 같다.
ㄱ. 0.6 kg×5 m/s=3 kg·m/s
ㄴ. 0.3 kg×20 m/s=6 kg·m/s
ㄷ. 60 kg×1 m/s=60 kg·m/s
ㄹ. 15,000 kg×0 m/s=0 kg·m/s
∴ ㄷ>ㄴ>ㄱ>ㄹ

05 '충격량=운동량 변화량=나중 운동량−처음 운동량
=(2 kg×5 m/s)−(2 kg×3 m/s)
=4 kg·m/s=4 N·s

06 힘과 시간의 그래프에서 넓이는 충격량이다. 충격량은 운동량의 변화량과 같다. 처음 운동량은 0이므로 충격량은 나중 운동량과 같다. 따라서 1초, 2초, 3초 넓이의 비가 1:4:8이므로 p_1, p_2, p_3의 비도 1:4:8이다.

07 ㄱ. 0~4초 동안 물체의 운동량 변화량의 크기가 4 kg·m/s이므로 충격량의 크기도 4 N·s이다. 따라서 물체가 받는 힘의 크기는 4 N·s=F×4s, F=1 N이다.
ㄴ. 4초 전후 운동량의 방향의 변화가 없으므로 물체의 속력만 느려지고 방향 변화는 없다.
ㄷ. 4~8초 동안 운동량의 변화량이 8 kg·m/s이므로 물체가 받은 충격량의 크기는 8 N·s이다.

08 충돌 전의 A와 B의 운동량의 크기는 같고, 충돌 후의 운동량의 크기는 A가 B보다 크다. 따라서 운동량의 변화량의 크기는 A가 B보다 크므로 공이 받은 충격량도 A가 B보다 크다.

09 A와 B가 정지할 때까지 운동량의 변화량의 크기는 각각 $4mv$와 mv이다. 운동량의 변화량의 크기는 충격량의 크기와 같기 때문에 A, B가 받은 충격량의 크기의 비도 4:1이다. 따라서 힘이 작용하는 시간의 비가 2:1이므로, 힘의 크기의 비는 2:1이다. 따라서 $F_A:F_B$는 2:1이다.

10 에어백은 사람이 받는 충격량의 크기는 같지만 힘을 받는 시간을 길게 하여 사람이 받는 충격력(평균 힘)의 크기를 줄이는 역할을 한다.

11 (2) [예시 답안] 실을 갑자기 당기면 관성에 의해 추는 정지해 있고 아래 쪽에 힘이 작용하므로 B가 끊어진다.

12 (2) [예시 답안] 달걀이 방석과 시멘트 바닥에 떨어질 때 달걀의 운동량의 변화량의 크기는 같다. 따라서 충격량도 같지만 시멘트 바닥에 떨어지는 경우는 충격력이 작용하는 시간이 짧기 때문에 충격력을 크게 받아 깨진다.

13 (2) [예시 답안] 가만히 놓아 자유 낙하 하는 물체와 수평으로 던진 물체에 작용하는 힘의 크기(중력)와 힘이 작용하는 시간(낙하 시간)이 같기 때문에 A와 B가 받는 충격량의 크기는 같다.

14 [예시 답안] • 자동차의 에어백은 사고가 났을 때 충돌 시간을 길게 하여 탑승자가 받는 충격력의 크기를 줄여 준다.
• 배에 매다는 타이어는 충돌했을 때 충돌 시간을 길게하여 배에 작용하는 충격력의 크기를 줄여 준다.

해설 Plus 충격력과 충돌 시간의 관계

동일한 달걀을 각각 시멘트 바닥(A)과 방석 위(B)에 가만히 놓아 떨어뜨릴 경우
• 충돌 전후 달걀의 운동량: 충돌 직전 두 달걀의 운동량은 같고, 충돌 후 속도가 0이므로 두 달걀의 운동량은 0으로 같다.
• 충격량이 같을 때 충돌 시간이 길어지면 달걀이 받은 힘(충격력)의 크기는 작아진다.

그래프 아랫부분의 넓이	A=B ($S_A=S_B$)
충격량 (운동량의 변화량)	A=B
힘(충격력)을 받는 시간	A<B ($t_A<t_B$)
충격력(평균 힘)	A>B ($F_A<F_B$)

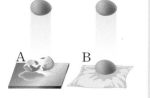
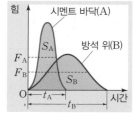

01 ①   **02** ③   **03** ④   **04** ③   **05** ③   **06** ④   **07** ⑤
08 ⑤   **09** ①   **10** ①   **11** (1) 중력, 연직 방향 (2) 해설 참조
12~13 해설 참조

01 갈릴레이 사고 실험으로 관성을 설명할 수 있고, 수평면 D에서는 공에 작용하는 힘이 없기 때문에 등속 운동을 한다. 사과가 나무에서 떨어지는 이유는 관성 때문이 아니라 중력이 작용하기 때문에 떨어진다.

02 진공관에서는 쇠구슬이 깃털보다 무겁기 때문에 쇠구슬에 작용하는 중력이 깃털에 작용하는 중력보다 크다. 중력은 달라도 가속도가 같기 때문에 동시에 떨어진다.

03 질량이 클수록 큰 힘을 받지만 가속도가 질량에 관계 없이 같기 때문에 떨어지는 데 걸리는 시간은 같다.

04 A와 B가 충돌하는 데 걸리는 시간은 $10 \text{ m/s} \times t = 20 \text{ m}$ 이므로 t는 2초이다. 2초 후의 A의 속력은 $9.8 \text{ m/s}^2 \times 2\text{s} = 19.6 \text{ m/s}$이다.

05 A와 B의 가속도가 같기 때문에 운동하는 시간이 같은 p에서 연직 방향의 속도는 같다.

06 수평 방향의 속력만 같다면 질량에 관계없이 A와 B는 P점에서 충돌한다. A의 속력이 v보다 크면 P점보다 높은 지점에서 충돌한다. 따라서 Ⅱ, Ⅲ은 P점에서 충돌한다.

07 ㉠은 중력이다. 중력은 서로 접촉해 있거나 멀리 떨어져 있어도 작용한다. 무거울수록 중력이 크게 작용하며, 지구 시스템과 생명 시스템 유지에 중요한 역할을 한다.

08 ㄱ. (나)에서 A, B가 충돌하므로 충돌 전의 속력은 B가 A보다 크다. 따라서 운동량의 크기는 B가 A보다 크다.
ㄴ. B는 충돌 과정에서 운동 방향과 반대 방향으로 A로부터 힘을 받으므로 B의 운동량의 크기는 감소한다.
ㄷ. 충돌 과정에서 A와 B가 받은 충격량의 크기가 같으므로 운동량의 변화량의 크기도 같다.

09 A와 B가 벽으로부터 받은 충격량은 같고, 오른쪽 방향을 $(+)$로 하면 A의 충격량은 $4mv - (-3mv) = 7mv$이다.
B의 충격량은 $6mv - (-2mv_B) = 6mv + 2mv_B$이다.
A와 B의 충격량이 같으므로
$7mv = 6mv + 2mv_B$
$\therefore v_B = \dfrac{1}{2}v$

10 ㄱ. 힘-시간 그래프에서 시간 축과 곡선이 만드는 면적은 공이 받은 충격량이고, A와 B에서 면적 $4mv$로 같으므로 A와 B에서 충격량의 크기는 같다.

ㄴ, ㄷ. 공의 운동량의 변화량은 공이 받은 충격량과 같고 오른쪽 방향을 $(+)$로, 충돌 후 속도를 각각 v_A, v_B라고 하면, A에서 $4mv = mv_A - (-2mv)$이므로 A에서 공이 발을 떠나는 순간의 운동량의 크기 mv_A는 $2mv$이고 $v_A = 2v$이다.
B에서는 $4mv = mv_B - (-mv)$이므로 $v_B = 3v$이다.

11 공기 저항을 무시할 때, 수평 방향으로 던진 물체는 연직 방향으로는 일정한 크기의 중력이 계속 작용한다. 따라서 물체는 수평 방향으로는 등속 직선 운동, 연직 방향으로는 등가속도 운동을 한다.
(2) [예시 답안] 수평 방향으로는 등속 직선 운동, 연직 방향으로는 등가속도 운동을 한다.

12 물체가 원래의 운동 상태를 유지하려고 하는 성질을 관성이라고 한다.
[예시 답안] 버스가 갑자기 정지하면 승객이 앞으로 쏠린다. 달리던 사람이 돌부리에 걸려 넘어진다.

13 [예시 답안] 배에 매다는 타이어나 모서리 보호대는 충돌 시간을 길게 하여 충돌 과정에서 받는 힘의 크기를 줄여 충돌에 의한 피해나 통증을 줄여 준다.

01 ④   **02** ⑤   **03** ③   **04** ②

01 ㄱ. (가)에서 사과는 정지해 있기 때문에 사과에 작용하는 알짜힘의 크기는 0이다. 따라서 손이 사과에 작용하는 힘의 크기와 사과에 작용하는 중력의 크기는 같다.
ㄴ. (나)에서 사과에 작용하는 힘은 중력이다. 따라서 (나)에서 가속도는 중력 가속도이므로 사과는 등가속도 운동을 한다. 따라서 사과의 속도는 일정하게 증가한다.
ㄷ. (가)와 (나)에서 사과에 작용하는 중력은 같다.

02 수평으로 던진 물체는 연직 방향으로 등가속도 운동을 한다. 수평 방향으로 등속도 운동을 하므로 0.1초 동안 움직인 거리가 20 cm이므로 모눈 한칸은 5 cm이다.
0~0.4초 동안 물체가 수평 방향으로 등속도 운동한 거리와 연직 방향으로 등가속도 운동한 거리는 같다.

03 (가)와 (나)에서 A의 운동량의 변화량이 같다. 따라서 P와 Q의 운동량의 변화량도 같으므로 충돌 후의 운동량은 같다. 즉 $m_P\left(\dfrac{v}{2}\right) = m_Q\left(\dfrac{v}{3}\right)$이므로 $m_P : m_Q = 2 : 3$이다.

04 $0 \sim t_1$, $t_1 \sim t_2$의 운동량의 변화량의 크기가 같으므로 $0 \sim t_1$, $t_1 \sim t_2$에서 물체가 받은 충격량의 크기는 같다. 따라서 힘이 작용하는 시간이 긴 $0 \sim t_1$이 $t_1 \sim t_2$보다 충격력(평균 힘)의 크기는 작다. 방석을 치워도 유리컵이 받는 충격량의 크기는 같다.

정답과 해설

4 지구 시스템

4-1 지구 시스템과 상호 작용

탐구 활동　　　　　　　　　084~085쪽

㉠ 생물권 ㉡ 수권 ㉢ 외권 ㉣ 대륙 ㉤ 해양 ㉥ 수온 ㉦ 기온
㉧ 흡수 ㉨ 방출 ㉩ 수 ㉪ 수 ㉫ 기 ㉬ 지

이해 Check

1 ㄴ, ㄷ, ㄹ　**2** (가) 생물권 (나) 지권 (다) 수권　**3** ㄷ, ㄹ, ㅁ
4 해설 참조

1 ㄱ. 지표에 존재하는 물은 수권에 포함된다.
ㅁ. 수권에 있는 물의 대부분은 해수이다. 우리가 사용하는 물인 강과 호수에 있는 물과 지하수가 수권에서 차지하는 비율은 매우 작은 편이다.

2 생물권에서 일어나는 광합성과 호흡은 기권과의 상호 작용이며, 화석 연료의 생성은 지권에 해당하는 내용이다. 수권은 생물권의 생물에게 수분을 제공한다.

3 ㄱ. 물이 증발하여 수증기가 될 때는 에너지를 흡수한다.
ㄴ. 수증기가 응결하여 구름을 형성할 때는 에너지를 방출한다.

4 수권에서 지권으로 탄소가 이동하는 경우는 물에 녹은 탄산염이 침전하는 경우이다.
[예시 답안] 수권에 탄산 이온으로 녹아 있던 탄소가 침전하여 석회암이 되면서 지권으로 탄소가 이동하게 된다.

개념 확인 문제　　　　　　　　　086쪽

01 (1) × (2) × (3) ○ (4) × (5) ○　**02** (1) 지각 (2) 맨틀
(3) 내핵　**03** A: 혼합층 B: 수온 약층 C: 심해층　**04** ㄱ
05 (1) ㉠ 지(수) ㉡ 수(지) (2) ㉠ 생물(기) ㉡ 기(생물) (3) ㉠
지(기) ㉡ 기(지)　**06** ㄴ, ㄷ　**07** 해설 참조　**08** (1) 기권
(2) 수권 (3) 지권

01 (1) 지표를 흐르는 물도 수권에 포함된다.
(2) 수권에 있는 물의 대부분은 해수이다.
(3) 지구 시스템은 지권, 수권, 기권, 생물권, 외권으로 이루어져 있다.

02 (1) 지구의 가장 겉 부분을 이루고 있는 지각은 대륙 지각과 해양 지각으로 구분한다.
(2) 유동성을 가진 고체 상태 물질로 이루어진 맨틀은 지구 내부 구조 중 가장 많은 부피를 차지한다.
(3) 지구 중심에 위치하는 내핵은 고체 상태 물질로 이루어져 있으며, 온도와 압력이 가장 높다.

03 해수는 깊이에 따른 수온 변화를 기준으로 혼합층, 수온 약층, 심해층으로 구분한다.

04 ㄴ. 중간권에서 공기의 대류 현상은 일어나지만 수증기가 거의 없어 기상 현상은 나타나지 않는다.
ㄷ. 성층권에 있는 오존층에서는 태양에서 오는 자외선을 흡수하므로 위로 올라갈수록 기온이 올라간다.

05 지표를 흐르는 물은 수권에 포함되며 지형은 지권에 포함된다. 광합성을 통해 산소와 이산화 탄소가 이동하는 것은 생물권과 기권의 상호 작용이다. 화산 가스는 지권에 있던 물질을 기권으로 분출하는 현상이다.

06 바다보다는 적은 양이지만 육지에서도 물은 증발한다. 물은 태양 복사 에너지의 영향으로 증발하며, 이렇게 증발한 물이 구름을 형성하고 강수로 내리면서 순환하는 것이므로 물의 순환을 일으키는 주요 에너지원은 태양 복사 에너지이다.

07 지구상의 물은 태양 복사 에너지를 흡수하여 그 형태가 변하면서 순환한다.
[예시 답안] 바다에서 태양 복사 에너지를 흡수하여 증발한 물은 구름을 형성하고, 이렇게 형성된 구름은 육지로 이동하여 강수로 내린다. 강수로 내린 물은 지표를 흐르거나 지하수가 되어 바다로 흘러가면서 순환한다.

08 이산화 탄소는 공기 중에 포함된 탄소의 형태이며, 탄소가 물에 녹으면 탄산 이온이 된다. 석회암은 탄소가 포함된 암석이며, 화석 연료는 생물체에 포함되어 있던 탄소가 생물체의 유해로 지각에 포함되면서 만들어진 것이다.

실력 쑥쑥 문제　　　　　　　　　087~089쪽

01 ① **02** ④ **03** ③ **04** ⑤ **05** ⑤ **06** ② **07** ③
08 ① **09** ③ **10** ④ **11~14** 해설 참조

01 생물권은 지구에서 사는 모든 생물을 포함하는 것으로 지권, 수권, 기권 모두에 존재한다.

02 A는 내핵, B는 외핵, C는 맨틀, D는 지각이다. 액체 상태의 물질로 이루어진 층은 외핵으로 지구 내부에 깊이 위치하여 수권과 상호 작용하기는 어렵다. 지구 내부 구조 중 가장 많은 부피를 차지하는 곳은 맨틀이며, 지각은 대륙 지각과 해양 지각으로 구분할 수 있다.

03 A는 혼합층, B는 수온 약층, C는 심해층이다. 혼합층은 태양 복사 에너지에 가열된 해수가 바람의 영향으로 수직 방향으로 혼합되어 수온이 일정한 층이다. 심해층은 태양 복사 에너지의 영향을 거의 받지 않아 연중 기온이 일정하게 낮은 층이다.

04 A는 대류권, B는 성층권, C는 중간권, D는 열권이다. 열권은 공기가 희박하여 수증기가 거의 분포하지 않으므로 수권과의 상호 작용이 밀접하게 일어나지는 않는다. 수권과의 상호 작용이 가장 밀접하게 일어나는 층은 A이다.

05 생물권은 태양계 행성 중 지구에만 유일하게 존재하는 것으로 지구에 사는 모든 생물을 의미한다. 지구에 살고 있기 때문에 지권, 수권, 기권 모두에 존재한다.

06 ㄴ. 외권에 형성된 지구 자기장은 태양에서 오는 태양풍을 막아주는 역할을 하여 지구에서 생물이 살아갈 수 있는 환경을 조성해 준다.

해설 Plus 지구 자기장

태양풍은 전기적인 성질을 띠고 있어서 지구 자기장에 의해 지구로 거의 유입되지 못한다. 지구에 자기장이 없다면 태양풍에 의해 대기가 사라져 지구상에는 생명체가 존재할 수 없었을 것이다.

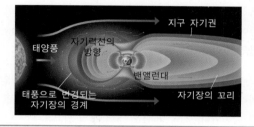

---

07 ① 호흡을 통해 산소를 소모하고 이산화 탄소를 배출하는 과정은 생물권과 기권의 상호 작용이다.
② 운석이 지구로 떨어지는 과정에서 대기 중에서 연소하는 것은 외권과 기권의 상호 작용이다.
④ 파도에 의해 해안가에서 해식 동굴이 형성되는 것은 수권과 지권의 상호 작용이다.
⑤ 대기 대순환으로 해류를 발생시키는 것은 기권과 수권의 상호 작용이다.

08 태풍은 태양 복사 에너지를 흡수한 물이 수증기로 변한 후 형성되며, 지진은 지구 내부 에너지의 영향으로 일어난다.

09 물이 순환하는 과정에서 소모되는 에너지는 태양 복사 에너지이다. 태양 복사 에너지를 흡수하여 증발한 물은 대기 중에서 수증기 상태로 존재하거나 구름을 형성하면서 다양한 기상 현상을 일으킨다.

10 D는 동물이 호흡하면서 이산화 탄소를 배출하는 것이므로 생물권에 있던 탄소가 기권으로 이동하는 것이다. A는 지권의 석회암에 포함되어 있던 탄소가 석회암이 물에 녹아 수권에 포함되었다가 기권으로 이동하는 과정이며, B는 기권의 이산화 탄소가 물에 녹아 수권으로 이동하는 과정이다. C는 식물이 광합성을 하는 과정에서 기권의 탄소가 생물권으로 이동하는 것이며, E는 지권에 화석 연료로 포함되어 있던 탄소가 화석 연료의 연소를 통해 기권으로 이동하는 것이다.

11 해수는 수온 변화를 기준으로 3개의 층으로 구분하며, 기권은 높이에 따른 기온 변화를 기준으로 4개의 층으로 구분한다.
(1) [예시 답안] 해수는 깊이에 따른 수온 변화를 기준으로 3개의 층으로 구분한다.
(2) [예시 답안] (가)에서 불안정한 층은 A로 해수 표면에 부는 바람의 영향으로 혼합이 일어난다. (나)에서 불안정한 층은 D와 F층으로 이곳에서는 위로 올라갈수록 기온이 낮아지면서 공기가 무거워지므로 아래로 내려오기 때문에 혼합이 잘 일어난다.

12 화산 활동으로 화산 가스가 대기 중으로 분출하면 대기를 구성하는 공기의 성분에 영향을 준다.
[예시 답안] (가)는 지권에 있는 화산이 분출하여 대기 중으로 화산 가스를 분출하는 모습이다. 이는 지권과 기권의 상호 작용에 해당하므로 (나)에서 A에 해당한다.

13 지구 시스템 안에서 순환하는 물질은 그 형태는 변하지만, 전체 양에는 변화가 없다.
(1) [예시 답안] 바다와 육지에서 일어나는 물의 증발량과 강수량을 모두 합쳐 비교하면 지구 전체적으로 물의 양에는 변화가 없다.
(2) [예시 답안] 물은 기권에서 수증기로, 수권에서 물이나 빙하로, 지권에서 토양에 흡수된 상태로 존재한다. 그러므로 증발을 많이 하여 수증기가 증가하였어도 지구 전체적인 물의 총량에는 변함이 없다.

14 A는 화석 연료 사용에 의한 이산화 탄소의 증가이며, B는 화산 가스에 의한 대기 중 탄소의 증가이다. C는 광합성으로 탄소 화합물이 만들어지는 과정이며, D는 대기 중의 이산화 탄소가 해수에 녹아 탄산 이온이 되는 과정이다. E는 해수에 녹아 있던 탄산 이온이 탄산염으로 침전되어 석회암으로 만들어지는 과정이다.
(1) [예시 답안] 기권으로 탄소가 증가하는 과정은 A와 B이다. A에 해당하는 과정은 화석 연료의 사용이며, B에 해당하는 예는 대기 중으로 화산 가스가 분출하는 것이 있다.
(2) [예시 답안] D는 대기 중의 이산화 탄소가 물에 녹아 탄산 이온이 되는 과정으로, 해수의 수온이 높아지면 이산화 탄소가 물에 녹는 정도가 약해지므로 대기 중에 이산화 탄소의 농도가 점점 더 높아지게 된다.

4-2 지권의 변화와 그 영향

탐구 활동   092~093쪽

㉠ 열곡대 ㉡ 습곡 ㉢ 변환 ㉣ 지 ㉤ 기 ㉥ 화산재

이해 Check

1 ㄱ, ㄷ, ㄹ   **2** 해설 참조   **3** ㄱ, ㄷ   **4** 해설 참조

1 발산형 경계에서는 해령이나 열곡대가 나타나며, 변환 단층은 보존형 경계에서 나타난다.

2 수렴형 경계에서는 충돌하는 판의 종류에 따라 해구나 습곡 산맥 등이 만들어진다.
[예시 답안] (가), 태평양판과 유라시아판이 이동하는 방향을 확인하며 서로 가까워지면서 충돌하는 방향으로 이동하고 있으므로 (가)와 같은 해구가 만들어지는 판 경계를 확인할 수 있다.

3 화산 폭발로 발생하는 피해는 직접 혹은 간접적으로 지구 시스템 전반에 영향을 끼치므로 이에 대한 대책을 세우는 것이 필요하다.

4 화산 활동으로 분출되는 화산재는 주로 지권과 기권 사이의 상호 작용에 영향을 준다.
[예시 답안] (나), 지권의 화산재가 기권의 대기로 이동하면서 지구 기온에 영향을 주었다.

개념 확인 문제   094쪽

01 (1) × (2) ○ (3) ○   **02** ㄱ, ㄷ, ㄹ   **03** 판 구조론   **04**
(1) D, F, E (2) A, B, G (3) C   **05** (1) 보 (2) 발 (3) 수
06 (1) ㄷ (2) ㄱ (3) ㄴ (4) ㄹ   **07** ㄱ, ㄷ   **08** (1) ○ (2) ×
(3) ○

---

01 대륙의 주변부나 해양의 중심부가 판의 경계와 주로 일치하므로 화산대와 지진대는 대륙의 주변부나 해령을 중심으로 나타난다.

02 지표를 이루는 판은 여러 개의 조각으로 분리되어 있다. 이 조각들은 맨틀 대류에 의해 이동하며, 이 과정에서 다양한 지각 변동이 일어난다.
ㄴ. 판은 지각과 맨틀 일부를 포함하는 두께 약 100 km 정도의 암석권이다.

03 지표에서 일어나는 다양한 지각 변동을 맨틀 대류에 의한 판의 이동으로 설명하는 이론이 판 구조론이다.

04 (1) D와 F는 해령이고 E는 동아프리카 열곡대이다.
(2) A는 대륙 지각끼리 충돌하여 습곡 산맥이 만들어지며, B와 G는 해양 지각과 대륙 지각이 충돌하여 해구가 만들어진다.
(3) C는 산안드레아스 단층으로 변환 단층이다.

05 보존형 경계에서는 판이 생성되거나 소멸하지 않으며, 해구나 습곡 산맥은 수렴형 경계에서 형성된다. 발산형 경계에서는 판이 서로 멀어지면서 해령과 열곡대를 형성한다.

07 화산 분출물로 산사태가 일어나는 것이나 공기 중으로 방출된 화산 가스가 햇빛을 차단하여 기온이 내려가는 것은 화산 활동의 피해이다.

---

08 해저에서 발생한 지진은 거대한 파도를 일으켜 지진 해일을 발생시키며, 이렇게 발생한 지진 해일이 해안가에 도달하면 큰 피해를 주기도 한다.

실력 쑥쑥 문제   095~097쪽

01 ⑤   **02** ③   **03** ④   **04** ③   **05** ②   **06** ④   **07** ①
08 ③   **09** ⑤   **10** ③   **11~14** 해설 참조

---

01 ㄱ. 지진이 자주 발생하는 지역을 연결한 띠 모양의 지역을 지진대라고 한다.
ㄴ. 지진은 지구 내부에서 발생하는 에너지의 영향으로 나타나는 현상이므로 지권에 포함된다.
ㄷ. 태평양 주변 지역에서는 대륙 주변부에서 지진이 자주 일어나며, 이 지역을 환태평양 지진대라고 한다.

02 화산 활동은 주로 대륙의 주변 지역에서 자주 일어난다. 특히 태평양을 둘러싼 대륙과의 경계 지역에서는 화산 활동이 활발하게 나타나는 데, 이 지역이 환태평양 화산대로 불의 고리라고도 한다.

03 그림에서 A는 암석권, B는 연약권이다. 연약권은 암석권 아래에 위치하며, 연약권에서 일어나는 맨틀의 대류로 판이 이동한다. 지구 표면은 여러 개의 판으로 나누어져 있으며, 이 판의 경계에서 지진과 화산 활동이 활발하게 일어난다.

04 (가)는 해양판이 대륙판 아래로 이동하면서 판이 소멸하는 수렴형 경계로, 해구나 습곡 산맥이 만들어진다. (나)는 해양판이 서로 멀어지는 과정에서 마그마가 분출하면서 새로운 판이 생성되는 발산형 경계로, 지진과 화산 활동이 모두 일어난다.

05 ㄱ. A는 판이 서로 어긋나게 이동하는 보존형 경계로 변환 단층을 확인할 수 있다.
ㄴ. B는 해령으로 마그마가 분출하면서 새로운 해양 지각을 형성하는 발산형 경계이다.
ㄷ. C는 수렴형 경계로 해양 지각이 대륙 지각 아래로 이동하면서 판이 소멸하는 지역이다.

06 A는 판이 서로 어긋나게 이동하는 보존형 경계로 변환 단층을 확인할 수 있다. B는 습곡 산맥으로 대륙판끼리의 충돌로 형성된 것이므로 맨틀 대류가 하강하는 지역이다.

07 A는 대륙판끼리 충돌하여 습곡 산맥을 형성하는 수렴형 경계이며, B는 대륙판과 해양판이 충돌하여 해구를 형성하는 수렴형 경계이다. C는 변환 단층이 만들어지면서 주로 지진이 일어나는 보존형 경계이며, D는 해양판이 서로 멀어지면서 새로운 해양판을 형성하는 발산형 경계이다. E는 동아프리카 열곡대로 대륙 지각이 서로 멀어지는 발산형 경계이다.

08 지진과 화산 활동은 지구 내부 에너지의 영향으로 일어나는 현상이므로 지권에 포함된다.

09 화산에서 분출된 화산재가 쌓인 지역의 토양은 화산재에 포함된 다양한 성분의 물질이 토양을 비옥하게 만들어 농작물을 잘 자라게 한다.

10 해저에서 발생하는 지진으로 형성되는 지진 해일은 해안가에 가까워질수록 높은 파도가 만들어지므로 최대한 높은 지역으로 대피해야 한다.

11 판의 경계에서 발생하는 에너지로 지진과 화산 활동이 나타난다.
[예시 답안] 판의 경계에서 발생하는 에너지의 영향으로 지진과 화산 활동이 활발하게 일어나 지진대와 화산대는 판의 경계와 비슷하게 나타난다. 이 때문에 지진대와 화산대의 위치는 거의 일치하게 나타난다.

12 판은 맨틀 대류로 이동한다.
[예시 답안] 암석권 아래에 있는 연약권에서 일어나는 맨틀 대류에 의해 판이 이동한다.

13 해령에서는 맨틀 대류가 상승하면서 마그마를 분출하여 새로운 판을 형성한다.
[예시 답안] 그림은 해양 지각이 서로 멀어져 가는 발산형 경계로 D에서 확인할 수 있다. 해령을 중심으로 열곡대가 발달하고 이곳에서 지구 내부에 있던 마그마가 분출하면서 새로운 해양 지각을 형성한다.

14 화산 활동을 통해 얻는 자원에는 관광 자원, 열에너지, 유황, 비옥한 토양 등이 있다.
[예시 답안] 화산 주변에 나타나는 온천이나 화산 지형을 관광 자원으로 이용하고, 화산 주변 지열을 이용하여 발전을 한다. 화산재가 쌓이고 시간이 지나면 비옥한 토양으로 만들어지기도 한다.

대단원 평가 098~100쪽

01 ③ **02** ① **03** ⑤ **04** ④ **05** 해설 참조 **06** ②
07 ② **08** ⑤ **09** ⑤ **10** ① **11** ③ **12** ① **13** ④
14 ④

01 ㄱ. A는 외권에서 지구로 들어오는 태양 복사 에너지뿐만 아니라 유성과 같은 경우도 포함된다.
ㄴ. 구름의 형성은 기권과 수권의 상호 작용(B)으로 나타나며, 생물의 호흡은 생물권이 기권을 이루고 있는 공기의 성분을 변화시키는 작용(E)이다.
ㄷ. 기권과 수권을 이루는 공기와 물은 지권을 이루는 암석이나 지표면을 풍화·침식시키면서 지형을 변화시킨다.
ㄹ. 생물의 서식지는 지권, 수권, 기권 모두를 포함한다.

02 ㄱ. 지하수와 빙하는 육수에 포함된다.
ㄴ. 깊이 내려가면서 수온이 낮아져 안정한 층을 이루고 있는 곳은 수온 약층이다.
ㄷ. 대류층은 태양 복사 에너지를 가장 많이 흡수하며, 바람의 영향으로 해수의 혼합이 잘 일어나 깊이에 따른 수온 변화가 적다. 심해층에는 태양 복사 에너지가 거의 도달하지 않는다.

03 지구 내부에 있는 핵은 액체 상태인 외핵과 고체 상태인 내핵으로 구성되어 있다. 주로 철과 니켈로 구성된 액체 상태의 외핵이 회전하면서 지구 주위에 자기장을 만들어 태양에서 오는 태양풍으로부터 지구를 보호한다.

04 호흡과 부패를 통해 생물에 들어 있던 탄소가 이산화 탄소의 형태로 기권에 포함된다. 대기 중의 탄소가 물에 녹으면 탄산 이온의 형태가 되어 물에 포함되며, 플랑크톤의 광합성을 통해서는 대기 중의 탄소가 물에 녹아 생물체에 포함된다.

05 태양 복사 에너지를 흡수한 물은 그 형태가 변하면서 지구 시스템을 순환한다.
[예시 답안] 수권의 물이 태양 복사 에너지를 받아 증발하여 만들어진 수증기가 기권으로 유입된 후 응결하면 구름이 형성된다.

06 ㄱ. 지구 전체적으로 증발하는 물의 양이 100(16+84), 강수량이 100(25+75)이므로 지표에서 유출되는 물의 양은 없다.
ㄷ. 육지에서 강수로 내려 증발하지 못한 양의 물은 지하수나 강물이 되어 바다로 흘러가므로 담수의 양은 거의 일정한 상태를 유지한다.

07 ㄴ. 대서양에서는 해령을 중심으로 한 열곡대가 발달하여 이곳을 중심으로 지진과 화산 활동이 활발하다.
ㄷ. 지진대와 화산대는 서로 비슷하게 나타나지만, 지진이 일어날 때 항상 화산 활동이 함께 나타나지는 않는다.

08 A는 암석권으로 지각과 상부 맨틀의 일부를 포함하며, 대륙판과 해양판으로 구분한다. B는 연약권으로 유동성을 가지며, 맨틀 대류가 일어나 판을 움직이게 하는 역할을 한다.

09 맨틀 대류가 상승하는 곳에서는 마그마가 분출하여 새로운 판이 만들어지며, 하강하는 곳에서는 판이 소멸한다. 새로운 판을 생성하는 곳은 발산형 경계이며, 판이 소멸하는 곳은 수렴형 경계이다.

10 그림은 대륙판과 해양판이 만나는 수렴형 경계로, 해양판이 대륙판 아래로 이동하면서 해구를 형성한다. 해양판이 대륙판 아래로 이동하는 과정에서 판이 소멸하면서 지진이 일어나므로 대륙쪽으로 갈수록 지진이 일어나는 깊이는 점점 더 깊어진다.

11 A는 대륙판과 해양판이 서로 충돌하는 경계이므로 해구가, B는 대륙판이 서로 충돌하는 경계이므로 습곡 산맥이 나타난다. C는 해양판이 서로 멀어지는 경계이므로 해령이 나타난다.

12 A에서는 마그마가 상승하면서 새로운 판을 형성한다. B와 C 사이에서는 판이 서로 어긋나 이동하면서 변환 단층이 나타나며, D는 해령을 중심으로 멀어져 가는 판이다.

13 D는 해양판과 대륙판이 서로 충돌하는 수렴형 경계로 해구와 습곡 산맥이 나타난다.

14 지진으로 발생하는 지진파는 지구 내부 구조를 확인하거나 지하 자원을 찾을 때 활용할 수 있으며, 화산 활동으로 만들어진 지형이나 온천 등은 관광 자원으로 이용한다. 화산재가 대기 중으로 분출되어 햇빛을 가리면 지구의 기온이 하강한다.

수능 도전 문제
101~102쪽

01 ③ **02** ③ **03** ④ **04** ③

01 해저에서 일어나는 지진으로 지진 해일이 발생하여 피해를 주는 것은 지권과 수권의 상호 작용이며, 식물의 광합성으로 대기 중의 이산화 탄소를 소모하고 산소를 공급하는 것은 기권과 생물권의 상호 작용 결과이다. 물이 태양 복사 에너지를 흡수하여 증발하면서 수증기가 되어 기권으로 유입된 후 응결하여 구름을 생성하는 것은 수권과 기권의 상호 작용이며, 사막과 황토 지대의 작은 모래나 황토가 하늘에 떠다니다가 상층 바람을 타고 멀리까지 날아가 떨어지는 현상은 지권과 기권의 상호 작용 결과이다.

02 생물체나 해수에 포함되어 있던 탄소는 석회암이나 화석 연료 등으로 변하여 지각에 포함되고, 이렇게 지각에 포함되어 있던 탄소는 화산 활동이나 화석 연료의 사용을 통하여 기권으로 다시 돌아간다. 해저 탄산염이 퇴적되면 석회암을 형성하므로 이는 수권에 있던 탄소가 지권으로 이동하는 것이다.

03 판 구조론에서는 판을 움직이게 하는 원동력을 맨틀 대류로 설명한다. 맨틀 대류에 의해 맨틀의 물질이 상승하는 지역에서는 새로운 판이 생성되며, 맨틀이 하강하는 지역에서는 판이 소멸한다.

04 A와 C는 수렴형 경계로 맨틀 대류가 하강하는 과정에서 판이 소멸하면서 해구를 형성하거나 밀려 올라가면서 습곡 산맥을 형성한다. B는 발산형 경계로 맨틀 대류가 상승하는 과정에서 마그마를 분출하여 새로운 판을 생성한다. D는 보존형 경계로 변환 단층이 나타나며, 판이 새롭게 생성되거나 소멸하지 않는다.

5 생명 시스템

5-1 생명 시스템

탐구 활동
107쪽

㉠ 난각막 ㉡ 삼투 ㉢ 물

이해 Check
1~2 해설 참조 **3** (1) ○ (2) × (3) ○

1 [예시 답안] 식초로 달걀 껍데기를 녹여 난각막을 통한 물의 이동을 관찰하기 위해서이다.

2 [예시 답안] 물이 든 비커에 넣은 달걀 B에서는 아무런 변화를 관찰할 수 없다. 즉, 달걀 A에서 나타난 변화와 비교하기 위해 설정한 대조군이다.

개념 확인 문제
108쪽

01 (1) ○ (2) × (3) ○ (4) × **02** ㉠ 단백질(또는 막단백질), ㉡ 인지질 2중층 **03** ㉠ 촉매, ㉡ 활성화 에너지 **04** (1)-㉠, (2)-㉢, (3)-㉡ **05** ㄱ, ㄴ **06** (1) ㄷ (2) ㄴ (3) ㄱ

01 세포 안팎으로의 물질 출입을 조절하는 기능을 하는 세포 소기관은 세포막이다. 물질대사에서 효소는 반응의 활성화 에너지를 낮춘다.

02 세포막은 인지질 2중층에 다양한 막단백질들이 군데군데 박혀 있는 구조이다.

05 나트륨 이온과 같이 전하를 띤 이온은 특정 막단백질을 통해 이동한다.

실력 쑥쑥 문제
109~111쪽

01 ⑤ **02** ③ **03** ② **04** ③ **05** ④ **06** ②, ⑤ **07** ④ **08** ① **09** ② **10** ⑤ **11~14** 해설 참조

01 형태와 기능이 비슷한 세포들의 모임을 조직이라고 한다. 따라서 하나의 조직은 한 종류의 세포로 이루어진다.

02 세포벽은 식물 세포의 세포막 바깥쪽에 있는 단단한 구조물로, 식물 세포에만 있으며, 세포를 싸서 보호하고 세포의 형태를 유지한다. 세포 안팎으로의 물질 출입을 조절하는 것은 세포막이다.

03 핵은 세포의 생명 활동을 조절하는 중추 역할을 하며, 유전 물질인 DNA가 들어 있다.

04 A는 액포, B는 세포막, C는 리보솜이다. 리보솜은 세포질에 있는 세포 소기관으로, 단백질을 합성한다.

06 A는 아미노산, 포도당과 같이 크기가 크고 수용성인 물질이나 나트륨 이온, 칼륨 이온과 같이 전하를 띤 이온의 이동 방식이며, B는 산소나 이산화 탄소와 같이 크기가 매우 작은 기체 분자나 지용성인 물질들의 이동 방식이다. 이들은 모두 확산에 의해 이동한다.

07 산소나 이산화 탄소와 같이 크기가 매우 작은 기체 분자나 지용성 물질은 세포막을 경계로 인지질 2중층을 직접 통과하여 확산을 통해 이동한다.

08 물질대사는 생명 시스템 내에서 일어나는 모든 화학 반응을 말하며, 세포는 물질대사를 통해 생명 유지에 필요한 에너지와 물질을 얻는다. 크기가 큰 물질이 크기가 작은 물질로 분해되는 과정인 이화 작용이 일어날 때는 에너지를 방출한다. 효소의 작용으로 체온 정도의 낮은 온도에서도 물질대사가 일어날 수 있다.

09 제시된 자료는 에너지가 방출되는 이화 작용이며, ⓒ이 효소 X가 있을 때의 에너지 변화를 나타낸다.

10 현재 소화제와 같은 의약품이나 혈당 측정기와 같은 의료 기기와 같이 다양한 의료 분야에 효소가 이용되고 있다.

해설 Plus 혈당 측정기

혈당 측정기에 혈액을 한 방울 정도 떨어뜨리면 혈중 포도당 농도를 알 수 있다. 혈당 측정기에는 혈중 포도당이 산소와 반응하는 과정을 촉매하는 효소가 들어 있다. 일련의 반응을 통해 발생하는 전자를 전극으로 전달하여 전류를 측정하는데, 이 전류량을 통해 혈액 중 포도당의 양을 측정한다.

---

11 [예시 답안] ㄷ: 광합성을 하여 포도당과 같은 유기 물질을 합성한다.
ㅁ: 세포를 싸서 보호하고 세포의 형태를 유지한다.

12 (1) ⓐ 이산화 탄소, ⓑ 산소
(2) [예시 답안] 산소는 폐포의 세포막과 모세 혈관의 세포막의 인지질 2중층을 농도가 높은 쪽에서 낮은 쪽으로 확산에 의해 이동한다.

13 [예시 답안] 증류수는 적양파의 표피 세포보다 농도가 낮기 때문에 삼투에 의해 물 분자가 세포막을 통해 세포 안쪽으로 이동했기 때문이다.

14 효소는 화학 반응의 활성화 에너지를 낮추어 물질대사가 빠르게 일어나도록 하는 생체 촉매이다.
[예시 답안] 아밀레이스는 반응물인 녹말이 생성물인 엿당으로 분해되는 물질대사의 활성화 에너지를 낮추어 화학 반응이 빠르게 일어나도록 한다.

5-2 세포 내 정보의 흐름

탐구 활동 114~115쪽

ⓐ 상보적 ⓑ 코돈 ⓒ 단백질 ⓓ 페닐알라닌

이해 Check

1 전사: 핵, 번역: 세포질의 리보솜 **2** 해설 참조 **3** (1) ×
(2) × (3) ○ **4** 해설 참조 **5** 해설 참조 **6** ㄱ, ㄷ

2 [예시 답안] 유전자는 A, G, C, T의 4가지 염기 서열, RNA는 A, G, C, U의 4가지 염기 서열, 단백질은 20종류의 아미노산 서열로 정보를 저장한다.

4 [예시 답안] 특정 효소 유전자의 염기 서열이 정상적이지 않아서 전사, 번역을 통해 만들어지는 효소가 제 기능을 하지 못한다.

5 [예시 답안] 유전자는 A, G, C, T의 4가지 염기 서열로 이루어져 있다.

개념 확인 문제 116쪽

01 (1) ㄷ (2) ㄴ (3) ㄱ (4) ㄹ **02** ⓐ 전사, ⓑ 번역 **03**
ⓐ 유전자, ⓑ 단백질 **04** (1)-ⓑ (2)-ⓐ **05** ㄴ **06** (1)
○ (2) × (3) × (4) × (5) ○

02 DNA에 있는 유전자를 원본으로 하여 RNA를 만드는 과정을 전사라고 한다.
전사된 RNA를 이용해 단백질을 만드는 과정을 번역이라고 한다.

05 생명 중심 원리란 DNA에 있는 유전자로부터 단백질이 만들어지는 방법을 의미한다.

06 (2) DNA에 있는 유전자를 원본으로 하여 RNA를 만드는 전사 과정은 핵 안에서 일어난다.
(3) DNA에 있는 유전자의 염기 서열 중 3개의 염기, 즉 3염기 조합이 단백질을 구성하는 1개의 아미노산을 지정한다.
(4) 유전자를 이루는 A, G, C, T 염기의 서열이 같으면 저장된 단백질의 정보도 같다.

실력 쑥쑥 문제 117~119쪽

01 ⑤ **02** ② **03** ② **04** ⑤ **05** ④ **06** ④ **07** ②,
⑤ **08** ⑤ **09** ① **10~13** 해설 참조

01 보기의 형질 모두 해당 유전자의 정보 전달 결과 만들어진 단백질에 의해 나타나는 유전 형질이다.

02 DNA의 일부인 유전자의 기본 단위는 뉴클레오타이드이고, 단백질의 기본 단위는 아미노산이다.

해설 Plus 뉴클레오타이드

뉴클레오타이드(Nucleotide)는
DNA와 RNA 같은 핵산을 구성
하는 단위체 분자이다. 인산, 당, 염기
로 이루어져 있으며, 유전 정보 전달
과정에서 염기 서열의 형태로 유전 정보를 저장한다. DNA를 구
성하는 뉴클레오타이드의 염기 종류는 A, G, C, T이고, RNA를
구성하는 뉴클레오타이드의 염기 종류는 A, G, C, U이다.

03 세포 내에서 전사와 번역을 통해 'DNA(유전자) → RNA
→ 단백질'의 순서로 정보의 흐름이 일어난다.

04 ㉠은 염색체, ㉡은 DNA, ㉢은 유전자이다. 염색체는 DNA
와 단백질로 이루어져 있다.

05 단백질 합성 과정에서 전사를 통해 만들어진 RNA가 세
포질로 이동하여 번역이 일어난다.

06 유전자의 전사 → 번역 → 단백질(효소) 합성 → 물질대사를
통한 색소 합성 → 유전 형질이 나타난다.

07 RNA를 구성하는 염기에는 A, G, C, U이 있다. 따라서
전사를 통해 만들어지는 RNA의 염기 서열 정보는 유전
자의 염기 서열 정보와 다르다. 단백질은 수십~수천 개의
아미노산 서열로 이루어져 있다.

08 세포 내에서 전사와 번역을 통해 DNA의 유전자로부터
RNA가 합성되고, 전사된 RNA로부터 단백질이 합성된다.

09 감기는 바이러스에 의한 감염성 질환이다.

10 [예시 답안] 전사란 A, G, C, T으로 이루어진 유전자의
염기 서열에 상보적인 A, G, C, U로 이루어진 염기 서열
을 가진 RNA가 합성되는 것을 의미한다.

11 (1) 4개
(2) [예시 답안] 번역 결과 합성되는 단백질을 구성하는 아
미노산의 수는 4개이다. 이는 코돈 1개가 번역 단계에
서 1개의 아미노산을 지정하기 때문이다.

해설 Plus 코돈

코돈(Codon)은 전사 과정을 통해
DNA의 3염기 조합으로부터 만들
어진 RNA의 3개의 염기로, 유전
정보 전달 과정에서 하나의 아미노
산을 지정한다. 코돈의 종류는 염기의 종류가 A, G, C, U의 4가
지이므로 총 64개이다.

12 [예시 답안] 헤모글로빈을 지정하는 유전자의 염기 서열에
이상이 생기면 전사와 번역을 통해 생성된 헤모글로빈의
아미노산 배열 순서가 달라져 비정상 헤모글로빈 단백질

이 합성된다. 비정상 헤모글로빈 단백질에 의해 적혈구가
낫 모양이 되면 산소 운반 기능이 떨어져 낫 모양 적혈구 빈
혈증을 유발한다.

13 [예시 답안] DNA에 있는 유전자의 염기 서열에 이상이 있
으면 전사와 번역을 통해 만들어지는 단백질의 기능에 이
상이 생겨 정상적인 물질대사가 일어나지 않을 수 있기 때
문이다.

대단원 평가 120~122쪽

| 01 ④ | 02 ④ | 03 ① | 04 ③ | 05 ② | 06 ① | 07 ① |
| 08 ⑤ | 09 ③ | 10 ⑤ | 11 ② | 12 ⑤ |

01 A는 조직, B는 기관 단계이다. 생명 시스템은 구조적 · 기
능적 기본 단위인 세포로 이루어져 있으며, B는 여러 조
직이 모여 고유한 형태와 기능을 나타내는 기관 단계이다.

02 (가)는 리보솜, (나)는 세포벽, (다)는 핵, (라)는 엽록체이
다. 리보솜은 세포질에 있는 세포 소기관이고, 선택적 투
과성은 세포막의 특성이며, 세포벽과 엽록체는 식물 세포
에만 존재한다.

03 식물 세포의 가장 바깥쪽에 있는 구조는 세포벽이며, 주로
세포를 보호하고 형태를 유지하는 역할을 한다. 포도당과
아미노산은 각기 다른 특정 막단백질을 통해 세포막을 이
동한다.

04 이산화 탄소는 산소와 같이 크기가 작기 때문에 세포막의
인지질 2중층을 통해 확산될 수 있다.

05 용액 X는 3 % 설탕 용액, Y는 0.01 % 설탕 용액이다. 용
액 X에 적혈구를 넣었을 때는 적혈구보다 상대적으로 고
농도인 용액 X 쪽으로 적혈구 안의 물이 이동하였다.

해설 Plus 체액 농도와 생리 식염수

생명 시스템은 체액의 농도가 높아지면 세포 속의 물이 빠져나가
세포가 수축하고, 반대로 체액의 농도가 낮으면 세포 속으로 물이
들어와 세포가 부풀어 오르기 때문에 세포의 구조와 기능에 이상이
생긴다. 인체의 경우 오줌과 땀을 이용하여 체액의 무기염류의 농
도가 약 0.9 %로 유지되도록 조절한다. 이와 같은 까닭으로 생리
식염수의 농도를 0.9 %로 맞춘다.

06 물질대사를 촉매하는 효소는 동화 작용과 이화 작용 모두
에서 활성화 에너지를 낮추어 반응이 빠르게 일어나도록
한다. (나)는 에너지를 흡수하는 동화 작용이다.

07 과정 (다)를 통해 반응 결과 산소가 생성되었음을 알 수 있
다. 과정 (나)와 (다)를 통해 B에서는 반응이 일어나지 않
았음을 알 수 있다.

08 서로 다른 유전자로부터 유전 정보가 전달되므로 합성되는 단백질의 구조와 기능이 다르다. 따라서 단백질에 의해 나타나는 유전 형질도 다르다.

09 유전자의 정보는 핵에서 RNA로 전사되고, RNA의 정보는 세포질의 리보솜에서 단백질로 번역된다.

10 전사의 의미는 정보를 저장하는 방식이 비슷한 DNA와 RNA 사이에 정보를 '옮겨 적는다.'의 의미를 갖는 것이다. 유전자와 상보적인 염기 서열을 갖는 DNA의 다른 한 가닥의 염기 서열은 RNA의 염기 서열과 T이 U로 바뀐 것을 제외하면 같다.

11 (가)는 전사 과정, (나)는 번역 과정이고, ⓐ는 RNA, ⓑ는 아미노산이다. RNA는 핵 속에서 전사 과정을 통해 합성된다.

12 DNA의 염기 서열은 A, G, C, T으로 이루어져 있다.

수능 도전 문제

123~124쪽

01 ④ **02** ③ **03** ① **04** ⑤

01 (가)는 리보솜, (나)는 세포벽, (다)는 핵, (라)는 미토콘드리아이고, ⓐ와 ⓓ는 세포질, ⓑ는 세포막, ⓒ는 DNA이다. 세포벽은 식물 세포의 세포막 바깥쪽에 있는 단단한 구조물로, 식물 세포를 싸서 보호하고 세포의 형태를 유지하는 역할을 한다.

02 용질 입자가 커서 세포막을 통해 이동할 수 없을 때 용매인 물 분자가 확산을 통해 이동하는 현상을 삼투라고 한다. 삼투에 의해 용매인 물은 세포막을 경계로 저농도에서 고농도 쪽으로 이동한다.

03 식혜는 보리의 새싹에 들어 있는 아밀레이스라는 효소를 이용한 음식이다. ⓑ의 수면 위로 떠오른 밥풀은 보리싹으로부터 추출한 아밀레이스에 의해 밥알을 이루는 녹말이 단맛이 나는 당류로 분해된 후 가벼워져서 떠오른 것이다.

해설 Plus 식혜

식혜는 쌀밥에 엿기름 가루를 우려낸 물을 부어서 만든다. 밥에 있는 녹말이 엿기름에 있는 아밀레이스에 의해 분해되는 것을 이용하는 것으로, 밥을 씹을 때 단맛이 나는 것과 같은 원리이다. 엿기름에 포함된 아밀레이스는 62 ℃에서 가장 촉매 작용이 활발하므로 식혜를 만들 때는 62 ℃ 정도로 유지해 주는 것이 가장 좋다고 한다.

---

04 생명 시스템은 유전자의 정보에 따라 전사, 번역 과정을 통해 단백질을 합성하고, 단백질에 의해 여러 가지 유전 형질이 나타난다.

---

6 화학 변화

6-1 산화와 환원

탐구 실험

128~129쪽

㉠ 이산화 탄소 ㉡ 산소 ㉢ 환원 ㉣ 산화 ㉤ 구리 ㉥ 구리 이온 ㉦ 잃어 ㉧ 얻어

이해 Check

1 (1) × (2) × (3) × (4) ○ **2** 해설 참조 **3** ㄴ, ㄹ
4 해설 참조

1 산화 구리(Ⅱ)와 탄소 가루(C)를 섞어 가열하면 검은색 산화 구리(Ⅱ)는 붉은색 구리로 환원되고, 탄소 가루는 이산화 탄소로 산화된다. 산화와 환원 반응은 항상 동시에 일어난다.

2 산화 철(Ⅲ)에 코크스(C)를 넣고 가열하면 코크스는 산소를 얻어 산화되고, 산화 철(Ⅲ)은 산소를 잃고 환원되어 순수한 철이 된다.

[예시 답안]

3 황산 구리(Ⅱ) 수용액에 아연판을 넣으면 아연은 전자를 잃고 아연 이온이 되고, 이 전자를 구리 이온이 받아 구리로 석출된다. 따라서 수용액의 푸른색은 점점 옅어지고, 구리 이온은 전자를 얻어 붉은색 구리로 환원된다. 철판도 마찬가지로, 반응이 진행될수록 철판과 아연판은 점점 얇아진다.

4 [예시 답안]

$$\underset{\text{산화 전자를 잃음.}}{\overbrace{}}$$

$$Zn + CuSO_4 \longrightarrow ZnSO_4 + Cu$$

$$\underset{\text{환원 전자를 얻음.}}{\underbrace{}}$$

개념 확인 문제

130쪽

01 (1) ○ (2) × (3) ○ (4) × **02** (1) 산화, 환원 (2) 환원 (3) 잃는다 (4) 얻, 잃는다 **03** ㄱ, ㄴ, ㄷ
04 ㉠ 코크스 ㉡ 산소 **05** 해설 참조 **06** (가) 수소, (나) 철 **07** ㄱ, ㄴ, ㄷ **08** 해설 참조

01 모든 화학 반응에서 산화와 환원은 동시에 일어난다.
산화 철(Ⅲ)이 철이 될 때 산화 철(Ⅲ)은 산소를 잃으므로 환원된다. 아연(Zn)이 아연 이온(Zn^{2+})이 될 때 전자를

잃으므로 산화 반응이다.

02 구리가 산화 구리(Ⅱ)가 될 때 구리는 산소에게 전자를 잃고 산화된다.

03 철이 산소와 결합하여 생성된 산화 철(Ⅲ)이 붉은 녹이다. 동맥혈이 정맥혈보다 더 붉은색을 띠는 것은 헤모글로빈의 철이 산소와 결합하기 때문이다.

04 산화 철(Ⅲ)을 코크스(C)와 섞어 가열하면 코크스가 공기 중의 산소와 반응하여 일산화 탄소가 되고, 산화 철(Ⅲ)이 이 일산화 탄소와 반응하여 순수한 철이 된다.

05 (1) $2CuO + C \longrightarrow 2Cu + CO_2$
산화 / 환원

(2) $Mg + Cu^{2+} \longrightarrow Mg^{2+} + Cu$
산화 / 환원

06 수소는 산소와 결합하여 물이 된다. 철은 전자를 잃고, 철 이온이 된다.

07 철로 된 공구에 기름칠을 하는 것은 철이 산소와 접촉하지 못하도록 하는 것이므로 철의 산화 반응을 막기 위해서이다.

08 수용액의 푸른색은 구리 이온에 의한 것이고, 붉은색의 고체는 금속 구리이다. 따라서 수용액의 푸른색이 옅어지고, 붉은색 고체가 생성되었으므로 구리 이온이 전자를 얻어 구리가 된 것이다.
[예시 답안] 아연판의 아연이 전자를 잃고 산화되면서 이 전자가 황산 구리(Ⅱ) 수용액의 구리 이온으로 이동하여 구리로 환원되었다.

실력 쑥쑥 문제
131~133쪽

01 ⑤ **02** ⑤ **03** ③ **04** ① **05** ⑤ **06** ④ **07** ④
08 ③ **09** ④ **10** ③ **11** ① **12~14** 해설 참조
15 (1) B>H>A (2) 해설 참조

01 산화는 산소를 얻고, 전자를 잃는 것이다. 하나의 반응에서 산화와 환원은 항상 동시에 일어난다.

02 석회수가 뿌옇게 흐려졌으므로 이산화 탄소 기체가 발생한 것이다. 따라서 탄소는 산소를 얻었고, 산화 구리(Ⅱ)는 산소를 잃었다.

03 이산화 탄소와 물이 포도당과 산소를 생성하였으므로 광합성 반응이고, 반응이 일어나기 위해서는 빛에너지가 필요하다. 광합성 반응에서 이산화 탄소는 산소를 잃고 포도당으로 환원되며, 반응 중 전자의 이동이 있다.

04 ㉠ 철이 산화 철(Ⅲ)이 될 때 철이 산소를 얻어 산화되고, ㉡ 코크스가 일산화 탄소가 될 때 코크스가 산화되고, ㉢ 산화 철(Ⅲ)이 철이 될 때 일산화 탄소가 철의 산소를 얻어 산화된다.

05 일산화 탄소가 산화 철(Ⅲ)의 산소와 반응하면 철과 이산화 탄소가 생성된다. 화학 반응 전후에 원자의 수는 변하지 않아야 한다.

06 생선에 레몬즙을 뿌리면 비린내가 줄어드는 것은 생선 비린내의 성분이 레몬과 만나 중화된 것으로 산 염기 반응이다. 철의 부식, 전지, 연소 반응 등은 산화 환원 반응의 대표적 예이다.

07 ㄱ, ㄴ. 황산 구리(Ⅱ) 수용액에 금속판을 담갔을 때 붉은색 고체가 석출되었으므로, 구리 이온(Cu^{2+})이 전자를 얻어(환원되어) 붉은색 구리가 된 것이다.
ㄷ. 황산 구리(Ⅱ) 수용액의 색 변화를 확인하기 위해 반응하지 않는 수용액이 필요하다.

08 황산 구리(Ⅱ) 수용액에 아연판과 철판을 넣었을 때 모두 반응이 일어났으므로 구리보다는 철과 아연이 산화되기 쉽다. 황산 철(Ⅱ) 수용액에 아연판을 넣었을 때 반응이 일어났다면 철보다 아연이 산화되기 쉬우므로, 산화되기 쉬운 순서는 아연>철>구리이다.

09 페인트 칠, 기름칠, 도금은 물, 산소와 철의 접촉을 막아 부식을 방지하는 방법이다. 배의 바닥에 아연을 부착하는 것은 아연이 철보다 먼저 산화하여 철의 부식을 막는 것을 이용한 방법이다.

> **해설 Plus 철의 부식 방지법**
> • 산소와 물의 접촉 차단: 기름칠, 페인트 칠, 도금 등
> • 철의 성질 변화: 스테인리스강(철에 크로뮴이나 니켈 등을 혼합해 만든 합금)
> • 금속의 반응성 차이 이용: 철보다 산화되기 쉬운 금속을 철에 부착하여 철보다 먼저 산화

10 묽은 염산에 아연 조각을 넣었을 때 이온의 반응식은 다음과 같다.
$$Zn + 2H^+ \longrightarrow Zn^{2+} + H_2$$
염산의 수소 이온은 전자를 얻어 수소 기체로 환원되고, 수소 이온과 아연은 2 : 1의 개수비로 반응한다.

11 마그네슘이 연소하여 산화 마그네슘이 될 때 마그네슘은 전자를 잃고 산화되고, 산소는 전자를 얻어 환원된다.

12 (1) **[예시 답안]**
$CuO + H_2 \longrightarrow Cu + H_2O$
산화 / 환원

CuO는 산소를 잃고 환원되고, H_2는 산소를 얻어 산화되었다.

(2) [예시 답안]

$$CuCl_2 + Zn \longrightarrow Cu + ZnCl_2$$

(산화: Zn, 환원: Cu)

Cu^{2+}은 전자를 얻어 환원되었고, Zn은 전자를 잃고 산화되었다.

13 (1) [예시 답안] 철이 부식될 때 산소와 수분이 필요한데 (가)는 수분과 산소를 모두 차단했고, (나)는 산소만을 차단했으므로 (가)가 부식 방지에 더 효과적이다.

(2) [예시 답안] 철 못에 철보다 더 쉽게 산화하는 물질을 붙여 둔다.

14 은반지의 검은 녹이 사라진 까닭은 알루미늄박의 알루미늄이 산화되면서 나온 전자를 은 이온이 받아 은으로 환원되었기 때문이다.

$$Al + 3Ag^+ \longrightarrow Al^{3+} + 3Ag$$

[예시 답안] ·산화된 물질: Al ·환원된 물질: $Ag_2S(Ag^+)$
은 반지의 녹이 사라지고 원래의 은색이 되었으므로, 황화은의 은 이온이 전자를 얻어 은으로 환원되었다. 은 이온에 전자를 준 것은 알루미늄박으로 알루미늄은 전자를 잃고 산화되었다.

15 (1) (가)에서 A 이온과 B가 만났을 때 A가 석출되고, B가 이온이 되었으므로 B는 A보다 산화되기 쉽다.
(나)에서 묽은 염산(HCl)에 금속 A, B, C를 각각 넣었더니 금속 B와 C에서 수소 기체가 발생하였으므로 A는 수소보다 산화되기 어렵고, B와 C는 수소보다 산화되기 쉽다.
따라서 A, B, 수소(H)에서 산화되기 쉬운 순서는 B>H>A이다.

(2) [예시 답안] B 이온이 포함된 수용액에 금속 C를 넣어 반응하는지 확인한다. 반응한다면 C가, 반응하지 않는다면 B가 더 산화되기 쉽다.
(혹은 C 이온이 포함된 수용액에 금속 B를 넣어 반응하는지 확인한다. 반응한다면 B가, 반응하지 않는다면 C가 더 산화되기 쉽다.)

6-2 산과 염기

㉠ 붉은 ㉡ 기체 ㉢ 푸른 ㉣ 붉은 ㉤ 이온 ㉥ H^+ ㉦ OH^-

이해 Check

1 ④   **2** ㄱ, ㄷ, ㄹ   **3** ㄴ, ㄷ   **4** 해설 참조

1 레몬즙은 산성을 띤다.

2 산과 염기 모두 전기 전도성을 나타낸다.

4 수산화 마그네슘은 염기로 물속에서 아래와 같이 이온화된다.
$$Mg(OH)_2 \longrightarrow Mg^{2+} + 2OH^-$$
[예시 답안] (+)극 쪽으로 OH^-이 이동하여 붉은색 리트머스 종이의 색이 푸르게 변할 것이다.

01 (1) 산 (2) 염기 (3) 공통 (4) 염기 (5) 공통 (6) 염기 (7) 산 (8) 산 (9) 산 (10) 염기   **02** (1) H^+ (2) SO_4^{2-} (3) HNO_3
03 (1) OH^- (2) Na^+ (3) $Mg(OH)_2$ **04** ①   **05** (+)극, OH^- **06** ㉠ 초록색 ㉡ 붉은색 ㉢ 노란색 ㉣ 붉은색   **07** 산: ㄱ, ㄷ 염기: ㄴ, ㄹ

01 산과 염기는 물에 녹아 이온화되고, 따라서 전류가 흐른다.

02 산은 물에 녹아 H^+과 음이온으로 이온화된다.

03 염기는 물에 녹아 OH^-과 양이온으로 이온화된다.

04 산의 공통된 특징은 수소 이온(H^+) 때문이다.

05 (−) 이온인 OH^-이 (+)극 쪽으로 끌려가면서 붉은색 리트머스 종이를 푸르게 변화시킨다.

06 페놀프탈레인은 염기성에서만 붉은색으로 변한다.

01 ④   **02** ③   **03** ⑤   **04** ⑤   **05** ⑤   **06** ⑤   **07** ②
08 ④   **09** ①   **10** ④   **11** ②   **12** (1) 수소 기체 (2) 해설 참조   **13~15** 해설 참조

01 식초는 산성을 띠며, 만졌을 때 미끈거리는 것은 염기의 특징이다.

02 산의 공통적 성질은 수소 이온 때문이고, 산마다 가진 고유한 성질은 각기 다른 음이온을 가졌기 때문이다.

03 수산화 나트륨과 수산화 마그네슘은 대표적인 염기이다. 달걀 껍데기와 반응하여 기체가 발생하는 것은 산이다.

04 (+)극으로는 음이온이, (−)극으로는 양이온이 이동하고, 질산 칼륨도 전해질이므로 이온이 이동한다.

05 염산 대신 수용액 상태에서 수소 이온을 내놓을 수 있는 다른 산이 실험에서 사용 가능하다.

06 페놀프탈레인 용액은 염기성에서 붉은색을 나타낸다.

07 염산과 수산화 나트륨 수용액에 마그네슘을 넣으면 산인

정답과 해설

염산에서 수소 기체가 발생한다.

용액의 맛을 보는 것은 매우 위험한 행동이며, 산과 염기는 모두 전해질이라 전류가 흐른다.

08 BTB 용액은 산성에서, 메틸 오렌지 용액은 중성과 염기성에서 노란색을 나타낸다.

해설 Plus 용액의 액성과 지시약의 색깔 변화

지시약	산성	중성	염기성
리트머스	붉은색	–	푸른색
BTB	노란색	초록색	푸른색
페놀프탈레인	무색	무색	붉은색
메틸 오렌지	붉은색	노란색	노란색

09 붉은색 리트머스 종이를 푸르게 변화시키므로 문제의 수용액은 염기성 용액이다.

ㄱ, ㄴ. OH^-에 의해 붉은색 리트머스 종이의 색이 변하므로 오른쪽이 (+)극이다.

ㄷ. 전극을 바꾸면 리트머스 종이의 색은 왼쪽 방향으로 푸르게 변한다.

10 염기성 용액은 쓴맛이 나며, 단백질을 녹이는 성질이 있고, BTB 용액을 푸르게 변화시킨다.

11 해양 산성화로 인한 해양 생태계의 파괴 원인은 화석 연료의 사용과 동식물의 호흡 등을 통해 대기 중의 이산화 탄소의 양이 많아지면서 이 이산화 탄소가 바닷물에 녹아 바닷물의 산성화가 심해지면서 발생하는 현상이다.

12 (1) 산은 금속과 반응해 수소 기체를 발생한다.

(2) [예시 답안] $2HCl + Mg \longrightarrow MgCl_2 + H_2$

$H_2SO_4 + Mg \longrightarrow MgSO_4 + H_2$

13 페놀프탈레인 용액에 의해 붉게 변화되고, 전기 전도성을 나타내는 것은 염기성 물질의 특징이다.

[예시 답안] 비눗물, 제산제, 하수구 세정제, 공통적으로 OH^-을 가지는 염기성 물질이기 때문이다.

14 [예시 답안] (가) 페놀프탈레인이 붉게 변한 것으로 보아 수산화 나트륨이다.

(나) BTB 용액이 초록색이므로 중성인 소금물일 것이다.

(다) 마그네슘과 반응을 하여 기체가 발생하였으므로 산인 염산이다.

15 [예시 답안] 식초는 산이라 탄산 칼슘과 반응하여 기체를 발생하며, 탄산 칼슘을 녹이는 성질이 있다. 진주의 주성분이 탄산 칼슘이므로 식초에 넣으면 녹아서 마실 수 있는 상태가 될 것이다.

6-3 중화 반응

탐구 실험 144~145쪽

㉠ 산성 ㉡ 염기성 ㉢ 산성 ㉣ 염기성 ㉤ 중화 ㉥ 중성

이해 Check

1 ㄱ, ㄷ, ㄹ **2** 푸른색-초록색-노란색 **3** ㄱ, ㄴ, ㄷ **4** 해설 참조

1 ㄱ. 염산의 수소 이온과 수산화 나트륨 수용액의 수산화 이온이 만나 중화 반응이 일어나면서 물을 생성한다.

ㄴ. 수산화 나트륨 수용액을 넣을수록 용액 속 나트륨 이온의 양이 증가한다.

ㄷ. 수산화 나트륨 수용액에 의해 혼합 용액은 산성-중성-염기성으로 변한다.

ㄹ. 중성 상태는 수소 이온과 수산화 이온이 전부 반응하여 물을 생성하므로 혼합 용액에는 두 이온이 남지 않는다.

2 수산화 칼륨 1 mL에 질산 1.5 mL를 조금씩 넣으면 혼합 용액은 염기성-중성-산성으로 변한다. 따라서 BTB 용액의 색은 푸른색-초록색-노란색으로 변한다.

3 ㄱ. 중화 반응에서 수소 이온과 수산화 이온은 1:1의 비로 반응한다.

ㄴ, ㄷ. 중화 반응이 일어나 물이 생성될 때 중화열이 발생하면서 용액의 온도가 올라간다. 생성되는 물의 양이 많을수록 온도는 더 많이 올라간다.

ㄹ. 중화 반응에서 온도가 가장 높은 지점인 중화점에서는 산의 수소 이온과 염기의 수산화 이온이 전부 반응하여 물이 되므로 용액 속에 존재하는 이온의 종류가 가장 적다.

4 중화 반응에서 수소 이온과 수산화 이온은 1:1의 비로 반응하므로, C에서 가장 많은 양의 수소 이온과 수산화 이온이 반응하여 온도가 가장 높다. 또, 산과 염기의 양이 같으므로 용액은 중성을 나타낸다.

[예시 답안] C, 초록색, 산과 염기가 전부 반응하여 완전히 중화가 일어났기 때문이다.

개념 확인 문제 146쪽

01 (1) 수소, 수산화, 물(H_2O) (2) 중화점 (3) 중화열 (4) 1, 1, 10 **02** $H^+ + OH^- \longrightarrow H_2O$ **03** C **04** C **05** 산성, 산성, 중성, 염기성, 염기성 **06** (1) ○ (2) ○ (3) ○ (4) × (5) × **07** ②

02 중화 반응에서 반응에 참여하는 이온은 물을 생성하는 H^+과 OH^-이다.

03 중화 반응에서는 H^+과 OH^-은 1:1로 반응하므로 C에서 H^+과 OH^-이 모두 반응한다.

04 C에서 중화가 가장 많이 일어나 물이 가장 많이 생성된다.

06 염산과 수산화 나트륨이 반응하여 생기는 염인 염화 나트륨은 물에 잘 녹는다.

07 막힌 배수관에 염기성의 세정제를 넣는 것은 단백질을 녹이는 염기의 특성을 이용한 것이다.

실력 쑥쑥 문제   147~149쪽

01 ⑤ **02** ⑤ **03** ② **04** ④ **05** ⑤ **06** ② **07** ④
08 ② **09** ③ **10~14** 해설 참조

01 염산을 계속해서 넣어 주기 때문에 Cl^-의 수는 계속 증가하며, 온도가 가장 높은 것은 중화점인 (다)이다.

02 ㄱ. 염기는 수용액 상태에서 양이온과 OH^-으로 이온화하므로 염기의 화학식은 AOH이다.
ㄴ. H^+이 남아 있으므로 염기를 더 넣어 주면 중화 반응이 더 일어나 온도가 올라갈 것이다.
ㄷ. (다)에서 수소 이온이 남았다는 것은 염기의 수산화 이온의 개수가 산의 수소 이온의 개수보다 적기 때문이다.

03 BTB 용액은 중성에서 초록색을 띤다.
염산 10 mL를 중화하기 위해서는 같은 농도의 수산화 나트륨 수용액 10 mL가 필요하다.

04 염산 10 mL에 같은 농도의 수산화 나트륨 수용액 20 mL를 넣으면 혼합 용액은 염기성을 띤다. 따라서 BTB 용액의 색깔은 푸른색, pH>7이 된다.

05 ㄱ. 중화점에서 산의 수소 이온과 염기의 수산화 이온은 모두 반응하여 물을 생성하므로 이온이 가장 적게 존재한다.
ㄴ. 질산과 수산화 나트륨이 중화 반응하면 염과 물을 생성하며, 이때 반응에 직접 참여하는 이온은 물을 생성하는 H^+과 OH^- 두 가지이다.
ㄷ. 용액의 온도 변화나 지시약의 변색으로 중화점을 확인할 수 있다.

06 황산은 수소 이온이 4개 생성되었고, 수산화 나트륨은 수산화 이온이 2개 생성되었다.
따라서 두 용액을 혼합하면 혼합 용액의 액성은 산성을 띠게 되며, BTB 용액을 떨어뜨리면 노란색을 나타낸다.
산과 염기의 이온의 수가 다르더라도 수소 이온과 수산화 이온은 1:1의 비로 반응하여 물 분자를 생성한다.

07 염산 2분자가 이온화되면서 수소 이온이 2개 생성되었고, 수산화 칼슘은 1분자가 이온화되면서 수산화 이온이 2개 생성되었다. 따라서 두 용액을 중화 반응시켰을 때 중화 반응 후 혼합 용액에는 물 분자 2개와 염화 이온 2개, 칼

슘 이온 하나가 남게 된다.

08 ㄱ. A에서 염산보다 수산화 나트륨의 양이 더 많으므로 중화 반응 후 수산화 이온이 남는다.
ㄴ. B에서 수산화 이온의 양이 더 많으므로 혼합 용액은 염기성을 띠며, 따라서 페놀프탈레인 용액을 떨어뜨리면 용액은 붉은색이 된다.
ㄷ. 중화 반응은 A~E 모두에서 일어난다.
ㄹ. B와 D, A와 E에서 총 이온의 개수가 같다.

09 입자 모형에서 용액 5 mL당 입자 1개로 표현하였다. C는 중화점이므로 수소 이온과 수산화 이온이 없다.

10 [예시 답안] (+)극으로 이동하는 이온: Cl^-, OH^-, NO_3^-
(−)극으로 이동하는 이온: H^+, Na^+, K^+
양이온과 음이온이 서로 반대 전하를 띠는 전극에 끌려가기 때문이다.

11 [예시 답안] (가)는 염산에 의해 노란색, (나)는 수산화 나트륨에 의해 푸른색을 띠고, 전류를 흘려 주면 노란색과 푸른색이 각각 (−)극과 (+)극으로 이동한다.

12 [예시 답안] (+)극으로 이동하던 OH^-과 (−)극으로 이동하던 H^+이 가운데서 만나 중화되면서 가운데 부분이 초록색으로 변한다.

13 [예시 답안] 물이 많이 생성될수록 온도가 높으므로 완전 중화가 일어나 H^+과 OH^-이 남지 않는 (다)에서 온도가 가장 높다.

14 [예시 답안] (나)에서는 수소 이온이 (라)에서는 수산화 이온이 남아 있으므로 두 용액이 반응하면 중화열이 발생해 온도가 올라갈 것이다.

해설 Plus 중화열 그래프

산(또는 염기)이 담긴 비커에 처음과 같은 온도의 염기(또는 산)를 추가로 계속해서 부어 주면 용액의 양 자체가 늘어나므로 실제 온도가 대칭적으로 변하지 않고, 중화점을 지나면서 서서히 감소하는 형태를 띤다.

대단원 평가   150~152쪽

01 ④ **02** ⑤ **03** ③ **04** ① **05** ④ **06** ② **07** ②
08 ④ **09** ③ **10** ② **11** ③ **12** ④ **13** ② **14** ②

01 산소를 얻는 것과 전자를 잃는 것은 산화이고, 산소를 잃는 것과 전자를 얻는 것은 환원이다.

02 붉은색 구리를 가열하면 산소와 결합하여 검은색 산화 구리(Ⅱ)가 되며, 이때 구리는 전자를 잃는다. 산화 구리(Ⅱ)

(CuO)는 구리와 산소가 결합했으므로 질량이 증가한다.

03 과자 봉지에 질소 기체를 채워 산소와의 접촉을 막아 과자의 산화를 막는다.

04 질산 은(AgNO₃)이 든 수용액에 구리선을 넣었을 때 은이 석출되었다면 구리는 전자를 잃어 구리 이온으로 산화되고, 이 전자를 은 이온이 받아 은으로 환원된 것이다.
은 이온(Ag^+)은 전자를 1개 얻어 은(Ag)이 되지만 구리 (Cu)는 전자를 2개 잃고 구리 이온(Cu^{2+})이 되므로, 은 이온 2개가 환원될 때 구리 원자 1개가 산화된다.
반응이 진행될수록 수용액 속 구리 이온의 수가 늘어나므로 수용액의 색은 점점 더 푸르게 변한다.

05 화학 반응 전후에 원자 수는 변하지 않으므로 반응식을 완성하면 다음과 같다. 따라서 $a+b+c=9$이다.
(가) $Fe_2O_3 + 3CO \longrightarrow 2Fe + 3CO_2$
(나) $4Fe + 3O_2 \longrightarrow 2Fe_2O_3$
(가)는 철의 제련을, (나)는 철의 부식을 나타낸 것이다.
철에 기름칠이나 도금을 하면 산소와의 접촉이 차단되어 철의 부식을 막을 수 있다.

06 '펑' 소리가 난 것으로 발생하는 기체가 수소임을 알 수 있다. 산은 마그네슘과 반응해 수소 기체를 발생한다.

08 H^+에 의해 (−)극 쪽으로 푸른색 리트머스 종이의 색이 붉게 변한다.

09 아세트산 역시 수소 이온이 있어 (−)극 쪽으로 리트머스 종이의 색이 붉게 변한다.

10 BTB 용액은 산성에서는 노란색, 중성에서는 초록색, 염기성에서는 푸른색을 나타내므로 용액의 액성을 모두 구분할 수 있다.
① 산과 염기 모두 전기 전도성을 가진다.
④ 페놀프탈레인은 산성과 중성의 용액에서 모두 무색을 나타낸다.
③, ⑤ 마그네슘 리본, 탄산 칼슘과의 반응은 산의 특성으로, 중성과 염기성을 구별할 수는 없다.

11 (다)에서 H^+ 2개와 물 분자 1개가 있으므로 (가) 산의 총 H^+ 입자는 3개이다. 또, Cl^- 입자가 존재하므로 (가)는 H^+ 입자와 Cl^- 입자가 각각 3개 존재하는 염산의 수용액이며, (다)에 Cl^- 입자가 2개 더 있어야 한다.

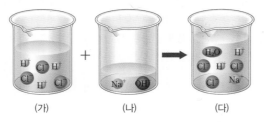

따라서 (가)의 전체 입자 개수는 6개로 (다)의 전체 입자 개수인 7개보다 작으며, (다)에 H^+이 존재하므로 페놀프탈레인 용액을 떨어뜨려도 용액의 색은 변하지 않는다.

12 농도가 같으므로 묽은 염산과 수산화 나트륨 수용액의 부피가 같은 6번 실험에서 완전 중화가 일어나 페놀프탈레인이 무색으로 변한다.

13 중화점에서는 수소 이온과 수산화 이온이 결합하여 물이 생성되므로 이온의 수가 가장 적다.

14 충치균은 산성에 의해 더 활발히 움직이므로 치약으로 중화하고, 벌의 독은 산성이므로 암모니아수로 중화한다.

수능 도전 문제

153~154쪽

01 ③ **02** ① **03** ④ **04** ⑤

01 ANO₃와 B(NO₃)₂ 수용액에서 A 이온은 A^+이고, B 이온은 B^{2+}이다. 산화 환원 반응에서 이동한 전자 수가 같아야 하므로, A 이온과 금속 B가 반응할 때 다음 반응식처럼 2 : 1의 개수비로 반응한다.
$$2A^+ + B \longrightarrow 2A + B^{2+}$$
(가), (나)에서 모두 반응이 일어났고, 금속의 경우 이온이 되기 쉬운 순서가 산화되기 쉬운 순서이므로 세 금속의 산화되기 쉬운 순서는 C>B>A 순이다.

02 산과 염기 모두 수용액 상태에서 전기 전도성이 있으므로 전해질이다. 산은 리트머스 종이를 붉게 만들고, 페놀프탈레인 용액에서는 무색이다. 또한, 금속과 산이 반응하면 수소 기체가 발생하며, 꺼져가는 성냥불을 환하게 타오르게 하는 것은 산소이다.

03 산 A의 양이온 비율이 음이온 비율의 2배이므로 A는 분자 한 개가 이온화했을 때 2개의 수소 이온이 생기는 산이다. 염기 B는 양이온과 음이온의 비율이 같으므로 B는 분자 한 개가 이온화했을 때 1개의 수산화 이온이 생기는 염기이다. 따라서 같은 분자의 A는 B에 비해 총 이온의 수가 더 많고, 완전 중화가 일어나기 위해서는 B 용액은 A 용액의 부피의 2배가 필요하다.

04 실험 Ⅱ에서 미지의 산은 염산에 비해 수소 이온을 두 배로 내놓는다는 것을 추측할 수 있다. 따라서 실험 I에서 혼합 용액은 산성을 나타낸다.
10 mL당 염산과 수산화 나트륨, 미지의 산 분자가 1개씩 녹아 있다고 가정할 때 실험 Ⅱ의 혼합 용액 속 이온은 염화 이온 2개, 미지의 산의 음이온 1개, 나트륨 이온 4개가 존재하여 이온의 수는 총 7개이다.
실험 Ⅲ의 혼합 용액 속에는 염화 이온 2개, 나트륨 이온 2개, 미지의 산의 음이온 4개, 수소 이온 8개이므로 이온의 수는 총 16개이다.

7 생물 다양성 유지

7-1 지질 시대 생물의 변천

탐구 활동
158~159쪽

㉠ 산소 ㉡ 남세균 ㉢ 고생 ㉣ 오존 ㉤ 판게아 ㉥ 온실 ㉦ 환경 변화 ㉧ 대멸종 ㉨ 공룡 ㉩ 포유류

이해 Check

1 ㄱ, ㄹ **2** 해설 참조 **3** ㄱ, ㄷ, ㄹ **4** ㄷ

1 선캄브리아 시대 초기에는 대기 중에 산소가 없었고 오존층도 형성되지 않아 육지에는 생물이 살 수 없었다. 시간이 지나면서 해양에 살던 남세균의 광합성으로 대기 중 산소가 증가하였고, 이후 오존층이 만들어지면서 자외선이 차단되어 육지에도 생물이 살 수 있게 되었다.

2 대륙이 분리되고 이동하는 과정에서 해안선의 길이가 변화하면서 해안에 사는 생물의 서식 환경이 달라졌으며, 이는 해양 생물의 생태계에 영향을 끼쳤다.
[예시 답안] 대륙이 분리되어 이동하면서 해안선의 길이가 증가하게 되었으며, 이는 해양 생물이 주로 살아가던 얕은 바다인 대륙붕의 증가로 이어졌다. 이처럼 해양 생물의 서식지가 늘어나는 결과가 나타나면서 해양 생물의 종류와 개체 수가 늘어나면서 진화하였다.

3 초대륙인 판게아가 형성된 시기는 고생대 말 정도로 대륙이 하나로 뭉쳐지면서 해안가 지역이 줄어들었고, 이 때문에 해양 생물의 서식지가 줄어들면서 고생대 말 생물 대멸종의 한 원인으로 작용하였다.

4 지질 시대 동안 생물의 대멸종은 여러 번 발생하였으며, 이러한 생물의 대멸종은 판게아의 형성이나 소행성의 충돌 등과 같은 전 지구적으로 나타난 지구 환경 변화가 가장 큰 원인이다.

개념 확인 문제
160쪽

01 (1) × (2) ○ (3) × (4) × (5) ○   **02** ㄱ, ㄹ, ㅁ, ㅂ
03 (1) 선캄브리아 시대 (2) 고생대 (3) 중생대 (4) 신생대
04 ㉠ 지질 ㉡ 생물 **05** (1) ㅂ, ㅅ (2) ㄱ, ㄴ (3) ㄷ, ㄹ
(4) ㅁ **06** (1) ○ (2) × (3) ○ (4) ○ (5) ×

01 땅속에 묻힌 생물의 유해가 퇴적층 속에서 단단하게 굳은 것만 화석으로 만들어지므로 모든 생물의 유해가 화석이 되지는 않는다. 생물이 화석으로 만들어지기 위해서는 개체의 수가 많을수록 화석으로 남을 확률이 높다.

02 삼엽충이나 공룡과 같이 지질 시대를 구분해 주는 화석은 표준 화석이라고 한다. 고사리나 산호와 같이 과거의 환경

을 알려주는 화석은 시상 화석이라고 한다.

03 지질 시대 중 가장 긴 시대는 선캄브리아 시대이며, 그 다음으로 고생대, 중생대, 신생대 순이다.

06 A는 선캄브리아 시대로 최초로 생물이 나타났으며, D는 신생대로 공룡이 멸종한 후 이다. 대멸종으로 생물이 한꺼번에 사라진 경우가 많았으나 이후 다시 생물이 번성하면서 다양성은 증가하였다. B는 고생대, C는 중생대를 나타낸다.

실력 쑥쑥 문제
161~163쪽

01 ③ **02** B와 C 사이 **03** ④ **04** ⑤ **05** ③ **06** ④
07 ③ **08** ③ **09** ① **10** ② **11** ④ **12~13** 해설 참조
14 (1) 공룡 (2) 해설 참조

01 화석은 생물의 유해가 땅속에 묻혀 퇴적된 후 지각 변동으로 퇴적층이 땅 위로 올라와 발견되므로 퇴적될 당시의 환경과 다른 곳에서도 발견된다.

02 지질 시대는 생물의 급변을 기준으로 구분한다. B와 C를 경계로 2종의 생물이 멸종하고 1종의 생물이 새롭게 출현하였으므로 지질 시대를 구분하는 기준으로 삼기에 적당하다.

03 A는 선캄브리아 시대, B는 고생대, C는 중생대, D는 신생대이다.
ㄱ. 선캄브리아 시대에도 균류 및 무척추 동물 등이 살았으나, 시간이 오래되고 지층이 변형을 많이 받아 화석이 잘 발견되지 않는다.
ㄷ. 판게아가 형성되기 시작한 것은 고생대 말이다.

04 고생대에는 어류가 출현하였으며, 대표적인 화석은 삼엽충이다. 중생대는 온난한 기후였다.
② 오존층이 형성된 시대는 고생대이다.
③ 선캄브리아 시대 초기의 대기에는 산소가 없었으며 시간이 지나 남세균의 광합성으로 대기 중에 산소가 증가하기 시작하였다.
④ 현재와 같은 대륙과 해양의 분포가 나타난 시대는 신생대이다.

05 스트로마톨라이트는 남세균의 광합성 과정에서 형성된 퇴적 구조이므로, 스트로마톨라이트가 발견되는 지역은 과거에는 바다 환경이었을 것이다.
ㄷ. 다양한 종류의 무척추 동물이 출현하고 번성한 시대는 고생대이다.

06 (가)는 산호 화석, (나)는 삼엽충 화석이다. 삼엽충은 고생대 바다에서 살았던 생물이다. (가)와 (나) 화석이 모두 같

은 지층에서 발견되었으므로 같은 시대에 퇴적되어 화석으로 만들어졌을 것이라고 유추할 수 있다.

07 지질 시대 초기 대기 중 산소 농도의 증가는 남세균의 광합성에 의한 것이다. 이후에도 주로 생물의 광합성에 의해 대기 중 산소 농도가 증가하였다.

해설 Plus 대기 중 산소 농도의 증가

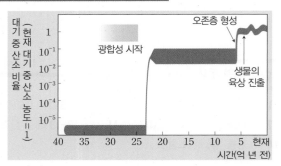

초기 지구가 탄생했을 때의 대기 중에는 산소가 거의 포함되어 있지 않았다. 이후 시간이 지나 남세균이 나타나 광합성을 시작하면서 해수에 산소가 증가하기 시작하였으며, 이를 통해 해수에서 살아가는 생물들이 증가하였다. 해수에 포함되어 있던 산소가 대기 중으로 이동하면서 대기 중에도 산소의 농도가 높아지게 되었으며, 이후 오존층을 형성하게 되었다. 오존층을 통해 태양에서 오는 자외선이 차단되면서 지표에서 생물들이 살 수 있는 환경이 조성되면서 생물들의 서식 환경이 바다에서 육지로 옮겨졌다.

---

08 (가)는 고생대, (나)는 중생대의 모습이다. 포유류는 중생대 초기에 출현하였으나, 번성한 것은 신생대이다.

09 ㄴ. 대륙의 분리로 대륙붕이 증가하면서 해양 생물의 서식지가 확대되었다. 이처럼 해양 서식지가 확대되면서 해양 생물의 개체 수와 종이 모두 증가하였다.
ㄷ. 판이 갈라지는 경계에서 활발하게 일어난 화산 활동의 영향으로 많은 양의 화산 기체가 대기 중으로 방출되어 지구 기후에 영향을 주었으며, 이는 곧 생물권에도 영향을 끼치게 되었다.

10 대멸종은 고생대와 중생대에 있었으며, 대멸종 후 생태계는 다시 회복되는 과정에서 새로운 생물이 나타나고 번성하는 과정에서 생물의 다양성이 증가하였다.

11 대멸종이 일어난 후 새로운 환경에 적응하는 새로운 생물들이 나타나고 번성하면서 생물의 종류는 다양해졌다.

12 생물의 유해나 흔적이 땅속에 묻혀 단단하게 굳어진 것을 화석이라고 한다. 화석이 만들어질 때는 퇴적이 일어나야 하므로 주로 강이나 호수, 바다 환경인 경우가 많다.
  (1) [예시 답안] 삼엽충은 바다에서 서식했던 생물이므로 구문소 지역은 과거에는 바다 환경이었다고 유추할 수 있다.

(2) [예시 답안] 과거 바다 환경이었을 때 삼엽충의 유해가 묻히고, 그 위로 퇴적층이 쌓여 화석으로 만들어진 후 지각 변동으로 육지가 되면서 현재와 같은 지역에서 삼엽충 화석이 발견되었다.

13 대기 중의 산소는 처음 남세균에 의해 만들어졌으며, 이렇게 만들어진 산소의 농도가 증가하면서 오존층이 만들어져 육지에도 생물이 살 수 있게 되었다.
  (1) [예시 답안] 남세균이 출현하여 광합성을 하면서 대기 중에 산소의 농도가 증가하였다.
  (2) [예시 답안] 대기 중에 산소가 증가하여 기권에 오존층이 만들어지고, 이 오존층이 태양에서 오는 자외선을 차단하면서 생물이 육지로 진출하였다.

14 (1) 공룡은 중생대의 대표적인 화석이다.
  (2) [예시 답안] 식물이 육상으로 진출하기 시작한 시기는 고생대이다. 공룡은 중생대의 대표 화석이므로 잘못되었다.

7-2 진화와 생물 다양성

탐구 활동   166~167쪽

㉠ 항생제 ㉡ 안정적

이해 Check

1 ㄱ **2** 변이 **3** (가) 유전적 다양성 (나) 생태계 다양성
4 (1) ○ (2) × (3) ×

---

1 다윈의 자연 선택설은 생물의 진화를 변이와 자연 선택으로 설명했지만 부모의 형질이 유전되는 원리를 설명하지는 못하였다.

2 같은 종으로 구성된 개체군 내에서 개체 사이에 나타나는 형질의 차이를 변이라고 한다.

3 (가)는 쥐 개체군을 구성하는 개체들의 유전자 구성이 다르므로 유전적 다양성을 의미한다. (나)는 생태계의 다양함을 의미하므로 생태계 다양성이다.

4 (1) 유전적 다양성이 높은 집단은 환경 변화에 안정적이다.
  (2) 종 다양성은 동물을 비롯한 모든 생물에게 해당한다.
  (3) 생태계 다양성은 생태계의 다양한 정도를 의미한다.

개념 확인 문제   168쪽

01 (1) ○ (2) ○ (3) ×   **02** (가)→(다)→(나)   **03** ㄱ
04 진화   **05** (라)→(다)→(가)→(나)   **06** ㄴ, ㄷ   **07** 유전적 다양성   **08** ㄱ, ㄴ

01 (1) 변이는 같은 종에 속하는 개체 사이에 나타나는 형질의 차이이다.
(2) 비유전적 변이는 환경 요인의 작용으로 나타나는 후천적인 형질의 차이이다.
(3) 유전적 변이에 의한 형질은 자손에게 유전된다.

02 다윈의 자연 선택설은 '변이 → 생존 경쟁 → 자연 선택'의 과정을 거치므로 기린의 진화 과정은 (가) → (다) → (나) 과정을 거친다.

03 다윈은 변이가 있는 생물 집단에서 자연 선택에 의한 집단의 진화를 설명하였다. 다윈의 자연 선택설은 같은 종의 개체들 사이에 환경에 적응하는 능력이 다르다고 가정하였다.

04 주변 환경에 잘 적응한 개체가 살아남아 자손을 많이 남기게 되는 과정을 진화라고 한다.

05 항생제 내성 세균 집단의 형성 과정은 '변이 → 자연 선택 → 증식'의 단계를 거치므로 (라) → (다) → (가) → (나) 과정을 거친다.

06 변이와 자연 선택에 의한 생물의 진화 과정의 예로는 살충제를 처리한 후 살충제 내성을 가진 모기의 증식과 갈라파고스 제도에서 먹이의 종류에 따른 핀치의 진화가 있다. 먹이를 따라 이동하는 개미들의 움직임은 진화 과정으로 볼 수 없다.

07 무당벌레 개체군을 구성하는 무당벌레의 겉날개 무늬와 색이 다양한 것은 유전적 다양성에 해당한다.

08 생물 다양성은 생태계 내에 존재하는 생물의 다양한 정도이다. 생물 다양성의 감소 원인으로 서식지 파괴, 외래종의 도입, 포획, 남획 등이 있다. 국립공원 지정은 국가적 노력에 해당한다.

> **해설 Plus** 생물 다양성의 의미
>
> 생물 다양성은 한 생물의 생존뿐만 아니라 전체 생태계의 보전에도 중요한 역할을 한다. 생물 다양성이 높을수록 안정된 생태계이다.
>
> 생태계 다양성 / 종 다양성 / 생물 다양성 / 유전적 다양성

169~171쪽

실력 쑥쑥 문제

01 ④ **02** ⑤ **03** ③ **04** ⑤ **05** ④ **06** ③ **07** ④
08 ① **09** ④ **10** ③ **11** ⑤ **12** ㄱ, ㄴ, ㄷ **13~16** 해설 참조

01 진화의 결과 새로운 종이 태어날 수 있다. 변이 중 유전적 변이만이 자손에게 유전된다. 비유전적 변이는 환경 요인에 의해 나타나는 형질의 차이이다.

02 비유전적 변이는 환경 요인에 의해 나타나는 후천적 변이이다. 운동으로 단련된 근육과 목걸이에 의해 목이 길어지는 것은 비유전적 변이의 예이다. 쌍꺼풀과 외꺼풀은 유전적 변이의 예에 해당한다.

03 유전적 변이는 유전자의 변화에 의한 변이이다. 자외선은 유전자 돌연변이를 일으키고, 유성 생식은 새로운 유전자 조합을 가능하게 한다. 광합성 기능을 갖기 위해 식물을 많이 먹었다고 해서 유전적 변이가 일어나지는 않는다.

04 ㉠은 목이 긴 기린이고, ㉡은 목이 짧은 기린이다. (가) 과정에서 기린 개체군은 먹이를 두고 경쟁을 했고, (나) 과정에서 자연 선택이 일어나 목이 긴 기린만 살아남았다.

05 다윈은 생물의 진화 원리로 자연 선택설을 제시하였다. 자연 선택설은 진화를 '변이 → 생존 경쟁 → 자연 선택 → 진화'의 순서로 설명한다. 그러나 다윈은 부모의 형질이 유전되는 원리를 설명하지는 못했다.

06 ㉠은 크고 단단한 씨를 먹기에 적합하고, 작고 부드러운 씨를 먹는다고 부리의 모양이 변하지는 않는다. 먹이의 종류는 자연 선택이 일어나는 원인으로 작용하였다.

07 A는 항생제 사용 후 개체 수가 줄어들었으므로 항생제 내성이 없는 세균이다. B는 자외선에 의한 돌연변이에 의해 생성된 것으로 자손에게 형질이 유전된다.

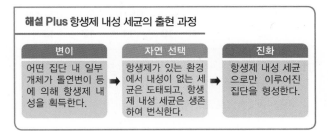

> **해설 Plus** 항생제 내성 세균의 출현 과정
>
> | 변이 | 자연 선택 | 진화 |
> |---|---|---|
> | 어떤 집단 내 일부 개체가 돌연변이 등에 의해 항생제 내성을 획득한다. | 항생제가 있는 환경에서 내성이 없는 세균은 도태되고, 항생제 내성 세균은 생존하여 번식한다. | 항생제 내성 세균으로만 이루어진 집단을 형성한다. |

08 유전적 다양성이 높은 집단은 환경 변화에 멸종될 가능성이 낮다. 종 다양성은 지역에 따라 다를 수 있고, 전국의 모든 지역에서 종 다양성이 동일하지는 않다. 달팽이의 껍데기 무늬가 다양한 것은 유전적 다양성의 예에 해당한다.

09 생물 다양성의 감소 원인으로는 서식지 단편화, 환경 오염, 외래종의 도입, 남획, 포획 등이 있다. 국립 공원 지정은 생물 다양성을 유지하고 보호하기 위한 국가적 노력에 해당한다.

10 생물 다양성을 위한 노력으로 쓰레기 분리배출은 개인적 노력에 해당하고, 터널 위에 생태 통로를 설치하는 것은 국가적 노력에 해당한다.

11 A는 유전적 다양성으로 유전적 다양성이 높을수록 생태계가 안정적으로 유지되며, 유전적 다양성은 종 다양성에 영향을 미친다. B는 생태계 다양성이다.

12 목화는 직물의 공급원이고, 주목의 열매는 항암제의 원료이다. 휴양림은 인간에게 휴식을 제공하는 공간이 된다.

13 (1) [예시 답안] 집단 내에 다양한 형질을 가진 개체들이 존재하면 변화된 환경에 유리한 형질을 가진 개체들이 살아남아 자연 선택되어 자손을 남긴다.
(2) [예시 답안] 진화

14 (1) [예시 답안] 4종으로 서로 같다.
(2) [예시 답안] (가), 식물 종이 더 균등하게 분포하고 있는 (가)가 (나)보다 종 다양성이 더 높다.

15 (1) 500 m
(2) [예시 답안] 500 m에서 생물종의 수가 가장 많고, 종 다양성이 가장 높을 가능성이 크다. 종 다양성이 높을수록 생태계가 안정적으로 유지될 수 있기 때문이다.

16 (1) [예시 답안] 살충제 살포 후 자연 선택이 일어났으므로 과정 ⓒ에 살충제가 살포되었다.
(2) [예시 답안] 형질 C를 갖는 개체가 살충제 살포 후 가장 높은 개체 수 비율을 차지하므로 동일한 살충제를 계속 살포할 경우 형질 C를 갖는 개체가 살아남을 가능성이 가장 높다.

대단원 평가 172~174쪽

01 ④ **02** ⑤ **03** ③ **04** ③ **05** ① **06** ① **07** 해설 참조 **08** ④ **09** ㄴ, ㄷ **10** ⑤ **11** ④ **12** ④ **13** ⑤

01 화석을 통해 과거에 살았던 생물의 모습이나 생활 환경, 행동 특성 등은 파악할 수 있으나, 개체 수가 어느 정도인지를 구체적으로 확인할 수는 없다.

02 A 시기 이전에 해양에 존재하던 생물의 광합성으로 대기 중에 산소의 농도가 증가하였으며, B 시기 이후 오존층이 형성되어 육지로 생물이 진출하면서 더 다양한 종류의 생물이 출현하게 되었다.

03 지질 시대는 생물 종의 대규모 변화를 기준으로 구분한다.
ㄱ. 화석이 가장 많이 발견되는 시대는 가장 최근인 신생대이다.
ㄴ. 지질 시대 중 가장 긴 시대는 선캄브리아 시대이다.

04 대기 중 산소 농도의 증가는 바다에 살았던 생물의 광합성에 의한 것이므로 이는 수권과 생물권, 그리고 기권의 상호 작용에 해당한다. 오존층이 만들어져 자외선이 차단되면서 육지에도 생물이 살 수 있게 되면서 생물 다양성은

증가하였다.
ㄷ. 대륙이 하나로 뭉쳐지는 과정에서 해안선이 축소되면서 해양 생물의 서식지가 감소하여 생물의 수가 줄어들게 되었으므로 이는 판게아의 형성이 생물권에 영향을 끼친 것이다.

05 대륙 사이의 거리가 더 멀리 떨어진 (나)가 (가)보다 시간상으로 나중이다. 대륙이 이동하면서 해안가가 길어지면 대륙붕의 면적이 증가하므로 이는 해양 생물의 서식지가 늘어나는 결과를 가져온다. 이 때문에 해양 생물이 더 번성하게 되며, 이는 수륙 분포의 변화에 따른 환경 변화가 생태계에 영향을 준다는 것을 의미한다.

06 ㄴ. 대멸종이 일어났을 때는 일시적으로 생물 종의 수가 감소하지만, 대멸종에서 살아남은 생물이 다시 번성하면서 전체적으로는 생물 종의 수가 계속 증가하는 결과로 나타났다.
ㄹ. 대규모 지구 환경 변화로 나타나는 생물의 대멸종은 지질 시대를 구분하는 기준으로 사용한다.

07 판게아가 형성되는 과정에서 해안선의 길이는 짧아지며, 이 때문에 해양 생물의 서식지가 감소하면서 해양 생태계에 영향을 준다.
[예시 답안] 판게아가 형성되어 대륙이 하나로 뭉쳐지면서 해안선의 길이가 감소하였고, 이 때문에 해양 생물의 서식지도 함께 줄어들면서 해양 생물이 멸종하는 하나의 원인이 되었다.

08 비유전적 변이 (가)에 의한 형질 차이는 자손에게 유전되지 않는다. 운동으로 단련된 근육은 (가)의 예에 해당한다. (나)는 유전자의 변화로 나타나는 유전적 변이이다.

> **해설 Plus 변이**
>
> 1. 비유전적 변이: 유전자의 변화 없이 환경의 영향으로 나타나고, 형질이 자손에게 유전되지 않는다.
>   예 훈련으로 단련된 근육, 카렌족 여인들의 길어진 목 등
> 2. 유전적 변이: 유전자의 변화에 의해 나타나고, 형질이 자손에게 유전된다.
>   예 달팽이의 껍질의 다양한 무늬, 적록 색맹 형질의 유전 등

09 (가)의 가설은 후천적으로 획득한 형질이 유전된다는 것으로 다윈의 진화설을 따른 가설이 아니다. (나)의 가설은 다윈의 자연 선택설로, 환경에 적합한 형질을 갖는 개체가 경쟁에서 생존에 유리하다는 것이다.

10 과정 (가)에서 변이가 일어났고, 과정 (나)에서 자연 선택이 일어났다. 항생제 사용 환경에서는 항생제 내성 세균이 생존에 유리하다.

11 변이를 일으키는 원인으로 자외선 노출, 유성 생식 과정

등이 있다. 체세포 분열은 변이를 일으키는 원인이 아니다. 큰 부리를 가진 핀치는 크고 단단한 씨를 먹기에 적합한 형질을 가졌으므로, 이 섬의 핀치는 자연 선택과 번식 과정을 반복하며 큰 부리를 가진 핀치 집단으로 진화하였다.

12 그림에서 생물종 A의 겉날개 무늬가 다양한 것은 유전적 다양성에 해당한다. 지역 ㉠의 종 다양성은 ㉡의 종 다양성보다 높다. 생태계 안정성은 종 다양성이 높은 지역 ㉠이 ㉡보다 높다.

13 (가)는 종 다양성, (나)는 생태계 다양성, (다)는 유전적 다양성이다. 유전적 다양성이 높은 종은 환경 조건에 따라 적응하여 살아남을 가능성이 높다.

수능 도전 문제
175~176쪽

01 ③ **02** ⑤ **03** ③ **04** ④

01 신생대 후기에는 빙하기가 찾아와 해수면이 낮아지면서 해협이 육지화되어 동물들이 다른 대륙으로 이동하여 정착하였다.
ㄱ. 대륙의 분리는 해안선을 늘려 해양 생물의 서식지를 넓히는 역할을 하므로 해양 생물의 종류를 증가시키는 결과를 가져온다.
ㄴ. 대륙 빙하의 분포 범위를 확인하면 중생대 말에는 나타나지 않으므로 중생대 말에 빙하기가 오지는 않았다. 따라서 중생대 말 대멸종의 원인은 빙하기에 의한 것이 아니다.

02 산호는 따뜻한 얕은 수심에 서식하므로 B 지층이 퇴적될 때는 열대 바다 환경이었을 것이라고 예측할 수 있다. A는 중생대이므로 겉씨식물이 번성하였다.
ㄱ. A는 공룡 화석이 산출되므로 중생대, C는 삼엽충 화석이 산출되므로 고생대이다. 따라서 지층은 C→B→A 순서로 퇴적된 것으로 예측할 수 있다.

03 (가) 과정에서 A 형질을 가진 개체가 제거되는 자연 선택이 일어났다. 살충제 살포 후 B 형질을 가진 개체만 살아남아 종 다양성이 감소하였다. 살충제 살포 환경에서 살아남을 수 있는 형질은 B 형질을 가진 개체이다.

해설 Plus 자연 선택설에 의한 진화 과정

과잉 생산과 변이 → 생존 경쟁 → 자연 선택 → 진화

04 (가)에서 전체 개체 수가 20이므로 ㉠은 3이고, ㉡은 5이다. (나)에서 전체 개체 수가 25이므로 ㉢은 8이고, ㉣은 5이다. ㉠+㉡=3+5이고, ㉢은 8이므로 ㉠+㉡=㉢이다. (가)와 (나)의 종 수는 5종으로 같지만 (가)의 종들이 더 균등하므로 (가)의 종 다양성이 (나)의 종 다양성보다 더 높다.

8 생태계와 환경

8-1 생태계의 구성과 생태계 평형

탐구 활동
180~181쪽

㉠ 체온 ㉡ 통기 조직 ㉢ 이산화 탄소 ㉣ 산소 ㉤ 생산자 ㉥ 평형

이해 Check

1 (1) ○ (2) ○ (3) × **2** 해설 참조 **3** ㄱ **4** ㄱ, ㄴ

2 [예시 답안] 더운 지역에 사는 사막여우는 몸의 열을 빨리 방출하기 위해 몸의 말단부가 크고 몸집이 작게 적응하였으며, 추운 지역에 사는 북극여우는 열의 손실을 줄이기 위해 몸의 말단부가 작고 몸집이 크게 적응하였다.

3 ㄴ. 멸치의 위 속에서 채취한 플랑크톤은 광학 현미경으로 관찰하면 볼 수 있다.

4 ㄷ. 멸치가 급격히 증가하면 멸치를 먹는 생물도 증가한다.
ㄹ. 멸치가 없어지면 해양 생태계의 평형이 깨진다.

개념 확인 문제
182쪽

01 (1) × (2) ○ (3) ○ **02** 해설 참조 **03** (1) 공기 (2) 물 (3) 온도 (4) 빛 **04** ㄱ, ㄴ **05** (1) ○ (2) × (3) ○ **06** ④

01 생물적 요인은 생산자, 소비자, 분해자로 구분한다. 비생물적 요인은 공기, 토양, 빛, 온도, 물 등을 포함한다. 생물적 요인은 구성 단계에 따라 개체, 개체군, 군집으로 구분한다.

02 [예시 답안] 지렁이와 두더지는 땅속에서 먹이를 얻거나 이동하면서 땅속에 통로를 만들어 토양의 통기성을 높인다.

03 (1) 고산 지대를 지나가는 여행자가 고산병에 걸리는 것은 공기 중 산소 농도가 낮기 때문이다.
(2) 사막의 선인장의 잎이 가시로 변한 것은 물이 적은 환경 때문이다.
(3) 사막여우가 북극여우보다 몸집이 작고 말단 부위가 큰 것은 온도의 영향이다.
(4) 소나무가 햇빛이 잘 비치는 곳에 사는 것은 강한 빛에 적응한 결과이다.

04 사람은 생태계의 일원으로서, 생태계는 사람에게 서식지를 제공하고 있다. 따라서 생태계 복원은 인류의 생존을 위해 필요하다.

05 (1) 종 다양성이 높은 생태계의 생태 피라미드는 그렇지 않은 생태계에 비해 안정적이다.

(2) 생태 피라미드에서는 가장 아래쪽에 생산자가 위치하고, 위쪽으로 갈수록 고차 소비자가 위치한다.

(3) 생태계의 먹이 그물을 구성하는 생물의 개체 수를 영양 단계에 따라 쌓으면 개체수 피라미드가 된다.

06 화산 폭발, 번개에 의한 산불, 빙하기 도래 등은 자연에 의한 변화이며 외래종의 도입은 사람에 의한 변화이면서 부정적인 변화이다. 생태계 복원은 사람에 의한 변화이면서 긍정적인 변화이다.

실력 쑥쑥 문제   183~185쪽

01 ③   02 ②, ④   03 ④   04 ⑤   05 ③   06 ④   07 ①
08 ②   09 ⑤   10 ⑤   11~14 해설 참조

01 분해자는 생물적 요인 중 하나이며, 여러 개체군이 모여 하나의 군집을 형성한다. 생태계 특성을 조사할 때 생물적 요인들 사이의 영향도 고려해야 하는데, 이를 상호 작용이라고 한다.

02 ① 사람은 소비자에 해당한다.
② 소나무는 광합성을 하는 생산자에 속한다.
③ 세균과 곰팡이는 분해자이다.
④ 소비자는 다른 생물을 섭취하여 영양분을 얻는 생물이다.
⑤ 생물적 요인들 간에 서로 영향을 주고받는 것을 상호 작용이라고 한다.

03 빛과 물은 비생물적 요인에, 식물 플랑크톤과 버섯, 멸치는 생물적 요인에 해당한다.

04 표의 비생물적 요인과 각 비생물적 요인이 생물적 요인에게 영향을 준 예를 옳게 연결하면 다음과 같다.

	비생물적 요인	영향을 준 예
①	빛	서어나무는 그늘진 곳에서도 잘 자란다.
②	물	물속이나 수면에 사는 식물은 통기 조직이 발달한다.
③	온도	북극곰은 온대지방의 곰보다 몸집이 크다.
④	공기	고산 지대 사람들은 저지대 사람들보다 혈액 중 적혈구 농도가 높다.
⑤	온도	사막여우는 북극여우보다 몸의 말단부가 크다.

05 생물과 환경의 관계를 비생물적 요인이 생물적 요인에 영향을 준 경우와 생물적 요인이 비생물적 요인에 영향을 준 경우로 옳게 구분하면 다음과 같다.
① 소나무는 강한 빛에 적응하였다. – 비생물적 요인이 생물적 요인에 영향을 준 경우

② 나무의 광합성에 의해 숲 속의 이산화 탄소 농도가 감소하였다. – 생물적 요인이 비생물적 요인에 영향을 준 경우
④ 도심지의 숲 지역은 빌딩 지역보다 온도가 낮다. – 생물적 요인이 비생물적 요인에 영향을 준 경우
⑤ 버섯과 지렁이에 의해 토양의 질소 영양분이 증가한다. – 생물적 요인이 비생물적 요인에 영향을 준 경우

06 ㄱ. 물고기와 조개가 폐사하였다는 내용으로 미루어 보아 시화방조제 건설은 종 다양성을 감소시켰다.
ㄴ. 시화호에 대한 내용은 비생물적 요인인 물이 생물적 요인에 미친 영향에 대한 것이다.
ㄷ. 사람에 의한 영향은 시화호의 바닷물을 막아 물고기와 조개를 폐사시킨 부정적인 영향과 함께 해수를 다시 유통하여 호수의 생명력을 회복시킨 긍정적인 영향도 소개하였다.

07 ① 천적이 없는 외래종의 도입은 생태계를 교란시켜 생물 다양성을 감소시킬 수 있다.
② 생물 다양성이 감소하면 외부 충격에 의해 생태계 평형이 깨질 가능성이 높아진다.
③ 종 다양성이 높은 생태계일수록 먹이 그물이 복잡하여 생물종의 개체 수나 에너지 흐름 등이 안정적으로 유지된다.
④ 먹이 그물이 복잡하면 한 생물종이 멸종할 경우 다른 생물종이 멸종한 생물종의 역할을 대신할 수 있으므로 생태계 평형이 유지될 수 있다.

08 홍수, 지역 개발, 화산 폭발, 환경 오염 등은 생태 피라미드를 변화시킨다. 하천 복원은 생태계를 건강하게 유지시키는 환경 변화이다.

09 공원을 없애고 아파트를 건설하거나, 산에 불을 내어 밭으로 개간하는 것은 서식지를 훼손하는 것이다. 키우던 붉은 귀거북을 하천에 놓아주는 것은 외래종을 유입시키는 행동이다. 제초제를 이용해 잡풀을 제거하면 독성 화학 물질에 의해 환경이 오염된다. 기름으로 오염된 땅에 기름 제거 식물을 심는 것은 생태계를 복원시키는 방법 중 하나이다.

10 제시된 자료를 정리하면 먹이 사슬은 '식물 플랑크톤 → 멸치 → 오징어 → 참치'이다.
ㄱ. 멸치는 소비자에 해당한다.
ㄴ. 오징어가 사라지면 오징어를 잡아먹는 포식자인 참치도 사라진다.
ㄷ. 멸치의 개체 수가 증가하면 일시적으로 멸치를 먹고 사는 오징어의 개체 수도 증가한다.

11 [예시 답안] 비생물적 요인에 포함되어 있는 식물은 생물적 요인이므로, 식물을 생산자로 이동해야 한다. 생물적 요인에서 독수리는 소비자로 이동하고, 분해자는 세균, 버섯 등으로 수정한다.

12 [예시 답안] 연꽃은 물 밑 흙에 뿌리를 내리고, 물 표면에 잎을 띄우는 수생 식물로 줄기에 공기가 이동할 수 있도록 통기 조직이 발달하였다.

13 (1) 잔디 → 메뚜기 → 두꺼비

(2) [예시 답안] 생태계를 이루는 생물의 종류와 수가 급격하게 변하지 않고 안정된 상태를 유지하는 것이다.

(3) [예시 답안] 메뚜기의 수가 급격히 감소하면 생산자인 잔디의 수는 증가하고 2차 소비자인 두꺼비의 수가 감소할 것이다.

(4) [예시 답안] 두꺼비가 사라지면 포식자가 사라진 메뚜기의 개체 수가 증가할 것이다. 이로 인해 개체 수가 증가한 메뚜기가 잔디를 모두 먹어 잔디가 멸종하였을 것이다.

14 [예시 답안] 긍정적인 변화에는 생태계 복원 활동이나 환경 정화 활동 등을 들 수 있다. 이와 같은 활동은 서식지를 다시 복원하여 여러 생물들이 다시 살 수 있도록 한다.

8-2 지구 환경 변화와 인간 생활

탐구 활동
188~189쪽

㉠ 온난화 ㉡ 커 ㉢ 온실 기체 ㉣ 지구 복사 ㉤ 무역 ㉥ 동 ㉦ 강수량

이해 Check

1 ② **2** ㄱ, ㄷ, ㄹ **3** ㄱ, ㄷ **4** ㄱ, ㄷ

1 최근 지구의 평균 기온 상승 폭은 대기 중 온실 기체 농도 증가와 함께 상승하고 있다.

2 지구 온난화가 가속됨에 따라 극지방의 빙하가 빠르게 녹으면서 감소하고 있다. 이 때문에 북극 지방에 사는 북극곰의 서식지가 감소하여 멸종 위기에 처하고 있으며, 해수면 상승에 의한 피해가 나타나고 있다.

3 엘니뇨는 적도 부근에 부는 무역풍이 평상시보다 약해지면서 따뜻한 해수가 동쪽으로 이동하고 적도 부근 동태평양에서 용승 현상이 약해지면서 발생한다.

4 중국의 사막화로 발생하는 황사는 우리나라에 많은 피해를 주고 있다.

개념 확인 문제
190쪽

01 (1) × (2) ○ (3) ○ (4) × **02** ㄱ, ㄴ **03** ㉠ 증가 ㉡ 증가 ㉢ 증가 ㉣ 증가 ㉤ 상승 **04** (1) 태양 복사 에너지 (2) ㉠ 저 ㉡ 고 **05** ㉠ 무역 ㉡ 서 ㉢ 높 ㉣ 무역 ㉤ 동 ㉥ 동 **06** (1) ○ (2) × (3) ○ (4) ○

01 (1) 지구 온난화로 기온이 상승하면 빙하가 녹아 해수면이 상승한다.

(2) 지구 온난화의 원인은 대기 중 온실 기체의 증가 때문이다.

02 ㄷ. 대기 중 온실 기체가 증가하면 지구의 평균 기온은 상승한다.

ㄹ. 지구 온난화는 대기 중의 온실 기체가 지구 밖으로 빠져나가는 지구 복사 에너지의 일부를 흡수하면서 일어난다.

04 대기 대순환과 해수의 표층 순환은 저위도의 남는 에너지를 고위도로 이동시키는 역할을 하여 지구 전체적으로 에너지의 평형이 이루어지게 한다.

06 최근 지구 온난화에 의한 기상 이변으로 일어나는 가뭄은 기존에 있던 사막 주변을 중심으로 사막화 지역의 증가를 촉진하고 있다. 이러한 사막화는 물 부족과 농업 생산량 감소 등으로 이어져 국제적 분쟁을 발생시키고 있다. 따라서 사막화 방지를 위한 노력은 여러 국가들의 협력을 통해 이루어져야 한다.

실력 쑥쑥 문제
191~193쪽

01 ④ **02** ① **03** ② **04** ④ **05** ⑤ **06** ① **07** ③
08 ② **09** ⑤ **10** ⑤ **11~12** 해설 참조

01 자료를 분석해 보면 1980년대에 비하여 과일의 재배지는 모두 북상하였다. 이는 우리나라의 평균 기온이 지속적으로 상승했기 때문에 나타난 현상으로, 이미 남부 지방에서는 비닐하우스를 이용한 열대 과일의 재배가 일부 이루어지고 있다.

02 지구 온난화로 기온이 상승하면 여름이 길어지고 겨울이 짧아지며 따뜻해진다. 이러한 변화는 생태계에 영향을 주며, 그로 인해 생태계의 한 부분에 해당하는 인간도 영향을 받게 된다.

03 평균 기온의 변화량을 보면 불규칙하게 변하고 있지만, 추세선을 그려보면 우리나라와 전세계의 평균 기온은 모두 상승하고 있다. 특히 우리나라의 연평균 기온의 상승 폭이 전 세계 연평균 기온 상승 폭보다 커서 문제가 되고 있다.

04 화석 연료 사용에 따른 대기 중 이산화 탄소 농도가 증가하면서 지구의 평균 기온 상승 폭도 계속 상승하고 있다.

05 A 구간은 지구의 평균 기온이 상승하고 있으므로 해수면은 상승하였을 것이다. 또한, 기후가 온난하여 나무의 성장이 빨라 나이테의 간격이 넓게 형성되었을 것이다. 기온 변화가 크지 않은 경우에는 나이테의 간격 변화가 크게 나타나지 않으므로 이를 이용하기가 어렵다.

정답과 해설

해설 Plus 나무의 나이테

나무는 온대 지방의 경우 계절에 따라 생장 속도가 다르기 때문에 나이테가 형성된다. 봄과 여름에는 온도가 높고 물의 공급이 충분하여 세포의 부피가 크고 조직이 성글기 때문에 색이 연하고 면적이 넓은데, 이렇게 생성되는 부분을 춘재라고 한다. 반면 가을부터 겨울까지는 생장 속도가 느려져 세포의 부피가 작고 조직이 치밀하여 색이 진한데, 이렇게 생성되는 부분을 추재라 한다. 열대 지방에서 자라는 나무에서는 나이테가 잘 나타나지 않지만, 사바나 기후와 같이 우기와 건기가 뚜렷한 지역에서는 날씨 변화를 기준으로 나이테가 나타난다.

---

06 대기 대순환 중 저위도에서 부는 바람이 무역풍이다. 이 무역풍에 의해 해양의 동쪽에서 서쪽으로 흐르는 해류가 형성된다.

ㄷ. 대기 대순환은 지구 자전의 영향으로 3개의 순환 세포를 형성한다.

ㄴ. 해수의 표층 순환은 해류의 흐름이 대륙의 분포와 지구 자전의 영향을 받아 저위도와 고위도를 순환하는 흐름으로 나타난다.

07 그림은 엘니뇨가 형성된 시기로 평소보다 따뜻한 해수층이 동쪽으로 이동하여 저기압을 형성하므로 강수 구역도 동쪽으로 이동한다. 이 때문에 동남 아시아에서는 평소보다 강수량이 감소하고, 이 과정에서 기상 이변이 발생할 확률이 높아진다.

08 ㄱ. 태양 복사 에너지는 지구가 얻는 에너지이고, 지구 복사 에너지는 지구가 잃어버리는 에너지이므로 A는 에너지 과잉, B는 에너지 부족이다.

ㄴ. 사막화 지역은 주로 건조 기후대에서 많이 나타나는데, 이 지역은 주로 위도 30° 부근(b와 c 사이)에서 대기 대순환으로 발생하는 하강 기류의 영향으로 형성된다. 이곳에서는 하강 기류가 나타나므로 주로 고기압이 만들어진다.

09 중국과 몽골의 사막 지대에서 황사가 발생하므로 중국의 사막화는 황사를 증가시키는 역할을 한다. 이렇게 발생한 황사는 편서풍을 타고 이동하면서 우리나라와 일본에 영향을 준다.

황사는 미세한 먼지에 의해 인간의 건강에도 영향을 주지만 정밀 산업에 피해를 주어 우리나라에 경제적인 손실을 안겨준다. 이러한 황사에 의한 피해는 사막화에 의해 그 규모가 커지고 있으므로 사막화를 막기 위한 국가 간의 노력이 필요하다.

10 지구 온난화는 전 지구적인 문제이기 때문에 지구 온난화로 나타나는 기후 변화에 대처하기 위해서는 국제적인 노력이 필요하지만, 탄소 사용량을 줄이기 위한 개인 차원의 노력과 의식 변화도 필요하다. 이에 따라 풍력이나 태양열

발전의 비율을 높이고 삼림 면적을 늘리려는 노력이 필요하다.

우리나라를 비롯하여 세계 여러 나라는 파리 협정과 같은 국제 조약에 동참하여 온실 기체 배출량을 감축하기 위해 노력하고 있다.

11 대기 중에 이산화 탄소와 같은 온실 기체의 증가는 지구 온난화를 가속시키며, 이에 따라 지구의 연평균 기온은 지속적으로 상승하고 있다.

[예시 답안] 신문 기사와 같은 현상이 나타는 까닭은 지구의 평균 기온이 점점 높아지고 있기 때문이다. 이는 대기 중 이산화 탄소의 평균 농도가 증가하여 지구 온난화가 가속되고 있기 때문이다.

12 위도 30° 부근에서는 하강 기류가 나타나 날씨가 건조한 지역이 분포한다.

[예시 답안] 위도 30° 부근에는 대기 대순환으로 일어나는 하강 기류로 고기압이 형성되므로 맑고 건조한 날씨가 지속되면서 건조한 기후가 나타나 사막이 많이 분포한다.

8-3 에너지의 효율적 이용

탐구 활동   196~197쪽

㉠ 전기 에너지   ㉡ 역학적 에너지   ㉢ 400,000 J

㉣ 250,000 J   ㉤ 40 %   ㉥ 25 %   ㉦ 화학   ㉧ 역학적

㉨ 소리   ㉩ 빛   ㉪ 열에너지

이해 Check

1 ㄴ, ㄷ   2 에너지 전환 과정에서 일부 에너지가 열에너지로 전환되는데, 열에너지는 사용하기 어렵기 때문이다.

3 (1) 70 J (2) 30 %   4 ㄱ, ㄴ   5 (1) 전기 (2) 화학 (3) 역학적 (4) 전기   6 해설 참조

1 에너지 효율은 $\dfrac{\text{유용하게 사용된 에너지}}{\text{공급된 에너지}} \times 100$ 이다.

2 에너지 전환 과정에서 에너지 총량의 합은 보존되지만, 일부 에너지가 열에너지로 전환된다. 열에너지는 고온의 물체에서 저온의 물체로만 이동하고 그 반대로는 저절로 이동하지 않기 때문에 사용하기 어렵다.

4 수력 발전소에서는 높의 곳의 물의 위치 에너지가 운동 에너지로 전환되고 이 운동 에너지로 발전기의 날개를 돌려 전기 에너지를 생산한다.

6 [예시 답안] 선풍기에 공급된 전기 에너지는 선풍기 날개의 운동 에너지, 선풍기 몸체 진동의 운동 에너지, 소음에 의한 소리 에너지, 열에너지 등으로 전환된다. 이 중에서 유용하게 사용되는 에너지는 날개의 운동 에너지이다. 에너지 효율이 높은 선풍기는 (나)이다.

01 (1) × (2) ○ (3) ×   **02** (1) ㄷ (2) ㄹ (3) ㄱ (4) ㄴ
03 (가) 열 (나) 운동 (다) 운동   **04** ①   **05** (1) ㄱ (2) ㄷ
(3) ㄴ   **06** ㄱ, ㄴ

01 에너지 전환 과정에서 에너지 총량은 보존된다. 열효율이 높을수록 손실되는 에너지가 적다.

02 화학 에너지는 물질 내부의 화학 결합에 의해 보존되어 있는 에너지를, 핵에너지는 원자핵이 분열하거나 융합할 때 발생하는 에너지를, 운동 에너지는 속력을 가지는 물체의 에너지를, 전기 에너지는 전하를 띤 입자의 운동에 의해 발생하는 에너지를 의미한다.

03 화력 발전소에서는 화석 연료의 화학 에너지를 열에너지로 전환하고, 이 열에너지로 물을 끓여 증기의 운동 에너지로 전환한다. 발전기에서는 증기의 운동 에너지가 전기 에너지로 전환된다.

04 열효율은 $\dfrac{\text{열 기관이 한 일}}{\text{공급한 에너지}} \times 100$이다.

열효율 $= \dfrac{100\,\text{J}}{500\,\text{J}} \times 100(\%) = 20\%$

05 수력 발전은 물의 위치 에너지, 화력 발전은 화석 연료의 화학 에너지, 핵발전은 방사성 물질의 핵에너지를 이용하여 각각 전기 에너지를 생산하는 발전 방식이다.

06 에너지 효율을 높이기 위해서는 에너지 소비 효율 등급이 높은 제품을 사용해야 한다.

01 ④   **02** ③   **03** ③   **04** ⑤   **05** ④   **06** ⑤   **07** ⑤
08 ①   **09** ①   **10~14** 해설 참조

01 형광등은 전기 에너지를 빛에너지로 전환하는 것이 목적인 제품이다.

02 식물의 광합성은 태양의 빛에너지를 포도당 등의 화학 에너지로 저장하는 과정이다.

03 원자력 발전소는 핵에너지를 열에너지로 전환하여 이 열에너지로 증기를 만들어 증기로 터빈을 돌린다. 터빈을 돌리는 운동 에너지 중 일부는 전기 에너지로 전환되고, 일부는 열에너지, 소리 에너지, 발전기 진동에 의한 운동 에너지 등으로 전환된다.

04 그림의 하이브리드 자동차는 화석 연료와 전기를 둘 다 사용하고 있다.

05 열에너지를 이용하여 물을 끓이면 열에너지가 역학적 에너지로 전환될 수 있는 등 열에너지도 다른 형태의 에너지로 전환될 수 있다.

06 에너지 소비 효율 등급은 에너지 소비가 많은 가전 제품에 반드시 부착하여 에너지 효율에 대한 정보를 제공하는 제도로, 등급값이 작을수록 에너지 효율이 높은 제품이다.

07 구슬이 움직이는 동안 마찰력이 작용하면 역학적 에너지는 보존되지 않지만, 전체 에너지의 총량은 보존된다.

08 에너지 효율은 $\dfrac{\text{유용하게 사용된 에너지}}{\text{공급된 에너지}} \times 100$이다. 세탁기에서는 세탁기의 드럼을 움직이는 에너지가 유용하게 사용되는 에너지이다.

세탁기의 에너지 효율 $= \dfrac{25\,\text{J}}{100\,\text{J}} \times 100(\%) = 25\%$

09 화력 발전의 과정에서 연료가 처음에 가지고 있던 화학 에너지는 발전 과정 도중에 여러 가지 형태로 손실된다.

10 [예시 답안] 화력 발전에서는 화석 연료의 화학 에너지를 열에너지로 전환하고 이 열에너지로 물을 끓여 증기의 운동 에너지로 전환한다. 발전기에서는 증기의 운동 에너지가 전기 에너지로 전환된다.

11 [예시 답안] 연료 전지는 화학 에너지에서 바로 전기를 만들기 때문에 발전 과정에서 에너지 손실이 적어 에너지 효율이 높다.

12 그림 (가)는 화력 발전 의존도가 높음을 나타내어 에너지 절약의 환경적 측면을 강조하는 자료이고, 그림 (나)는 열 기관의 사용 과정에서 손실되는 에너지를 나타내어, 에너지 손실의 측면을 강조하는 자료이다.
[예시 답안] 에너지는 전환 과정에서 일부 열에너지로 전환되는데 열에너지는 사용하기 어려운 에너지이기 때문에 전환 과정이 많아질수록 열에너지로 전환되는 양이 많아져 에너지를 사용하기 어려워진다. 또 전력 생산의 대부분을 담당하는 화력 발전은 환경 오염과 자원 고갈의 문제 등이 있기 때문에 에너지를 절약하기 위해 에너지를 효율적으로 사용해야 한다.

13 (1) 하이브리드 자동차는 일반 자동차에 비해 에너지 효율이 10% 더 좋다.
[예시 답안] 100,000 J만큼의 이익을 본다.
(2) 하이브리드 자동차는 연료 비용 절감이라는 경제적 측면, 환경 오염 물질 경감이라는 환경적 측면에서 이점이 있다.
[예시 답안] 에너지 효율이 좋은 하이브리드 자동차를

사용하면 연료 비용을 절감하게 되고, 휘발유 사용 시 나오는 환경 오염 물질을 줄일 수 있다.

14 열병합 발전은 발전 과정에서 버려지는 열에너지를 재사용하여 에너지 효율을 높이는 발전 방법이다.
[예시 답안] 발전 과정에서 열에너지로 버려지는 에너지를 난방과 온수에 사용하여 에너지 효율을 높였다.

대단원 평가   202~204쪽

01 ③ **02** ⑤ **03** ③ **04** ② **05** ④ **06** ⑤ **07** ③
08 ① **09** ① **10** ⑤ **11** ③ **12** ④

01 생물의 활동은 환경 요인에 의해 제한되는데, 이를 작용이라고 한다. 빛, 물, 공기, 토양 등은 생태계를 이루는 비생물적 요인이다. 생물이 환경에 주는 영향은 생태계의 주요 연구 분야이다.

02 ㄱ. 염소와 늑대는 모두 소비자이다.
ㄴ. 외국뿐만 아니라 국내의 다른 지역에서 들어온 종도 외래종이라고 한다. 이 섬의 생태계에서 염소는 외부에서 들어왔으므로 외래종이라고 할 수 있다.
ㄷ. 이 섬에 늑대를 도입하면 염소의 수가 감소하므로 일시적으로 생산자인 ㉢의 수가 증가할 것이다.

03 ㄱ. 주어진 개체 수 피라미드에서는 아래쪽으로 갈수록 개체 수가 많다. 따라서 ㉣의 개체 수는 ㉠의 개체 수보다 많다.
ㄴ. 먹이 사슬에서 ㉣만 생산자이고, ㉠~㉢은 모두 소비자이다.
ㄷ. 외부에서 ㉡만 다량 유입되면 ㉢의 수는 일시적으로 감소하고 ㉣의 수는 증가할 것이다.

> **해설 Plus** 개체 수 피라미드
>
> 각 영양 단계를 나타내면 그림과 같다.
>
>
>
> 개체 수 피라미드에서 가장 아래쪽에 생산자가 위치한다. 일반적인 생태계에서 개체 수는 생산자가 가장 많고, 소비자는 상위 영양 단계로 갈수록 감소한다.

04 ① 갯벌을 농경지로 전환하면 대부분 단일 종을 재배하게 되므로 생물 다양성이 낮아진다.
② 생물 다양성이 높은 산림은 관광 자원으로서의 가치가 높다.

③ 공원을 주택으로 개발하면 많은 생물이 서식지를 잃어 살 수 없게 된다.
④ 생물 다양성의 보전은 경제적인 가치가 높다.
⑤ 초원의 멸종 위기 종은 서식지를 국립 공원으로 지정하고 보호해야 한다.

05 화석 연료 사용량의 증가로 온실 기체인 이산화 탄소가 증가하면 온실 효과에 의해 지구의 평균 기온이 상승한다. 이로 인해 극지방의 빙하가 녹아 바다로 유입되고, 해수의 수온이 높아지면서 해수의 부피가 팽창하여 해수면의 높이는 상승하게 된다.

06 자료는 지구 온난화가 지속적으로 진행되어 해수면의 상승이 일어날 것을 예측한 것이며, 이에 따라 해안가의 저지대가 바닷물에 잠기면서 바다가 되므로 해양의 면적이 증가할 것이다. 따라서 해안가의 저지대는 침수와 해일 등에 의한 피해가 발생하게 될 것이다.

07 ㄱ. A 시기는 적도 부근 동태평양 지역의 수온이 평소보다 높게 나타나므로 엘니뇨가 발생했다.
ㄴ. 엘니뇨는 적도 부근에 부는 무역풍이 평소보다 약해질 때 나타난다.
ㄷ. 엘니뇨가 발생하면 인도네시아 지역에 위치하던 저기압이 동쪽으로 이동하므로 태평양의 서쪽 지역은 강수량이 평소보다 감소한다.

08 대기 대순환에 의해 하강 기류가 나타나는 위도 30° 부근에 건조 기후가 형성되어 사막이 주로 위치한다. 사막 주변부는 인간의 무분별한 개발로 사막화가 빠르게 진행되고 있으며, 이에 따른 분쟁도 일어나고 있다.
ㄴ. 기상 이변에 의한 가뭄은 사막화를 가속화시키고 있다.
ㄷ. 사막은 주로 하강 기류가 나타나는 지역에 분포한다.

09 LED 전구에서는 전기 에너지가 빛에너지로 전환된다. 백열 전구보다는 형광등이, 형광등보다는 LED 전구가 에너지 절약에 유리하다.

10 ㄱ. 열기관을 사용할 때는 마찰이나 배기 가스 등으로 열에너지가 방출된다. 즉 E_2가 0이 되어 $E_1 = W$가 되는 열기관은 만들 수 없다.
ㄴ. 열효율은 공급한 열이 일정할 때 한 일(W)이 많고 방출한 일(E_2)이 적을수록 열효율이 높다.
ㄷ. 열기관에서는 에너지 보존 법칙이 성립한다. 즉 공급한 열(E_1)의 일부는 일(W)을 하는데 사용되고 나머지(E_2)는 외부로 방출된다. 따라서 $E_1 = W + E_2$이다.

11 수력, 화력, 원자력 발전소는 모두 터빈을 돌려 전기 에너지를 생산하는 과정이 있다.

12 마찰에 의해 발생한 열에너지는 더 온도가 낮은 외부로 빠져 나간다.

01 ③ **02** ② **03** ③ **04** ⑤

01 ㄱ. (나)는 온도 변화이므로 비생물적 요인에 해당한다.
ㄴ. 말의 방목 금지가 제조 조릿대의 분포에 미친 영향은 한 생물종이 다른 생물종에 영향을 준 것이므로 상호 작용에 해당한다.
ㄷ. 고산 식물은 추운 지방에서만 살 수 있다. 따라서 지구 온난화인 (나)의 변화는 (가)에서 고산 식물에 대한 부정적 변화 요인이다.

02 동태평양 적도 부근의 관측 수온이 평소보다 높게 나타나고 있으므로 엘니뇨가 발생한 것이다. 따라서 무역풍이 약화되어 동태평양 지역에 저기압이 자리하면서 강수량이 증가하고, 전 세계적으로는 기상 이변이 자주 발생한다.
ㄱ. 이 시기에 무역풍의 세기는 평소보다 약해졌다.
ㄴ. A 시기에 동태평양 적도 부근 해역에서는 저기압이 형성된다.

03 태양열 발전은 태양의 열에너지를 전기 에너지로 전환하고, 태양광 발전은 태양의 빛에너지를 전기 에너지로 전환한다.

04 E_2는 작동 과정에서 손실되는 열에너지이므로 손실되는 열에너지가 적을수록 열효율이 높은 열기관이다.

9 발전과 신재생 에너지

㉠ 손실 전력 ㉡ $\frac{1}{n^2}$ ㉢ 크다. ㉣ 작게 한다. ㉤ 수소 ㉥ 산소 ㉦ 전기 에너지

이해 Check

1 ㄱ, ㄴ **2** 2배 **3** 길이를 짧게 한다. 굵기를 굵게 한다. 전기 저항이 작은 물질을 사용한다. **4** ㄷ **5** ㉠ 반응물: 수소, 산소 ㉡ 생성물: 물 ㉢ 반응의 결과 온실 기체가 생성되지 않기 때문에 환경 오염의 문제가 없다.

1 발전소에서 생산된 전력 중 일부는 송전 과정에서 송전선의 열에너지로 손실된다.

2 송전 전압이 n배가 되면, 손실 전력은 $\frac{1}{n^2}$배가 된다. 따라서 손실 전력이 기존의 $\frac{1}{4}$배가 되게 하려면 송전 전압은 2배가 되어야 한다.

3 송전선의 저항을 줄이는 방법은 길이를 짧게, 송전선의 굵기를 굵게, 송전선을 구성하는 물질의 전기 저항을 작게 하

는 방법이 있다.

4 건전지의 (+)극과 연결된 백탄 근처에서는 산소 기체가, (−)극과 연결된 백탄 근처에서는 수소 기체가 발생한다. 전지를 제거하고 LED(전구)를 연결하면 수소 이온은 전해질을 따라 산소 극으로 이동한다.

5 연료 전지는 물의 전기 분해의 역반응으로 산소와 수소가 반응하여 물을 생성하는 과정으로부터 전기 에너지를 얻는다.

$$H_2 + \frac{1}{2}O_2 \rightarrow H_2O + \text{전기 에너지}$$

01 (1) ◯ (2) × (3) ◯ **02** ㄴ, ㄷ **03** ㉠ 전자기 유도 ㉡ 자기장 **04** ㉠ 열에너지 ㉡ 운동 에너지 **05** ㉠ $\frac{1}{3}$ ㉡ $\frac{1}{9}$ **06** 융합 전의 질량이 융합 후의 질량보다 크다. **07** ㄱ, ㄷ, ㄹ, ㅁ **08** ㄱ, ㄴ, ㄷ **09** ㄴ, ㄷ **10** 반응물은 수소와 산소이고, 반응 결과 생성된 물질은 물이다.

01 (2) 코일의 감은 수가 많을수록, 자석의 세기가 셀수록, 자석을 빠르게 움직일수록 유도 전류의 세기가 커진다.

02 ㄱ. 자석이 코일 속에서 왕복 운동을 하면 검류계의 바늘은 좌우로 왕복 운동한다.

03 발전기는 전자기 유도 원리를 이용하여 전기 에너지를 만드는 장치이다. 코일과 자석의 상대적인 움직임을 통해 자기장을 계속 변화시킬 수 있도록 만들어졌다.

04 화석 연료의 화학 에너지는 보일러에서 열에너지로 전환되고, 이 열에너지를 흡수한 물이 증기가 되어 발전기의 터빈을 돌리는 운동 에너지를 만든다. 발전기에서는 운동 에너지를 전기 에너지로 전환한다.

05 송전 전압을 n배로 높이면, 전류의 세기는 $\frac{1}{n}$배가 되고, 손실 전력은 $\frac{1}{n^2}$배가 된다. 따라서 송전 전압을 3배 높이면 전류는 $\frac{1}{3}$배가 되고 손실 전력은 $\frac{1}{9}$배가 된다.

06 핵융합 과정에서 질량이 감소하고 감소한 질량이 에너지로 전환된다.

07 수력 발전, 태양광 발전, 풍력 발전, 화력 발전은 근본적으로 태양 에너지를 이용하는 발전 방식이다. 핵발전은 핵에너지를, 연료 전지는 수소와 산소의 화학 에너지를 이용한다.

08 화력 발전은 발전 과정에서 이산화 탄소를 방출하여 지구 온난화를 유발한다는 문제점이 있다.

09 파력 발전과 조력 발전은 에너지 고갈의 문제가 없는 발전 방식이다. 핵발전과 화력 발전은 한정된 양의 연료를 사용하는 발전 방식이다.

10 연료 전지는 수소와 산소를 연료로 하여 물을 생성하는 과정에서 전기 에너지를 얻는 발전 방식이다.

$$H_2 + \frac{1}{2}O_2 \rightarrow H_2O + 전기\ 에너지$$

실력 쑥쑥 문제

213~215쪽

01 ④ **02** ③ **03** ④ **04** ② **05** ④ **06** ① **07** ⑤
08 ② **09** ③ **10** ⑤ **11** ④ **12~15** 해설 참조

01 ㄱ. 코일 주위에서 자석을 움직이거나 자석 주위에서 코일을 움직이면 코일을 지나는 자기장이 변하면서 코일에 유도 전류가 흐르는 현상을 전자기 유도라고 한다. 따라서 검류계에 전류가 흐르는 것은 전자기 유도로 설명할 수 있다.
ㄹ. 유도 전류의 세기는 자기장의 변화가 클수록 크므로 코일의 감은 수가 많은 것을 사용하면 검류계의 바늘이 더 크게 움직인다.

02 전구의 불을 더 밝게 만들기 위해서는 유도 전류의 세기가 세져야 한다. 자석의 회전 방향은 유도 전류의 세기와 관계 없다. 유도 전류의 세기는 코일의 감은 수가 많을수록, 자석의 세기가 셀수록, 자석을 빠르게 움직일수록 세진다.

03 핵발전 과정은 핵에너지로 물을 끓여 증기를 만들고 증기가 터빈을 돌려 터빈 날개의 운동 에너지가 전기 에너지로 전환되는 것이다.
화력 발전 과정은 석유나 석탄을 연소하여 물을 끓여 만든 증기로 터빈을 돌려 전기 에너지를 만드는 과정이다.

04 대부분의 발전소는 냉각수 공급, 소음, 발전소 건설 부지 확보 등의 문제로 인해 대도시에서 먼 곳에 위치한다. 송전 과정에서 전압을 높여 송전하는 이유는 손실 전력을 줄이기 위해서이다.

05 발전소에서 생산한 전력은 손실 전력을 줄이기 위해 전압을 높여서 수송하며, 소비지에 가까워질수록 전압을 단계적으로 낮추어 가정에 220V의 전압으로 공급한다.

06 수소 핵융합 반응에서 생성된 헬륨 원자핵 하나의 질량은 수소 원자핵 4개의 질량보다 작다. 대부분의 원자력 발전소는 핵융합 반응이 아닌 핵분열 반응 원리를 이용하여 전기 에너지를 생산한다.

07 태양으로부터 오는 열에너지지와 빛에너지는 지구에서 일어나는 대부분의 자연 변화와 생명 활동의 근원이 된다. 지진은 지구 내부 에너지가 방출되는 과정에서 나타나는 현상이다.

08 태양에서 핵융합 반응에 의해 생성된 빛에너지가 태양 전지를 통해 전기 에너지로 전환되고 선풍기에 공급된 전기 에너지는 운동 에너지로 전환된다.
(가) 핵에너지 → 빛에너지
(나) 빛에너지 → 전기 에너지
(다) 전기 에너지 → 운동 에너지

09 태양광 발전, 풍력 발전, 핵발전 모두 이산화 탄소를 배출하지 않는다는 장점이 있다. 태양광 발전은 일조량의 영향을 많이 받는다는 단점이 있다.

10 (가)는 파도의 움직임을 이용하는 파력 발전, (나)는 조수 간만의 차를 이용한 조력 발전의 모습이다.

해설 Plus 조력 발전과 파력 발전

1. 조력 발전의 장단점

장점	• 자원 고갈의 염려가 없다. • 온실 기체의 배출이 거의 없다. • 건설되면 오랫동안 사용할 수 있다.
단점	• 설치 지역에 제한이 있다. • 발전소의 건설 비용이 많이 든다. • 건설 과정에서 해양 생태계에 악영향을 끼칠 수 있다.

2. 파력 발전의 장단점

장점	• 자원 고갈의 염려가 없다. • 소규모 발전이 가능하다. • 발전 방식에 따라 방파제로 활용할 수 있어 실용성이 크다.
단점	• 발전량이 일정하지 않다. • 내구성이 취약하다. • 설치 지역에 제한이 있다.

11 연료 전지는 발전 과정에서 온실 기체를 생성하지 않는 친환경 에너지이며, 화학 에너지로부터 직접 전기 에너지를 생성하여 에너지 효율이 높다는 장점이 있다. 그러나 연료로 사용되는 수소의 폭발 위험성과 수소를 생산하는 것이 어렵다는 단점이 있다.

12 송전하는 전력은 $P=VI$로 전압이 n배가 되면 전류가 $\frac{1}{n}$배가 되고, 손실 전력은 $\frac{1}{n^2}$배가 된다.
(1) [예시 답안] 손실 전력이 0.25배가 되기 위해서는 송전 전압이 2배가 되어야 한다.
(2) [예시 답안]손실 전력이 0.25배가 되기 위해서는 송전선의 저항이 0.25배가 되어야 한다.

13 수소 핵융합 반응이 일어나는 과정에서 질량 감소가 일어나고 감소한 질량만큼이 태양 에너지로 전환되어 방출된다.

[예시 답안] 수소 원자핵 4개의 질량은 헬륨 원자핵 1개의 질량보다 크다. 핵융합 반응 과정에서 질량 감소가 일어나고 감소한 질량이 에너지로 전환되어 방출된다.

14 화석 연료를 이용한 발전 방법에는 고갈의 문제와 환경 오염의 문제가 있다. 화력 발전의 대체 발전 방법으로는 태양광 발전, 핵발전, 연료 전지, 풍력 발전, 파력 발전, 조력 발전 등이 있다.

[예시 답안] (1) 화석 연료의 고갈에 대한 문제점이 있고, 화석 연료 사용 과정에서 온실 기체가 발생한다는 문제점이 있다.
(2) 태양광 발전: 태양 전지를 이용하여 태양 빛을 전기 에너지로 전환하는 발전 방법이다. 풍력 발전: 바람의 운동 에너지로 발전기를 돌려 전기 에너지를 생산하는 발전 방법이다.

15 연료 전지는 수소와 산소의 반응으로 물이 만들어지는 과정에서 전기 에너지를 얻는 발전 방식이다. 환경 오염 물질이 만들어지지 않고 에너지 효율이 높다는 장점이 있고, 단점으로는 수소 기체의 위험성, 저장의 어려움, 수소 기체 생산의 어려움 등이 있다.
(1) (가) 수소 (나) 산소 (다) 물
(2) [예시 답안] 연료 전지는 환경 오염 물질이 발생되지 않고 효율이 높다는 장점이 있고, 수소 기체의 폭발 위험성, 저장의 어려움 등의 단점이 있다.

대단원 평가 216~217쪽

01 ③ **02** ⑤ **03** ③ **04** ④ **05** ② **06** ③ **07** ③
08~09 해설 참조

01 전자기 유도 현상은 코일 내부의 자기장의 변화에 의해 유도 전류가 흐르는 현상이다. 자석이 코일 속에서 움직이지 않으면 자기장의 변화가 생기지 않는다.

02 전압이 높을수록 손실 전력이 줄어들기 때문에 220 V가 110 V에 비해 손실 전력이 적지만 안전성 측면에서는 더 위험하다.

03 송전 전압이 2배가 되면 손실 전력은 $\frac{1}{4}$배가 된다. 원래 변전소 (나)에서 받는 전력이 P_0-P_R이었고, 송전 전압이 2배가 되면 변전소 (나)에서 받는 전력은 $P_0-\frac{1}{4}P_R$가 된다.

04 핵발전은 방사성 물질의 핵에너지를 이용한 발전 방식이

다. 방사성 물질의 핵에너지는 태양 에너지와는 관계가 없다.

05 화력 발전과 핵발전에 사용되는 연료는 각각 화석 연료와 방사성 물질로 고갈의 염려가 있다. 또한 두 발전 방식 모두 계절이나 일조량에는 영향을 받지 않는 방식이다.

06 풍력 발전은 바람을 이용하여 전기를 생산하는 발전 방식이다. 바람이 불어 날개를 회전시키면 날개와 연결된 발전기에서 전기 에너지를 생산한다.
바람의 운동 에너지 → 풍력 발전기 날개의 운동 에너지 → 전기 에너지

07 연료 전지에서 전자는 수소 극에서 산소 극으로 전선을 통해 A 방향으로 이동한다. 따라서 전류의 방향은 B 방향이다. 반응 결과 생성된 물질 (가)는 물이다.

08 [예시 답안] 핵분열 과정에서 질량 결손이 일어나고 이 질량 결손에 해당하는 에너지가 생성된다. 송전선에서 손실 전력을 줄이기 위해서는 변전소에서 전압을 높여 전선에 흐르는 전류를 감소시키거나 송전선의 저항을 줄인다.

09 화력 발전에서 사용하는 에너지원은 석유, 석탄, 천연 가스 등의 화석 연료이다.
[예시 답안] 광합성을 통해 태양 에너지를 화학 에너지로 전환하는 식물과 식물이나 동물을 먹이로 하는 동물의 유해가 땅속에 묻혀 오랜 시간 동안 높은 열과 압력을 받으면 화석 연료가 되기 때문이다.

수능 도전 문제 218쪽

01 ③ **02** ③

01 $P=VI$에서 같은 전력을 송전할 때 송전 전압을 높이면 송전 전류는 감소한다. 송전 전압이 n배가 되면 송전선에 흐르는 전류는 $\frac{1}{n}$이 되고 손실 전력은 $\frac{1}{n^2}$이 된다.
또한 송전선에 흐르는 전류의 세기는 송전 전압이 가장 높은 A구간이 가장 작다.
저항이 더 큰 물질로 만든 송전선을 사용하면 손실 전력이 증가한다. 한편 송전 거리를 감소시키면 송전선의 저항이 감소하여 손실 전력이 감소한다.

02 조력 발전은 물의 흐름으로 터빈을 돌려 발전기에서 전기 에너지를 생산하는데, 발전기에서는 전자기 유도의 원리를 이용하여 운동 에너지를 전기 에너지로 전환한다.
수력 발전은 물의 위치 에너지를 전기 에너지로 전환하는 방식이다.

대단원 정리 ❶
220쪽

❶ 연속 ❷ 방출 ❸ 수소 ❹ 원자 ❺ 탄소 ❻ 철
❼ 세로 ❽ 가로 ❾ 1 ❿ 수소 ⓫ 17 ⓬ 이원자 분자
⓭ 2 ⓮ 8 ⓯ 원자가 전자 ⓰ 18 ⓱ 정전기적 ⓲ 비
금속

대단원 정리 ❷
221쪽

❶ 규산염 ❷ 탄소 ❸ 규소 ❹ 공유 ❺ 탄소 ❻ 글리
코젠 ❼ 아미노산 ❽ 뉴클레오타이드 ❾ 펩타이드
❿ DNA ⓫ 전기 저항 ⓬ 임계 온도 ⓭ 마이스너 효과
⓮ 그래핀 ⓯ 도체 ⓰ 상어 ⓱ 혼합

대단원 정리 ❸
222쪽

❶ 지구 중심 ❷ 연직 방향 ❸ 등속 직선 운동 ❹ 등가속도
운동 ❺ 크다 ❻ 질량×속도 ❼ 시간 ❽ 시간 ❾ 시간

대단원 정리 ❹
223쪽

❶ 지구 시스템 ❷ 지권 ❸ 해수 ❹ 생물권 ❺ 기
❻ 에너지 ❼ 발산 ❽ 습곡 ❾ 보존 ❿ 지진대 ⓫ 화
산대 ⓬ 판 ⓭ 지진파

대단원 정리 ❺
224쪽

❶ 세포 ❷ 조직 ❸ 인지질 2중층 ❹ 막단백질 ❺ 선택
적 투과성 ❻ 이화 작용 ❼ 활성화 에너지 ❽ 촉매 ❾ 활
성화 에너지 ❿ 유전자 ⓫ 전사 ⓬ 번역 ⓭ 단백질

대단원 정리 ❻
225쪽

❶ 잃는 ❷ 얻는 ❸ 붉게 ❹ 수소 ❺ 푸르게 ❻ 초록
색 ❼ 붉은색 ❽ 수소 이온(H^+) ❾ 물 ❿ 중화점 ⓫
중화열

대단원 정리 ❼
226쪽

❶ 화석 ❷ 지질 시대 ❸ 스트로마톨라이트 ❹ 고생대
❺ 중생대 ❻ 판게아 ❼ 대멸종 ❽ 진화 ❾ 변이
❿ 자연 선택설 ⓫ 진화 ⓬ 변이 ⓭ 자연 선택 ⓮ 유전적
⓯ 종

대단원 정리 ❽
227쪽

❶ 분해자 ❷ 군집 ❸ 공기 ❹ 빛 ❺ 보전 ❻ 먹이 그물
❼ 다양성 ❽ 온실 효과 ❾ 이산화 탄소 ❿ 온실 기체
⓫ 고 ⓬ 저 ⓭ 무역 ⓮ 사막화 ⓯ 전기 에너지 ⓰ 열
에너지 ⓱ 높은 ⓲ 낮은 ⓳ 열

대단원 정리 ❾
228쪽

❶ 전자기 유도 ❷ 많을수록 ❸ 자기장 ❹ 전자기 유도
❺ 운동 에너지 ❻ 열에너지 ❼ 운동 에너지 ❽ $\frac{1}{n^2}$
❾ 손실 전력 ❿ 수소 핵융합 ⓫ 질량 결손 ⓬ 풍력 발전
⓭ 파력 발전

실전 모의고사 ❶
230~233쪽

01 ③ **02** ② **03** ③ **04** ④ **05** ② **06** ① **07** ③
08 ① **09** ② **10** ③ **11** ⑤ **12** ⑤ **13** ③ **14** ⑤
15 ⑤ **16~17** 해설 참조

01 한 원소에서 얻은 방출에 의한 선 스펙트럼과 흡수에 의한
선 스펙트럼은 같은 파장에서 나타난다. 즉 태양에서 얻은
방출 스펙트럼과 흡수 스펙트럼을 서로 비교하면 원소에 따
라 나타나는 선이 같은 위치에 있는 것을 확인할 수 있다.

02 빅뱅 직후 우주가 팽창하면서 밀도와 온도가 감소하였다.
우주가 팽창하면서 온도가 낮아지면서 전자와 기본 입자
가 생성되었고, 이후 시간이 지나면서 온도가 더 낮아지자
수소와 헬륨 원자핵이 생성되었다.

03 ㄱ. (가)는 지구를 구성하는 원소의 분포 비율을 나타낸 것
으로, 지각을 이루는 암석에 규산염 광물이 포함되고
핵이 주로 철 성분으로 이루어져 있으므로 구성 원소
에서 철과 산소가 차지하는 비율이 높다.
ㄴ. (나)는 우주을 구성하는 원소의 분포 비율로 우주가 탄
생한 초기에 생성된 물질들이다.
ㄷ. (다)는 사람을 구성하는 원소의 분포 비율을 나타낸 것
으로, 사람을 이루는 물질 중 물이 많은 부분을 차
지하고 몸을 구성하는 물질과 영양 성분이 포함되어
있어 구성 원소에서 산소와 탄소의 비율이 높다.

04 핵융합 반응이 일어나기 전 수소 전체의 질량과 반응 후
만들어진 헬륨의 질량을 비교해 보면 헬륨의 질량이 더 작
으며, 이때 나타나는 질량의 차이가 에너지로 전환되어 별
이 빛을 내는 것이다.

05 (가)는 태양 정도 질량의 별을, (나)는 태양보다 질량이 매

우 큰 별의 내부이다. (나)의 내부에서 철이 만들어지면 더 이상의 핵융합 반응이 일어나지 않아 철보다 무거운 원소를 생산할 수 없다. 우주에 있는 철보다 무거운 원소는 초신성 폭발을 통해 생성된 것이다.

06 알칼리 금속은 모두 1족에 속하며, 물과 반응하여 수소 기체를 발생시키고, 수용액은 염기성을 띤다.

07 수돗물의 소독에 이용되며, 바닷물의 염류를 구성하는 원소 중 가장 많은 양을 차지하는 것은 염소이다. 염소는 17족 할로젠으로, 원자가 전자 수는 7이고, 자연 상태에서 이원자 분자로 존재하며, 반응성이 커서 수소, 금속과 쉽게 화합물을 형성한다.

08 ㄱ. DA_4에서 D는 4개의 A와 전자를 공유하므로 옥텟 규칙을 만족한다.
ㄴ. 18족을 제외하고 원자가 전자 수는 족의 끝자리 수와 같으므로 A~E 중 원소 E가 6으로 가장 크다. B는 18족 비활성 기체로 원자가 전자 수는 0이다.
ㄷ. C와 E로 이루어진 화합물에서 C는 전자 1개를 잃고 헬륨과 같은 전자 배치를 한다.

09 주기율표에서 18족 원소는 비활성 기체로 가장 바깥 전자 껍질에 전자가 모두 채워져 있어 반응성이 가장 작다.

10 ㄱ. 고체와 액체 상태에서 모두 전기 전도성이 없는 (가)는 공유 결합 물질이고, 고체 상태에서는 전기 전도성이 없지만 액체 상태에서는 전기 전도성이 있는 (나)와 (다)는 이온 결합 물질이다.
ㄴ. 공유 결합 물질과 이온 결합 물질 모두 비금속 원소를 포함하므로 비금속 원소를 포함한 물질은 3가지이다.
ㄷ. 이온 결합 물질은 이온이 결합된 것으로 고체 상태에서도 전하를 띤 입자가 있다.

11 ① A와 B는 원자가 전자 수가 다르므로 족이 다르다.
② 금속 원소는 C, 1가지이다.
③ A, B, C의 원자가 전자 수는 차례로 6, 7, 1이다.
④ C는 전자를 잃고 양이온이 되면서 옥텟 규칙을 만족한다.
⑤ 공유 전자쌍 수는 A_2가 2개, B_2가 1개이다.

12 ㄱ. 액체 상태에서 전기 전도성이 있는 것은 금속 원소와 비금속 원소가 결합한 (나)와 (다) 2가지이다.
ㄴ. 옥텟 규칙을 만족하기 위해 A는 2개의 전자를, B는 1개의 전자를 얻어야 하므로 A와 B로 이루어진 물질 (가)의 화학식은 AB_2이고, 공유 결합을 형성하는 전자쌍의 수는 총 2개이다.
ㄷ. (나)와 (다)의 화학식은 각각 C_2A, CB이므로 C 이온 1개와 결합한 이온 수비는 A 이온 : B 이온 = 1 : 2이다.

13 ㄱ. 화합물 AC에서 음이온은 18족 네온과 같은 전자 배

치를 하므로 옥텟 규칙을 만족한다.
ㄴ. C와 D로 이루어진 화합물의 화학식은 DC_2이다.
ㄷ. A~D 중 화합물을 형성할 때 전자쌍을 가장 많이 공유할 수 있는 원소는 원자가 전자 수가 4인 B이다.

14 ㄱ. 화합물 AB에서 양이온의 가장 바깥 전자 껍질 전자 수가 8이므로 옥텟 규칙을 만족한다.
ㄴ. A는 2족, C는 17족 원소로 A와 C로 이루어진 화합물의 화학식은 AC_2이다.
ㄷ. B_2의 공유 전자쌍의 수는 2개로 C_2의 2배이다.

15 ㄱ. A는 전자가 1개이므로 수소이다.
ㄴ. B와 C는 전자 껍질 수가 같으므로 주기가 같다.
ㄷ. 원자가 전자 수는 B가 4, C가 5이다.

16 빅뱅으로 우주가 탄생한 후 팽창하면서 온도가 낮아지자 물질이 생성되기 시작하였다.
[예시 답안] 빅뱅 직후에는 온도가 매우 높아 입자가 존재할 수 없었으나, 이후 우주가 급격히 팽창하여 온도가 낮아지면서 기본 입자들이 생성되기 시작하였다. 시간이 지나면서 온도가 더 낮아지면서 이 기본 입자들이 다시 결합하여 원자핵을 만들었고, 이 원자핵과 전자가 결합하면서 원자를 생성하게 되었다.

17 원자 번호가 가장 작은 원소는 수소이다. 2주기 원소 중 가장 많은 수의 수소 원자와 공유 결합을 형성할 수 있는 원소는 탄소이다.
수소와 탄소로 이루어진 화합물은 매우 많으며, 가장 간단한 화합물은 CH_4이다.
[예시 답안]

01 지각에 가장 많이 포함된 원소는 산소이며, 지각을 이루는 암석은 주로 규산염 광물로 이루어져 있으므로 지각에 가장 많이 포함된 원소는 산소와 규소이다.

02 그림은 규산염 광물의 기본 구조인 Si-O 사면체 구조를 나타낸 것으로, Si-O 사면체는 하나의 규소와 4개의 산소가 공유 결합하여 만들어진 것이다. 따라서 그림에서 A는 산소, B는 규소를 나타낸다.

03 탄소는 여러 원소와 공유 결합하여 다양한 물질을 만들 수 있으며, 이렇게 결합하여 만들어진 물질을 탄소 화합물이라고 한다. 탄소 화합물은 우리 몸을 구성하는 물질일 뿐만 아니라 에너지원으로도 이용되며, 유전 정보를 전달하는 역할도 한다.

04 탄소 원자는 최대 4개까지의 공유 결합이 가능하므로 최대 3중 공유 결합까지만 가능하다.

05 ㄱ. '체내 에너지원으로 이용된다.'는 것은 글리코젠과 단백질의 공통된 특징이므로 ㉠에 해당하지 않는다.
ㄴ. 글리코젠, 단백질, DNA는 모두 탄소 화합물이다. ㉡은 글리코젠, 단백질, DNA의 공통된 특징이므로 '단위체는 탄소가 결합하여 이루어져 있다.'가 해당된다.
ㄷ. '단위체의 배열 순서가 입체 구조를 결정한다.'는 단백질만의 특징이므로 두 물질의 공통적인 특징에 해당하는 ㉢은 아니다.

06 (가)는 탄수화물, (나)는 단백질이다.
ㄱ. (가)는 포도당이 단위체이고, (나)는 아미노산이 단위체이다.
ㄴ. 구성 성분에 인산과 염기가 포함되어 있는 것은 뉴클레오타이드이다.
ㄷ. 단백질인 (나)는 탄수화물인 (가)에 비해 다양한 입체 구조로 존재한다.

07 ㄱ. ㉠ 부분은 인과 당으로 이루어져 있다.
ㄴ. ㉡은 염기가 만나고 있는 부분으로 염기 간에 상보결합을 이루고 있다.
ㄷ. 염기 배열 순서에 상관없이 입체 구조는 동일하다. 따라서 A의 크기는 같다.

08 ㄱ. 휴대 전화 화면의 액정은 전기적 성질을 이용하므로 ㉠에 해당한다.
ㄴ. 하드 디스크나 카드의 자기 띠와 같이 정보를 저장할 때는 자기적 성질을 이용한다.
ㄷ. 철 원자 사이에 네오디뮴과 붕소를 첨가하여 철 원자의 자기장의 방향이 흐트러지지 않도록 만든 네오디뮴 자석은 전동기에 이용된다.

09 초전도체 위에 자석이 떠 있는 현상은 마이스너 효과에 의한 것이다. 마이스너 효과는 임계 온도 이하에서 전기 저항이 0이 될 때 나타나는 현상이므로 (나)에서는 저항이 0이다. 따라서 저항은 (가)에서가 (나)에서 보다 크다.

10 물질 A는 임계 온도가 4 K인 초전도체이다. 초전도체는 임계 온도 이하에서 전기 저항이 0이 될 때 외부 자기장을 밀어내어 자석이 뜨는 마이스너 효과가 나타난다. A의 임계 온도가 4 K이므로 A는 2 K에서 전기 저항이 0이다. 또한 임계 온도 4 K 이하일 때 송전선에서 전력 손실 없이

전기 에너지를 보낼 수 있다.

11 약한 전류만으로도 빛을 방출하는 성질을 이용하는 발광 다이오드를 만드는 소재는 반도체이다.

12 하드 디스크 헤드를 움직이는 장치에 사용되는 신소재는 네오디뮴 자석이다. 물질의 자기적 성질을 이용하는 네오디뮴 자석은 강한 자기력이 있으며 가공하기 쉽고 가격은 저렴하나, 녹이 잘 슬고 열에 약한 단점이 있다.

13 핵융합로, 자기 부상 열차, 자기 공명 영상(MRI) 장치는 매우 강한 자기장을 필요로 한다. 매우 강한 자기장을 만들기 위해서는 매우 강한 전류가 흐르는 전자석이 필요하다. 이 때문에 초전도체가 사용된 코일로 전자석을 만들면 강한 전류가 흘러 강한 자기장을 만들 수 있다. 따라서 핵융합로, 자기 공명 영상(MRI) 장치, 자기 부상 열차는 초전도체에 흐르는 전류에 의한 자기 작용을 이용한다.

14 전력 손실이 없는 송전선에 이용된 신소재는 초전도체이다.

15 그래핀은 반도체보다 전자의 이동 속도가 약 100배 빠르고, 강도가 강철의 약 200배 이상이며, 휘어져도 그래핀의 전기적 성질은 변하지 않는다.

16 지각은 주로 규산염 광물로 이루어져 있으며, 생물체는 물과 탄소 화합물로 이루어져 있다.
[예시 답안] 지각의 암석을 이루는 광물 대부분이 규산염 광물이므로 지각을 구성하는 원소에서 규소가 산소 다음으로 많다. 생물체의 경우 몸을 구성하는 물질이 물과 탄소 화합물로 이루어져 있으므로 생명체를 구성하는 원소에 산소 다음으로 탄소가 많은 비율을 차지한다.

17 (1) [예시 답안] 다른 쪽 가닥은 TACGTTAACGG이다. 왜냐하면 염기는 A은 T과, G은 C과 상보결합하기 때문이다.
(2) [예시 답안] ㉠과 ㉡은 염기의 길이가 같으므로 같은 입체 구조를 가진다. 하지만 염기의 배열이 다르므로 서로 다른 DNA이다.

18 전력을 송전하는 과정에서 에너지 손실이 발생하는 이유는 송전선에 저항이 있기 때문이다. 저항이 있는 송전선에 전류가 흐르면 열이 발생하므로 전기 에너지가 열에너지로 전환되어 전력 손실이 발생한다.
(가)의 초전도 케이블에 사용되는 초전도체는 (나)의 그래프에서 온도가 T 이하이면 전기 저항이 0이므로 케이블에 전류가 흘러도 열이 발생하지 않아 손실 전력이 발생하지 않는다.
[예시 답안] (가)의 초전도 케이블에 사용되는 초전도체의 온도가 (나)의 그래프에서 T 이하이면 전기 저항이 0이프

로 초전도체에 전류가 흐를 때 열이 발생하지 않아 에너지 손실이 발생하지 않는다.

실전 모의 고사 ③ 238~241쪽

01 ③   02 ④   03 ②   04 ③   05 ①   06 ①   07 ②
08 ③   09 ②   10 ②   11 ⑤   12 ②   13 ②   14 ⑤
15~17 해설 참조

01 중력은 물체가 서로 떨어져 있어도 작용한다. 중력이 작용하므로 낙하 하는 공의 속력은 일정하게 증가하고, 운동 방향은 연직 아래 방향으로 변하지 않는다.

02 달에 작용하는 힘이 없으면 달은 등속 직선 운동을 한다. 지구가 달을 당기는 힘과 달이 지구를 당기는 힘의 크기는 같고, 지구와 달이 당기는 인력으로 밀물과 썰물 현상을 설명할 수 있다.

03 공기 저항이 없다면 사과와 인형이 지면에 떨어지는 데 걸리는 시간은 같다. 따라서 사과가 지면에 먼저 떨어졌으므로 사과를 먼저 놓았다. 사과와 인형에 작용하는 중력의 크기와 중력 가속도는 일정하므로 사과와 인형은 속도가 일정하게 변하므로 속도 변화량은 같다.

04 물체에 중력만이 작용하면 질량에 관계 없이 가속도는 같다. 따라서 A가 1초당 속력이 9.8 m/s씩 빨라지므로 A와 B의 가속도의 크기는 같고, A가 지면에 떨어지는 데 걸리는 시간이 4초이면 B도 지면에 떨어지는 데 걸리는 시간은 4초이고, 속력은 39.2 m/s이다.

05 지면으로부터 높이 h지점을 통과하는 시간은 A의 질량과 B의 수평 방향의 속력과 관계 없이 일정하다. 따라서 A의 질량과 B의 수평 방향의 속력을 크게 해도 높이 h지점을 통과하는 데 걸리는 시간은 $t_A = t_B$이다.

06 (가)에서 수평 방향으로는 등속도 운동을 하므로 속력이 일정한 그래프 (나)가 수평 방향의 속력을 나타낸다. 질량과 수평 방향의 속력은 가속도의 크기와 관계없다. 따라서 수평 방향의 속력과 질량이 증가하여도 가속도가 일정하므로 (다)의 그래프의 기울기는 일정하다.

07 A점과 B점에서 등속도 운동을 하는 수평 방향의 속력과 등가속도 운동을 하는 연직 방향의 가속도의 크기는 같고, 연직 방향의 속력은 B가 A보다 크다.

08 A와 B는 수평 방향으로 등속도 운동을 한다. 충돌하는 데 걸리는 시간 t는 $5t + 10t = 30$에서 t는 2초이다. 2초 동안 A와 B는 연직 방향으로 $4h$만큼 낙하하므로 P의 높이는 $36h - 4h = 32h$이다.

09 철수가 수레를 미는 순간은 관성에 의해서 철수 쪽으로, 영희가 수레를 잡는 순간은 관성에 의해서 영희 쪽으로 휴지통이 넘어진다.

10 힘과 시간의 그래프에서 넓이는 물체가 받은 충격량의 크기이다. 따라서 넓이가 같으므로 물체가 받은 충격량의 크기는 같고, 힘이 작용하는 시간의 비가 1 : 2이므로 충격력(평균 힘)의 크기는 2 : 1이다.

해설 Plus 힘 – 시간 그래프

힘과 시간의 관계 그래프에서 그래프 아랫부분의 넓이는 충격량을 나타낸다. 충격량은 운동량의 변화량이므로 넓이는 운동량의 변화량도 나타낸다.

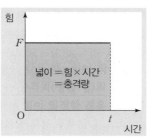

11 같은 시간 동안 A와 B가 받은 힘의 크기와 시간이 같으므로 A와 B가 받은 충격량의 크기는 같다. 같은 거리를 갈 때는 B가 힘을 받는 시간이 A가 힘을 받는 시간보다 작기 때문에 B의 운동량의 변화량의 크기는 A의 운동량의 변화량의 크기보다 작다.

12 충돌 전후 A의 운동량의 변화량의 크기가 2 kg · m/s이므로 B의 운동량의 변화량도 2 kg · m/s이다. 따라서 충돌 후 B의 운동량이 2 kg · m/s이므로 충돌 후의 B의 속력은 2 m/s이다.

13 A는 운동량의 변화량은 같지만 힘이 작용하는 시간을 길게 하여 충격력의 크기를 감소시키는 방법이고, B는 힘이 작용하는 시간을 길게 하여 물체가 받는 충격량을 증가시키는 방법이다. 잘 늘어나는 번지 점프 줄을 사용하는 이유는 A의 원리로 설명할 수 있다.

14 0~2초 동안 A와 B가 받는 충격량의 크기는 2N · s로 같다. 따라서 2초일 때 운동량의 크기가 같지만 B의 질량이 A의 2배이므로 속력은 A가 B의 2배이다.

15 대부분의 물질은 온도가 높을수록 밀도가 낮아지므로 주로 온도에 의해 대류가 발생한다. 밀도가 높은 차가운 공기는 상대적으로 큰 중력을 더 받아 아래로 내려가면서 밀도가 낮은 따뜻한 공기는 상대적으로 중력을 작게 받으므로 위쪽으로 올라가기 때문에 해수와 공기가 순환하게 되어 해풍과 육풍이 분다.
[예시 답안] 밀도가 높은 차가운 공기는 상대적으로 큰 중력을 더 받아 아래로 내려가면서 밀도가 낮은 따뜻한 공기는 상대적으로 중력을 작게 받으므로 위쪽으로 올라가기

때문에 해풍과 육풍이 분다.

16 A와 B는 연직 방향으로는 같은 중력 가속도로 등가속도 운동을 한다. A와 B가 같은 높이에서 떨어지므로 A가 2 초 만에 지면에 도달하면 연직 방향으로 같은 운동을 하는 B도 2초 만에 지면에 도달한다.

B는 지면에 도달할 때까지 연직 방향으로는 등가속도 운 동을 하므로 연직 방향으로는 1초에 9.8 m/s씩 속도가 빨 라진다. 연직 방향의 속도는 9.8 m/s×2s＝19.6 m/s이 고, 수평 방향으로는 2초 동안 등속도 운동을 하므로 수평 방향의 속력은 v×2s＝10 m이다. 따라서 수평 방향의 속 력은 5 m/s이다.

[예시 답안] B는 지면에 도달할 때까지 연직 방향으로는 등 가속도 운동을 한다. 연직 방향으로는 1초에 9.8 m/s씩 속도가 빨라지므로 연직 방향의 속력은 9.8 m/s×2s＝ 19.6 m/s이다. 수평 방향으로는 등속도 운동을 하므로 v×2s＝10 m에서 수평 방향의 속력은 5 m/s이다.

17 (가)는 포수 마스크의 앞 부분으로 충돌하는 면적을 넓게 하여 힘을 분산시킨다. 그림 (나)는 포수 마스크의 뒷부분 으로 폭신한 재질로 만들어 충돌할 때 충돌 시간을 늘려 주어 작용하는 힘의 크기를 작게 한다. 따라서 (가)는 힘을 분산시키고 (나)는 힘의 크기를 감소시켜 부상의 위험을 줄일 수 있다.

[예시 답안] (가)는 충돌하는 면적을 늘려 힘을 분산시킨다. (나)는 폭신한 재질로 만들어져 충돌 시간을 늘려 준다.

실전 모의 고사 ❹

242~245쪽

01 ⑤	02 ⑤	03 ②	04 ③	05 ②	06 ⑤	07 ②
08 ①	09 ③	10 ④	11 ②	12 ⑤	13 ④	14 ②
15 ③	16~19 해설 참조					

01 화산 활동으로 분출한 용암으로 주변 지형이 달라지는 것 은 지권 내에서 일어나는 현상이다. 화산 활동으로 분출한 화산재나 수증기 등의 영향으로 대기의 성분이 달라지는 경우는 지권과 기권의 상호 작용으로 나타나는 현상이다.

02 A는 해수, B는 강과 호수의 물과 지하수, C는 빙하이다.
ㄱ. 해수로 이루어진 바다에는 많은 종류의 생물이 살고 있다.
ㄴ. 빙하는 얼음이므로 액체 상태인 물보다 밀도가 작다.
ㄷ. 육지에 있는 물인 담수의 대부분은 고체 상태인 빙하 로 존재한다.

03 A층은 내핵이므로 이곳에 지진파가 도달하기 위해서는 액 체 상태인 외핵(B)을 통과해야 한다. 액체 상태의 물질을 통과할 수 있는 지진파는 P파이므로, 내핵까지 도달 할 수 있는 지진파는 P파이다.

04 오존층은 성층권에 존재한다. 성층권은 위로 올라갈수록 기온이 높아지는 층이다.

05 수권에 존재하는 물은 생명체가 살아가는 데 가장 기본이 되는 조건이다. 지구에 물이 존재하면서 생명체가 살 수 있는 환경이 만들어질 수 있었으며, 태양계 행성 중 유일 하게 지구에만 생물권이 존재할 수 있게 되었다.

06 ① 오로라는 외권과 기권의 상호 작용이다.
② 지진 해일은 지권과 수권의 상호 작용이다.
③ 파도로 해안가의 암석이 침식되는 것도 지권과 수권의 상호 작용이다.
④ 태풍은 기권과 수권의 상호 작용으로 나타나는 현상이다.

07 지표에 있던 물이 태양 복사 에너지를 흡수하여 수증기가 되어 구름을 만들고, 강수가 되어 지표로 내려 다시 바다로 흘러가는 과정을 물의 순환이라고 한다. 물이 순환하는 과 정에서는 물질과 에너지는 지구계 각 권을 함께 이동한다.

08 ㄴ. B는 식물의 광합성으로 기권의 이산화 탄소가 생물권 으로 이동하는 과정이다.
ㅁ. E는 해수에 녹아 있던 탄산 이온이 침전하여 석회암 이 만들어지는 과정으로 수권의 탄소가 지권으로 이동 하는 과정이다.

09 판의 경계는 대륙의 주변뿐만 아니라 해양의 중심에서도 나타난다. 해양의 중심에 나타나는 열곡대에서는 마그마 가 분출하면서 새로운 판을 생성한다.

10 (가)는 암석권, (나)는 연약권이다. 암석권은 지각과 맨틀 의 일부를 포함하며, 이를 판이라고 한다. 판은 연약권에 서 일어나는 맨틀 대류로 이동한다.

11 C는 해양판이 서로 어긋나면서 이동하는 보존형 경계로 변환 단층이 나타난다.
ㄱ. A와 B는 같은 판에 위치하고 있는 지역으로, 판이 서 로 부딪치는 경계에 해당한다.
ㄹ. A, B, C 모두 판의 경계에 위치하므로 지진이나 화산 활동이 자주 일어나는 곳이다.

12 열곡대는 판과 판이 서로 멀어지는 경계로 맨틀 대류가 상 승하는 지역에서 나타난다. 판이 서로 멀어지는 과정에서 지진이 자주 발생한다.

13 남아메리카와 아프리카를 이루고 있는 판은 서로 반대 방 향으로 이동하므로, 시간이 지날수록 두 대륙 사이의 거리 는 더 멀어진다.

14 화산 활동으로 분출되는 용암이나 화산재는 주변 지역의 지형을 변화시키기도 하며, 해수에 녹아 해수 성분에 영향 을 주기도 한다. 또한 화산 활동에 의한 환경 변화는 생물

의 생존에도 많은 영향을 끼친다.

15 지진으로 발생하는 지진파를 연구하여 지구 내부 구조를 알 수 있었으며, 이러한 지진파는 지하자원을 찾는데 유용하게 이용하고 있다.

16 화석 연료의 사용은 지권의 탄소가 기권으로 이동하는 것이다.
[예시 답안] 인간 활동으로 일어난 산업화에 따른 대규모의 화석 연료의 사용은 지권에 있던 탄소를 기권으로 이동시키는 역할을 한다.

17 해수 표면에 부는 바람으로 해수가 수직으로 혼합되는 해수의 층을 혼합층이라고 한다.
[예시 답안] 해수 표면에 부는 바람의 영향으로 혼합층을 이루는 해수가 수직 방향으로 혼합되어 섞이므로 혼합층은 수심에 따라 수온이 일정하게 유지된다.

18 마그마가 상승하여 분출하면서 새로운 판을 생성하는 판의 경계는 발산형 경제이다.
[예시 답안] E는 발산형 경계로, 열곡대를 통해 마그마가 분출하면서 새로운 해양 지각이 생성된다.

19 판이 서로 어긋나 이동하는 보존형 경계에서는 변환 단층이 나타난다.
[예시 답안] 그림은 보존형 판 경계로 두 판이 서로 어긋나 이동하면서 나타나는 곳으로, 지진은 자주 일어나지만 화산 활동은 일어나지 않는다.

실전 모의 고사 ⑤ 246~249쪽

01 ①   **02** ④   **03** ⑤   **04** ③   **05** ④   **06** ①   **07** ⑤
08 ①   **09** ④   **10** ②   **11** ④   **12** ②   **13** ⑤   **14** ①
15~16 해설 참조

---

01 미토콘드리아는 세포의 생명 활동에 필요한 에너지를 생산하고, 세포벽은 식물 세포의 세포막 바깥쪽에 있는 단단한 구조물로 식물 세포를 싸서 보호하고 세포의 형태를 유지한다.

02 A는 세포막, B는 리보솜, C는 핵, D는 미토콘드리아이고, (가)는 핵, (나)는 세포막, (다)는 리보솜의 특징이다.

03 생명 시스템에서는 세포가 모여 조직, 기관의 단계를 거치며 점점 복잡한 구조를 형성하며, 이들이 모여서 개체를 구성한다.

04 A는 이산화 탄소, B는 산소이다. 산소나 이산화 탄소와 같이 크기가 매우 작은 기체 분자는 세포막의 인지질 2중층을 통한 확산을 통해 세포막을 이동한다.

05 포도당은 크기가 큰 수용성 물질이고, 나트륨 이온은 전하를 띠고 있으므로 각기 다른 특정 막단백질을 통해 세포막을 이동한다. 따라서 A, C는 포도당, 나트륨 이온 중 하나이며, B는 이산화 탄소이다.

06 삼투에 의해 농도가 낮은 양파 표피 세포 안에서 농도가 높은 설탕 용액으로 물이 확산되므로 세포가 쭈그러들어 세포막이 세포벽으로부터 분리되었다.

07 물질대사 중 동화 작용은 크기가 작은 물질을 크기가 큰 물질로 합성하는 화학 반응이다. 동화 작용은 에너지를 흡수하는 흡열 반응이다.

해설 Plus 광합성

식물과 세균 중 일부가 빛을 이용하여 포도당과 같은 유기물을 합성하는 화학 반응으로, 반응물로는 이산화 탄소와 물이 필요하다. 지구 시스템의 생물권에서 볼 수 있는 가장 중요한 화학 반응의 하나이다. 모든 생물은 광합성 산물을 생체 내 연료로 사용하고 있으며, 식물의 경우 세포 소기관인 엽록체에서 일어난다.

---

08 눈금 실린더 A에서는 감자즙 속에 든 카탈레이스라는 효소에 의해 과산화 수소가 물과 산소로 분해되는 이화 작용이 일어났다. 산소가 발생했는지 여부는 과정 (다)를 통해 확인할 수 있다. 효소는 물질대사의 활성화 에너지를 낮춰 화학 반응이 빠르게 일어나게 한다.

09 효소 X는 반응물보다 생성물의 에너지가 더 많은 흡열 반응을 촉매하는 효소이며, 효소는 물질대사의 활성화 에너지를 낮추어서 반응이 빠르게 일어나게 한다. 효소 X가 있을 때의 활성화 에너지는 A+C이다.

10 서로 다른 단백질에 대한 유전 정보는 서로 다른 유전자에 각각 저장되어 있다.

11 ㉠은 전사, ㉡은 번역, (가)는 RNA이다. 전사는 DNA의 염기 서열에 대해 상보적인 염기 서열을 갖는 RNA를 합성하는 과정으로 핵 속에서 일어난다.

12 RNA의 염기 서열은 DNA의 염기 서열에 대해 상보적인 염기 서열을 가지므로 전사에 이용된 DNA 가닥은 가닥 Ⅰ(AGCAGACAG)이다. 유전자의 3염기 조합이 3개이므로 전사 결과 만들어지는 RNA에는 3개의 코돈이 있다.

13 번역은 핵에서 전사 결과 만들어진 RNA가 세포질로 나와 리보솜에서 이루어진다. RNA의 코돈 1개는 단백질을 구성하는 아미노산 1개의 정보를 지정한다. 유전자의 염기 서열이 바뀌면 전사, 번역 과정을 통해 만들어지는 단백질의 아미노산 서열도 바뀔 수 있다.

14 DNA를 구성하는 염기의 종류는 A, G, C, T이 있다. 유전 정보 전달 과정은 먼저 전사가 핵에서 일어난 후, 번

정답과 해설

역이 세포질의 리보솜에서 일어난다.

15 [예시 답안] 김치는 다양한 종류의 젖산균의 효소를 이용하여 배추와 같은 채소에 함유된 탄수화물을 젖산과 기타 유기산으로 화학 변화시키면서 독특한 맛을 생성한다. 막걸리는 효모의 효소를 이용하여 곡류에 들어 있는 탄수화물을 발효하여 알코올을 만든다.

16 [예시 답안] 붉은색 색소와 노란색 색소를 합성하는 데 필요한 효소를 만드는 유전자의 염기 서열에 이상이 있는 백호는 해당 유전자로부터 전사와 번역 과정을 거쳐 만들어진 효소(단백질)에 이상이 생겨 붉은색 색소와 노란색 색소를 합성하는 물질대사를 정상적으로 촉매하지 못하기 못하기 때문에 붉은색 색소와 노란색 색소를 합성하지 못하므로 흰색 털을 갖게 된다.

실전 모의 고사 ⑥　　　　250~253쪽

01 ③	02 ④	03 ⑤	04 ③	05 ⑤	06 ⑤	07 ③
08 ③	09 ③	10 ⑤	11 ③	12 ①	13 ⑤	14 ①
15 ⑤	16 ②	17 ⑤	18~20 해설 참조			

01 산소를 잃으면 환원, 전자를 잃으면 산화된 것이다. 금속은 전자를 잃고 산화되면서 양이온이 된다.

02 (가)는 메테인의 연소 반응, (나)는 질산과 수산화 나트륨의 중화 반응, (다)는 금속 이온과 금속 사이의 반응이다. 중화 반응은 전자가 이동하지 않으므로 산화 환원 반응이 아니다.

03 알루미늄이 창틀로 사용될 수 있는 것은 산소와 쉽게 반응하여 산화 알루미늄의 치밀한 막을 형성하여 내부 알루미늄이 더 이상 산화되지 않게 막아주기 때문이다.

04 마그네슘이 산소와 반응하면 마그네슘은 산화되고, 산소는 환원되며, 산화 마그네슘을 생성한다. 산화 마그네슘은 금속과 비금속의 화합물이므로 이온 결합 물질이다.

산화 구리(Ⅱ)에 수소 기체를 넣고 가열하면 산화 구리(Ⅱ)는 산소를 잃고 구리로 환원되고, 수소는 산소를 얻어 산화되어 수증기가 된다.

05 레몬즙은 산으로 전기 전도성으로 띠고, 메틸 오렌지 용액을 붉게 변화시킨다. 비눗물은 염기로 미끈거리는 성질이 있고, 전기 전도성을 띤다.

06 신맛이 나고, 마그네슘과 반응해 수소 기체를 발생하는 것은 산이다. 산은 달걀 껍데기와 반응해 이산화 탄소 기체를 발생하고, BTB 용액을 떨어뜨리면 노란색으로 변한다.

07 산은 수용액에서 H^+을 내놓고, 전기 전도성을 띠며, 페놀프탈레인 용액을 떨어뜨리면 무색이 된다.

08 화석 연료의 연소와 동식물의 호흡 과정에서 생겨 해양 생태계에 안 좋은 영향을 주는 것은 이산화 탄소 기체이다.

09 (+)극 쪽으로 OH^-이 이동하여 붉은색 리트머스 종이의 색이 푸르게 변한다.

10 수산화 칼슘 대신 수용액 상태에서 수산화 이온을 가지는 염기를 사용하면 같은 결과를 얻을 수 있다.

11 산과 염기가 1 : 1로 반응하므로 C에서 온도가 가장 높다.

12 A, B는 염기성, C는 중성, D, E는 산성이다.

13 중화 반응의 예를 찾는다.

14 중화점에서 붉은색에서 무색으로 변하므로 사용한 지시약은 페놀프탈레인 용액이다. 묽은 염산의 양이 늘어날수록 수산화 이온의 수는 점점 줄어든다.

15 중화점인 (다)가 용액의 온도가 가장 높고, (라)는 중화점을 지나 산성을 띠므로 메틸 오렌지 용액을 떨어뜨리면 붉은색을 띤다.

16 (가)는 Na^+, (나)는 Cl^-, (다)는 H^+, (라)는 OH^-의 개수이다. 완전 중화될 때까지 줄어드는 H^+ 수만큼 Na^+ 수가 늘어나므로 이온의 총 수는 변함이 없다.

해설 Plus 염산과 수산화 나트륨 수용액의 반응에서의 이온 수 변화

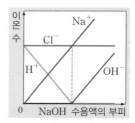

- H^+: OH^-과 반응하므로 점차 감소하다가 중화 반응이 완결된 이후에는 존재하지 않는다.
- Cl^-: 반응에 참여하지 않으므로 이온 수가 일정하다.
- Na^+: 반응에 참여하지 않으므로 넣어 주는 대로 증가한다.
- OH^-: H^+과 반응하므로 처음에는 존재하지 않다가 중화 반응이 완결된 이후부터 증가한다.

---

17 각각 부피비를 달리하여 반응시켰으므로 총 이온의 개수는 A=E>B=D>C이다.

18 (1) 화학 반응식: $Zn + 2HCl \longrightarrow ZnCl_2 + H_2$
(2) 산화된 물질: Zn
(3) 환원된 물질: $HCl(H^+)$

19 [예시 답안] 비누는 염기성 물질로 단백질을 녹이는 성질이 있어 모직 의류를 상하게 하기 때문이다.

20 [예시 답안] 산성 물질인 레몬즙을 이용해 생선 비린내의 원인인 염기성 물질을 중화한다.
위산이 과다하게 분비될 때 염기성인 제산제를 먹는 것도 중화 반응을 이용한 예이다.

실전 모의 고사 ❼

254~257쪽

01 ② **02** ① **03** ① **04** ③ **05** ② **06** ④ **07** ⑤
08 ② **09** ③ **10** ④ **11** ① **12** ④ **13** ④ **14** ③
15~17 해설 참조

---

01 A는 선캄브리아 시대, B는 고생대, C는 중생대, D는 신생대를 나타낸다.
ㄴ. 기후가 온화하여 파충류가 번성하던 공룡의 시대는 중생대이다.
ㄹ. 오존층이 형성되면서 생물이 최초로 육지로 진출한 시대는 고생대이다.

02 A는 고생대, B는 중생대, C는 신생대를 나타낸다. 지질 시대는 생물의 대규모 멸종을 기준으로 구분한다.
ㄴ. 고생대에는 아직 육상에서 생활하는 생물보다는 해양에서 생활하는 생물이 많았다.
ㄷ. 현재와 비슷한 생태계를 이루었던 지질 시대는 신생대이다.

03 (가)는 오존층이 존재하기 전이므로 선캄브리아 시대, (나)는 빙하기가 없이 따뜻한 시대이므로 중생대, (다)는 빙하기가 나타나므로 신생대이다.
ㄴ. 중생대에는 파충류가 번성했던 시기이며, 포유류가 번성하기 시작한 시기는 신생대이다.
ㄷ. 판게아가 분리되고 이동하기 시작한 시기는 고생대 말 중생대 초이다.

04 A 지층에서는 삼엽충 화석을 확인할 수 있으므로 고생대, B 지층에서는 공룡의 화석을 확인할 수 있으므로 중생대에 퇴적된 지층이다.
ㄴ. 지질 시대 중 최초의 육상 생물이 출현한 시기는 고생대이다.

05 (가)는 중생대의 공룡알 화석이고, (나)는 고생대의 삼엽충 화석이다.
ㄴ. 바다 환경에서 만들어진 삼엽충 화석이 육지에서 발견되려면 지각 변동을 통해 지층이 융기해야 한다.
ㄷ. 고생대에는 아직 속씨식물이 출현하지 않았다.

06 먼지 구름이 전 지구를 덮으면 우주에서 들어오는 태양 복사 에너지를 차단하므로 지구의 평균 기온이 낮아진다. 소행성 또는 운석은 이리듐의 함량이 높기 때문에 지표에 충돌하면 이리듐이 먼지 구름과 함께 넓은 지역에 퍼져 분포하게 된다.

ㄱ. 소행성 충돌에 의한 대멸종은 중생대 말 생물 대멸종의 대표적인 가설이다.

07 포유류는 중생대에 처음 출현하였으며, 대멸종으로 공룡이 사라진 후 신생대에 와서 번성하게 되었다.

08 (나)에서는 따뜻한 저위도 지역에서 흐르던 해류가 대륙을 만나면 해안선을 따라 남북 방향으로 고위도까지 이동한다. 이러한 해류의 흐름은 저위도와 고위도의 수온차를 줄이는 역할을 한다. (가)에서는 대륙이 분리되어 따뜻한 저위도를 흐르는 해류가 남북 방향으로 이동하지 못한다. 따라서 해류에 의한 열의 남북 방향 이동이 적어 고위도와 저위도의 수온차가 (나)보다 커 위도별 다양한 온도대가 분포하므로 해양 생물의 종류가 더 다양하다.

09 제시된 그림은 자연 선택에 의한 진화 과정으로 기린이 목이 길어지는 과정을 나타낸 것이다. A 과정에서 먹이에 대한 경쟁이 일어났고, 목이 긴 기린이 경쟁에 유리하여 목이 짧은 기린보다 더 많은 자손을 남겼다.

10 비유전적 변이를 통한 형질은 후천적으로 얻은 형질로 자손에게 유전되지 않는다. 생물 집단이 여러 세대를 거쳐 변화되는 것을 진화라고 하며, 진화의 원리는 자연 선택으로 설명할 수 있다.

11 항생제 A 투여 후 항생제 A 내성 세균이 살아남았으므로 자연 선택이 일어났다. 항생제 A 내성 세균은 항생제 A에 내성을 가지므로 항생제 A로 제거할 수 없다.

12 A는 종 다양성이다. 무분별한 외래종 도입은 종 다양성을 감소시킨다. B는 유전적 다양성이고, C는 생태계 다양성이다.

13 종 다양성은 식물을 포함한 모든 종에 해당한다. 생물 다양성이 높을수록 생태계는 안정적으로 유지된다. 같은 종이라도 형질이 다른 것은 유전적 다양성에 해당한다.

14 도로 건설 전과 후 서식하는 종의 수는 4로 변함없다. 그러나 종의 균등도가 감소하였으므로 종 다양성이 감소하였다. 종 C의 개체 수는 건설 전에 60에서 건설 후에 30으로 감소하였고 서식지 면적도 반으로 감소하였으므로 밀도는 변함없다.

15 공룡이 번성하던 중생대에는 전반적으로 온난한 기후를 유지하였다.
[예시 답안] 복원도에서 공룡들이 대부분을 차지하므로 중생대의 모습이다. 중생대에는 전반적으로 온난한 기후를 유지하였다. 따라서 '한랭한 기후를 유지하였다'를 '온난한 기후를 유지하였다'로 고쳐야 한다.

16 (1) (가) 과정에서 변이가 일어났고, (나) 과정에서 자연 선택이 일어났다.
[답] (나)

정답과 해설

(2) [예시 답안] 형질 A를 가진 집단에서 형질 B를 가진 개체가 나타난 원인은 돌연변이나 유성 생식 과정 등이 있다.

17 [예시 답안] A 지역이다. 생물 종 수가 가장 많고 종별 평균 개체 수가 가장 많아 유전적 다양성과 종 다양성이 가장 높기 때문이다.

실전 모의 고사 ⑧   258~261쪽

01 ⑤	02 ④	03 ③	04 ①	05 ④	06 ①	07 ④
08 ②	09 ③	10 ④	11 ⑤	12 ②	13 ④	14 ⑤
15 ②	16 ③	17 해설 참조				

01 ㄱ. ㉠은 비생물적 요인이 생물적 요인에 영향을 주는 작용이다.

ㄴ. 이끼에 의해 바위가 풍화되는 것은 반작용인 ㉡에 해당한다.

ㄷ. 멸치의 섭식에 의해 플랑크톤의 수가 감소하는 것은 생물 간의 상호 작용인 ㉢에 해당한다.

02 ① (가)는 두께가 (나)보다 두꺼운 것을 보아 빛을 많이 받는 양엽이다.

② (가)는 (나)보다 높은 위치에서 발달한다.

③ (가)와 (나)의 두께 차이는 빛의 세기 때문이다.

④ (가)는 (나)보다 강한 빛에 반응하여 적응한 결과이다.

⑤ (나)는 (가)보다 어두운 곳에서 발달하는 잎이다.

해설 Plus 양엽과 음엽

(가)   (나)

(가)는 양엽이고, (나)는 음엽이다. 양엽은 울타리 조직이 발달하여 두껍고 상대적으로 면적이 좁다.

03 (가)는 사막여우, (나)는 북극여우이다.

ㄱ. (가)는 여우이므로 소비자이다.

ㄴ. 서식지의 기온은 (가)가 (나)보다 높다.

ㄷ. (나)의 귀는 몸집에 비해 작으므로 (가)의 귀보다 체내 열을 보존하는 데 유리하다.

04 ㄱ. A는 생산자이므로 빛에너지를 이용해 무기물에서 유기물을 합성한다.

ㄴ. 주어진 조건에서 (가)와 (나)는 동일한 생태계이다.

ㄷ. 개체당 에너지양은 1차 소비자는 $\frac{150}{100}$이고 2차 소비자는 $\frac{15}{20}$이다. 따라서 이 생태계의 1차 소비자가 2차 소비자보다 개체당 에너지를 더 많이 가진다.

해설 Plus 생태 피라미드

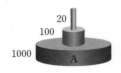 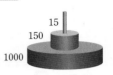

(가) 개체 수 피라미드   (나) 에너지 피라미드

서로 다른 단윗값을 가지고 있지만 그림에서는 생략되어 있다. 주어진 자료에서는 개체당 에너지양은 상대적인 양으로만 비교할 수 있다.

05 자연에 의한 변화는 생태계에 부정적이 영향을 주기도 하고 긍정적인 영향을 주기도 한다. 불법 포획과 남획은 생태계 평형을 깨뜨린다. 최근에는 갯벌을 보전하는 것이 개발하는 것보다 더 가치가 있다고 생각하는 사람들이 많아졌다.

06 ㄱ. (가)와 (나)에서 개구리는 모두 1차 소비자인 메뚜기를 먹는 2차 소비자이다.

ㄴ. (나)는 (가)보다 종 다양성이 높다.

ㄷ. (가)는 (나)보다 먹이 그물이 단순하여 외부 환경 변화에 대해 생태계 평형을 유지하기 어렵다.

07 1960년 이후 빙하의 총 부피는 지속적으로 감소하였다. 빙하가 녹은 물은 바다로 흘러들어가므로 이 기간 동안 지구의 평균 해수면은 상승하였을 것이다. 이러한 현상이 일어난 원인은 화석 연료 사용 증가에 따른 대기 중 온실 기체의 증가로 지구의 평균 기온이 상승하는 지구 온난화 때문이다.

08 평균 해수면의 상승폭이 B보다 A에서 더 크므로 지구 온난화는 A가 B보다 더 크게 일어날 것으로 예상된다. 이에 따라 온실 기체 배출량과 지구의 평균 기온도 A에서 더 크게 나타날 것으로 예측할 수 있다. A와 B 모두 해수면이 상승했으므로 이에 따라 해안가 저지대의 피해가 발생할 것으로 예상할 수 있다.

09 회색으로 표시한 영역은 평소보다 수온이 높게 나타나므로 엘니뇨가 발생한 시기이다. 따라서 서태평양 지역에 위치하던 저기압이 동태평양 쪽으로 이동하므로 동태평양 지역에는 강수량이 증가한다.

ㄷ. 호주 동부 지역은 강수량이 감소하여 가뭄 피해를 입게 된다.

10 ㄱ. 산호는 따뜻하고 얕은 바다에서 생활하는 생물이므로 산호가 발견된 지역은 과거에 얕은 바다였을 것이라고 유추할 수 있다.

ㄴ. 나무의 나이테는 계절의 변화가 나타나는 온대 기후에서 형성된다. 따라서, 계절의 변화가 없는 열대 기후

에서 자라는 나무는 나이테가 형성되지 않아 기후 변화를 분석할 수 없다.

ㄷ. 빙하는 눈송이가 쌓일 때 당시의 대기를 포함하고 형성되기 때문에 과거의 대기 성분을 분석할 수 있다.

11 지구 온난화로 발생하는 가뭄은 사막화를 가속시키며, 사막화로 경작지가 줄어들면서 식량 부족 현상이 생기고 난민이 생겨난다. 부족한 식량과 수자원에 의해 발생하는 난민 등으로 인해 인접 국가 간 분쟁이 발생할 수 있다.

12 파리 협약은 국제적 합의문이며, 기후 변화는 전 지구적인 문제이기 때문에 이를 이행하기 위해서는 국가적, 국제적 노력이 필요하다. 이와 더불어 국민 개개인의 적극적인 노력이 함께할 때 효과가 더욱 크다.

13 발전기는 자석의 역학적 에너지를 전기 에너지로 전환하는 장치인데, 전환 과정에서 에너지의 일부가 마찰 등에 의한 열과 소리 에너지 등으로 손실된다.

14 열에너지는 온도가 높은 물체에서 온도가 낮은 물체로 이동하고 그 반대의 과정은 저절로 일어나지 않는다.

15 마찰이 작용하지 않을 때에는 역학적 에너지는 어느 지점에서나 같다. 마찰이 작용할 때에는 이동 거리가 길수록 역학적 에너지가 줄어든다.

16 전기 제품의 에너지 효율 등급 값은 작을수록 에너지 효율이 높은 제품이다.

17 온실 기체에 의한 지구 온난화는 지구의 평균 기온을 상승시킨다.
[예시 답안] 이산화 탄소는 온실 효과를 일으키는 온실 기체의 한 종류이다. 따라서 대기 중 이산화 탄소의 농도가 증가하는 과정에서 온실 효과에 따른 지구 온난화가 나타나 지구의 평균 기온은 계속 증가하였다.

실전 모의 고사 ❾

262~264쪽

01 ③   **02** ⑤   **03** ①   **04** ③   **05** ⑤   **06** ④   **07** ⑤
08 ①   **09** ③   **10** ①   **11** ③   **12~14 해설 참조**

---

01 발전기에서는 역학적 에너지가 전기 에너지로 전환되지만 전환 과정에서 에너지 중 일부가 진동, 소음, 열 등의 다른 형태의 에너지로 손실된다.

02 자석이 솔레노이드를 지나며 솔레노이드의 내부의 자기장이 변화하고 자기장의 변화를 방해하려는 방향으로 유도 전류가 흐른다. 자석이 가진 운동 에너지 중 일부가 전기 에너지로 전환되기 때문에 솔레노이드를 빠져나온 자석은 솔레노이드로 들어가기 전보다 속력이 느려진다.

03 변전소 A에서는, 전류의 세기를 낮춰 손실 전력을 줄이기

위해 전압을 높여 송전한다.

04 송전 전압이 2배가 되면 손실 전력은 $\frac{1}{4}$배가 된다.

05 송전선의 굵기를 가늘게 하면 저항이 증가하여 손실 전력이 늘어난다. 손실 전력은 전류의 제곱에 비례하므로 송전선에 흐르는 전류의 세기를 줄이면 손실 전력도 줄어든다.

06 태양광 발전 방식은 태양 빛을 에너지원으로 하여 태양 전지를 통해 빛에너지를 전기 에너지로 전환하는 발전 방식이다.

07 화석 연료는 태양 에너지가 광합성을 통해 화학 에너지로 저장된 것이다. 이 화석 연료를 사용하여 화력 발전소에서는 물을 끓여 증기를 만들고 증기로 터빈을 돌려 전기 에너지를 만든다. 선풍기에서는 전기 에너지가 운동 에너지로 전환된다.

08 중수소와 삼중수소의 핵융합 반응에서 반응 전후 양성자의 개수는 변함이 없다. 원자력 발전소에서는 핵분열 반응을 이용하여 핵에너지를 얻는다.

09 조력 발전은 밀물과 썰물 때의 조류의 흐름으로 발전기를 돌려 전기 에너지를 생산하는 장치로 자원 고갈의 염려가 없는 신재생 에너지이다. 발전 과정에서 환경 오염이 발생하지 않는 장점이 있다.

10 태양광 발전은 태양 전지를 이용해 빛에너지를 바로 전기 에너지로 전환한다. 태양광 발전이나 풍력 발전의 경우는 환경 오염 물질이 방출되지 않으며 원자력 발전의 경우 방사성 폐기물의 처리 문제라는 단점을 가지고 있다.

11 연료 전지에서는 수소 극에서 수소가 전자와 수소 이온으로 분리된다. 전자는 전선을 타고 이동하고, 수소 이온은 전해질을 타고 산소 극으로 이동한다. 그 반응 결과 물이 생성된다.

12 [예시 답안] • 수소를 생산하는 데 많은 비용이 든다. 수소의 생산과 저장, 운송 등의 어려움이 있다.
• 수소의 가연성이 크기 때문에 폭발의 위험이 있다.

13 [예시 답안] (1) 태양 에너지 (2) 위치 에너지 → 운동 에너지 (3) 열에너지 → 역학적 에너지

14 [예시 답안] • 공통점: 터빈의 회전 운동 에너지가 발전기를 돌리며, 발전기에서 운동 에너지가 전기 에너지로 전환된다.
• 차이점: 터빈을 회전시키는 에너지원이 다르다. 즉 수력 발전에서는 물의 운동 에너지가 터빈을 회전시키지만, 화력 발전에서는 고온·고압의 증기가 갖는 운동 에너지가 터빈을 회전시킨다.

정답 Speed Check

1 물질의 규칙성과 결합

1-1 물질의 기원

개념 확인 문제

01 ㉠ 연속 스펙트럼 ㉡ 방출 스펙트럼 ㉢ 흡수 스펙트럼
02 (1) ○ (2) ○ (3) × **03** (다)-(가)-(나) **04** (1) 원자
(2) 원자핵 (3) 중성자 **05** ㄴ, ㄹ, ㅁ **06** ㉠ 핵융합 ㉡ 헬
륨 **07** (1) ㄱ, ㅂ (2) ㅁ (3) ㄹ

실력 쑥쑥 문제 013~015쪽

01 ⑤ **02** ② **03** 수소, 칼슘 **04** ③ **05** ③ **06** ④
07 ① **08** ② **09** ③ **10** ② **11** ㄱ, ㄴ **12** ㄱ-ㄹ-
ㄷ-ㄴ **13** ④ **14~16** 해설 참조

1-2 원소의 주기성

개념 확인 문제 020쪽

01 ㉠ 세 ㉡ 원자량 **02** ㉠ 원자 번호 ㉡ 수소(H) **03** (1)
㉡ (2) ㉠ (3) ㉢ (4) ㉣ **04** ㉠ Cl ㉡ K **05** (1) × (2) ×
(3) ○ **06** ㄴ **07** (1) 작다 (2) 산소 (3) 붉은 **08** ⑤

실력 쑥쑥 문제 021~023쪽

01 ③ **02** ⑤ **03** ④ **04** ⑤ **05** ④ **06** ③ **07** ⑤
08 ② **09** ⑤ **10** ① **11~14** 해설 참조

1-3 화학 결합과 물질의 형성

개념 확인 문제 028쪽

01 (1) ○ (2) ○ (3) ○ (4) × **02** (1) 2 (2) 8, 옥텟 (3)
공유, 이온 (4) 1, Ne(네온) **03** ② **04** ② **05** ㉠
$Na^+(Cl^-)$ ㉡ $Cl^-(Na^+)$ **06** H_2O, CH_4, CO_2 **07** ①
08 H_2

실력 쑥쑥 문제 029~031쪽

01 ⑤ **02** ⑤ **03** ⑤ **04** ④ **05** ③ **06** ③ **07** ①
08 ⑤ **09** ① **10** ③ **11~13** 해설 참조 **14** (1) 해설
참조 (2) A_2B

대단원 평가 032~034쪽

01 ① **02** ④ **03** ⑤ **04** ② **05** ③ **06** ⑤ **07** ④
08 ② **09** ⑤ **10** ② **11** ③ **12** ③ **13** ④

수능 도전 문제 035~036쪽

01 ④ **02** ⑤ **03** ③ **04** ①

2 자연의 구성 물질

2-1 지각과 생명체를 구성하는 물질의 규칙성

개념 확인 문제 042쪽

01 (1) ○ (2) ○ (3) ○ **02** ㄱ, ㄷ, ㄹ **03** 탄소 **04** ㉠
공유 ㉡ 탄소 화합물 ㉢ 단백질 **05** (1) × (2) × (3) ○
06 (가) 펩타이드 결합, (나) 폴리펩타이드 **07** 아데닌(A),
타이민(T), 구아닌(G), 사이토신(C)

실력 쑥쑥 문제 043~045쪽

01 ⑤ **02** ③ **03** ② **04** ③ **05** ② **06** ④ **07** ③
08 ① **09** ③ **10** 120개 **11** GTAA **12~15** 해설 참조

2-2 신소재 개발과 활용

개념 확인 문제 050쪽

01 신소재 **02** (1) ○ (2) × (3) ○ **03** (1) ○ (2) × (3) ○
(4) ○ **04** 네오디뮴 자석 **05** 전기 저항 **06** ㉠ 빛
㉡ 전류 **07** (1) ㉣ (2) ㉢ (3) ㉠ (4) ㉡ **08** 의료용 생체 접착제

실력 쑥쑥 문제 051~053쪽

01 ③ **02** ④ **03** ② **04** ③ **05** ⑤ **06** ③ **07** ①
08 ① **09** ③ **10** (1) 전기적 성질 · 자기적 성질 (2) 전기
적 성질 **11** (1) 초전도체 (2) 해설 참조 **12~13** 해설 참조
14 (가) 초전도체 (나) 그래핀 **15** 해설 참조

대단원 평가 054~056쪽

01 ② **02** ③ **03** ③ **04** ③ **05** ① **06** ④ **07** ③
08 ④ **09** ④ **10** ⑤ **11** ⑤ **12** ④ **13~14** 해설 참조

5 생명 시스템

5-1 생명 시스템

개념 확인 문제
108쪽

01 (1) ○ (2) × (3) ○ (4) × **02** ㉠ 단백질(또는 막단백질), ㉡ 인지질 2중층 **03** ㉠ 촉매, ㉡ 활성화 에너지 **04** (1)-㉠, (2)-㉢, (3)-㉡ **05** ㄱ, ㄴ **06** (1) ㄷ (2) ㄴ (3) ㄱ

실력 쑥쑥 문제
109~111쪽

01 ⑤ **02** ③ **03** ② **04** ③ **05** ④ **06** ②, ⑤ **07** ④
08 ① **09** ② **10** ⑤ **11~14** 해설 참조

5-2 세포 내 정보의 흐름

개념 확인 문제
116쪽

01 (1) ㄷ (2) ㄴ (3) ㄱ (4) ㄹ **02** ㉠ 전사, ㉡ 번역 **03** ㉠ 유전자, ㉡ 단백질 **04** (1)-㉡ (2)-㉠ **05** ㄴ **06** (1) ○ (2) × (3) × (4) × (5) ○

실력 쑥쑥 문제
117~119쪽

01 ⑤ **02** ② **03** ② **04** ⑤ **05** ④ **06** ④ **07** ②, ⑤ **08** ⑤ **09** ① **10~13** 해설 참조

대단원 평가
120~122쪽

01 ④ **02** ④ **03** ① **04** ③ **05** ② **06** ① **07** ①
08 ⑤ **09** ③ **10** ⑤ **11** ② **12** ⑤

수능 도전 문제
123~124쪽

01 ④ **02** ③ **03** ① **04** ⑤

6 화학 변화

6-1 산화와 환원

개념 확인 문제
130쪽

01 (1) ○ (2) × (3) ○ (4) × **02** (1) 산화, 환원 (2) 환원 (3) 잃는다 (4) 얻, 잃는다 **03** ㄱ, ㄴ, ㄷ **04** ㉠ 코크스 ㉡ 산소 **05** 해설 참조 **06** (가) 수소 (나) 철 **07** ㄱ, ㄴ, ㄷ **08** 해설 참조

실력 쑥쑥 문제
131~133쪽

01 ⑤ **02** ⑤ **03** ③ **04** ① **05** ⑤ **06** ④ **07** ④
08 ③ **09** ④ **10** ③ **11** ① **12~14** 해설 참조
15 (1) B>H>A (2) 해설 참조

6-2 산과 염기

개념 확인 문제
138쪽

01 (1) 산 (2) 염기 (3) 공통 (4) 염기 (5) 공통 (6) 염기 (7) 산 (8) 산 (9) 산 (10) 염기 **02** (1) H^+ (2) SO_4^{2-} (3) HNO_3 **03** (1) OH^- (2) Na^+ (3) $Mg(OH)_2$ **04** ① **05** (+)극, OH^- **06** ㉠ 초록색 ㉡ 붉은색 ㉢ 노란색 ㉣ 붉은색 **07** 산: ㄱ, ㄷ 염기: ㄴ, ㄹ

실력 쑥쑥 문제
139~141쪽

01 ④ **02** ③ **03** ⑤ **04** ⑤ **05** ⑤ **06** ⑤ **07** ②
08 ④ **09** ① **10** ④ **11** ② **12** (1) 수소 기체 (2) 해설 참조 **13~15** 해설 참조

6-3 중화 반응

개념 확인 문제
146쪽

01 (1) 수소, 수산화, 물(H_2O) (2) 중화점 (3) 중화열 (4) 1, 1, 10 **02** $H^+ + OH^- \longrightarrow H_2O$ **03** C **04** C **05** 산성, 산성, 중성, 염기성, 염기성 **06** (1) ○ (2) ○ (3) ○ (4) × (5) × **07** ②

실력 쑥쑥 문제
147~149쪽

01 ⑤ **02** ⑤ **03** ② **04** ④ **05** ⑤ **06** ② **07** ④
08 ② **09** ③ **10~14** 해설 참조

대단원 평가
150~152쪽

01 ④ **02** ⑤ **03** ③ **04** ① **05** ④ **06** ② **07** ②
08 ④ **09** ⑤ **10** ② **11** ③ **12** ④ **13** ② **14** ②

수능 도전 문제
153~154쪽

01 ③ **02** ① **03** ④ **04** ⑤

7 생물 다양성 유지

7-1 지질 시대 생물의 변천

개념 확인 문제
160쪽

01 (1) × (2) ○ (3) × (4) × (5) ○　　**02** ㄱ, ㄹ, ㅁ, ㅂ
03 (1) 선캄브리아 시대 (2) 고생대 (3) 중생대 (4) 신생대
04 ㉠ 지질 ㉡ 생물　　**05** (1) ㅂ, ㅅ (2) ㄱ, ㄴ (3) ㄷ, ㄹ
(4) ㅁ　　**06** (1) ○ (2) × (3) ○ (4) ○ (5) ×

실력 쑥쑥 문제
161~163쪽

01 ③　　**02** B와 C 사이　　**03** ④　　**04** ⑤　　**05** ③　　**06** ④
07 ③　　**08** ③　　**09** ①　　**10** ②　　**11** ④　　**12~13** 해설 참조
14 (1) 공룡 (2) 해설 참조

7-2 진화와 생물 다양성

개념 확인 문제
168쪽

01 (1) ○ (2) ○ (3) ×　　**02** (가)→(다)→(나)　　**03** ㄱ
04 진화　　**05** (라)→(다)→(가)→(나)　　**06** ㄴ, ㄷ　　**07**
유전적 다양성　　**08** ㄱ, ㄴ

실력 쑥쑥 문제
169~171쪽

01 ④　　**02** ⑤　　**03** ③　　**04** ⑤　　**05** ④　　**06** ③　　**07** ④
08 ①　　**09** ④　　**10** ③　　**11** ⑤　　**12** ㄱ, ㄴ, ㄷ　　**13~16** 해설 참조

대단원 평가
172~174쪽

01 ④　　**02** ⑤　　**03** ③　　**04** ③　　**05** ①　　**06** ①　　**07** 해설
참조　　**08** ④　　**09** ㄴ, ㄷ　　**10** ⑤　　**11** ④　　**12** ④　　**13** ⑤

수능 도전 문제
175~176쪽

01 ③　　**02** ⑤　　**03** ③　　**04** ④

8 생태계와 환경

8-1 생태계의 구성과 생태계 평형

개념 확인 문제
182쪽

01 (1) × (2) ○ (3) ○　　**02** 해설 참조　　**03** (1) 공기 (2) 물
(3) 온도 (4) 빛　　**04** ㄱ, ㄴ　　**05** (1) ○ (2) × (3) ○　　**06** ④

실력 쑥쑥 문제
183~185쪽

01 ③　　**02** ②, ④　　**03** ④　　**04** ⑤　　**05** ③　　**06** ④　　**07** ①
08 ②　　**09** ⑤　　**10** ⑤　　**11~14** 해설 참조

8-2 지구 환경 변화와 인간 생활

개념 확인 문제
190쪽

01 (1) × (2) ○ (3) ○ (4) ×　　**02** ㄱ, ㄴ　　**03** ㉠ 증가 ㉡
증가 ㉢ 증가 ㉣ 증가 ㉤ 상승　　**04** (1) 태양 복사 에너지 (2)
㉠ 저 ㉡ 고　　**05** ㉠ 무역 ㉡ 서 ㉢ 높 ㉣ 무역 ㉤ 동 ㉥ 동
06 (1) ○ (2) × (3) ○ (4) ○

실력 쑥쑥 문제
191~193쪽

01 ④　　**02** ①　　**03** ②　　**04** ④　　**05** ⑤　　**06** ①　　**07** ③
08 ②　　**09** ⑤　　**10** ⑤　　**11~12** 해설 참조

8-3 에너지의 효율적 이용

개념 확인 문제
198쪽

01 (1) × (2) ○ (3) ×　　**02** (1) ㄷ (2) ㄹ (3) ㄱ (4) ㄴ
03 (가) 열 (나) 운동 (다) 운동　　**04** ①　　**05** (1) ㄱ (2) ㄷ
(3) ㄴ　　**06** ㄱ, ㄴ

실력 쑥쑥 문제
199~201쪽

01 ④　　**02** ③　　**03** ③　　**04** ⑤　　**05** ④　　**06** ⑤　　**07** ⑤
08 ①　　**09** ①　　**10~14** 해설 참조

대단원 평가
202~204쪽

01 ③　　**02** ⑤　　**03** ③　　**04** ②　　**05** ④　　**06** ⑤　　**07** ③
08 ①　　**09** ①　　**10** ⑤　　**11** ③　　**12** ④

정답 Speed Check

수능 도전 문제
205~206쪽

01 ③ **02** ② **03** ③ **04** ⑤

실력 쑥쑥 문제
213~215쪽

01 ④ **02** ③ **03** ④ **04** ② **05** ④ **06** ① **07** ⑤
08 ② **09** ③ **10** ⑤ **11** ④ **12~15** 해설 참조

9 발전과 신재생 에너지

개념 확인 문제
212쪽

01 (1) ○ (2) × (3) ○ **02** ㄴ, ㄷ **03** ㉠ 전자기 유도
㉡ 자기장 **04** ㉠ 열에너지 ㉡ 운동 에너지 **05** ㉠ $\frac{1}{3}$ ㉡ $\frac{1}{9}$
06 융합 전의 질량이 융합 후의 질량보다 크다. **07** ㄱ, ㄷ, ㄹ,
ㅁ **08** ㄱ, ㄴ, ㄷ **09** ㄴ, ㄷ **10** 반응물은 수소와 산소이고,
반응 결과 생성된 물질은 물이다.

대단원 평가
216~217쪽

01 ③ **02** ⑤ **03** ③ **04** ④ **05** ② **06** ③ **07** ③
08~09 해설 참조

수능 도전 문제
218쪽

01 ③ **02** ③

memo

2015 개정 교육과정

고등학교 **통합과학**
평가문제집
정답과 해설

www.kumsung.co.kr
금성출판사

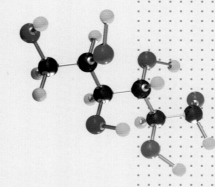